A-Z NEWCASTLE

CONTENTS

Key to Map Pages	2-3
Large Scale City Centre	4-5
Map Pages	6-163

REFERENCE

Motorway	A1(M)	Map Continuation 54	Large Scale City Centre 4
A Road	A1	Car Park	P
Under Construction		Church or Chapel	†
Proposed		Fire Station	■
B Road	B1288	Hospital	H
Dual Carriageway		House Numbers Selected Roads	
Tunnel	A19	Information Centre	i
One Way Street		National Grid Reference	420
Traffic flow on A Roads is indicated by a heavy line on the driver's left.		Police Station	▲
Large Scale Pages Only		Post Office	★
Pedestrianized Road		Toilet	▽
Restricted Access		With Facilities for the Disabled	♿
Track		Educational Establishment	
Footpath		Hospital or Health Centre	
Residential Walkway		Industrial Building	
Railway	Level Crossing / Private Sta. / Station	Leisure or Recreational Facility	
Metro Network Stations	M	Place of Interest	
Local Authority Boundary		Public Building	
Postcode Boundary		Shopping Centre or Market	
Washington District Boundary		Other Selected Buildings	
Built Up Area	MILL ST.		

SCALE

Map Pages 6-163	Map Pages 4-5
1:18103 (3½ inches to 1 mile) 5.52cm to 1km	1:9051 (7 inches to 1 mile) 11.05cm to 1km
0 ¼ ½ Mile	0 ⅛ ¼ Mile
0 250 500 750 Metres	0 100 200 300 Metres

Geographers' A-Z Map Company Ltd.

Head Office:
Fairfield Road, Borough Green, Sevenoaks, Kent, TN15 8PP
Telephone 01732 781000

Showrooms:
44 Gray's Inn Road, London, WC1X 8HX
Telephone 0171 440 9500

The Maps in this Atlas are based upon the Ordnance Survey mapping with the permission of the Controller of Her Majesty's Stationery Office.
© Crown Copyright (399000)

Edition 5 1999
Copyright © Geographers' A-Z Map Co. Ltd. 1999

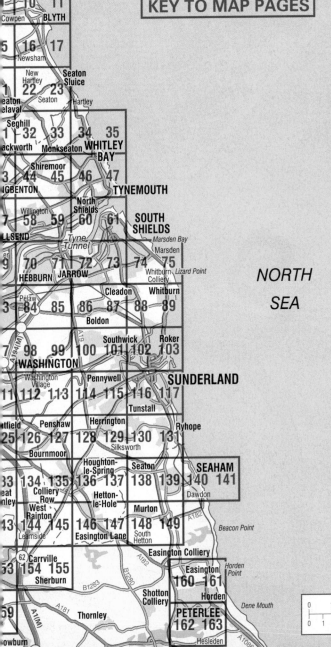

3

KEY TO MAP PAGES

Cambois
10 **11**
Cowpen **BLYTH**

5 **16** **17**
Newsham

New Hartley **Seaton Sluice**
22 23
eaton elaval Seaton Hartley

Seghill
1 **32 33** **34 35**
ackworth Monkseaton **WHITLEY BAY**

Shiremoor
3 **44 45** **46 47**
IGBENTON **TYNEMOUTH**

North Shields
7 **58 59** **60 61** **SOUTH SHIELDS**
Willington
LLSEND Tyne Tunnel Marsden Bay
Marsden
9 **70 71 72 73 74 75**
HEBBURN **JARROW** Whitburn Lizard Point Colliery
Pelaw Cleadon **Whitburn**
3 **84 85 86 87 88 89**
Boldon

Southwick Roker
7 **98 99 100 101 102 103**
WASHINGTON

Washington Village Pennywell **SUNDERLAND**
11 **112 113 114 115 116 117**
Tunstall

tfield Penshaw Herrington Ryhope
25 **126 127 128 129 130 131**
Bournmoor Silksworth

Houghton-le-Spring Seaton **SEAHAM**
83 **134 135 136 137 138 139 140 141**
eat Colliery Row Dawdon
nley Hetton-le-Hole
West Rainton Murton
43 **144 145 146 147 148 149** Beacon Point
Leamside Easington Lane South Hetton

62 Carrville Easington Colliery
53 **154 155** Easington Horden Point
Sherburn **160 161**
B1283 Shotton Colliery Horden Dene Mouth
59 Thornley **PETERLEE**
owburn **162 163**
61 Hesleden

NORTH

SEA

| 0 | 1 | 2 Miles |
| 0 | 1 | 2 | 3 Kilometres |

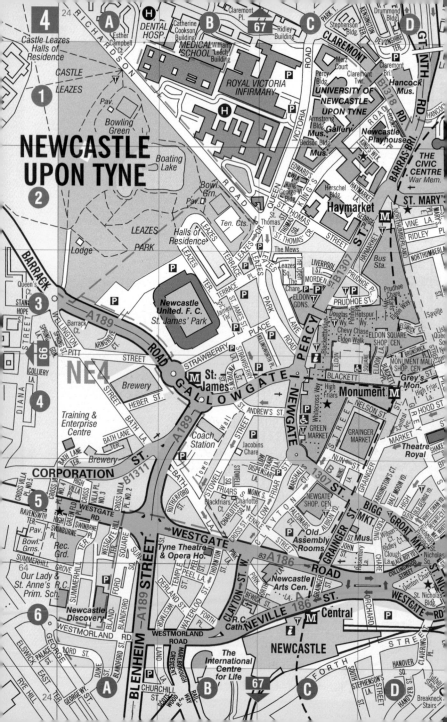

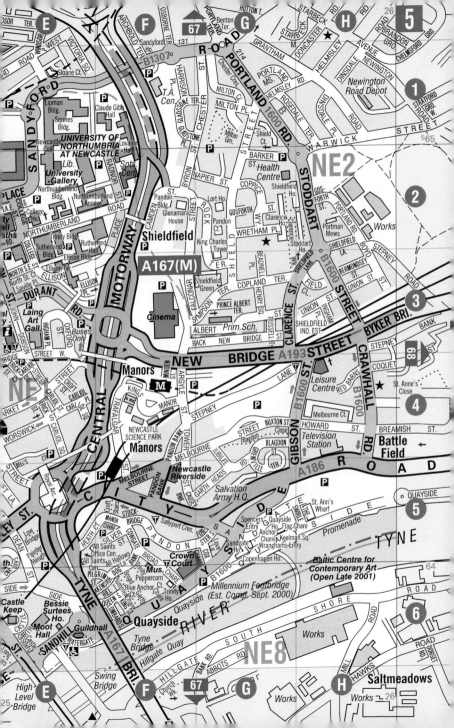

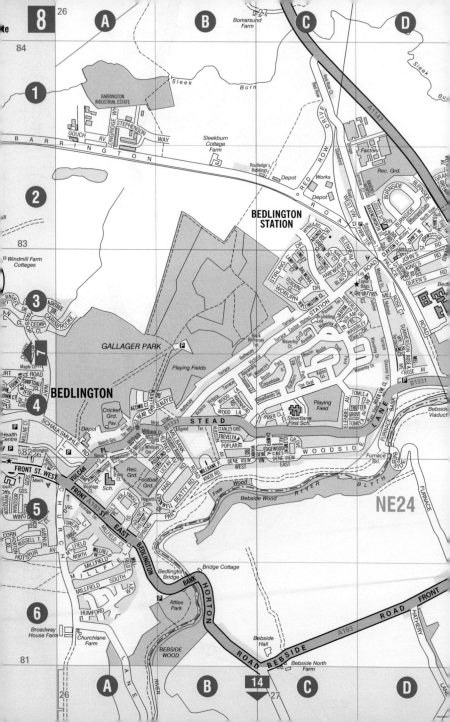

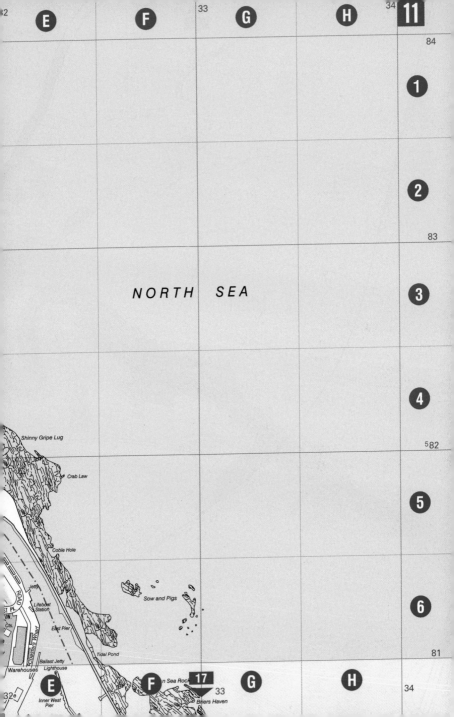

84

1

2

83

NORTH SEA

3

4

⁵82

Shinny Gripe Lug

5

Crab Law

Coble Hole

6

Jetty

Lifeboat
Station

East Pier

81

ROAD

Ballast Jetty

Tidal Pond

ST Pk
VW.

Cts.

COASTGUARD

Warehouses   Lighthouse

32e

Inner West
Pier

33

Briers Haven

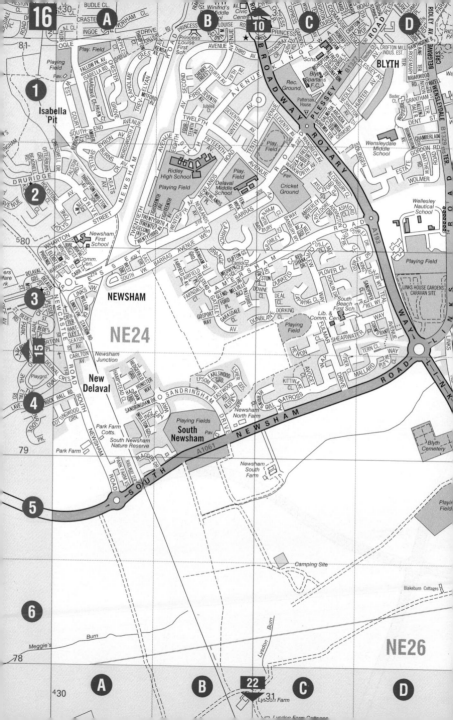

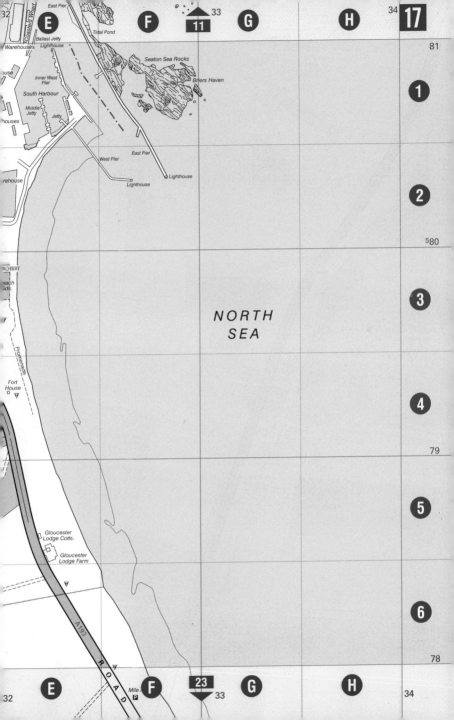

81

Coaster Wharf

East Pier

Tidal Pond

Warehouses

Ballast Jetty

Lighthouse

Inner West Pier

South Harbour

Middle Jetty

Jetty

ouse

houses

1

Seaton Sea Rocks

Briers Haven

rehouse

West Pier

East Pier

Lighthouse

Lighthouse

2

⁵80

ACHWAY

each
ds.

*NORTH
SEA*

3

Promenade

Fort
House

4

79

Gloucester
Lodge Cotts.

Gloucester
Lodge Farm

5

A193
ROAD

6

78

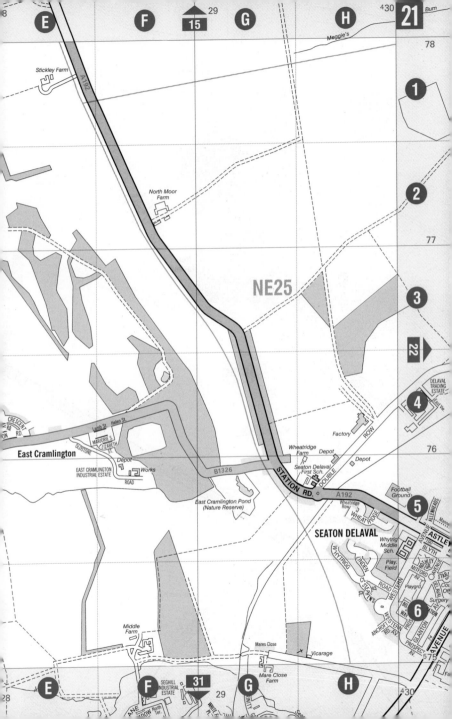

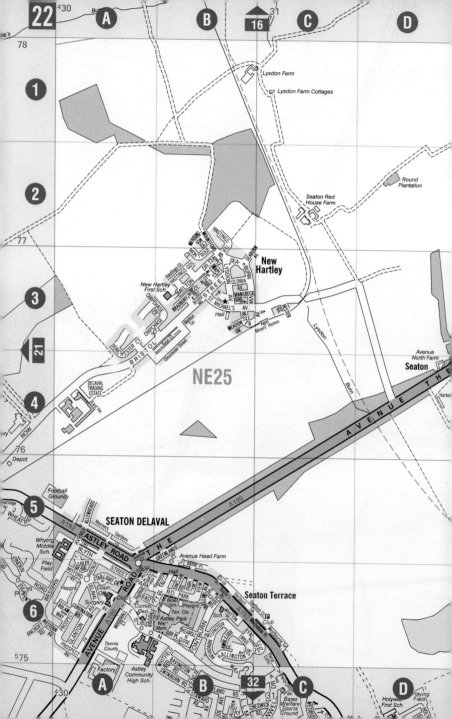

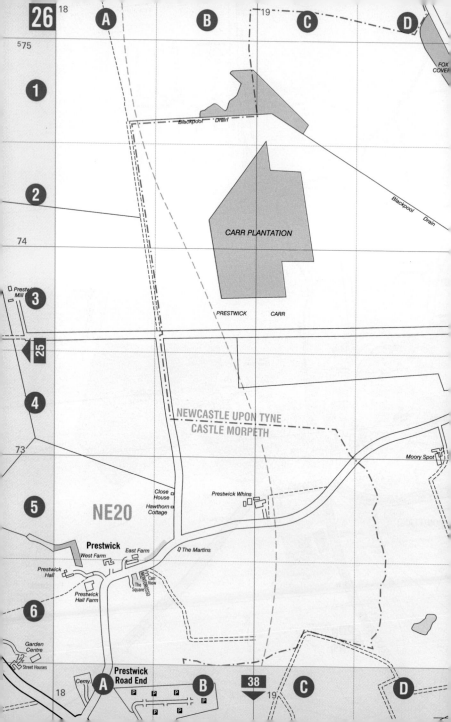

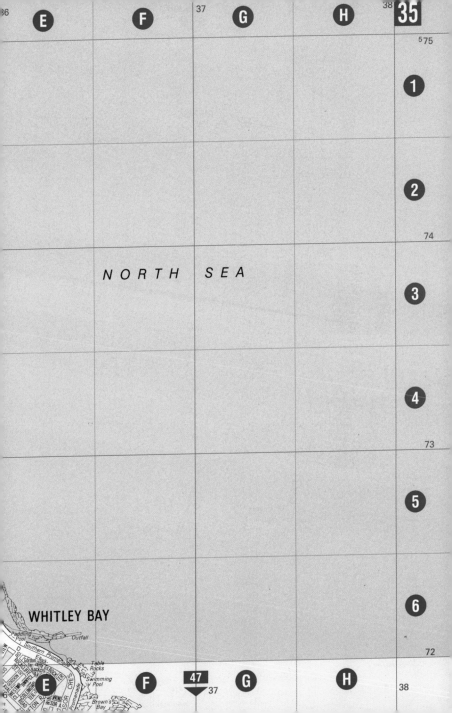

⁵75

1

2

74

N O R T H   S E A

3

4

73

5

6

72

WHITLEY BAY

Paddling
Pool   *Southern Promenade*   Outfall

Table
Rocks

Swimming
Pool

Brown's
Bay

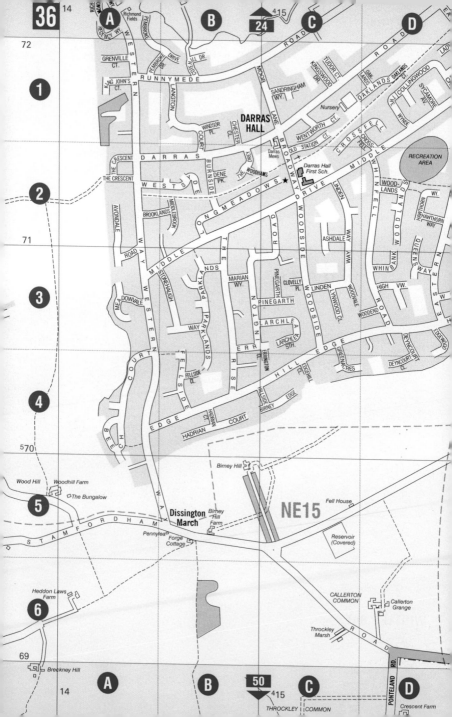

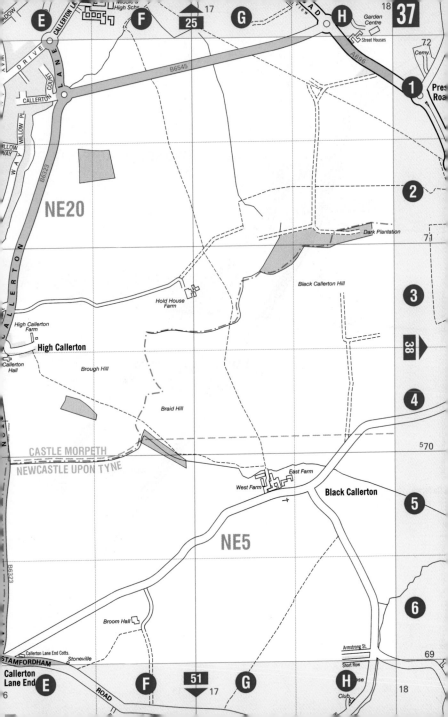

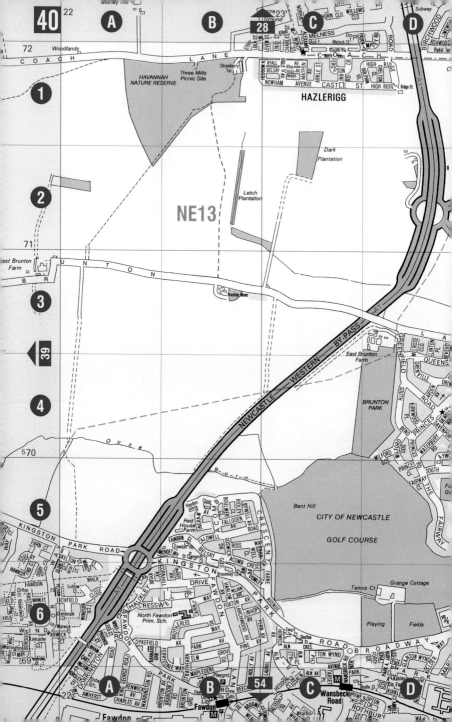

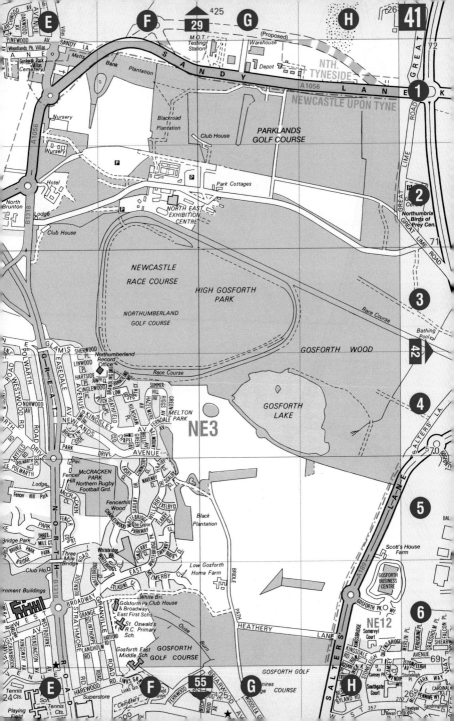

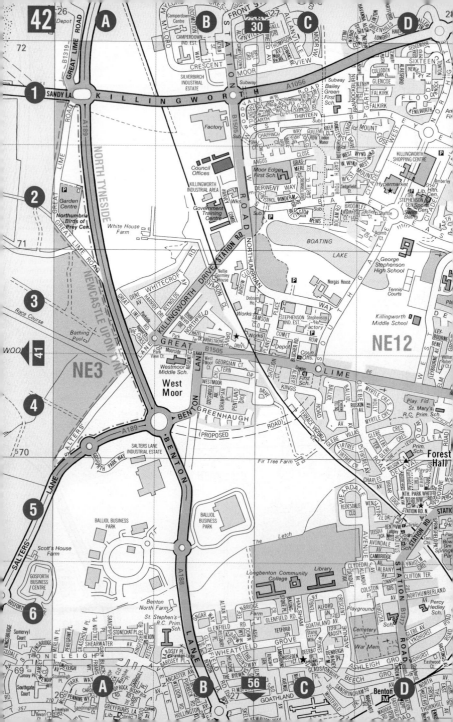

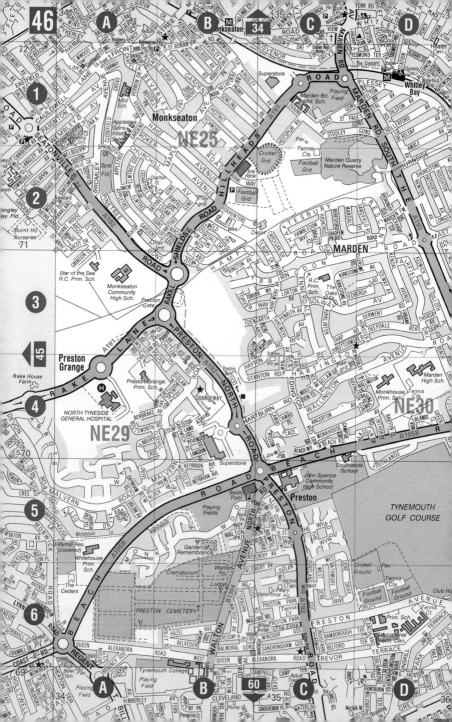

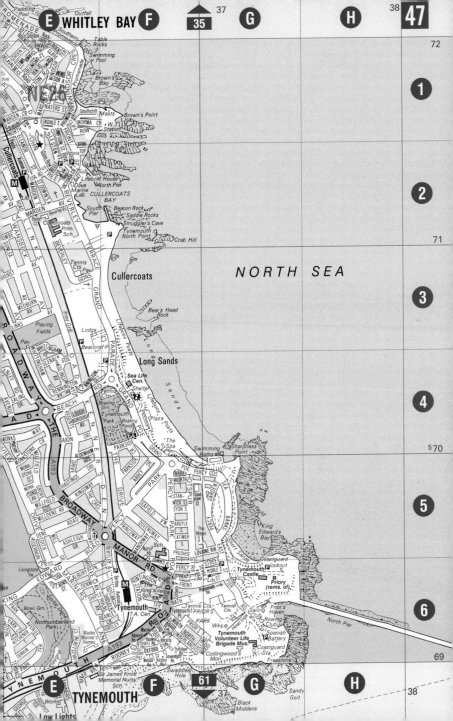

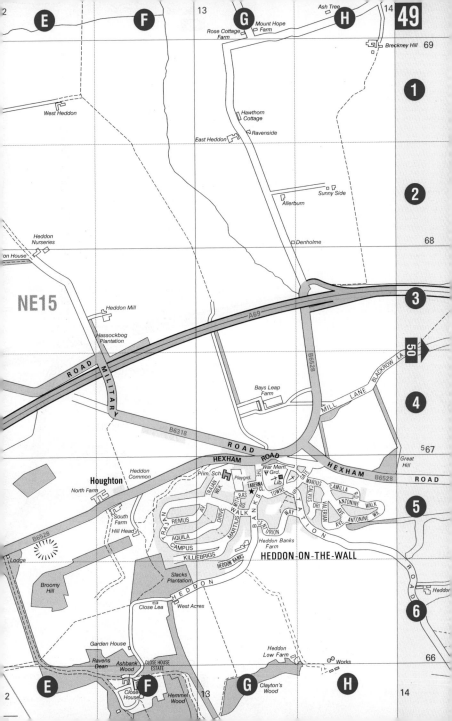

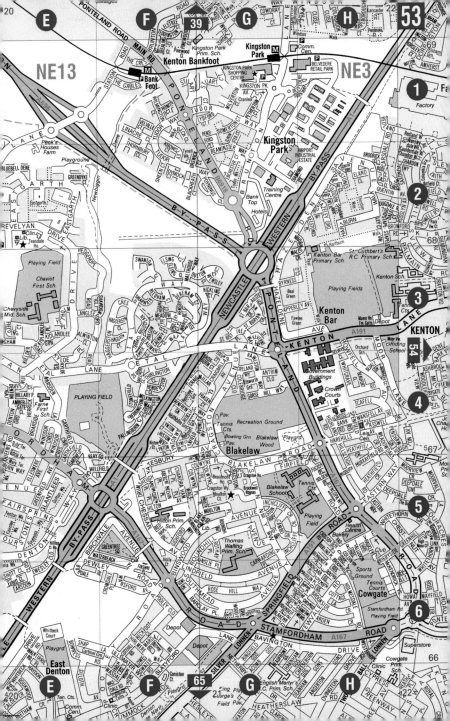

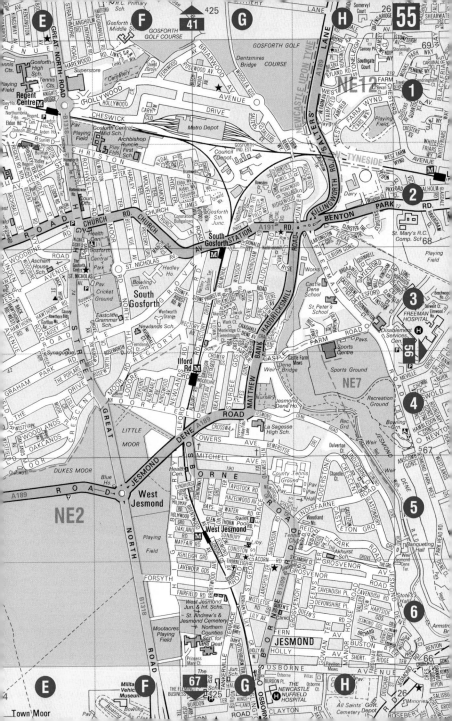

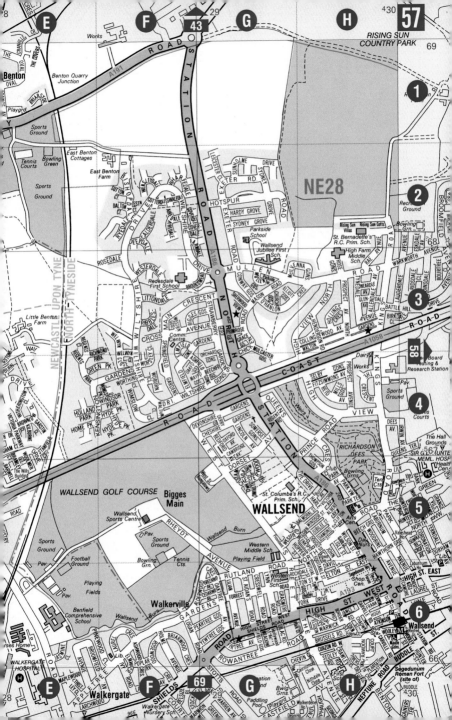

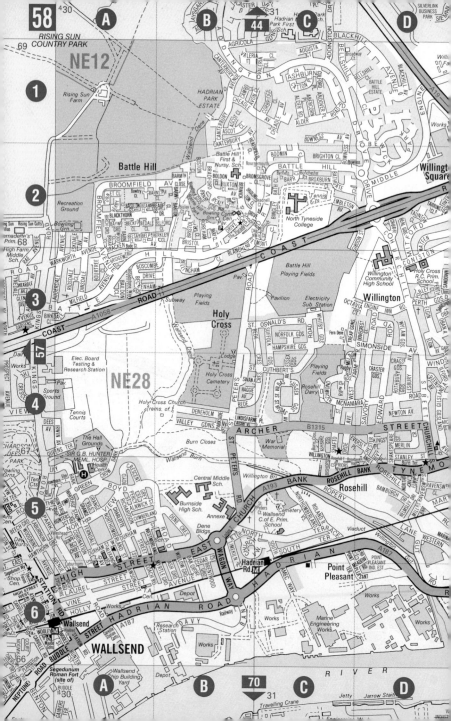

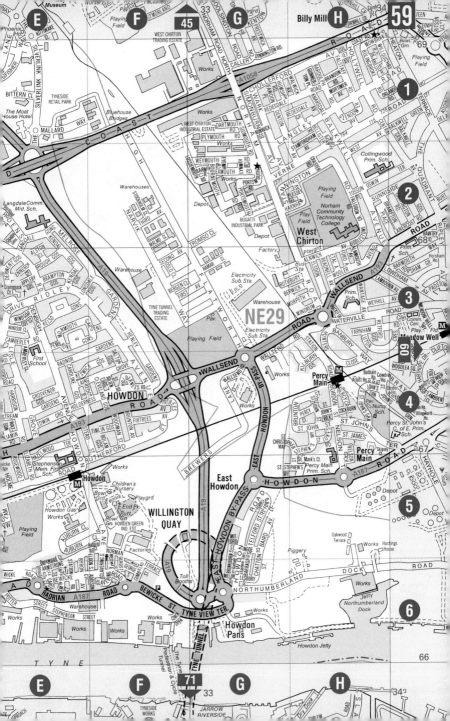

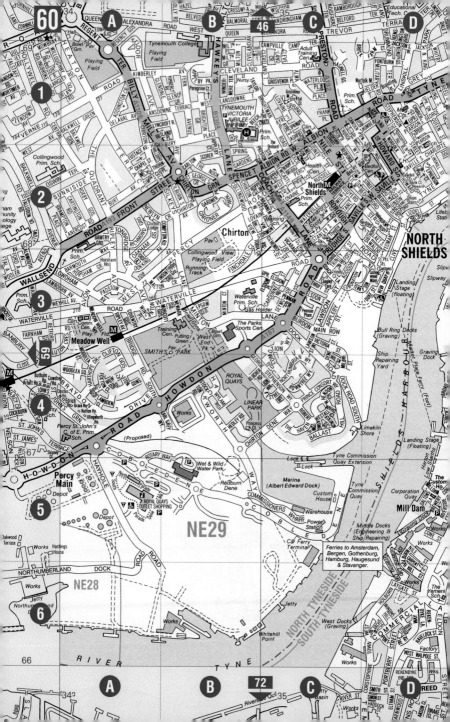

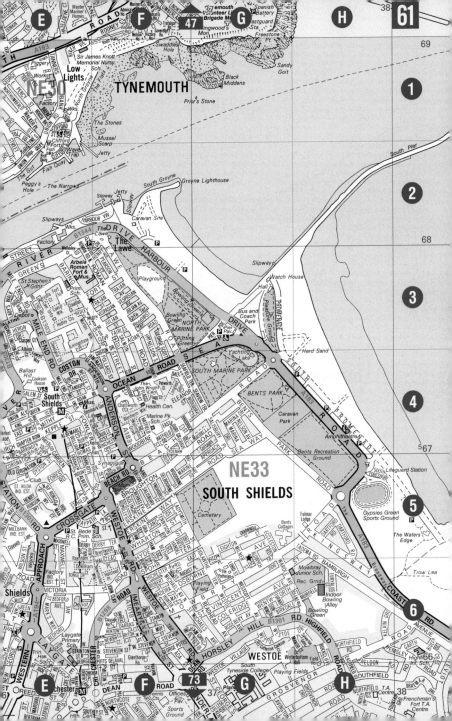

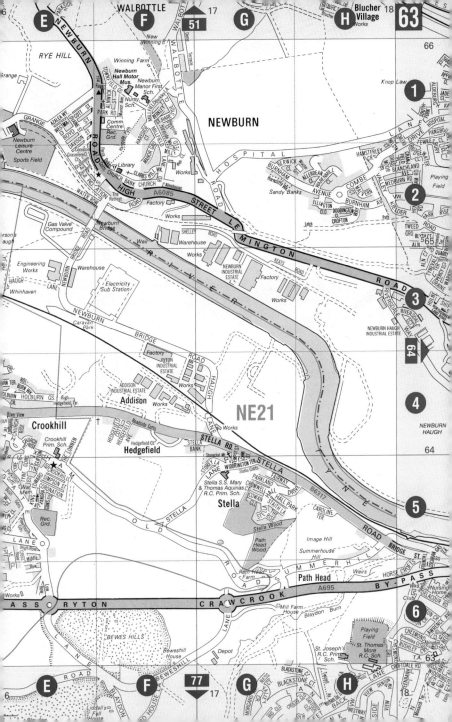

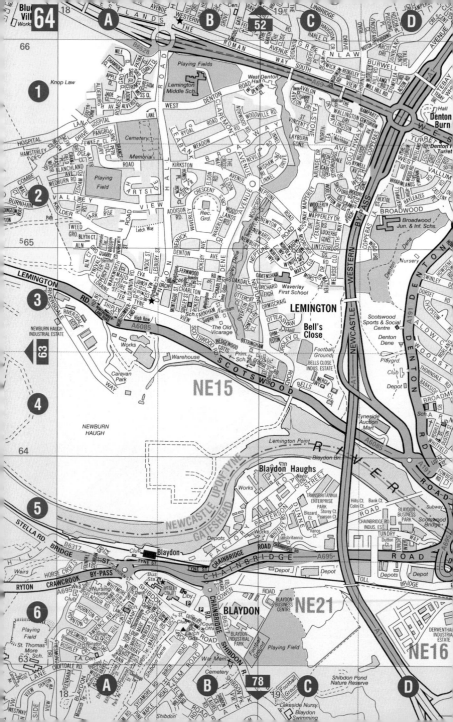

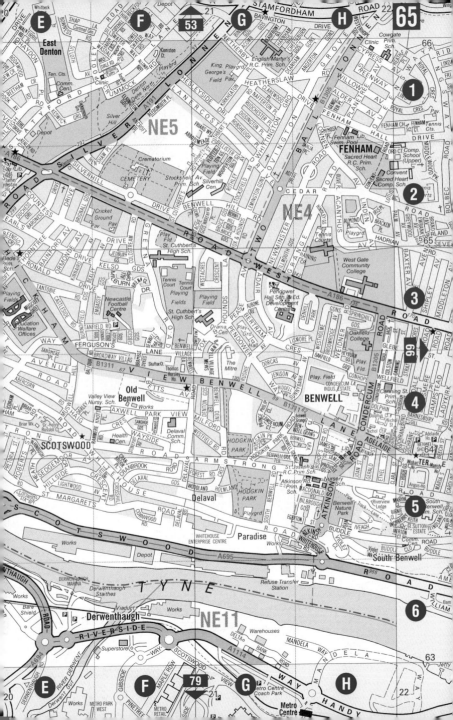

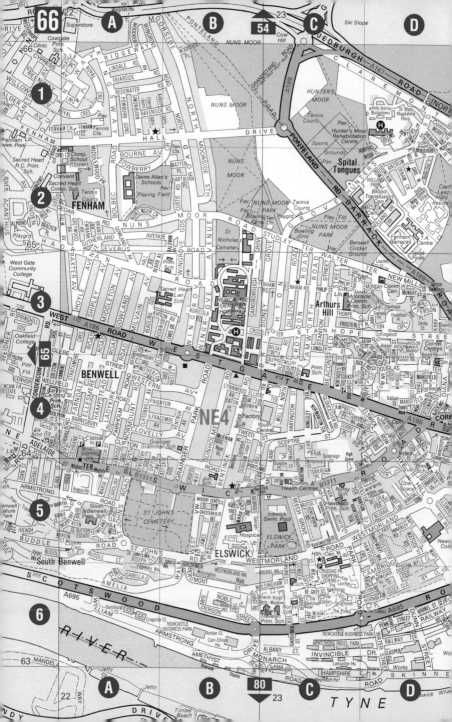

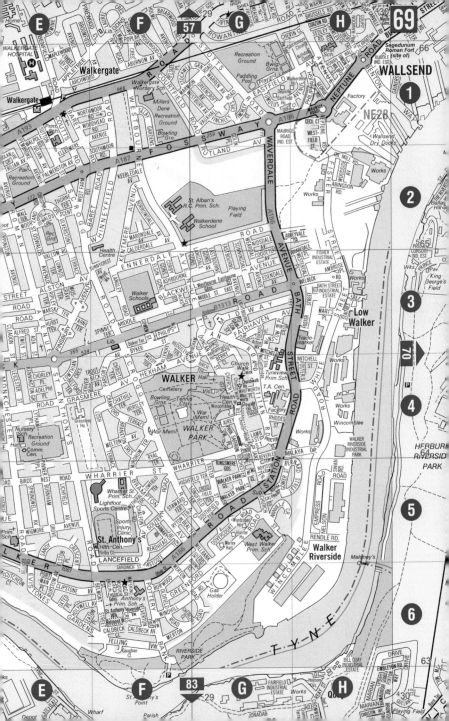

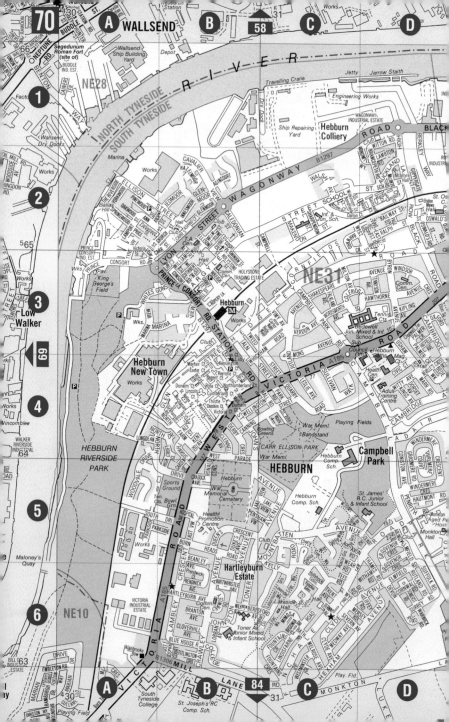

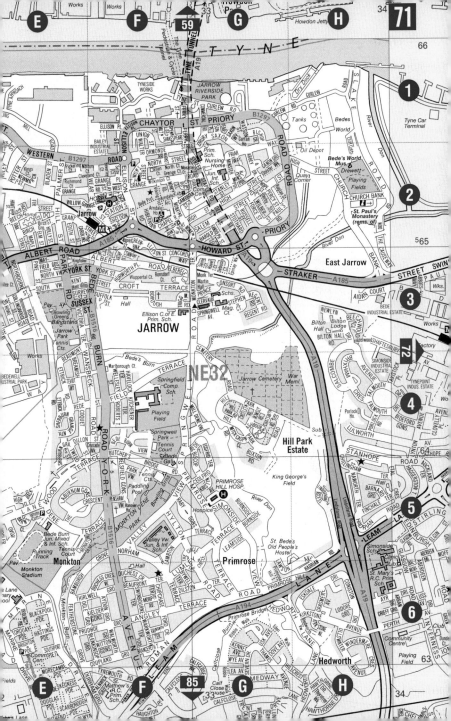

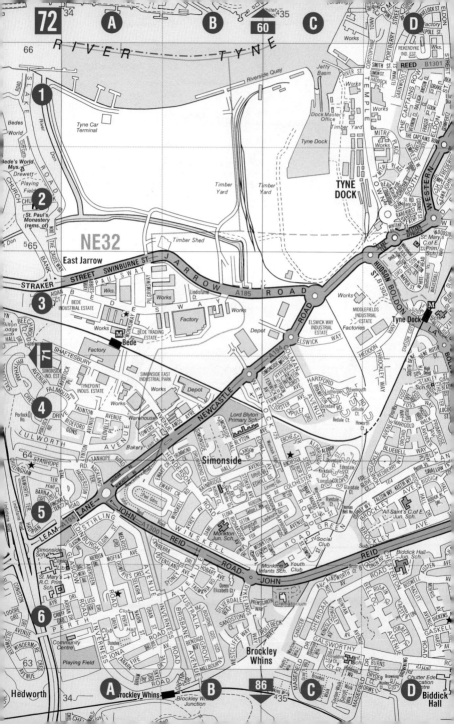

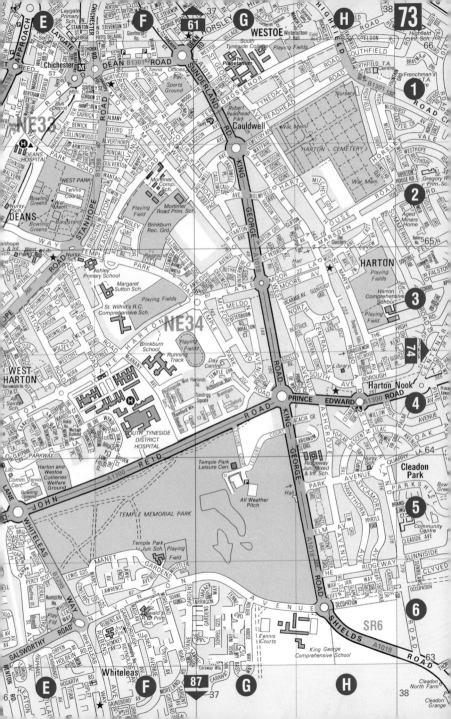

40

66

1

2

⁵65

NORTH SEA **3**

Natural
Arch
Marsden
Rock
Smugglers'
Cave

A183

Bob & Joan
Orchard

Lizard
Cottages

P

North Lizard
Riding School

Reservoirs

Club House

Toll House

Marsden
Quarries

Lizard Point

Souter Point
Lighthouse

Lighthouse
View

4

64

Byer's
Hole

ARTHUR ST

KITCHENER RD.

MILL ROAD

A183

SR6

Potter's Hole

5

Lizards Farm

WHITE

SHEARWATER

ROCKS GROVE

Arthur Ter

South

Marsden
Primary Sch.

Playing
Field

LILAC AV

LILAC AV CRESCENT

Marsden Ter

RISE

WHEATALL DR.

Lizard View

LANE

SOUTER VIEW

Lizard View

MARSDEN AVENUE

Whitburn
Colliery

6

63

40

AVENUE

41

Souter Point

WHEATALL

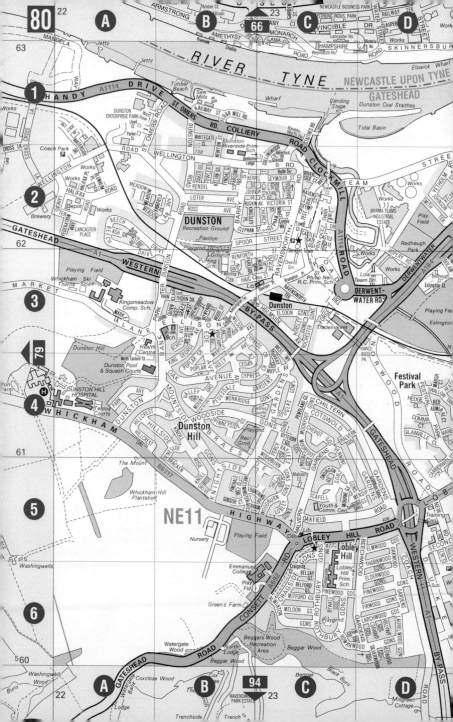

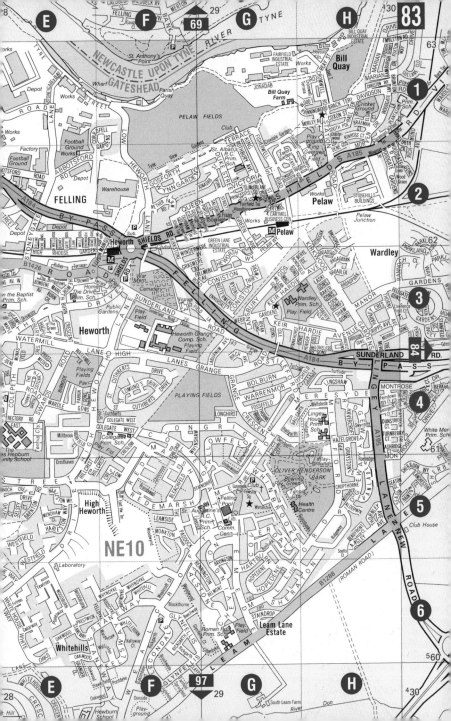

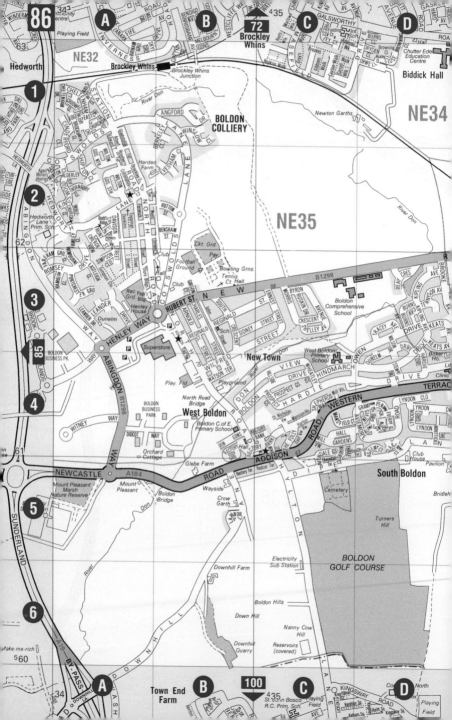

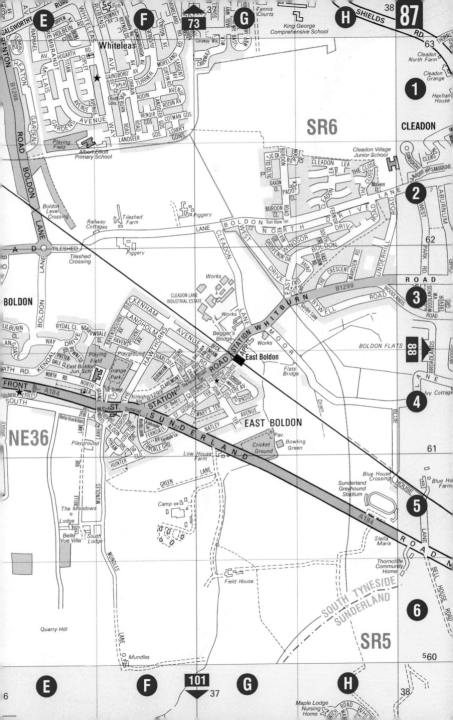

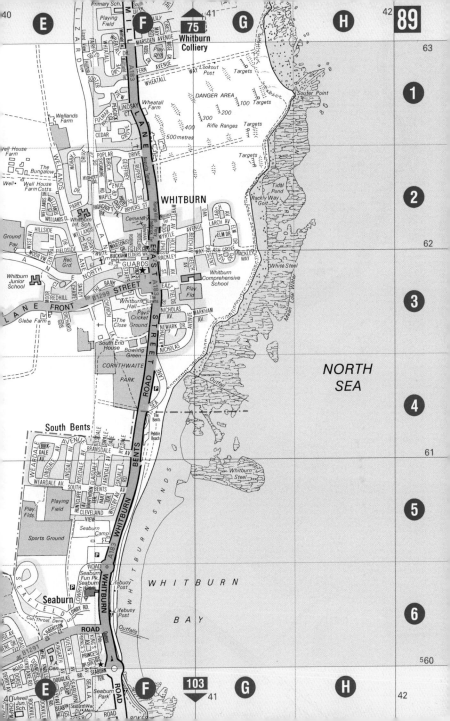

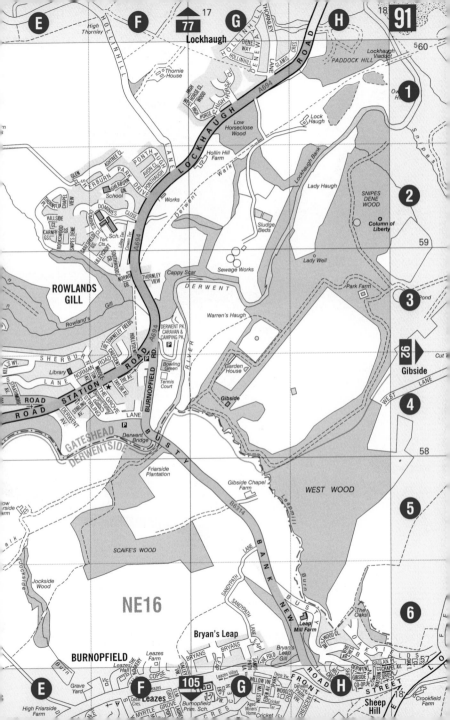

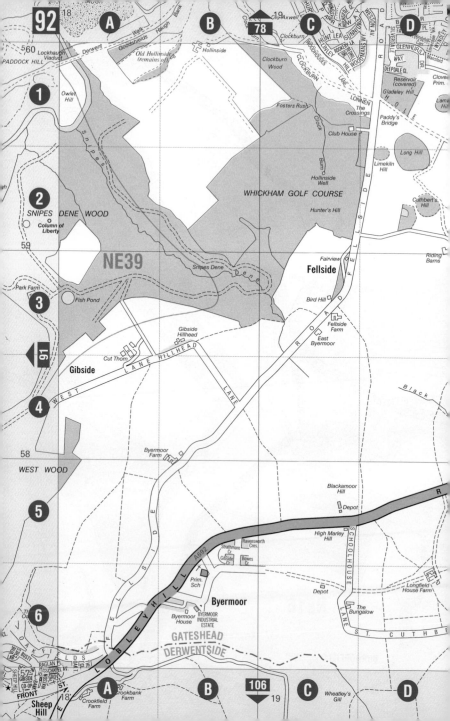

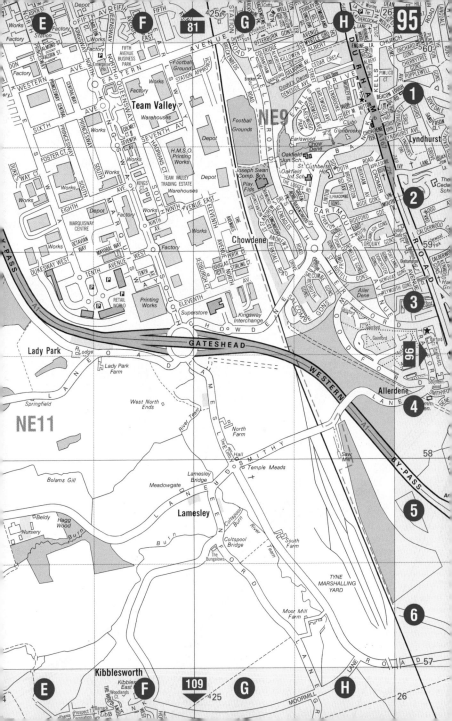

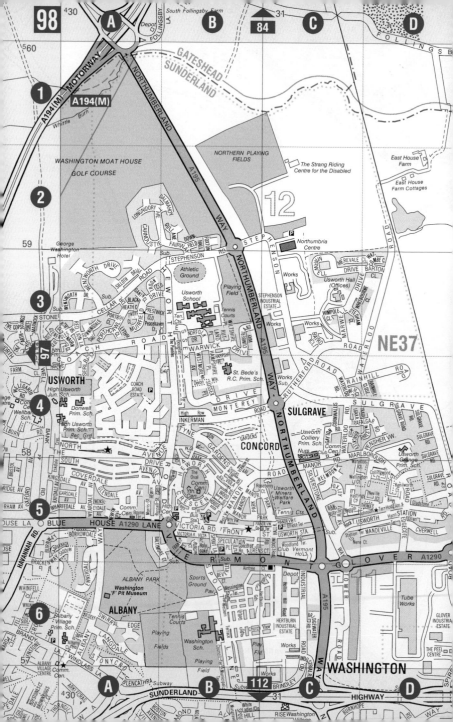

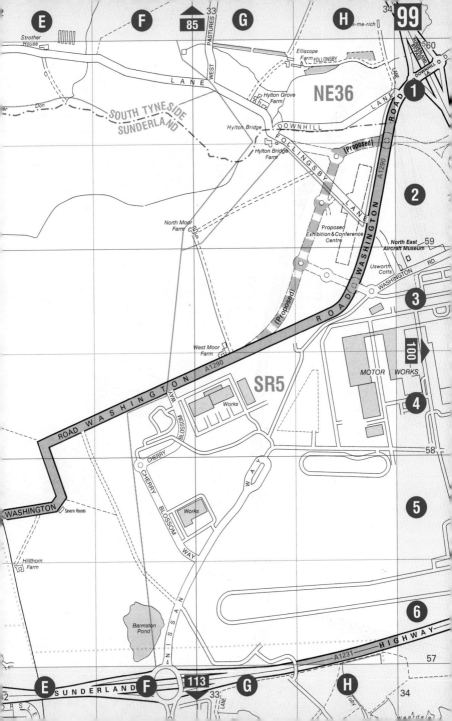

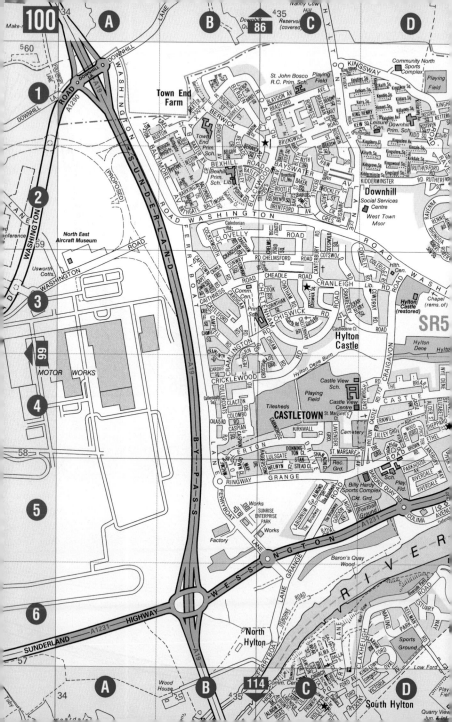

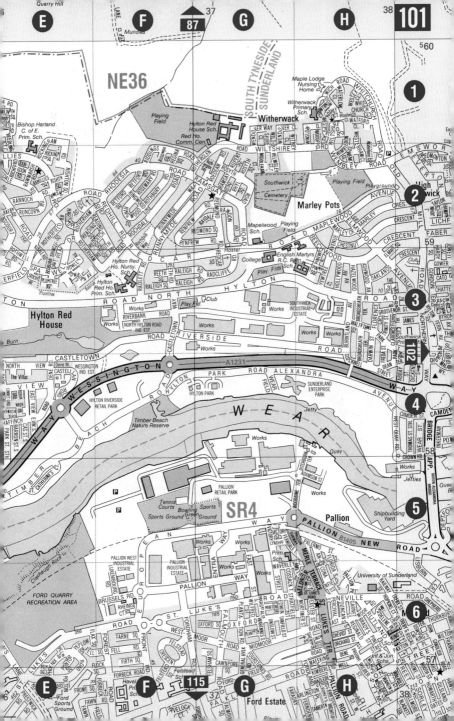

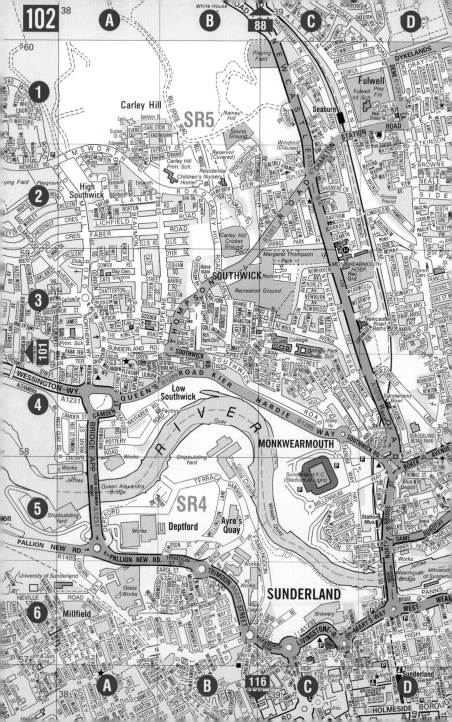

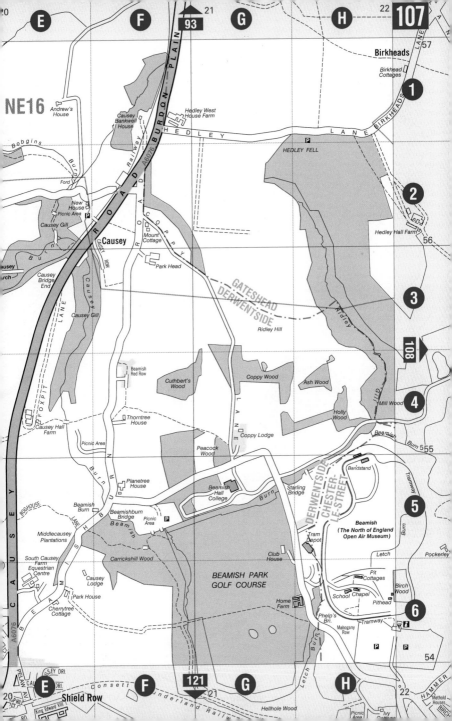

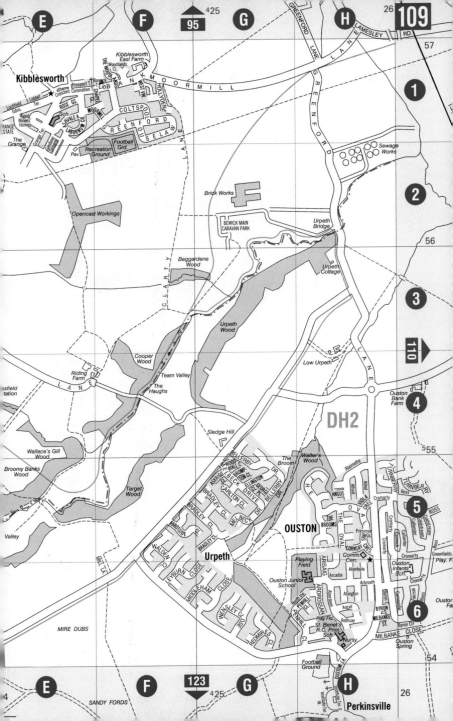

Kibblesworth

Kibblesworth
East Farm

Woodlands
Ct.

THE HUSTLANDS

Prospect
Crescent Coronation

LibB

Barmes

Lochfield
Gdns

Liddell
Ter.

ROSE GS.

SWALE AVE.

LABURNUM CR.

WOOD MILL

COLTSPOOL

GREENFORD

ISELAW

ORANGE
ESTATE

The
Grange

Grange Ter.

Aged
Miners
Homes

Boreham
Sch

Recreation
Ground

Football
Grd.

Pav.

1

Sewage
Works

MOORMILL

LINK

HOLTDENE

GREENFORD LANE

GREENFORD LANE

Brick Works

2

56

Opencast Workings

Beggardene
Wood

Urpeth
Bridge

BEWICK MAIN
CARAVAN PARK

Urpeth
Cottage

CLARTY

Urpeth
Wood

3

Cooper
Wood

Low Urpeth

110

Riding
Farm

LANE

Team Valley

The
Haughs

ssfield
tation

Ouston
Bank
Farm

4

LANE

DH2

Wallace's Gill
Wood

Sledge Hill

Walter's
Wood

555

Broomy Banks
Wood

Target
Wood

BELLERBY

ASKRIGG

WOOD

BRADLEY CL.

BRADLEY CL.

BRADLEY CL.

ASKRIGG

CARLTON CL.

MEL BECK

BROMP

ELLINGTON CL.

BRIDGE

BELLERBY DR.

BELLERBY
DR.

The
Broom

Abernethy

Alford

Athol

Cromarty

ANGUS

VIOLA

TURNBERRY

Ross

5

Valley

OUSTON

THE OVAL

THE
BROOMS

Primrose
Gdns

CORNSAY
DRIVE

Comm.
Cen.

Cromarty

Cromarty

Cromarty

Calderdale

Colestown

ROSS

Greenfields
Play.

WALDEN CL.

Urpeth

Playing
Field

ARISAIG

THE OVAL

Arcadia

Aberfoyle

Ouston
Infants
Sch.

Cromart

Ouston
Fa

MIDDLEHAM CLOSE

LEYBURN CLOSE

WENSLEY CL.

Ouston Junior
School

ARDROSSAN

Abington

Aberdeen

Arbroath

BYRON
CL.

MILBANKE
ST.

6

REDMIRES RD.

FERNHILL CL.

St. Benet's
R.C. Prim.
Sch

Argyll

Rothsay

Mursy

Byron Cl.

MILBANKE
CLOSE

Ouston
Spring

54

MIRE DUBS

MALT LA.

Football
Ground

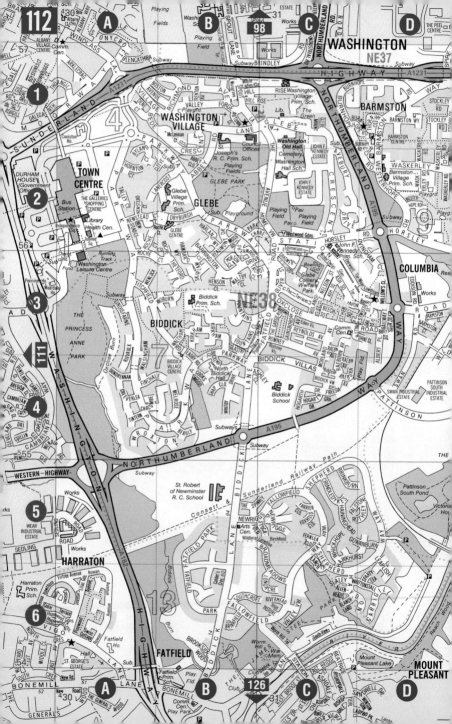

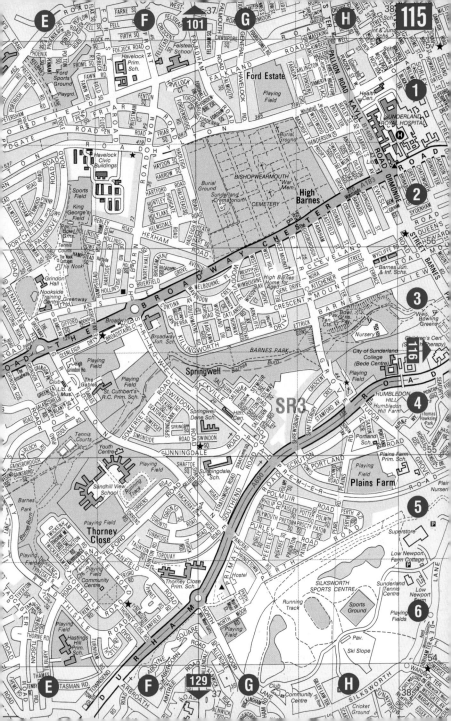

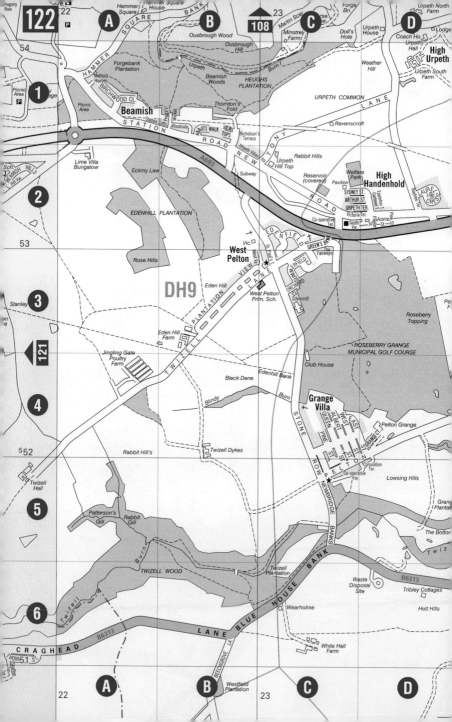

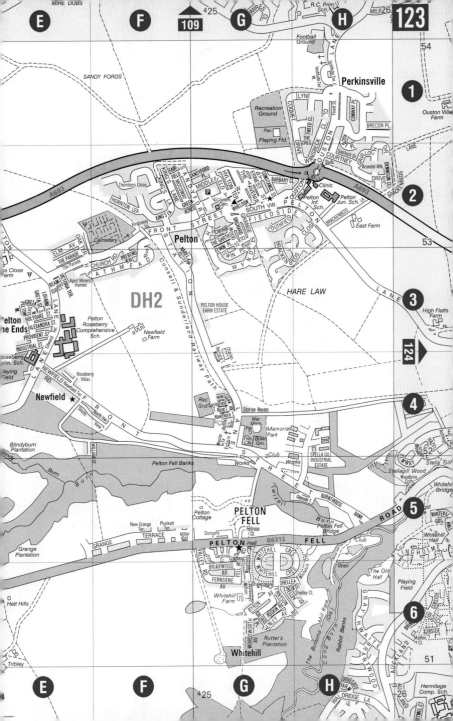

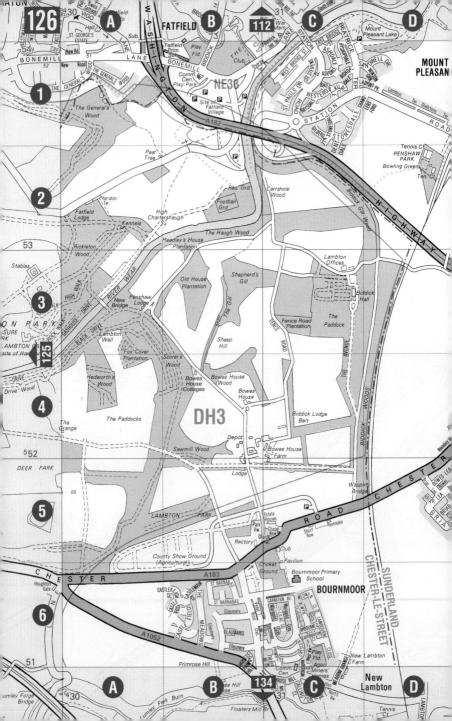

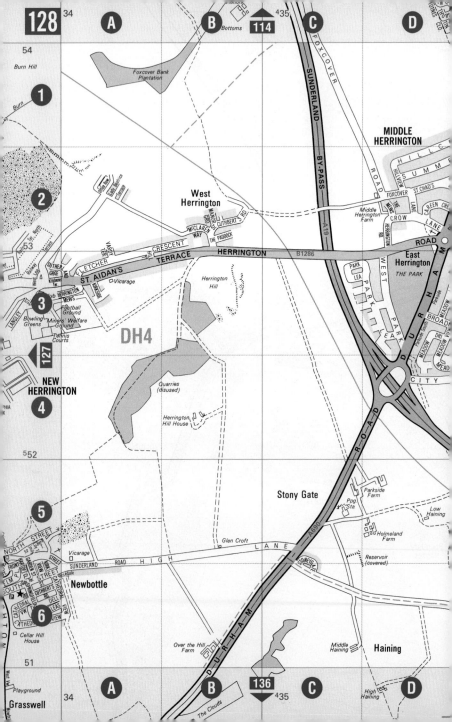

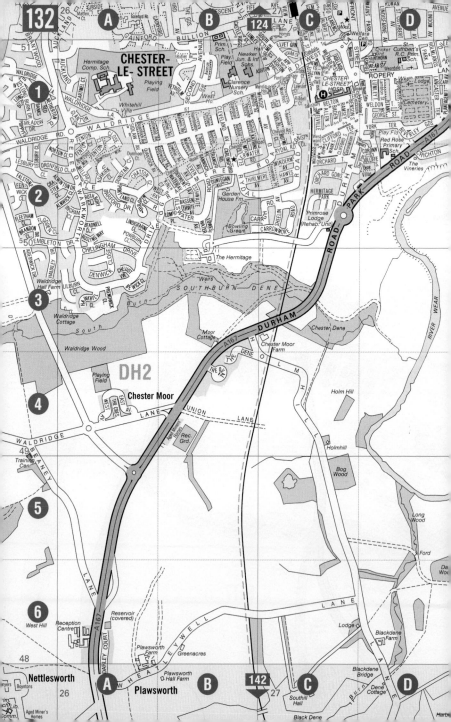

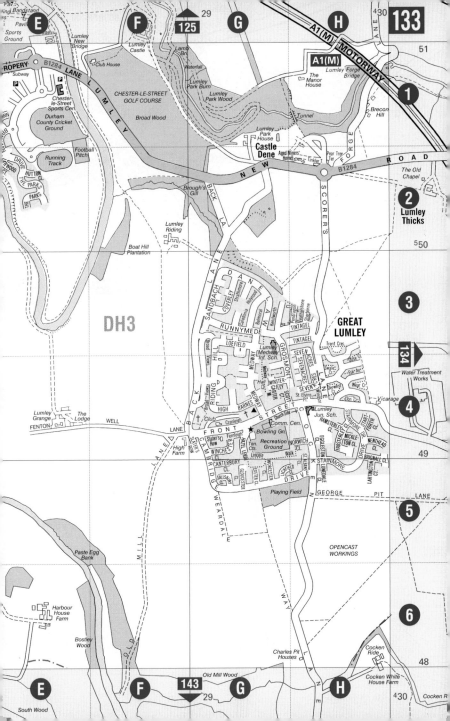

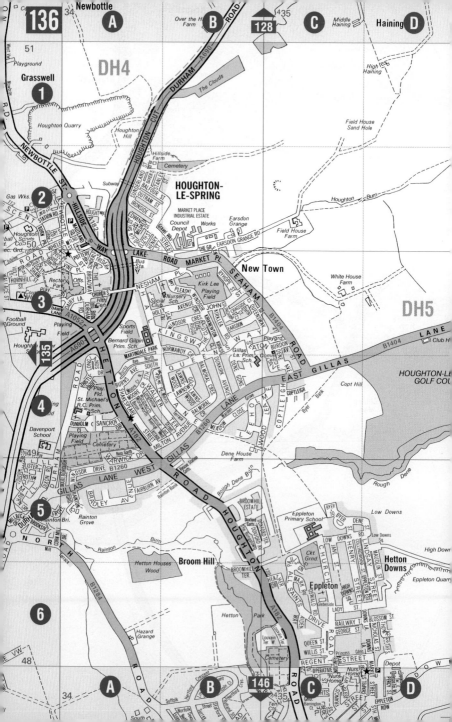

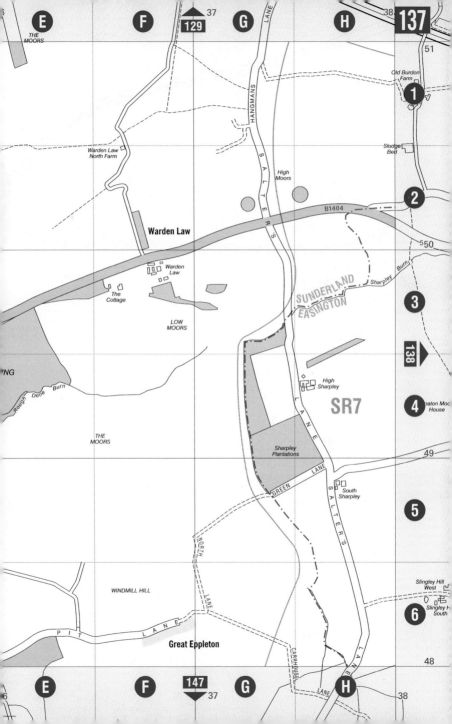

Old Burdon
Farm

1

Sludge
Bed

HANGMANS

SALTERS

High
Moors

2

B1404

550

Sharpley Burn

SUNDERLAND

EASINGTON

Warden Law
North Farm

Warden Law

Warden
Law

The
Cottage

LOW
MOORS

3

138

High
Sharpley

SR7

NG

Rough Dene Burn

THE
MOORS

Sharpley
Plantations

LANE

GREEN LANE

SALTERS LANE

South
Sharpley

4 eaton Moo
House

49

5

WINDMILL HILL

MORTH LANE

Slingley Hill
West

Slingley H
South

6

PIT LANE

Great Eppleton

CARRHOUSE

LANE

48

6

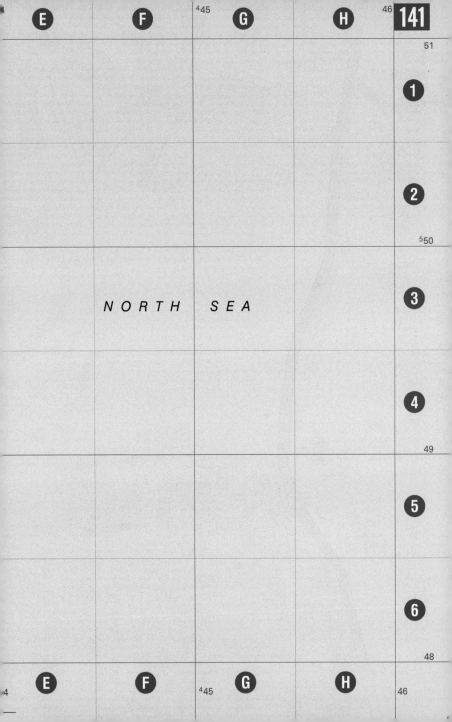

N O R T H   S E A

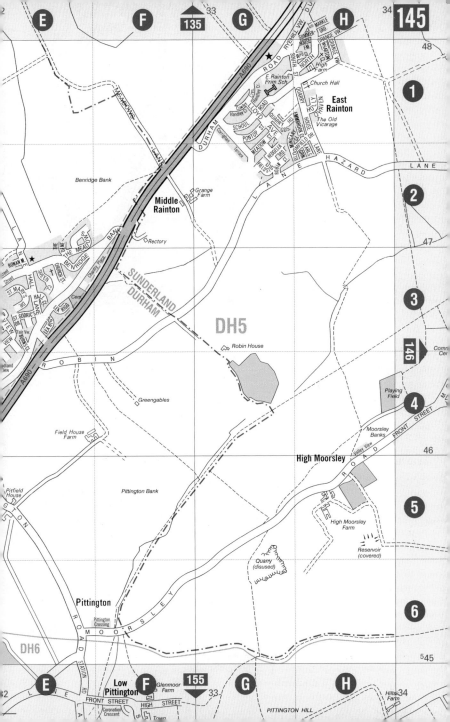

E F 135 33 G 34
48

1

East Rainton

RYEHILL VW.
SUMBER...
MARKLE
GRO.
GRANGE VW.
NORTH
High
Farm
E. Rainton Prim Sch.
Church Hall
The Old Vicarage

HAZARD LANE

2

Benridge Bank

47

Middle Rainton
Grange Farm

Rectory

THE MEADOW
ROMAN M.
Cem.

SUNDERLAND
DURHAM

DH5

3

146
Comn
Cer

Robin House

ROBIN

Playing Field

4

Greengables

Moorsley Banks
FRONT STREET

Field House Farm

Valley View

46

High Moorsley

Pitfield House

Pittington Bank

High Moorsley Farm

5

Quarry (disused)

Reservoir (covered)

MOORSLEY

6

Pittington
Pittington Crossing

DH6

E Low Pittington F Glenmoor Farm 155 33 G H Hills Farm 34

FRONT STREET
HIGH STREET
Coronation Crescent
Town
PITTINGTON HILL

5 45

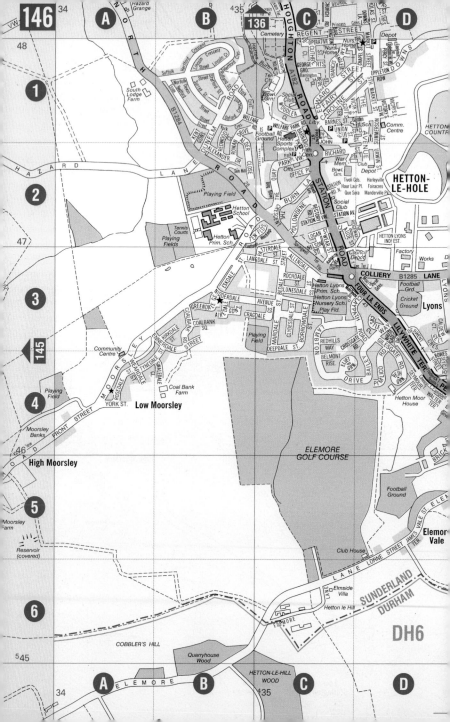

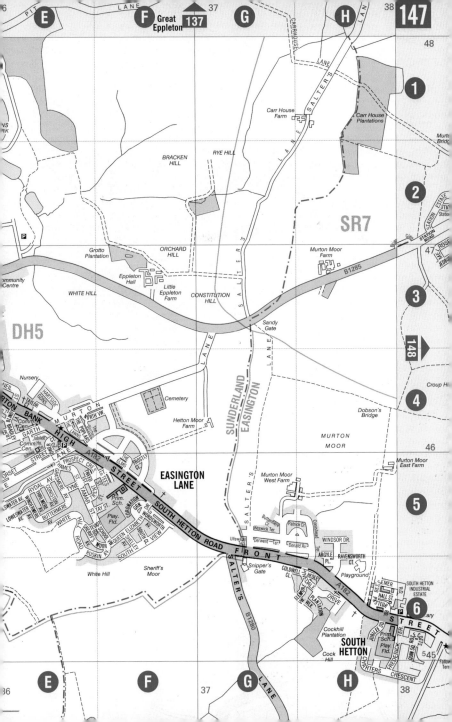

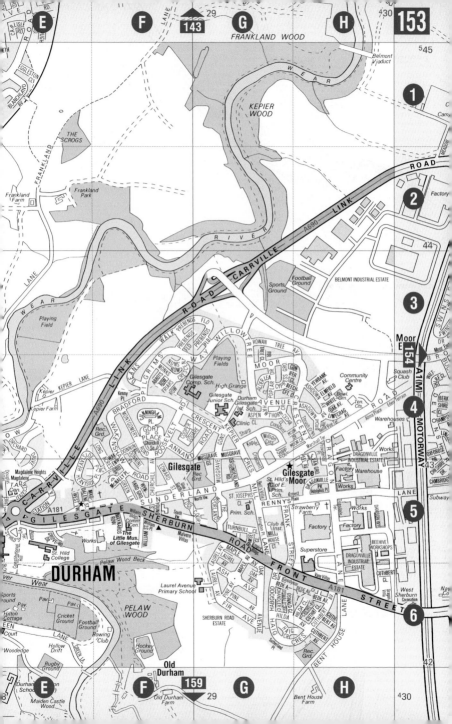

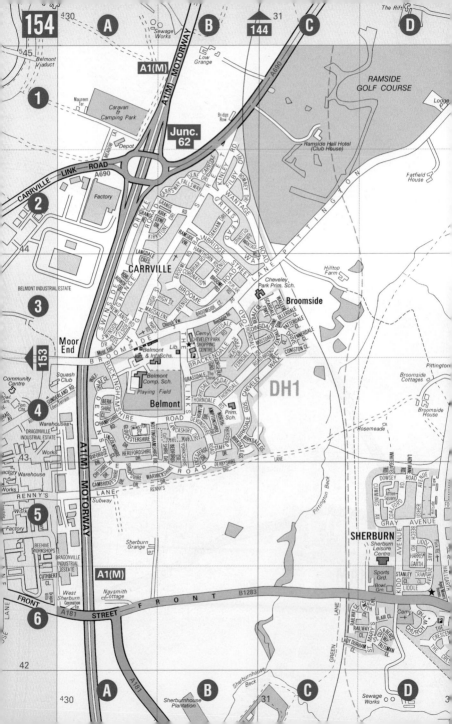

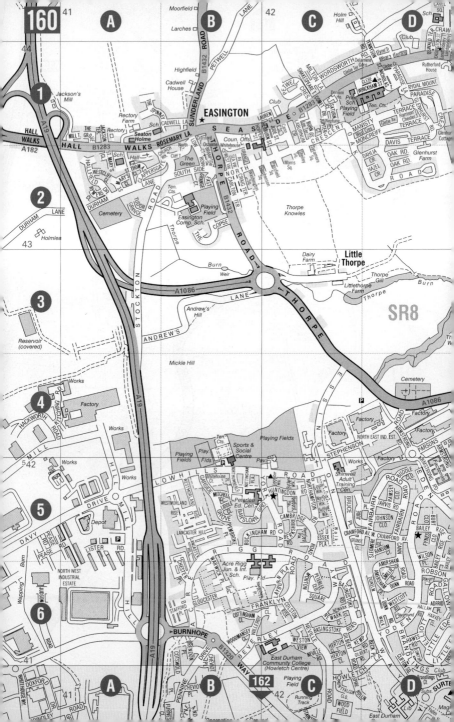

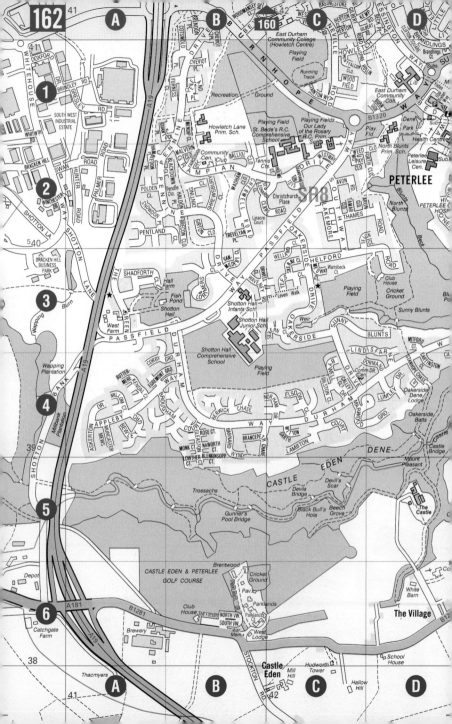

INDEX

Including Streets, Places & Areas, Industrial Estates,
Selected Subsidiary Addresses and Selected Tourist Information.

HOW TO USE THIS INDEX

1. Each street name is followed by its Posttown or Postal Locality and then by its map reference;
   e.g. Abbey Dri. *Hou S* —1F **135** is in the Houghton le Spring Posttown and is to be found in square 1F on
   page **135**. The page number being shown in bold type.
   A strict alphabetical order is followed in which Av., Rd., St., etc. (though abbreviated) are read in full and as
   part of the street name; e.g. Alderdene Clo. appears after Alder Cres. but before Alder Gro.

2. Streets and a selection of Subsidiary names not shown on the Maps, appear in the index in *Italics*
   with the thoroughfare to which it is connected shown in brackets;
   e.g. *Aged Miners Homes. Bla T* —4G **63** (off Stella Rd.)

3. Places and areas are shown in the index in **bold type**, the map reference referring to the actual map square
   in which the town or area is located and not to the place name; e.g. **Addison.** —4F **63**

4. Map references shown in brackets; e.g. Abbots Rd. *Gate* —5H **67** (6G **5**) refer to entries that also appear on
   the large scale pages 4-5.

5. With the now general usage of Postcodes for addressing mail, it is not recommended that this index is used
   for such a purpose.

GENERAL ABBREVIATIONS

All : Alley	Fld : Field	Pas : Passage
App : Approach	V : Fifth	Pl : Place
Arc : Arcade	I : First	Quad : Quadrant
Av : Avenue	IV : Fourth	Res : Residential
Bk : Back	Gdns : Gardens	Ri : Rise
Boulevd : Boulevard	Gth : Garth	Rd : Road
Bri : Bridge	Ga : Gate	St : Saint
B'way : Broadway	Gt : Great	II : Second
Bldgs : Buildings	Grn : Green	VII : Seventh
Bus : Business	Gro : Grove	Shop : Shopping
Cvn : Caravan	Ho : House	VI : Sixth
Cen : Centre	Ind : Industrial	S : South
Chu : Church	Junct : Junction	Sq : Square
Chyd : Churchyard	La : Lane	Sta : Station
Circ : Circle	Lit : Little	St : Street
Cir : Circus	Lwr : Lower	Ter : Terrace
Clo : Close	Mc : Mac	III : Third
Comn : Common	Mnr : Manor	Trad : Trading
Cotts : Cottages	Mans : Mansions	Up : Upper
Ct : Court	Mkt : Market	Va : Vale
Cres : Crescent	Mdw : Meadow	Vw : View
Cft : Croft	M : Mews	Vs : Villas
Dri : Drive	Mt : Mount	Wlk : Walk
E : East	N : North	W : West
VIII : Eighth	Pal : Palace	Yd : Yard
Embkmt : Embankment	Pde : Parade	
Est : Estate	Pk : Park	

POSTTOWN AND POSTAL LOCALITY ABBREVIATIONS

Ann P : Annfield Plain	*Bla T* : Blaydon-on-Tyne	*Cas D* : Castle Dene
Ann : Annitsford	*Blu* : Blucher	*Cas E* : Castle Eden
Arm : Armstrong	*Bly* : Blyth	*C'twn* : Castletown
Art H : Arthurs Hill	*Bol C* : Boldon Colliery	*Cat* : Catchgate
Ayk H : Aykley Heads	*B'don* : Brandon	*Cen* : Central
Back : Backworth	*Bras* : Brasside	*Cha P* : Chapel Park
Bar : Barlow	*B'pk* : Broompark	*Ches S* : Chester le Street
B'mr : Barmoor	*Brow* : Browney	*Ches M* : Chester Moor
Beam : Beamish	*Bru V* : Brunswick Village	*Chil M* : Chilton Moor
Bear : Bearpark	*Bru B* : Brunton Bridge	*Chi* : Chirton
Beb : Bebside	*B'mr* : Burnmoor	*Cle* : Cleadon
Bed : Bedlington	*Burn* : Burnopfield	*Cold H* : Cold Hesledon
Ben : Bensham	*Burr* : Burradon	*Col R* : Colliery Row
Bent : Benton	*Byker* : Byker	*Cow* : Cowgate
B'wl : Benwell	*Cal* : Callerton	*Cox* : Coxlodge
Bill Q : Bill Quay	*Camb* : Cambois	*Cra* : Cramlington
Bir : Birtley	*Camp* : Camperdown	*Craw* : Crawcrook
B Col : Blackhall Colliery	*Camp I* : Camperdown Ind. Est.	*C Moor* : Crossgate Moor
Blak : Blakelaw	*Carr H* : Carr Hill	*Cwthr* : Crowther
Bla B : Blaydon Burn	*Carr* : Carrville	*Cul* : Cullercoats

164 A-Z Newcastle

Posttown and Postal Locality Abbreviations

Dal D : Dalton-le-Dale
Dec : Deckham
Den B : Denton Burn
Din : Dinnington
Dip : Dipton
Dox I : Doxford International Bus. Pk.
Drag : Dragonville
Dub : Dubmire
Dud : Dudley
Dun : Dunston
Dur : Durham
Ear : Earsdon
Eas : Easington
Eas C : Easington Colliery
Eas L : Easington Lane
Eas V : Easington Village
E Bol : East Boldon
E Den : East Denton
E Har : East Hartford
E Her : East Herrington
E Rai : East Rainton
E Sle : East Sleekburn
Eig B : Eighton Banks
Els : Elswick
Fat : Fatfield
Faw : Fawdon
Fel : Felling
Fenc : Fencehouses
Fenh : Fenham
For H : Forest Hall
Fram M : Framwellgate Moor
Gate : Gateshead
Gil : Gilesgate
Gos : Gosforth
Grai P : Grainger Park
Gran V : Grange Villa
Gras : Grasswell
Gt Lum : Great Lumley
G'cft : Greencroft
G'sde : Greenside
Ham M : Hamsterley Mill
Har G : Harlow Green
Harr : Harraton
H'fd : Hartford
H Bri : Hartford Bridge
Haw : Hawthorn
Haz : Hazlerigg
Hea : Heaton
Heb : Hebburn
Hed W : Heddon-on-the-Wall
Hen : Hendon
Hep : Hepscott
Hert : Hertburn
Hes : Hesleden
Hett H : Hetton-le-Hole
H Cal : High Callerton
Highf : Highfield
H Hea : High Heaton
H Pitt : High Pittington
H Ric : High Rickleton
H Shin : High Shincliffe
H Spen : High Spen
Hob : Hobson
Hol : Holystone
H'wll : Holywell
H'dn : Horden
Hou : Houghall
Hou S : Houghton le Spring
Jar : Jarrow
Jes : Jesmond
Ken : Kenton
Ken F : Kenton Bank Foot
Kib : Kibblesworth
Kil : Killingworth
Kil V : Killingworth Village
Kim : Kimblesworth

King P : Kingston Park
Kit I : Kitty Brewster Ind. Est.
Lam P : Lambton Park
Lam : Lamesley
Lang M : Langley Moor
Leam : Leamside
Lee : Leechmere
Lee I : Leechmere Ind. Est.
Lem : Lemington
L Grn : Lintz Green
L'ton : Littletown
Lob H : Lobley Hill
Longb : Longbenton
Low F : Low Fell
L Pit : Low Pittington
Mar H : Marley Hill
Mead : Meadowfield
Mead I : Meadowfield Ind. Est.
Mel P : Melton Park
Met P : Metro Riverside Park
Mid I : Middlefields Ind. Est.
Monk : Monkseaton
Mon V : Monkton Village
Mur : Murton
Mur V : Murton Village
Ned V : Nedderton Village
Nel V : Nelson Village
Nett : Nettlesworth
Nev X : Nevilles Cross
Nbtle : Newbottle
New B : New Brancepeth
Newb : Newburn
Newc P : Newcastle Bus. Pk.
Newc T : Newcastle upon Tyne
New D : New Durham
Newf : Newfield
New K : New Kyo
New L : New Lambton
New P : New Penshaw
News : Newsham
New S : New Silksworth
N Har : New Hartley
N Her : New Herrington
N East : North East Ind. Est.
N Gos : North Gosforth
N Shi : North Shields
N Wal : North Walbottle
N West : North West Ind. Est.
O Pen : Old Penshaw
O Pit : Old Pit
Ous : Ouston
Oxh : Oxhill
Par I : Parsons Ind. Est.
Pat I : Pattinson Ind. Est.
Pel : Pelaw
Pelt : Pelton
Pelt F : Pelton Fell
Pen : Penshaw
Per M : Percy Main
Pet : Peterlee
Phil : Philadelphia
Pick : Picktree
Pity Me : Pity Me
Plaw : Plawsworth
Plaw G : Plawsworth Gate
Pon : Ponteland
Pre : Preston
Pres : Prestwick
Rain G : Rainton Gate
Row G : Rowlands Gill
Ryh : Ryhope
Ryton : Ryton
St A : St Anthonys
Salt : Saltwell
Sco G : Scotland Gate
S'wd : Scotswood

S'hm : Seaham
Sea : Seaton
Sea B : Seaton Burn
Sea D : Seaton Delaval
Sea S : Seaton Sluice
Seg : Seghill
Shan : Shankhouse
Sher : Sherburn
S Hill : Sherburn Hill
Sher H : Sherburn House
She H : Sheriff Hill
Shie : Shieldfield
S Row : Shield Row
Shin : Shincliffe
Shin R : Shiney Row
Shir : Shiremoor
Silk : Silksworth
S Den : South Denton
S Gos : South Gosforth
S Het : South Hetton
S Hyl : South Hylton
S Moor : South Moor
S New : South Newsham
S Shi : South Shields
S Well : South Wellfield
S West : South West Ind. Est.
S'wck : Southwick
Spi T : Spital Tongues
Spri : Springwell
S'ley : Stanley
Stan : Stannington
Ste I : Stephenson Ind. Est.
Sund : Sunderland
Sund E : Sunderland Enterprise Pk.
Sun : Sunniside
Swa : Swalwell
Tan : Tanfield
Tan L : Tanfield Lea
Tan H : Tan Hills
Tant : Tantobie
Team T : Team Valley Trad. Est.
Thro : Throckley
Tyn : Tynemouth
Tyn T : Tyne Tunnel Trad. Est.
Ush M : Ushaw Moor
Vic G : Victoria Garesfield
Walb : Walbottle
Walk : Walker
Walkg : Walkergate
Walkv : Walkerville
W'snd : Wallsend
Wardl : Wardley
Wash : Washington
Well : Wellfield
W All : West Allotment
W Bol : West Boldon
W Den : West Denton
W'hpe : Westerhope
W Her : West Herrington
W Jes : West Jesmond
W Kyo : West Kyo
W Moor : West Moor
W Pel : West Pelton
W Rai : West Rainton
Whi : Whickham
Whit : Whitburn
Whit B : Whitley Bay
Who G : Whorlton Grange
Wide : Wideopen
Will Q : Willington Quay
Win N : Windy Nook
Winl : Winlaton
Winl M : Winlaton Mill
W'sde : Woodside
Wool : Woolsington
Wylam : Wylam

Abbay St. *Sund* —4A **102**
Abbey Clo. *Wash* —2B **112**
Abbey Clo. *Whit B* —1H **45**
Abbey Ct. *Gate* —2H **81**
Abbey Dri. *Hou S* —1F **135**
Abbey Dri. *Jar* —2G **71**
Abbey Dri. *Newc T* —4H **51**
Abbey Dri. *N Shi* —5F **47**
Abbey Rd. *Pity Me* —5B **142**
Abbey Rd. *Wash* —2B **112**
Abbey Rd. Bus. Pk. *Pity Me*
—5B **142**
Abbey Rd. Ind. Est. *Dur* —5B **142**
Abbey Ter. *Shir* —2C **44**
Abbeyvale Dri. *Newc T* —2H **69**
Abbeywoods. *Dur* —5C **142**
Abbeywoods Bus. Pk. *Pity Me*
—5B **142**
Abbot Ct. *Gate* —6H **67**
Abbotsfield Clo. *Sund* —4H **129**
Abbotsford Gro. *Sund* —2C **116**
Abbotsford Pk. *Whit B* —1B **46**
Abbotsford Rd. *Gate* —2E **83**
Abbotsford Ter. *Newc T* —1F **67**
Abbotside Clo. *Ous* —5F **109**
Abbotside Pl. *Newc T* —6B **52**
Abbotsmeade Clo. *Newc T* —1G **65**
Abbots Rd. *Gate* —5H **67** (6G **5**)
Abbots Row. *Dur* —4F **153**
Abbot St. *Pet* —1F **161**
Abbots Wlk. *Beam* —1B **122**
Abbotsway. *Jar* —3A **72**
Abbots Way. *N Shi* —4H **45**
Abbots Way. *Whi* —4F **79**
Abbs St. *Sund* —4D **102**
Abercorn Pl. *W'snd* —1C **58**
Abercorn Rd. *Newc T* —4E **65**
Abercorn Rd. *Sund* —1F **129**
Abercrombie Pl. *Newc T* —5F **53**
Aberdeen. *Ous* —6H **109**
Aberdeen Ct. *Newc T* —5H **39**
Aberdeen Dri. *Jar* —5A **72**
Aberdeen Tower. *Sund* —1G **129**
Aberfoyle. *Ous* —6H **109**
Aberfoyle Ct. *S'ley* —3F **121**
Abernethy. *Ous* —5H **109**
Abersford Clo. *Newc T* —3H **51**
Aberwick Dri. *Ches S* —3A **132**
Abingdon Ct. *Bla T* —6A **64**
Abingdon Ct. *Newc T* —6H **39**
Abingdon Rd. *Newc T* —2H **69**
Abingdon Sq. *Cra* —6C **14**
Abingdon St. *Sund* —2H **115**
Abingdon Way. *Bol C* —2H **85**
Abinger St. *Newc T* —4D **66**
Abington. *Ous* —6H **109**
Aboyne Sq. *Sund* —6F **115**
Acacia Av. *Hou S* —2E **135**
Acacia Av. *Pet* —1H **163**
Acacia Gro. *Heb* —5C **70**
Acacia Gro. *S Shi* —4H **73**
Acacia Rd. *Gate* —1B **82**
Acacia St. *Team T* —6E **81**
Acanthus Av. *Newc T* —2H **65**
Acer Ct. *Sund* —3D **116**
Acklam Av. *Sund* —6G **117**
Acomb Av. *Sea D* —1B **32**
Acomb Av. *W'snd* —6B **44**
Acomb Ct. *Bed* —4A **8**
Acomb Ct. *Gate* —3B **96**
Acomb Ct. *Newc T* —2D **42**
Acomb Ct. *Sund* —6F **117**
Acomb Cres. *Newc T* —5B **40**
Acomb Gdns. *Newc T* —1G **65**
Acorn Av. *Bed* —5H **7**

Acorn Av. *Gate* —3E **81**
Acorn Pl. *B'don* —5D **156**
Acorn Pl. *Dur* —5A **142**
Acorn Rd. *Newc T* —5G **55**
Acorn St. *Pelt* —2D **122**
Acorn St. *Team T* —1E **95**
Acott Av. *Heb* —2B **70**
Acott Gdns. *Bly* —5C **10**
Acre Rigg Rd. *Pet* —6B **160**
Acton Dene. *S'ley* —2G **121**
Acton Dri. *N Shi* —5H **45**
Acton Pl. *Newc T* —5B **56**
Acton Rd. *Newc T* —1D **64**
Adair Av. *Newc T* —3G **65**
Adair Way. *Heb* —4D **70**
Adams Gth. *Eas L* —4E **147**
Adamson St. *Sund* —5H **101**
Adam St. *Pet* —1H **163**
Ada St. *Newc T* —3E **69**
Ada St. *S Shi* —6F **61**
Ada St. E. *Mur* —3D **148**
Ada St. W. *Mur* —3D **148**
Adderstone Av. *Cra* —4B **20**
Adderstone Cres. *Newc T* —5H **55**
Adderstone Gdns. *N Shi* —4F **45**
Addington Cres. *N Shi* —1A **60**
Addington Dri. *Bly* —2C **16**
Addington Dri. *W'snd* —6B **44**
Addison. —4F 63
Addison Clo. *Newc T* —3B **68**
Addison Ct. *Ryton* —4B **62**
Addison Ct. *W'snd* —6F **59**
Addison Gdns. *Gate* —3H **83**
Addison Ind. Est. *Bla T* —4F **63**
Addison Rd. *Hea* —3B **68**
Addison Rd. *Lem* —2B **64**
Addison Rd. *W Bol* —4C **86**
Addison St. *N Shi* —3C **60**
Addison St. *Sund* —1F **117**
Addison Wlk. *S Shi* —1C **86**
Addycombe Ter. *Newc T* —5C **56**
Adelaide Clo. *Sund* —6F **103**
Adelaide Ct. *Gate* —6G **67**
Adelaide Ho. *Newc T* —4A **66**
Adelaide Pl. *Sund* —6F **103**
Adelaide Row. *Sund* —4B **140**
Adelaide St. *Ches S* —1C **132**
Adelaide Ter. *Newc T* —4H **65**
Adeline Gdns. *Newc T* —5C **54**
Adelphi Clo. *N Shi* —5G **45**
Adelphi Pl. *Newc T* —4E **69**
Aden Tower. *Sund* —1G **129**
Adfrid Pl. *Pet* —6D **160**
Admiral Ho. *N Shi* —6F **47**
Admiral Way. *Dox I* —4E **129**
Adolphus Pl. *Dur* —5H **153**
Adolphus Pl. *S'hm* —4C **140**
Adolphus St. *Sund* —2F **89**
Adolphus St. W. *S'hm* —4B **140**
Adrian Pl. *Pet* —2E **163**
Adventure La. *W Rai* —2D **144**
Affleck St. *Gate* —1G **81**
Afton Ct. *S Shi* —4E **73**
Afton Way. *Newc T* —2A **54**
Agar Rd. *Sund* —1F **129**
Aged Miners' Home. *Burn* —1G **105**
Aged Miners Homes. *Ann* —5A **30**
Aged Miners Homes. *Back* —6A **32**
Aged Miner's Homes. *Bear* —4C **150**
Aged Miners Homes. *Bir* —6C **96**
Aged Miners Homes. Bla T —4G 63
(off Stella Rd.)
Aged Miners' Homes. *Bol C* —2H **85**
Aged Miners' Homes. *B'don*
—4D **156**
Aged Miners' Homes. *Bru V* —5C **28**

Aged Miners Homes. *Camb* —1B **10**
Aged Miners' Homes. *Cas D*
—2H **133**
Aged Miners' Homes. *Ches S*
—5C **124**
Aged Miners' Homes. *Ches M*
—4B **132**
Aged Miners Homes. *H Spen*
—1A **90**
Aged Miners Homes. *H'dn* —6F **161**
Aged Miners Homes. *Kib* —1E **109**
Aged Miners Homes. *Mar H* —4E **93**
Aged Miners' Homes. *Mead*
—6E **157**
Aged Miners Homes. *Mur* —2B **148**
Aged Miners Homes. *N Har* —3C **22**
Aged Miners' Homes. *New S*
—6A **116**
Aged Miners Homes. *Pelt* —3E **123**
Aged Miners' Homes. Ryh —2E 131
(off Cheviot La.)
Aged Miner's Homes. *S'hm* —6B **140**
(nr. Maglona St.)
Aged Miners' Homes. *S'hm* —2F **139**
(nr. Stockton Rd.)
Aged Miners' Homes. Sea D —6B 22
(off Ryal Clo.)
Aged Miners Homes. *Sher* —6D **154**
Aged Miners Homes. *S Hill* —6G **155**
Agincourt. *Heb* —2B **70**
Agincourt. *Newc T* —1D **42**
Agnes Maria St. *Newc T* —2C **54**
Agnes St. *S'ley* —2D **120**
Agricola Ct. *S Shi* —3E **61**
Agricola Gdns. *W'snd* —1B **58**
Agricola Rd. *Newc T* —3B **66**
Aidan Av. *Sea S* —3F **23**
Aidan Clo. *S'ley* —2F **121**
Aidan Clo. *Wide* —5C **39**
Aidan Ct. *Jar* —3H **71**
Aidan Ho. *Gate* —1H **81**
Aidan Wlk. *Newc T* —2F **55**
Aiden Way. *Hett H* —6C **136**
Ailesbury St. *Sund* —6A **102**
Ainderby Rd. *Newc T* —5B **50**
Ainsdale Gdns. *Newc T* —5A **52**
Ainsley St. *Dur* —5B **152**
Ainslie Pl. *Newc T* —6G **53**
Ainsworth Av. *S Shi* —6C **72**
Ainthorpe Clo. *Sund* —2B **130**
Ainthorpe Gdns. *Gate* —6H **81**
Ainthorpe Gdns. *Newc T* —3C **56**
Aintree Clo. *Wash* —6B **98**
Aintree Gdns. *Gate* —4E **81**
Aintree Rd. *Sund* —1F **129**
Airedale. *W'snd* —2F **57**
Airedale Gdns. *Hett H* —3B **146**
Aireys Clo. *Hou S* —3G **135**
Airey Ter. *Gate* —2F **81**
Airey Ter. *Newc T* —4G **69**
Airport Freightway. *Wool* —3C **38**
Airport Ind. Est. *Newc T* —2H **53**
Airville Mt. *Sund* —5A **130**
Aisgill Clo. *Cra* —3B **20**
Aisgill Dri. *Newc T* —6A **52**
Aiskell St. *Sund* —1A **116**
A J Cooks Cotts. *Row G* —3B **90**
Akeld Clo. *Cra* —4B **20**
Akeld Ct. *Newc T* —3G **55**
Akenside Hill. *Newc T*
—5G **67** (6F **5**)
Akenside Ter. *Newc T* —1H **67**
Albany. —6A 98
Albany Av. *Newc T* —6D **42**

Albany Ct. *Newc B* —6C **66**
Albany Gdns. *Whit B* —1D **46**
Albany Ho. *Sund* —4C **102**
Albany Ho. *Wash* —6A **98**
Albany M. *Newc T* —5C **54**
Albany Rd. *Gate* —6A **68**
Albany St. E. *S Shi* —1F **73**
Albany St. W. *S Shi* —1F **73**
Albany Ter. *Mon V* —5D **70**
Albany Village Cen. *Wash* —6H **97**
Albany Way. *Wash* —6A **98**
Albatross Way. *Bly* —4C **16**
Albemarle Av. *Newc T* —4F **55**
Albemarle St. *S Shi* —4E **61**
Albert Av. *W'snd* —5H **57**
Albert Dri. *Gate* —1H **95**
Albert Edward Ter. *Bol C* —1A **86**
Albert Pl. *Gate* —1H **95**
Albert Pl. *Wash* —3D **112**
Albert Rd. *Bed* —3E **9**
Albert Rd. *Jar* —3E **71**
  (in two parts)
Albert Rd. *Sea S* —3H **23**
Albert Rd. *Sund* —6A **102**
Albert St. *Bly* —5C **10**
Albert St. *Ches S* —6C **124**
Albert St. *Dur* —4B **152**
Albert St. *Gran V* —4C **122**
Albert St. *Heb* —3B **70**
Albert St. *Newc T* —3H **67** (3G **5**)
Albert St. *Pet* —1F **161**
Albert St. *S'hm* —5C **140**
Albert St. *S'ley* —3C **120**
Albert St. *Vic G* —4A **90**
Albert Ter. *Newc T* —4C **42**
Albert Ter. *S Shi* —5E **61**
Albert Ter. *Whit B* —1D **46**
Albion Ct. *Newc T* —4B **68**
Albion Ct. *S Shi* —3E **61**
Albion Gdns. *Burn* —2F **105**
Albion Pl. *Sund* —1C **116**
Albion Retail Cen. *Bly* —5B **10**
Albion Rd. *N Shi* —1C **60**
Albion Rd. W. *N Shi* —2C **60**
Albion Row. *Newc T* —4A **68**
  (in two parts)
Albion St. *Gate* —5C **82**
Albion St. *Sund* —1C **114**
Albion Ter. *Gate* —4F **97**
Albion Ter. *N Shi* —1C **60**
Albion Way. *Bly* —6H **9**
Albion Way. *Shan* —6D **14**
Albion Yd. *Newc T* —4F **67** (5C **4**)
Albury Pk. Rd. *N Shi* —6E **47**
Albury Pl. *Whi* —6E **79**
Albury Rd. *Newc T* —4F **55**
Albyn Gdns. *Sund* —4A **116**
Alconbury Clo. *Bly* —2C **16**
Alcroft Clo. *Newc T* —4H **51**
Aldborough St. *Bly* —6C **10**
Aldbrough Clo. *Ryh* —3F **131**
Aldbrough St. *S Shi* —4C **72**
Aldeburgh Av. *Newc T* —1A **64**
Aldenham Gdns. *N Shi* —4E **47**
Aldenham Rd. *Sund* —1G **129**
Aldenham Tower. *Sund* —1G **129**
Alder Av. *Newc T* —1H **65**
Alder Clo. *Hett H* —2B **146**
Alder Ct. *Whit B* —1A **46**
Alder Cres. *Tant* —6F **105**
Alderdene Clo. *Ush M* —6E **151**
Alder Gro. *Whit B* —5A **34**
Alderlea Clo. *Dur* —4G **153**
Alderley Clo. *Bol C* —2A **86**
Alderley Dri. *Newc T* —1E **43**
Alderley Rd. *Gate* —6G **81**

Alderley Way. *Cra* —6C **14**
Alderman Wood Rd. *Tan L* —1C **120**
Alderney Gdns. *Newc T* —5A **52**
Alder Pk. *B'don* —6C **156**
Alder Rd. *N Shi* —6E **45**
Alder Rd. *Pet* —1H **163**
Alder Rd. *W'snd* —1C **58**
Aldershot Rd. *Sund* —2F **129**
Aldershot Sq. *Sund* —2F **129**
Alder St. *Sund* —4D **100**
Alder St. *Team T* —6E **81**
Alder Way. *Kil* —1C **42**
Alderwood. *Gate* —2F **81**
Alderwood. *Wash* —1H **125**
Alderwood Cres. *Newc T* —6F **57**
Alderwyk. *Gate* —5H **83**
Aldhome Ct. *Fram M* —1A **152**
Aldin Grange Hall. *Bear* —5F **151**
Aldin Grange Ter. *Bear* —4E **151**
Aldin Ri. *Bear* —5E **151**
Aldridge Ct. *Ush M* —5C **150**
Aldsworth Clo. *Gate* —4F **97**
Aldwick Rd. *Newc T* —3D **64**
Aldwych Dri. *N Shi* —6F **45**
Aldwych Rd. *Sund* —2F **129**
Aldwych Sq. *Sund* —3F **129**
Aldwych St. *S Shi* —5G **61**
Alexander Dri. *Hett H* —2B **146**
Alexander Ter. *Haz* —6C **28**
Alexander Ter. *Sund* —2D **102**
Alexandra Av. *Sund E* —4G **101**
Alexandra Clo. *Fram M* —1A **152**
Alexandra Dri. *Swa* —3G **79**
Alexandra Gdns. *Ryton* —5E **63**
Alexandra Pk. *Sund* —3B **116**
Alexandra Rd. *Gate* —1G **81**
Alexandra Rd. *Newc T* —6B **56**
Alexandra St. *Pelt* —3E **123**
Alexandra St. *Vic G* —4A **90**
Alexandra St. *W'snd* —5A **58**
Alexandra Ter. *Bed* —4B **8**
Alexandra Ter. *Newc T* —4D **52**
Alexandra Ter. *Pen* —1F **127**
Alexandra Ter. *Spri* —4F **97**
Alexandra Ter. *Sun* —3G **93**
Alexandra Ter. *Whit B* —1D **46**
Alexandra Way. *Cra* —4A **20**
Alexandria Cres. *C Moor* —6B **152**
Alexandrina St. *S'hm* —4B **140**
Alford. *Ous* —5H **109**
Alford Grn. *Newc T* —6C **42**
Alfred Av. *Bed* —4B **8**
Alfred St. *Bly* —1C **16**
Alfred St. *Heb* —4B **70**
Alfred St. *Newc T* —3E **69**
Alfred St. *Pet* —1E **161**
Alfred St. *S'hm* —5C **140**
Alfred St. E. *S'hm* —5C **140**
Alfreton Clo. *B'don* —6C **156**
Algernon. *Kil* —6D **30**
Algernon Clo. *Newc T* —2C **68**
Algernon Ct. Newc T —2C **68**
  (off Algernon Rd.)
Algernon Ind. Est. *Shir* —4D **44**
Algernon Pl. *Whit B* —1D **46**
Algernon Rd. *Lem* —3A **64**
Algernon Rd. *Newc T* —2C **68**
Algernon Ter. *N Shi* —5E **47**
Algiers Rd. *Sund* —2E **129**
Alice St. *Bla T* —2H **77**
Alice St. *S Shi* —1E **73**
Alice St. *Sund* —2C **116**
Alice Well Vs. *Sund* —4F **113**
Aline St. *S'hm* —4C **140**
Aline St. *Sund* —2B **130**
Alington Pl. *Dur* —5G **153**

Alison Dri. *E Bol* —4F **87**
Allandale Av. *Newc T* —6D **42**
Allanville. *Camp* —6B **30**
All Church. *Newc T* —3F **65**
Allen Av. *Gate* —4F **81**
Allendale Av. *W'snd* —3H **57**
Allendale Cres. *Pen* —1E **127**
Allendale Cres.. *Shir* —2E **45**
Allendale Dri. *S Shi* —1A **74**
Allendale Pl. *N Shi* —6F **47**
Allendale Rd. *Bly* —1D **16**
Allendale Rd. *Mead* —5E **157**
Allendale Rd. *Newc T* —4D **68**
Allendale Rd. *Sund* —2F **129**
Allendale Sq. *Sund* —6G **115**
Allendale St. *Hett H* —3C **146**
Allendale Ter. *S'ley* —5F **119**
Allendale Ter. *Walk* —4F **69**
Allenheads. *Newc T* —6C **52**
Allenheads. *Sea D* —5A **22**
Allenheads *Wash* —6C **112**
Allens Grn. *Cra* —3B **20**
Allen St. *Ches S* —1C **132**
Allen St. *Pet* —1F **161**
Allerdean Clo. *Newc T* —2H **63**
Allerdean Clo. *Sea D* —1B **32**
Allerdene. —4A 96
Allerdene Wlk. *Whi* —5E **79**
Allergate. *Dur* —6B **152**
Allergate Ter. *Dur* —6B **152**
Allerhope. *Cra* —4B **20**
Allerton Gdns. *Newc T* —5D **56**
Allerton Pl. *Whi* —6D **78**
Allerwash. *Newc T* —6C **52**
Allgood Ter. *Bed* —4B **8**
All Hallows La. *Newc T*
  —4G **67** (6F **5**)
Allhusen Ter. *Gate* —2B **82**
Alliance Pl. *Sund* —6B **102**
Alliance St. *Sund* —6B **102**
Allingham Ct. *Newc T* —4E **57**
Allison Ct. *Gate* —2F **79**
  (in two parts)
Alloa Rd. *Sund* —1F **129**
Allonby Way. *Newc T* —1F **65**
Allotment, The. —4D 44
Alloy Ter. *Row G* —4C **90**
All Saints Cen. *Newc T* —5E **5**
All Saints Ct. *N Shi* —1H **59**
All Saints Dri. *Hett H* —6C **136**
All Saints Office Cen. *Newc T* —5F **5**
Allwork Ter. *Whi* —4F **79**
Alma Pl. *Dur* —4H **153**
Alma Pl. *Hou S* —4G **127**
Alma Pl. *N Shi* —1C **60**
Alma Pl. *Whit B* —1D **46**
Alma St. *Pet* —1F **161**
Alma St. *Sund* —6C **100**
Alma Ter. *Dur* —5E **153**
Alma Ter. *G'sde* —1C **76**
Alma Ter. *Nev X* —1A **158**
Almond Cres. *Gate* —3E **81**
Almond Dri. *Sund* —5C **100**
Almond Pl. *Newc T* —2H **65**
Almond St. *Team T* —1E **95**
Almond Ter. *Pet* —6H **161**
Almoners Barn. *Dur* —2A **158**
Almshouses. *Newc T* —2F **63**
Aln Av. *Newc T* —6C **40**
Aln Ct. *Newc T* —3A **64**
Aln Cres. *Newc T* —6C **40**
Aln Gro. *Newc T* —2A **64**
Alnham Ct. *Newc T* —6A **40**
Alnham Grn. *Newc T* —5A **52**
Alnmouth Av. *N Shi* —3H **59**
Alnmouth Dri. *Newc T* —3G **55**

Aln St. *Heb* —3B **70**
(in two parts)
Aln Wlk. *Newc T* —1C **54**
Alnwick Av. *N Shi* —3H **59**
Alnwick Av. *Whit B* —6C **34**
Alnwick Clo. *Ches S* —2A **132**
Alnwick Clo. *Whi* —4E **79**
Alnwick Ct. *Wash* —2H **111**
Alnwick Dri. *Bed* —4F **7**
Alnwick Gro. *Jar* —1F **85**
Alnwick Rd. *Dur* —1C **152**
Alnwick Rd. *S Shi* —3E **73**
Alnwick Rd. *Sund* —1G **129**
Alnwick Sq. *Sund* —1G **129**
Alnwick St. *Eas C* —1E **161**
Alnwick St. *H'dn* —4F **161**
Alnwick St. *Newc T* —1F **63**
Alnwick St. *W'snd* —5A **58**
Alnwick Ter. *Wide* —4E **29**
Alpine Gro. *W Bol* —4D **86**
Alpine Way. *Sund* —4A **116**
Alresford. *Newc T* —1D **42**
Alston Av. *Cra* —4D **20**
Alston Av. *Newc T* —3E **69**
Alston Clo. *N Shi* —6G **45**
Alston Clo. *W'snd* —3E **59**
Alston Cres. *Sund* —6C **88**
Alston Gdns. *Newc T* —5D **50**
Alston Gro. *Sea S* —2F **23**
Alston Rd. *N Har* —3G **88**
Alston Rd. *Wash* —1F **113**
Alston St. *Gate* —2F **81**
Alston Wlk. *Pet* —6E **161**
Alston Wlk. *Sher* —6E **155**
Alston Way. *Mead* —5E **157**
Altan Pl. *Newc T* —6B **42**
Altree Grange. *Sund* —2C **102**
Altrincham Tower. *Sund* —1G **129**
Alum Waters. —1C 156
Alum Well Rd. *Gate* —6G **81**
(in two parts)
Alverston Clo. *Newc T* —1A **64**
Alverstone Av. *Gate* —1G **95**
Alverstone Rd. *Sund* —2F **129**
Alverthorpe St. *S Shi* —1F **73**
Alwin. *Wash* —6G **111**
Alwin Grange. *Heb* —2D **70**
Alwinton Av. *N Shi* —5H **45**
Alwinton Clo. *Bly* —5A **10**
Alwinton Clo. *Newc T* —3E **53**
Alwinton Dri. *Ches S* —2A **132**
Alwinton Gdns. *Gate* —6C **80**
Alwinton Rd. *Shir* —2E **45**
Alwinton Ter. *Newc T* —2F **55**
Alwyn Clo. *Hou S* —6C **126**
Amalfi Tower. *Sund* —1G **129**
Amara Sq. *Sund* —1G **129**
Ambassadors Way. *N Shi* —5F **45**
Amber Ct. *Bly* —1A **16**
Amber Ct. *Newc T* —6B **66**
Ambergate Clo. *Newc T* —4E **53**
Amberley. *Newc T* —2D **42**
Amberley Chase. *Newc T* —1E **43**
Amberley Clo. *W'snd* —3E **59**
Amberley Ct. Gate —2E **81**
(off Amberley St.)
Amberley Gdns. *Newc T* —5C **56**
Amberley Gro. *Whi* —6E **79**
Amberley St. *Gate* —2E **81**
Amberley St. *Sund* —2E **117**
Amberley St. S. *Sund* —2E **117**
Amberley Wlk. *Whi* —6F **79**
Amberley Way. *Bly* —2C **16**
Amble Av. *S Shi* —1B **74**
Amble Av. *Whit B* —1D **46**
Amble Clo. *Bly* —2A **16**

Amble Gro. *Newc T* —2A **68**
Amble Pl. *Newc T* —4F **43**
Ambleside. *Newc T* —5D **50**
Ambleside Av. *S'hm* —3E **139**
Ambleside Av. *S Shi* —3G **73**
Ambleside Clo. *Pet* —6E **161**
Ambleside Clo. *Sea D* —6B **22**
Ambleside Gdns. *Gate* —1A **96**
Ambleside Grn. *Newc T* —1F **65**
Ambleside Ter. *Sund* —1C **102**
Amble Way. *Newc T* —1D **54**
Ambridge Way. *Newc T* —2B **54**
Ambrose Pl. *Newc T* —3H **69**
Ambrose Rd. *Sund* —1F **129**
Amec Way. *W'snd* —6C **58**
Amelia Clo. *Newc T* —6A **66**
Amelia Gdns. *Sund* —2E **129**
Amelia Wlk. *Newc T* —6A **66**
(in two parts)
Amen Corner. *Newc T* —5G **67**
Amen Corner Chyd. *Newc T* —6D **4**
Amersham Cres. *Pet* —6D **160**
Amersham Pl. *Newc T* —5F **53**
Amersham Rd. *Bly* —3B **16**
Amesbury Clo. *Newc T* —4H **51**
Amethyst Rd. *Newc T* —6B **66**
Amethyst St. *Sund* —6H **101**
Amherst Rd. *Newc T* —1A **54**
Amos Ayre Pl. *S Shi* —4B **72**
Amsterdam Rd. *Sund* —1G **129**
Amy St. *Sund* —3B **102**
Ancaster Av. *Newc T* —1B **56**
Ancaster Rd. *Whi* —5D **78**
Anchorage Ter. *Dur* —1D **158**
Anchorage, The. *Ches S* —6D **124**
Anchorage, The. *Hou S* —3F **127**
Anchor Chare. *Newc T* —5G **5**
Ancona St. *Sund* —5H **101**
Ancroft Av. *N Shi* —2B **60**
Ancroft Gth. *H Shin* —5H **159**
Ancroft Pl. *Newc T* —1F **65**
Ancroft Rd. *Sea D* —6H **21**
Ancroft Way. *Newc T* —5B **40**
Ancrum St. *Newc T* —2D **66**
Ancrum Way. *Whi* —6D **78**
Anderson St. *S Shi* —4F **61**
Anderson St. N. *S Shi* —4E **61**
Andover Pl. *W'snd* —1C **58**
Andrew Ct. *Newc T* —3G **69**
Andrew Rd. *Sund* —2E **129**
Andrew's La. *Pet* —3A **160**
Andrew St. *Pet* —1E **161**
Anfield Ct. *Newc T* —2A **54**
Anfield Rd. *Newc T* —2A **54**
Angel of the North. —5F **95**
Angerton Av. *N Shi* —4C **46**
Angerton Av. *Shir* —3D **44**
Angerton Gdns. *Newc T* —1H **65**
Angerton Ter. *Dud* —3H **29**
Anglesey Gdns. *Newc T* —5A **52**
Anglesey Pl. *Newc T* —4D **66**
Anglesey Rd. *Sund* —2F **129**
Anglesey Sq. *Sund* —2F **129**
Angle Ter. *W'snd* —5D **58**
Angram Dri. *Sund* —6G **117**
Angram Wlk. *Newc T* —5A **52**
Angrove Gdns. *Sund* —2H **115**
Angus. *Ous* —5H **109**
Angus Clo. *Newc T* —2C **42**
Angus Ho. *B'wl* —5A **66**
Angus Rd. *Gate* —3E **81**
Angus Sq. *Lang M* —4F **157**
Angus Sq. *Sund* —2F **129**
Angus St. *Lang M* —3G **157**
Angus St. *Pet* —1E **161**

Angus Ter. *Pet* —2F **161**
Anker's House Museum, The.
—6D **124**
Annand Rd. *Dur* —4F **153**
Anne Dri. *Newc T* —5G **43**
Annfield Pl. *S'ley* —5E **119**
Annfield Plain. —4F 119
Annfield Plain By-Pass. *S'ley*
—6G **119**
Annfield Rd. *Cra* —5B **14**
Annfield Ter. *S'ley* —4E **119**
Annie St. *Sund* —1D **102**
Annitsford. —2B 30
Annitsford Dri. *Dud* —3B **30**
Annitsford Pond Nature Reserve.
—2B **30**
Annitsford Rd. *Seg* —3C **30**
Ann's Pl. *Lang M* —3G **157**
Ann's Row. *Bly* —4C **10**
Ann St. *Bla T* —6A **64**
Ann St. *Gate* —1H **81**
Ann St. *Heb* —2A **70**
Ann St. *Shir* —1D **44**
Annville Cres. *Walk* —5G **69**
Anscomb Gdns. *Newc T* —5A **56**
Anson Clo. *S Shi* —1D **72**
Anson Pl. *Newc T* —4D **52**
Anson St. *Gate* —2B **82**
Anstead Clo. *Cra* —3B **20**
Anthony Ct. *S'ley* —2C **120**
Anthony Rd. *Sund* —1F **129**
Anthony St. *Pet* —1F **161**
Anthony St. *S'ley* —2C **120**
Antliff Ter. *S'ley* —5F **119**
Antonine Wlk. *Hed W* —5H **49**
Anton Pl. *Cra* —4B **20**
Antrim Clo. *Newc T* —4G **53**
Antrim Gdns. *S'hm* —3A **140**
Antwerp Rd. *Sund* —2E **129**
Apperley. *Newc T* —6C **52**
Apperley Av. *H Shin* —5H **159**
Apperley Av. *Newc T* —3G **53**
Appian Pl. *Gate* —4B **82**
Appian Pl. *Newc T* —5D **50**
(in two parts)
Appleby Ct. *N Shi* —2B **60**
Appleby Gdns. *Gate* —2A **96**
Appleby Gdns. *W'snd* —3E **59**
Appleby Pk. *N Shi* —1B **60**
Appleby Pl. *Ryton* —5A **62**
Appleby Rd. *Sund* —2F **129**
Appleby Sq. *Sund* —2F **129**
Appleby St. *N Shi* —3C **60**
Appleby Way. *Pet* —4A **162**
Apple Clo. *Newc T* —1A **64**
Apple Ct. *N Har* —3B **22**
Appledore Gdns. *Ches S* —4D **124**
Appledore Gdns. *Gate* —2H **95**
Appledore Rd. *Bly* —2C **16**
Appleforth Av. *Sund* —6G **117**
Appletree Gdns. *Newc T* —1E **65**
Appletree Gdns. *Whit B* —2A **46**
Applewood. *Kil* —2F **43**
Appley Ter. *Sund* —3E **103**
Apsley Cres. *Newc T* —2A **54**
Aquila Dri. *Hed W* —5F **49**
Arbeia Roman Fort & Museum.
—3E **61**
Arbroath. *Ous* —6H **109**
Arbroath Rd. *Sund* —1F **129**
Arcadia. *Ous* —6H **109**
Arcadia Av. *Ches S* —4C **124**
Arcadia Ter. *Bly* —1C **16**
Archbold Ter. *Newc T*
—2G **67** (1F **5**)
Archer Rd. *Sund* —1F **129**

Archers Hill. *S Shi* —6D **60**
Archer Sq. *Sund* —1F **129**
Archer St. *W'snd* —4B **58**
Archer St. E. *W'snd* —4D **58**
Archer Vs. *W'snd* —4B **58**
Archery Ri. *Dur* —1A **158**
Archibald St. *Newc T* —2E **55**
Arcot Av. *Nel V* —1G **19**
Arcot Av. *Whit B* —2A **46**
Arcot Dri. *Newc T* —1D **64**
Arcot Dri. *Whit B* —2A **46**
Arcot La. *Dud* —1D **28**
Arcot Ter. *Bly* —5B **10**
Arden Av. *Newc T* —4D **40**
Arden Clo. *W'snd* —6B **44**
Arden Cres. *Newc T* —6H **53**
Arden Ho. *Newc T* —1E **55**
Arden Sq. *Sund* —1G **129**
Ardrossan. *Ous* —6H **109**
Ardrossan Rd. *Sund* —2F **129**
Arena Way. *Newc T* —6E **67**
Argent St. *Pet* —1F **161**
Argus Clo. *Gate* —4D **80**
Argyle Ct. *S'ley* —6E **107**
Argyle Ho. *Sund* —2C **116**
Argyle Pl. *N Shi* —5C **46**
Argyle Pl. *S Het* —5H **147**
Argyle Sq. *Sund* —2C **116**
Argyle St. *Bly* —4B **10**
Argyle St. *Heb* —3B **70**
Argyle St. *Newc T* —4G **67** (4F **5**)
Argyle St. *N Shi* —5F **47**
Argyle St. *Sund* —2C **116**
Argyle Ter. *N Shi* —5C **46**
Argyll. *Ous* —6H **109**
Arisaig. *Ous* —6H **109**
Arklecrag. *Wash* —1A **112**
Arkle Rd. *Sund* —2F **129**
Arkleside Pl. *Newc T* —6B **52**
Arkle St. *Gate* —3E **81**
Arkle St. *Haz* —1C **40**
Arkwright St. *Gate* —4F **81**
Arlington Av. *Newc T* —4B **54**
Arlington Clo. *Hou S* —6C **126**
Arlington Gro. *Cra* —5B **14**
Arlington Gro. *Whi* —5E **79**
Arlington Rd. *Heb* —5D **70**
Arlington St. *Sund* —1H **115**
Arlott Ho. *N Shi* —4H **59**
Armitage Gdns. *Gate* —4C **96**
Armstrong. —1G 111
Armstrong Av. *Newc T* —6B **56**
Armstrong Av. *S Shi* —3G **73**
Armstrong Building. *Newc T* —1C **4**
Armstrong Dri. *Newc T* —3B **42**
Armstrong Ho. *Wash* —6G **97**
Armstrong Ind. Est. *Wash* —6G **97**
Armstrong Ind. Pk. *Newc T* —6C **66**
(in two parts)
Armstrong Rd. *Newc T* —4D **64**
Armstrong Rd. *N East* —4D **160**
Armstrong Rd. *W'snd* —6E **59**
Armstrong Rd. *Wash* —6G **97**
Armstrong St. *Cal* —6H **37**
Armstrong St. *Gate* —4E **81**
Armstrong Ter. *S Shi* —2E **73**
Arncliffe Av. *Sund* —3G **115**
Arncliffe Gdns. *Newc T* —5A **52**
Arndale Arc. *Jar* —2F **71**
Arndale Ho. *Jar* —2F **71**
Arndale Ho. *Ken* —2A **54**
Arndale Ho. *Newc T* —1A **56**
Arndale Sq. *Newc T* —1A **56**
Arngrove Ct. *Newc T*
　　　　　　—3E **67** (3A **4**)
Arnham Gro. *Sund* —5B **114**

Arnison Retail Cen. *Pity Me* —5B **142**
Arnold Clo. *S'ley* —3E **121**
Arnold Rd. *Sund* —1F **129**
Arnold St. *Bol C* —3B **86**
Arnside Wlk. *Newc T* —5A **52**
(in two parts)
Arran Ct. *Sund* —3A **130**
Arran Dri. *Jar* —6A **72**
Arran Gdns. *Gate* —4C **82**
Arran Pl. *N Shi* —5G **45**
Arras La. *Sund* —6E **103**
Arrol Pk. *Sund* —1B **116**
Arrow Clo. *Newc T* —3B **42**
Arthington Way. *S Shi* —4G **73**
Arthur Av. *Sund* —3G **131**
Arthur Cook Av. *Whi* —5G **79**
Arthurs Hill. —3C 66
Arthur St. *Bly* —5C **10**
(in two parts)
Arthur St. *Gate* —1H **81**
Arthur St. *Jar* —3F **71**
Arthur St. *Pelt* —2C **122**
Arthur St. *Pet* —1F **161**
Arthur St. *Ryh* —3G **131**
Arthur St. *Ush M* —5B **150**
Arthur St. *Whit* —5F **75**
Arthur Ter. *Sund* —6F **75**
Arun Clo. *Pet* —2C **162**
Arundel Clo. *Bed* —2C **8**
Arundel Clo. *Wide* —6C **28**
Arundel Ct. *Newc T* —6G **39**
Arundel Dri. *Newc T* —2C **64**
Arundel Dri. *Whit B* —1F **45**
Arundel Gdns. *Gate* —6A **82**
Arundel Gdns. *Sund* —2E **129**
Arundel Rd. *Sund* —1F **129**
Arundel Wlk. *Pelt* —2H **123**
Arundel Wlk. *Whi* —6E **79**
Arundel Way. *Mead* —5E **157**
Asama Ct. *Newc B* —1C **80**
(in two parts)
Ascot Clo. *W'snd* —1B **58**
Ascot Ct. *Newc T* —6G **39**
Ascot Ct. *Sund* —2F **129**
(in two parts)
Ascot Cres. *Gate* —3E **81**
Ascot Gdns. *S Shi* —2F **73**
Ascot Pl. *Pelt* —1H **123**
Ascot St. *Pet* —1F **161**
Ascot Wlk. *Newc T* —6G **39**
Ash Av. *Din* —4F **27**
Ash Av. *Dur* —6G **153**
Ash Av. *Ush M* —5C **150**
Ashberry Gro. *Sund* —4D **102**
Ashbourne Av. *Newc T* —3F **69**
Ashbourne Clo. *Back* —6A **32**
Ashbourne Rd. *Jar* —4G **71**
Ashbrook Clo. *B'don* —6B **156**
Ashbrooke. —3C 116
Ashbrooke. *Whit B* —6A **34**
Ashbrooke Clo. *Whit B* —6A **34**
Ashbrooke Cres. *Sund* —3D **116**
Ashbrooke Cross. *Sund* —4C **116**
Ashbrooke Dri. *Pon* —4E **25**
Ashbrooke Gdns. *W'snd* —2E **58**
Ashbrooke Mt. *Sund* —3C **116**
Ashbrooke Range. *Sund* —4C **116**
Ashbrooke Rd. *Sund* —3C **116**
Ashbrooke St. *Newc T* —4A **54**
Ashbrooke Ter. *E Bol* —4F **87**
Ashbrooke Ter. *Sund* —3D **116**
Ashburne Ct. *Sund* —3D **116**
Ashburn Rd. *W'snd* —1C **58**
Ashburton Rd. *Newc T* —3C **54**
Ashbury. *Whit B* —5G **33**
Ashby St. *Sund* —4F **117**

Ash Cres. *Pet* —1G **163**
Ash Cres. *S'hm* —6A **140**
Ashcroft Dri. *Newc T* —6E **43**
Ashdale. *Hou S* —1C **126**
Ashdale. *Pon* —2C **36**
Ashdale Cres. *Newc T* —5B **52**
Ashdown Av. *Dur* —4H **153**
Ashdown Clo. *Newc T* —6B **42**
Ashdown Rd. *Sund* —1F **129**
Ashdown Way. *Newc T* —6B **42**
Asher St. *Gate* —2C **82**
Ashfield. *Jar* —2H **85**
Ashfield Av. *Whi* —3G **79**
Ashfield Clo. *Newc T* —5C **66**
Ashfield Ct. *H Spen* —1A **90**
Ashfield Gdns. *W'snd* —4F **57**
Ashfield Gro. *N Shi* —1C **60**
Ashfield Gro. *Whit B* —5C **34**
Ashfield Pk. *Whi* —3F **79**
Ashfield Ri. *Whi* —6F **79**
Ashfield Rd. *Newc T* —3C **54**
Ashfield Rd. *Whi* —6F **79**
Ashfield Ter. *Ches S* —1D **132**
Ashfield Ter. *Pel* —2F **83**
Ashfield Ter. *Ryton* —4C **62**
Ashfield Ter. *Spri* —4F **97**
Ashford. *Gate* —4A **96**
(in two parts)
Ashford Clo. *Bly* —2C **16**
Ashford Clo. *N Shi* —4B **46**
Ashford Gro. *Newc T* —3H **51**
Ashford Rd. *Sund* —2F **129**
Ashgill. *Wash* —1H **111**
Ashgrove. *Ches S* —1A **132**
Ash Gro. *Gate* —2A **80**
Ash Gro. *Ryton* —3C **62**
Ash Gro. *Sund* —2G **89**
Ash Gro. *W'snd* —6B **58**
Ashgrove Av. *S Shi* —4H **73**
Ashgrove Ter. *Bir* —2B **110**
Ashgrove Ter. *Gate* —2G **81**
Ash Hill Ct. *Sund* —3D **116**
Ashkirk. *Dud* —3A **30**
Ashkirk. *Sund* —1G **129**
Ashkirk Clo. *Ches S* —2A **132**
Ashkirk Way. *Sea D* —1B **32**
Ashleigh. *Ches S* —4A **124**
Ashleigh Av. *Dur* —2B **152**
Ashleigh Clo. *Bla T* —2C **78**
Ashleigh Cres. *Newc T* —1E **65**
Ashleigh Gdns. *Sund* —1A **88**
Ashleigh Gro. *For H* —6D **42**
Ashleigh Gro. *N Shi* —5E **47**
Ashleigh Gro. *Sund* —1E **103**
Ashleigh Gro. *W Jes* —5F **55**
Ashleigh Rd. *Newc T* —1E **65**
Ashleigh Ter. *Sund* —1E **103**
Ashleigh Vs. *E Bol* —4F **87**
Ashley Clo. *Kil* —1F **43**
Ashley Clo. *Wash* —4C **112**
Ashley Ct. *Tan L* —1A **120**
Ashley Rd. *S Shi* —3E **73**
Ashley Ter. *Ches S* —5C **124**
Ashmead Clo. *Newc T* —1E **43**
Ash Meadows. *Wash* —2E **125**
Ashmore St. *Sund* —2D **116**
Ashmore Ter. *Sund* —2D **116**
Asholme. *Newc T* —6C **52**
Ashridge Clo. *S Shi* —4B **74**
Ashridge Ct. *Gate* —4H **83**
Ash Sq. *Wash* —3C **112**
Ash St. *Bla T* —2A **78**
Ash St. *Team* —6E **81**
Ash Ter. *Cat* —4E **119**
Ash Ter. *Haz* —1C **40**
Ash Ter. *Mur* —2D **148**

Ash Ter. *S'ley* —6F **121**
Ash Ter. *Tant* —5H **105**
Ashton Clo. *Newc T* —3H **51**
Ashton Ct. *Ryton* —5D **62**
Ashton Downe. *Ches S* —1C **132**
Ashton Ri. *Ches S* —1C **132**
Ashton Ri. *Pet* —6E **161**
Ashton St. *Pet* —1F **161**
Ashton Way. *Sund* —3E **129**
Ashton Way. *Whit B* —4A **34**
Ashtree Clo. *Newc T* —5B **66**
Ashtree Clo. *Row G* —2F **91**
Ashtree Dri. *Bed* —3H **7**
Ashtree Gdns. *Whit B* —2A **46**
Ashtree La. *H Spen* —1A **90**
Ashtrees Gdns. *Gate* —4H **81**
Ashvale Av. *Gate* —1E **109**
Ash Way. *Hou S* —2E **135**
Ashwell Rd. *Sund* —2F **129**
Ashwood. *S Het* —6B **148**
Ashwood Av. *Sund* —3H **101**
Ashwood Clo. *Cra* —5B **14**
Ashwood Clo. *For H* —5E **43**
Ashwood Cres. *Newc T* —6F **57**
Ashwood Cft. *Heb* —2B **70**
Ashwood Gdns. *Gate* —3A **96**
Ashwood Gro. *N Gos* —6D **28**
Ashwood Gro. *Sund* —4D **100**
Ashwood Ho. *Newc T* —3A **56**
Ashwood St. *Sund* —2B **116**
Ashwood Ter. *Sund* —2B **116**
Askern Av. *Sund* —6G **117**
Askerton Dri. *Pet* —4A **162**
Askew Rd. *Gate* —1F **81**
Askew Rd. W. *Gate* —2E **81**
(in two parts)
Askrigg Av. *Sund* —6F **117**
Askrigg Av. *W'snd* —6B **44**
Askrigg Clo. *Ous* —5G **109**
Askrigg Wlk. *Newc T* —6A **52**
Aspen Av. *Pet* —1H **163**
Aspen Clo. *Dur* —4G **153**
Aspen Ct. *Sund* —3G **129**
Aspenlaw. *Gate* —1C **96**
Aspen St. *Team T* —6E **81**
Aspley Clo. *Sund* —3A **130**
Asquith Ter. *S'ley* —4E **119**
Association Rd. *Sund* —3E **103**
Aster Pl. *Newc T* —2H **65**
Aster Ter. *Hou S* —5F **127**
Astley Ct. *Newc T* —2D **42**
Astley Dri. *Whit B* —2A **34**
Astley Gdns. *Sea S* —6A **22**
Astley Gdns. *Sea S* —2F **23**
(in two parts)
Astley Gro. *Sea S* —2F **23**
Astley Rd. *Sea D* —5A **22**
Astley St. *H'fd* —4B **14**
Astley Vs. *Sea S* —2F **23**
Aston Sq. *Sund* —2F **129**
Aston St. *S Shi* —2F **73**
Aston Wlk. *Newc T* —3G **69**
Aston Way. *Whi* —6D **78**
Athelhampton. *Wash* —2E **113**
Athelstan Rigg. *Sund* —2G **131**
Athenaeum St. *Sund* —1D **116**
Atherton Dri. *Hou S* —4E **135**
Atherton St. *Dur* —6B **152**
Athlone Ct. *Bly* —5C **10**
(off Disraeli St.)
Athlone Pl. *Bir* —6D **110**
Athol Gdns. *Gate* —4B **82**
Athol Gdns. *Sund* —3G **131**
Athol Gdns. *Whit B* —2H **45**
Athol Grn. *Gate* —2C **80**
Athol Gro. *Sund* —2A **130**

Athol Ho. *Pon* —5F **25**
(off Callerton La.)
Atholl. *Ous* —5H **109**
Athol Pk. *Sund* —2E **117**
Athol Rd. *Sund* —2E **117**
Athol St. *Gate* —2C **80**
Athol Ter. *Sund* —2E **117**
Atkinson Gdns. *N Shi* —4C **60**
Atkinson Rd. *Ches S* —4D **124**
Atkinson Rd. *Newc T* —5H **65**
Atkinson Rd. *Sund* —1D **102**
Atkinson St. *W'snd* —6H **57**
Atkinson Ter. *Newc T* —4H **65**
Atkinson Ter. *W'snd* —6H **57**
Atkin St. *Camp* —1B **42**
Atlantis Rd. *Sund* —1E **129**
Atley Way. *Cra* —5G **13**
Attlee Clo. *Burr* —6B **30**
Attlee Ct. *Heb* —2C **70**
Attlee Gro. *Sund* —1E **131**
Attlee Sq. *Sher* —5D **154**
Attwood Gro. *Sund* —4B **102**
Aubone Av. *Newc T* —3G **65**
Auburn Clo. *W'snd* —5E **59**
Auburn Ct. *W'snd* —5F **59**
Auburn Gdns. *Newc T* —1A **66**
Auckland. *Ches S* —1A **132**
Auckland Av. *S Shi* —3B **74**
Auckland Rd. *Dur* —6D **142**
Auckland Rd. *Heb* —2D **70**
Auckland Ter. *Jar* —5A **72**
Auden Gro. *Newc T* —3A **66**
Audland Wlk. *Newc T* —6A **52**
Audley Gdns. *Sund* —4B **116**
Audley Rd. *Newc T* —3G **55**
Audouins Row. *Gate* —3F **81**
Augusta Ct. *W'snd* —1C **58**
Augusta Sq. *Sund* —2F **129**
(in two parts)
Augusta Ter. *Sund* —2F **89**
Augustine Clo. *Fram M* —1A **152**
August Pl. *S Shi* —6F **61**
Augustus Dri. *Bed* —3G **7**
Austen Av. *S Shi* —6D **72**
Austen Pl. *S'ley* —5F **121**
Austin Sq. *Sund* —3B **102**
Austin St. *Pet* —1F **161**
Australia Gro. *S Shi* —6B **72**
Australia Tower. *Sund* —1G **129**
Austral Pl. *Wide* —6C **28**
Austwick Wlk. *Newc T* —6A **52**
Auton Clo. *Bear* —4D **150**
Auton Ct. *Bear* —4E **151**
Auton Fld. *Bear* —4E **151**
Auton Fld. Ter. *Bear* —4E **151**
Auton Stile. *Bear* —4D **150**
Autumn Clo. *Wash* —1B **112**
Avalon Dri. *Newc T* —1C **64**
Avalon Rd. *Sund* —1F **129**
Avebury Dri. *Wash* —2C **112**
Avebury Pl. *Cra* —6C **14**
Avenue Cres. *Sea D* —5A **22**
Avenue Rd. *Gate* —3H **81**
Avenue Rd. *Sea D* —6A **22**
Avenues, The. *Team T* —2G **95**
Avenue St. *H Shin* —5H **159**
Avenue Ter. *Sea D* —6B **22**
Avenue Ter. *Sund* —3C **116**
Avenue, The. *Bir* —4C **126**
Avenue, The. *Bla T* —1C **78**
Avenue, The. *Ches S* —5B **124**
Avenue, The. *Dip* —2D **118**
Avenue, The. *Dur* —6B **152**
Avenue, The. *Fel* —2D **82**
Avenue, The. *Hett H* —1D **146**
Avenue, The. *Lam P* —3C **110**

Avenue, The. *Mur* —2D **148**
Avenue, The. *Pelt* —2G **123**
Avenue, The. *Pity Me* —6A **142**
Avenue, The. *Row G* —4F **91**
Avenue, The. *S'hm* —5F **139**
Avenue, The. *Sea D* —5A **22**
Avenue, The. *She H* —4A **82**
Avenue, The. *S'ley* —6E **119**
Avenue, The. *Sund* —2D **116**
Avenue, The. *W'snd & Newc T*
—6H **57**
Avenue, The. *Wash* —2C **112**
Avenue, The. *Whit B* —6C **34**
Avenue Vivian. *Hou S* —2D **134**
Aviemore Rd. *W Bol* —4D **86**
Avison Ct. *Newc T* —3D **66**
Avison Pl. *Newc T* —3D **66**
Avison St. *Newc T* —4D **66**
Avocet Clo. *Bly* —4C **16**
Avolon Ct. *Newc T* —3D **66**
Avolon Pl. *Newc T* —3D **66**
Avolon Wlk. *Newc T* —4D **66**
Avon Av. *Jar* —1G **85**
Avon Av. *N Shi* —3A **60**
Avon Clo. *Row G* —2F **91**
Avon Clo. *W'snd* —1B **58**
Avon Ct. *N Har* —3B **22**
Avon Cres. *Hou S* —4E **135**
Avoncroft Clo. *S'hm* —3D **138**
Avondale. *Sund* —2C **114**
Avondale Av. *Bly* —5E **9**
Avondale Av. *Hou S* —2F **127**
Avondale Av. *Newc T* —5D **42**
Avondale Clo. *Bly* —5F **9**
Avondale Ct. *Newc T* —3B **55**
Avondale Gdns. *W Bol* —4C **86**
Avondale Ri. *Newc T* —4C **68**
Avondale Rd. *Newc T* —4C **68**
Avondale Rd. *Pon* —2A **36**
Avondale Ter. *Ches S* —6C **124**
Avondale Ter. *Gate* —2G **81**
Avondale Ter. *W Bol* —5C **86**
Avonlea Way. *Newc T* —4G **53**
Avonmouth Rd. *Sund* —2F **129**
Avonmouth Sq. *Sund* —2F **129**
Avon Rd. *Heb* —5D **70**
Avon Rd. *Pet* —2C **162**
Avon Rd. *S'ley* —4D **120**
Avon St. *Gate* —2A **82**
Avon St. *Pet* —1E **161**
Avon St. *Sund* —1F **117**
Avon Ter. *Wash* —3C **112**
Awnless Ct. *S Shi* —4E **73**
Axbridge Clo. *Newc T* —4A **66**
Axminster Clo. *Cra* —6C **14**
Axwell Dri. *Bly* —6H **9**
Axwell Park. —2C **78**
Axwell Pk. Clo. *Whi* —4E **79**
Axwell Pk. Rd. *Bla T* —2C **78**
Axwell Pk. School Houses. *Bla T*
—2C **78**
Axwell Pk. Vw. *Newc T* —4F **65**
Axwell Ter. *Swa* —2E **79**
Axwell Vw. *Bla T* —2A **78**
Axwell Vw. *Whi* —4E **79**
Aycliffe Av. *Gate* —1D **96**
Aycliffe Cres. *Gate* —1D **96**
Aycliffe Pl. *Gate* —1E **97**
Aydon Gro. *Jar* —6F **71**
Aydon Rd. *N Shi* —4E **47**
Aydon Wlk. *Newc T* —6C **52**
Aykley Ct. *Dur* —3A **152**
Aykley Grn. *Dur* —3A **152**
Aykley Heads Bus. Cen. *Dur*
—3B **152**
Aykley Rd. *Dur* —1B **152**

Aykley Va. *Ayk H* —2A **152**
Aylesbury Dri. *Sund* —4A **130**
Aylesbury Pl. *Newc T* —6B **42**
Aylesford Sq. *Bly* —2C **16**
Aylsham Clo. *Newc T* —3H **51**
Aylsham Ct. *Sund* —5A **130**
Aylward Pl. *S'ley* —4F **121**
Aylyth Pl. *Newc T* —4B **54**
Ayr Dri. *Jar* —6H **71**
Ayre's Quay. —5B 102
Ayre's Quay Rd. *Sund* —6C **102**
Ayre's Ter. *N Shi* —1C **60**
Ayrey Av. *S Shi* —5B **72**
Aysgarth Av. *Sund* —5F **117**
Aysgarth Av. *W'snd* —6B **44**
Aysgarth Grn. *Newc T* —3B **54**
Ayton. —4F 111
Ayton Av. *Sund* —6F **117**
Ayton Clo. *Newc T* —4C **52**
Ayton Ct. *Bed* —3F **7**
Ayton Ri. *Newc T* —4C **68**
Ayton Rd. *Wash* —3F **111**
Ayton St. *Newc T* —4C **68**
Azalea Av. *Sund* —2C **116**
Azalea Ter. *Pet* —1H **163**
Azalea Ter. N. *Sund* —2C **116**
Azalea Ter. S. *Sund* —2C **116**
Azalea Way. *Newc T* —1E **63**

Bk. Albion St. *S Hyl* —1C **114**
Bk. Beach Rd. *S Shi* —5F **61**
Bk. Bridge St. *Sund* —6D **102**
Bk. Chapman St. *Newc T* —2C **68**
Bk. Croft Rd. *Bly* —6C **10**
Bk. Ecclestone Rd. S Shi —6G 61
  (off Mowbray Rd.)
Bk. Frederick St. N. *Mead* —5C **156**
  (nr. St Brandon's Gro.)
Bk. Frederick St. N. *Mead* —6E **157**
  (nr. Station Rd.)
Bk. Frederick St. S. *B'don* —6E **157**
Bk. George St. *Newc T* —5E **67**
Bk. Goldspink La. *Newc T* —2H **67**
Bk. Hawthorn Rd. W. *Newc T*
  —3E **55**
Bk. Heaton Pk. Rd. *Newc T* —3B **68**
Bk. High St. *Newc T* —3E **55**
Bk. John St. N. *Mead* —5F **157**
Back La. *Bla T* —1H **77**
Back La. *Ches S* —2G **133**
Back La. *Hou S* —1F **127**
Back La. *Whit B* —6A **34**
Bk. Lodge Ter. *Sund* —1F **117**
Bk. Loud Ter. *S'ley* —5D **118**
Bk. Mitford St. *Newc T* —6D **66**
Bk. Mount Joy. *Dur* —1D **158**
Bk. New Bri. St. *Newc T*
  —3H **67** (3G **5**)
Bk. North Bri. St. *Sund* —5D **102**
Bk. N. Railway St. *S'hm* —3B **140**
Bk. North Ter. *S'hm* —3B **140**
Bk. Prudhoe Ter. *N Shi* —2C **60**
  (NE29)
Bk. Prudhoe Ter. N Shi —5F 47
  (off Percy Pk. Rd.)
Bk. Rothesay Ter. *Bed* —3C **8**
Back Row. *Whi* —4F **79**
Bk. Ryhope St. *Sund* —2E **131**
Bk. Seaburn Ter. *Sund* —6E **89**
Bk. Shipley Rd. *N Shi* —6F **47**
Bk. Silver St. *Dur* —5C **152**
Bk. S. Railway St. *S'hm* —4B **140**
Bk. Stephen St. *Newc T* —3A **68**
Back St. *Winl* —2H **77**
Bk. Victoria Ter. *S'ley* —4F **119**

Backview Ct. *Sund* —2C **102**
Bk. Western Hill. *Dur* —4B **152**
Bk. Westoe Rd. S Shi —5F 61
  (off Halstead Pl.)
Backworth Bus. Pk. *Back* —1A **44**
Backworth La. *Back* —2F **31**
Backworth Ter. *W All* —4B **44**
Baden Cres. *Sund* —4B **116**
Baden Powell St. *Gate* —4A **82**
Baden St. *Ches S* —1C **132**
Bader Ct. *Bly* —1D **16**
Badger Clo. *Sund* —4A **130**
Badger M. *Spri* —3F **97**
Badminton Clo. *Bol C* —2A **86**
Baffin Ct. *Sund* —3H **129**
Baildon Clo. *W'snd* —3A **58**
Bailey Ind. Est. *Jar* —1F **71**
Bailey Ri. *Pet* —5D **160**
Bailey Sq. *Sund* —1C **100**
Bailey St. *Tant* —5H **105**
Bailey Way. *Hett H* —4D **146**
Bainbridge Av. *S Shi* —5B **72**
Bainbridge Av. *Sund* —4B **116**
Bainbridge Bldgs. *Gate* —3C **96**
Bainbridge Holme Clo. *Sund*
  —4B **116**
Bainbridge Holme Rd. *Sund*
  —4C **116**
Bainbridge St. *Dur* —2B **154**
Bainford Av. *Newc T* —3E **65**
Baird Av. *W'snd* —5G **59**
Baird Clo. *Wash* —3C **98**
Baird St. *Sund* —2C **100**
Bakehouse La. *Dur* —5D **152**
Baker Clo. *Sund* —3D **102**
Baker Gdns. *Dun* —2B **80**
Baker Gdns. *Wardl* —3H **83**
Baker La. *Newc T* —2C **54**
Baker Rd. *Cra* —6F **13**
Baker Sq. *Sund* —2C **100**
Baker St. *Hou S* —2A **136**
Baker St. *Sund* —2C **100**
Baker Vs. *Bir* —3C **110**
Bakewell Ter. *Newc T* —5D **68**
Baldersdale Gdns. *Sund* —5B **116**
Baldwin Av. *E Bol* —4G **87**
Baldwin Av. *Newc T* —2B **66**
Baldwin St. *Pet* —1F **161**
Balfour Rd. *Newc T* —4E **65**
  (in two parts)
Balfour St. *Bly* —4B **10**
Balfour St. *Gate* —2F **81**
Balfour St. *Hou S* —2A **136**
Balgonie Cotts. *Ryton* —4C **62**
Baliol Sq. *Dur* —2A **158**
Balkwell Av. *N Shi* —1H **59**
Balkwell Grn. *N Shi* —1A **60**
Ballast Hill. *Bly* —5D **10**
Ballast Hill Rd. *N Shi* —4C **60**
Ballater Clo. *S'ley* —3F **121**
Balliol Av. *Newc T* —4C **42**
Balliol Bus. Pk. *Newc T* —5A **42**
Balliol Clo. *Pet* —2B **162**
Balliol Gdns. *Newc T* —2B **56**
Balmain Rd. *Newc T* —3A **54**
Balmlaw. *Gate* —1D **96**
Balmoral. *Gt Lum* —3G **133**
Balmoral Av. *Jar* —6A **72**
Balmoral Av. *Newc T* —3G **55**
Balmoral Clo. *Bed* —3C **8**
Balmoral Ct. *Sund* —2C **100**
Balmoral Cres. *Hou S* —4B **136**
Balmoral Dri. *Gate* —3C **82**
Balmoral Gdns. *N Shi* —6B **46**
Balmoral Gdns. *Whit B* —5B **34**
Balmoral St. *W'snd* —5H **57**

Balmoral Ter. *E Her* —2E **129**
Balmoral Ter. *Hea* —2B **68**
Balmoral Ter. *Newc T* —3G **55**
Balmoral Ter. *Sund* —5F **117**
Balmoral Way. *Fel* —4C **82**
Balroy Ct. *Newc T* —6E **43**
Baltic Centre for Contemporary Art.
  (open late 2001)   —5H **67** (6H **5**)
Baltic Rd. *Gate* —6D **68**
Baltimore Av. *Sund* —2A **100**
  (in two parts)
Baltimore Ct. *Wash* —5A **98**
Baltimore Sq. *Sund* —2B **100**
Bamborough Ct. *Dud* —3A **30**
Bamborough Ter. *N Shi* —6C **46**
Bambro St. *Sund* —2E **117**
Bamburgh Av. *Pet* —5F **161**
Bamburgh Av. *S Shi* —6H **61**
  (in two parts)
Bamburgh Clo. *Bly* —6A **10**
Bamburgh Clo. *Wash* —2G **111**
Bamburgh Ct. *Newc T* —6A **66**
Bamburgh Ct. *Team* —4E **81**
Bamburgh Cres. *Hou S* —4F **127**
Bamburgh Cres. *Shir* —2D **44**
Bamburgh Dri. *Gate* —1H **83**
Bamburgh Dri. *W'snd* —5D **58**
Bamburgh Gdns. *Sund* —4B **116**
Bamburgh Gro. *Jar* —6E **71**
Bamburgh Gro. *S Shi* —1B **74**
Bamburgh Ho. *Newc T* —4C **52**
Bamburgh Rd. *Dur* —6C **142**
Bamburgh Rd. *Newc T* —5F **43**
Bamburgh Rd. *W'hpe* —4C **52**
Bamburgh Ter. *Newc T* —3C **68**
Bamburgh Wlk. *Newc T* —1C **54**
Bamford Ter. *Newc T* —4F **43**
Bamford Wlk. *S Shi* —4F **73**
Bampton Av. *Sund* —6C **88**
Banbury. *Wash* —5C **98**
Banbury Av. *Sund* —1C **100**
Banbury Gdns. *W'snd* —2B **58**
Banbury Rd. *Newc T* —2B **54**
Banbury Ter. *S Shi* —1F **73**
Banbury Way. *Bly* —2C **16**
Banbury Way. *N Shi* —3H **59**
Bancroft Ter. *Sund* —1H **115**
Banesley La. *Gate* —5C **94**
Banff St. *Sund* —1C **100**
Bangor Sq. *Jar* —2E **85**
Bank Av. *Whi* —4E **79**
Bank Cotts. *E Sle* —2F **9**
Bank Ct. *Bla T* —5D **64**
Bank Ct. *N Shi* —2D **60**
Bankdale Gdns. *Bly* —6G **9**
Bank Foot. *Shin* —3G **159**
Bankhead Rd. *Newc T* —6F **51**
Bankhead Ter. *Hou S* —2E **135**
Bank Rd. *Gate* —5H **67** (6G **5**)
Banks Bldgs. *Hou S* —3G **127**
Banks Holt. *Ches S* —1A **132**
Bankside La. *S Shi* —4E **73**
Bankside Rd. *Newc T* —4D **64**
Bankside. *Ryh* —2E **131**
Bank Top. —5C 50
Bank Top. *Cul* —2E **47**
Bank Top. *Ear* —5E **33**
Bank Top. *W'sde* —6B **62**
Bankwell La. *Gate* —5G **67**
Bannerman St. *S Hill* —6G **155**
Bannerman Ter. *Ush M* —5B **150**
Bannister Dri. *Newc T* —5F **43**
Bannockburn. *Newc T* —1C **42**
Barbara St. *Sund* —5F **117**
Barbary Clo. *Pelt* —2G **123**

Barbary Dri. *Sund* —3F **103**
Barbondale Lonnen. *Newc T*
                          —5A **52**

Barbor Cft. *S'ley* —4E **119**
Barbor Wlk. *Wash* —3C **112**
Barbour Av. *S Shi* —2A **74**
Barclay Ct. *Sund* —5D **102**
Barclay Pl. *Newc T* —6F **53**
Barclay St. *Sund* —5D **102**
Barcusclose La. *Burn* —1A **106**
Bardolph Rd. *N Shi* —1H **59**
Bardon Clo. *Newc T* —3D **52**
Bardon Ct. *S Shi* —4G **73**
Bardon Cres. *H'wll* —1D **32**
Bardsey Pl. *Newc T* —6B **42**
Barehirst St. *S Shi* —2D **72**
Barents Clo. *Newc T* —5D **52**
Baret Rd. *Newc T* —1E **69**
Barford Ct. *Gate* —3A **96**
Barford Dri. *Ches S* —2A **132**
Barham Yd. *Gate* —6H **81**
Baring St. *S Shi* —3E **61**
Barkers Haugh. *Dur* —4D **152**
Barker St. *Newc T* —3H **67** (2G **5**)
Barking Cres. *Sund* —2B **100**
Barking Sq. *Sund* —2B **100**
Barkwood Rd. *Row G* —3C **90**
Barleycorn. *Sund* —1E **117**
Barley Mow. —6D 110
Barlow. —5C 76
Barlow Fell Rd. *Bar* —6C **76**
Barlowfield Clo. *Bla T* —3G **77**
Barlow La. *Bla T* —4D **76**
Barlow La. End. *G'sde* —2B **76**
Barlow Rd. *Bar* —5C **76**
Barlow Vw. G'sde —2B 76
  (off Dyke Heads La.)
Bar Moor. —4B 62
Barmoor La. *Ryton* —4B **62**
Barmoor Ter. *Ryton* —4A **62**
Barmouth Clo. *W'snd* —2B **58**
Barmouth Rd. *N Shi* —2G **59**
Barmouth Way. *N Shi* —3A **60**
Barmston. —1D 112
Barmston Cen. *Wash* —1D **112**
Barmston Clo. *Wash* —3D **112**
Barmston Ct. *Wash* —3D **112**
Barmston Fry. *Wash* —4F **113**
Barmston La. *Wash* —3F **113**
Barmston Rd. *Wash* —3E **113**
Barmston Way. *Wash* —1D **112**
  (in three parts)
Barnabas Pl. *Sund* —2F **117**
Barnard Clo. *Bed* —4G **7**
Barnard Clo. *Dur* —6D **142**
Barnard Cres. *Heb* —2C **70**
Barnard Grn. *Newc T* —6A **40**
Barnard Gro. *Jar* —5H **71**
Barnard Pk. *Hett H* —1C **146**
Barnard St. *Bly* —6C **10**
Barnard St. *Sund* —2H **115**
Barnard Wynd. *Pet* —4B **162**
Barnesbury Rd. *Newc T* —4A **66**
Barnes Pk. Rd. *Sund* —3A **116**
Barnes Rd. *Mur* —2B **148**
Barnes Rd. *S Shi* —2D **72**
Barnes St. *Hett H* —1C **146**
Barnes Vw. *Sund* —3H **115**
Barnett Ct. *Sund* —3B **102**
Barn Hill. *S'ley* —2C **120**
Barn Hollows. *Haw* —6H **149**
Barningham. *Wash* —2E **113**
Barningham Clo. *Sund* —5B **116**
Barns Clo. *Jar* —5E **71**
Barnstaple Clo. *W'snd* —2B **58**
Barnstaple Rd. *N Shi* —4G **45**

Barns, The. *S'ley* —2C **120**
Barnton Rd. *Gate* —5E **83**
Barnwell. —1F 127
Barnwood Clo. *W'snd* —2A **58**
Baroness Dri. *Newc T* —2E **65**
Barons Quay Rd. *Sund* —5D **100**
Baronswood. *Gos* —2D **54**
Barrack Ct. *Newc T* —3E **67** (3A **4**)
Barrack Rd. *Newc T* —2C **66** (3A **4**)
Barrack Row. *Hou S* —3E **127**
Barrack St. *Sund* —5F **103**
Barrack Ter. *Gate* —1F **109**
Barras Av. *Ann* —2B **30**
Barras Av. *Bly* —2B **16**
Barras Av. W. *Bly* —3B **16**
Barras Bri. *Newc T* —3F **67** (2D **4**)
Barras Dri. *Sund* —4B **116**
Barrasford Clo. *Newc T* —3C **54**
Barrasford Dri. *Wide* —6E **29**
Barrasford Rd. *Cra* —4C **20**
Barrasford Rd. *Dur* —1D **152**
Barrasford St. *W'snd* —6G **59**
Barras Gdns. *Ann* —2B **30**
Barras M. *Seg* —2F **31**
Barrass Av. *Seg* —2E **31**
Barr Clo. *W'snd* —2C **58**
Barrie Sq. *Sund* —3B **102**
Barrington Av. *N Shi* —3B **46**
Barrington Ct. *Bed* —5A **8**
Barrington Ct. *Hett H* —1C **146**
Barrington Dri. *Wash* —2B **112**
Barrington Ind. Est. *Bed* —1A **8**
Barrington Pk. *Bed* —2F **9**
Barrington Pl. *Gate* —1F **81**
  (nr. Chester Pl.)
Barrington Pl. Gate —1G 81
  (off Bensham Rd.)
Barrington Pl. *Newc T* —3D **66**
Barrington Rd. *Bed* —1H **7**
Barrington St. *S Shi* —4E **61**
Barrington Ter. *Hett H* —6C **136**
Barron St. S. *Sund* —4E **101**
Barrowburn Pl. *Seg* —2G **31**
Barrow St. *Sund* —1B **100**
Barry St. *Dun* —2B **80**
Barry St. *Salt* —4F **81**
Barsloan Gro. *Pet* —5B **160**
Bartlett Ho. *Newc T* —1A **56**
Barton Bldgs. *Bla T* —6A **64**
Barton Clo. *N Shi* —4D **46**
Barton Clo. *W'snd* —2B **58**
Barton Clo. *Wash* —3D **98**
Barton Ct. *Sund* —6C **88**
Barton Ho. *Newc T* —3C **66**
Bartram Gdns. *Gate* —4G **81**
Bartram St. *Sund* —2C **102**
Barwell Clo. *W'snd* —2B **58**
Barwell Ct. *Newc T* —5E **57**
Barwick St. *Mur* —4E **149**
Barwick St. *Pet* —1F **161**
Basildon Gdns. *W'snd* —2A **58**
Basil Way. *S Shi* —6G **73**
Basingstoke Pl. *Newc T* —6C **42**
Basingstoke Rd. *Pet* —6C **160**
Baslow Gdns. *Sund* —4B **116**
Bassenfell St. *Wash* —1H **111**
Bassenthwaite Av. *Ches S* —2B **132**
Bassington Av. *Cra* —2G **19**
Bassington Clo. *Newc T* —3D **66**
Bassington Dri. *Cra* —1F **19**
Bassington Ind. Est. *Cra* —2G **19**
Bassington La. *Cra* —1F **19**
Bates Houses. *Bla T* —1D **78**
Bates La. *Bla T* —2D **78**
Batey St. *S'ley* —4E **119**
Bath Clo. *W'snd* —2C **58**

Bathgate Av. *Sund* —1B **100**
Bathgate Clo. *W'snd* —2C **58**
Bathgate Sq. *Sund* —2B **100**
Bath La. *Bly* —6D **10**
Bath La. *Newc T* —4E **67** (4A **4**)
Bath La. Ter. *Newc T* —4E **67** (5A **4**)
  (in two parts)
Bath Rd. *Gate* —1D **82**
Bath Rd. *Heb* —6C **70**
Bath Sq. *Jar* —2E **85**
Bath St. *Newc T* —3H **69**
Bath St. Ind. Est. *Newc T* —3H **69**
Bath Ter. *Bly* —6D **10**
Bath Ter. *Newc T* —2F **55**
Bath Ter. *N Shi* —6F **47**
Bath Ter. *S'hm* —3B **140**
Batley St. *Sund* —2B **100**
Battle Grn. *Pelt F* —4G **123**
Battle Hill. —2A 58
Battle Hill Dri. *W'snd* —3A **58**
Battle Hill Est. *W'snd* —1D **58**
Baugh Clo. *Wash* —1G **111**
Baulkham Hills. *Hou S* —3F **127**
Bavington. *Gate* —6G **83**
Bavington Dri. *Newc T* —6G **53**
Bavington Gdns. *N Shi* —4C **46**
Bavington Rd. *Sea D* —6B **22**
Bawtry Ct. *W'snd* —2A **58**
Bawtry Gro. *N Shi* —2A **60**
Baxter Av. *Newc T* —3A **66**
Baxter Pl. *Sea D* —6B **22**
Baxter Rd. *Sund* —1B **100**
Baxters Bldgs. *Sea D* —6B **22**
Baxter Sq. *Sund* —1B **100**
Baxterwood Ct. *Newc T* —3C **66**
Baxterwood Gro. *Newc T* —3C **66**
Bay Av. *Pet* —1H **163**
Baybridge Rd. *Newc T* —4C **52**
Bay Ct. *Ush M* —6D **150**
Bayfield Gdns. *Gate* —2B **82**
Baysdale. *Hou S* —1C **126**
Bayswater Av. *Sund* —2C **100**
Bayswater Rd. *Gate* —3B **82**
Bayswater Rd. *Newc T* —5G **55**
Bayswater Sq. *Sund* —2C **100**
Baytree Gdns. *Whit B* —2B **46**
Baytree Ter. *Pelt* —2D **122**
Baywood Gro. *W'snd* —2A **58**
Beach Av. *Whit B* —6C **34**
Beach Cft. Av. *N Shi* —3D **46**
Beachcross Rd. *Sund* —2B **116**
Beach Gro. *Pet* —6H **161**
Beach Rd. *N Shi* —6A **46**
Beach Rd. *S Shi* —5F **61**
Beach St. *Sund* —5B **102**
Beachville St. *Sund* —2B **116**
Beachway. *Bly* —3E **17**
Beach Way. *N Shi* —4C **46**
Beacon Ct. *Gate* —6B **82**
Beacon Ct. *Wide* —5C **28**
Beacon Dri. *Sund* —4F **103**
Beacon Dri. *Wide* —5C **28**
Beacon Glade. *S Shi* —4C **74**
Beacon Ho. *Whit B* —3B **34**
Beacon La. *Cra* —2F **19**
Beacon Lough. —1B 96
Beacon Lough Rd. *Gate* —1H **95**
Beacon M. *Cra* —3G **19**
Beacon Ri. *Gate* —6B **82**
Beaconsfield Av. *Gate* —6A **82**
Beaconsfield Clo. *Whit B* —4H **33**
Beaconsfield Cres. *Gate* —6A **82**
Beaconsfield Rd. *Gate* —6H **81**
Beaconsfield St. *Bly* —6D **10**
Beaconsfield St. *Newc T* —4C **66**
Beaconsfield St. *S'ley* —2D **120**

Beaconsfield Ter. *Bir* —3B **110**
Beaconside. *S Shi* —3C **74**
Beacon St. *Gate* —6H **81**
Beacon St. *N Shi* —1E **61**
Beacon St. *S Shi* —2E **61**
Beadling Gdns. *Newc T* —3A **66**
Beadnell Av. *N Shi* —3H **59**
Beadnell Clo. *Bla T* —3G **77**
Beadnell Clo. *Ches S* —2A **132**
Beadnell Ct. *W'snd* —2C **58**
Beadnell Gdns. *Shir* —2D **44**
Beadnell Pl. *Newc T* —3H **67** (3G **5**)
Beadnell Rd. *Bly* —2H **15**
Beadnell Way. *Newc T* —2C **54**
Beagle Sq. *Sund* —2A **130**
Beal Clo. *Bly* —6A **10**
Beal Dri. *Newc T* —4F **43**
Beal Gdns. *W'snd* —2D **58**
Beal Grn. *Newc T* —3G **53**
Beal Rd. *Shir* —2D **44**
Beal Ter. *Newc T* —5F **69**
Beal Wlk. *H Shin* —4H **159**
Beal Way. *Newc T* —2D **54**
Beaminster Way. *Newc T* —2G **53**
Beamish. —1A 122
Beamish. —5H **107**
Beamishburn Rd. *Beam* —6E **107**
Beamish Clo. *W'snd* —2A **58**
Beamish Ct. *Pelt* —3E **123**
Beamish Ct. *S'ley* —3C **120**
Beamish Ct. *Whit B* —2A **46**
Beamish Gdns. *Gate* —1D **96**
Beamish Hills. *Beam* —2H **121**
Beamish Red Row. *Beam* —4F **107**
Beamish St. *S'ley* —3D **120**
Beamish Way. *S'ley* —2G **121**
Beaney La. *Ches S* —4A **132**
Beanley Av. *Heb* —5B **70**
Beanley Av. Newc T —3A **64**
(off Shirley St.)
Beanley Cres. *N Shi* —6F **47**
Beanley Pl. *Newc T* —4A **56**
Bearpark. —4D 150
Beatrice Av. *Bly* —3H **15**
Beatrice Gdns. *E Bol* —4F **87**
Beatrice Gdns. *S Shi* —3H **73**
Beatrice Rd. *Newc T* —6B **56**
Beatrice St. *Sund* —3E **103**
Beatrice Ter. *Hou S* —6C **112**
Beatrice Ter. *Pen* —3F **127**
Beattie St. *S Shi* —4D **72**
Beatty Av. *Newc T* —4G **55**
Beatty Av. *Sund* —2B **100**
Beatty Rd. *Bed* —5B **8**
Beatty St. *Pet* —1F **161**
Beaufort Clo. *Newc T* —4H **53**
Beaufort Clo. *Phil* —4G **127**
Beaufort Gdns. *W'snd* —2B **58**
Beaufront Clo. *Gate* —5H **83**
Beaufront Gdns. *Gate* —2B **82**
Beaufront Gdns. *Newc T* —6G **53**
Beaufront Ter. *Jar* —6F **71**
Beaufront Ter. *S Shi* —1E **73**
Beaufront Ter. *W Bol* —4D **86**
Beauly. *Wash* —4B **112**
Beaumaris. *Hou S* —6B **126**
Beaumaris Gdns. *Sund* —2E **129**
Beaumaris Way. *Newc T* —3F **53**
Beaumont Clo. *Fram M* —6A **142**
Beaumont Ct. *Whit B* —5H **33**
Beaumont Cres. *Pet* —4E **161**
Beaumont Dri. *Wash* —2B **112**
Beaumont Dri. *Whit B* —4E **46**
Beaumont Ho. *Newc T* —5G **53**
Beaumont Mnr. *Bly* —6F **9**
Beaumont Pl. *Pet* —2E **163**

Beaumont St. *Bly* —5B **10**
Beaumont St. *Newc T* —6B **66**
Beaumont St. *N Shi* —2C **60**
Beaumont St. *S'hm* —5B **140**
Beaumont St. *Sund* —3E **117** (SR2)
Beaumont St. *Sund* —2A **102** (SR5)
Beaumont Ter. *Bru V* —5C **28**
Beaumont Ter. *Gos* —2F **55**
Beaumont Ter. *Jar* —4E **71**
Beaumont Ter. *W'hpe* —5D **52**
Beaurepaire. *Bear* —4C **150**
Beaver Clo. *Dur* —5C **142**
Bebdon Ct. *Bly* —1A **16**
Bebside. —6D 8
Bebside Furnace Rd. *Bly* —4D **8**
Bebside Rd. *Bly* —6C **8**
Beckenham Av. *E Bol* —3F **87**
Beckenham Clo. *E Bol* —3G **87**
Beckenham Gdns. *W'snd* —3A **58**
Beckett St. *Gate* —5A **68**
Beckfoot Clo. *Newc T* —6F **53**
Beckford. *Wash* —3E **113**
Beckford Clo. *W'snd* —2A **58**
Beck Pl. *Pet* —6D **160**
Beckside Gdns. *Newc T* —6H **51**
Beckwith Rd. *Sund* —1E **129**
Beda Hill. *Bla T* —6A **64**
Bedale Clo. *Dur* —3B **154**
Bedale Clo. *W'snd* —2A **58**
Bedale Ct. *Gate* —3B **96**
Bedale Ct. *S Shi* —4C **72**
Bedale Cres. *Sund* —2C **100**
Bedale Dri. *Whit B* —2B **46**
Bedale Grn. *Newc T* —4H **53**
Bedale St. *Hett H* —3C **146**
Bedburn. *Wash* —6F **111**
Bedburn Av. *Sund* —3E **101**
Bede Av. *Dur* —6G **153** (in three parts)
Bedeburn Foot. *Newc T* —2D **52**
Bede Burn Rd. *Jar* —3F **71**
Bedeburn Rd. *Newc T* —3D **52**
Bede Burn Vw. *Jar* —4F **71**
Bede Clo. *Newc T* —5A **44**
Bede Clo. *S'ley* —2F **121**
Bede Ct. *Ches S* —6C **124**
Bede Ct. *Gate* —1A **82**
Bede Ct. *N Shi* —2E **47**
Bede Cres. *W'snd* —3B **58**
Bede Cres. *Wash* —1A **112**
Bede Ho. *Gate* —1H **81**
Bede Ind. Est. *Jar* —3A **72**
Bede Precinct. *Jar* —2F **71**
Bede St. *Pet* —1F **161**
Bede St. *Sund* —3E **103**
Bedesway. *Jar* —3A **72**
Bede's World Museum. —2H **71**
Bede Ter. *Ches S* —6B **124**
Bede Ter. *E Bol* —4F **87**
Bede Ter. *Jar* —4G **71**
Bede Trad. Est. *Jar* —3A **72**
Bede Wlk. *Heb* —4D **70**
Bede Wlk. *Newc T* —2G **55**
Bede Way. *Dur* —1C **152**
Bede Way. *Pet* —2E **163**
Bedewell Ind. Pk. *Heb* —4E **71**
Bedford Av. *Bir* —1C **124** (in two parts)
Bedford Av. *S Shi* —6E **61**
Bedford Av. *W'snd* —4G **57**
Bedford Ct. *N Shi* —2D **60**
Bedford Pl. *Newc T* —6A **52**
Bedford Pl. *Pet* —5C **160**
Bedford Pl. *Sund* —1A **130**

Bedfordshire Dri. *Dur* —4B **154**
Bedford St. *Hett H* —1B **146**
Bedford St. *N Shi* —1C **60** (in two parts)
Bedford St. *Sund* —6D **102**
Bedford Ter. N Shi —2C **60**
(off Bedford St.)
Bedford Way. *N Shi* —2D **60**
Bedlington. —5H 7
Bedlington Bank. *Bed* —5A **8**
Bedlington Station. —3C 8
Bedson Building. *Newc T* —1C **4**
Beech Av. *Cra* —4D **20**
Beech Av. *Din* —4F **27**
Beech Av. *Hou S* —2H **135**
Beech Av. *Mur* —2D **148**
Beech Av. *Newc T* —1B **54**
Beech Av. *Sund* —2F **89**
Beech Av. *Whi* —3G **79**
Beechburn Wlk. *Newc T* —4D **66**
Beech Clo. *Bras* —5E **143**
Beech Clo. *Newc T* —4F **41**
Beech Ct. *N Shi* —1B **60**
Beech Ct. *Pon* —4A **36**
Beech Cres. *S'hm* —5A **140**
Beech Crest. *Dur* —6B **152**
Beechcroft. *Newc T* —5D **54**
Beechcroft Av. *B'don* —6B **156**
Beechcroft Av. *Newc T* —4C **54**
Beechcroft Clo. *Dur* —4G **153**
Beechdale Rd. *Dur* —3B **154**
Beech Dri. *Gate* —2A **80**
Beecher St. *Bly* —4H **9**
Beeches, The. *Newc T* —6C **66** (NE4)
Beeches, The. *Newc T* —1D **56** (NE12)
Beeches, The. *Pon* —5D **24**
Beechfield Gdns. *W'snd* —4G **57**
Beechfield Rd. *Newc T* —3D **54**
Beech Gdns. *Gate* —5H **81**
Beech Gro. *Bed* —4A **8**
Beech Gro. *Dip* —2C **118**
Beech Gro. *Gate* —4F **97**
Beech Gro. *Newc T* —1C **56**
Beech Gro. *S Shi* —5H **73**
Beech Gro. *Ush M* —6D **150**
Beech Gro. *W'snd* —5H **57**
Beech Gro. *Whit B* —6B **34**
Beech Gro. Ct. *Craw* —5A **62**
Beechgrove La. *S'ley* —6B **122**
Beech Gro. Rd. *Newc T* —5C **66**
Beech Gro. Ter. *Ryton* —5A **62**
Beech Gro. Ter. S. *Ryton* —5A **62**
Beecholm Ct. *Sund* —4D **116**
Beech Pk. *B'don* —6C **156**
Beech Rd. *Dur* —2B **152**
Beech Rd. *Sher* —5D **154**
Beech Sq. *Wash* —3C **112**
Beech St. *Gate* —2B **82**
Beech St. *Jar* —2E **71**
Beech St. *Newc T* —4A **66**
Beech St. *Sun* —3F **93**
Beech Ter. *Bla T* —1A **78**
Beech Ter. *Burn* —1A **106**
Beech Ter. *Cat* —5E **119**
Beech Ter. *Crag* —6F **121**
Beech Ter. *Pet* —1G **163**
Beech Ter. *S Moor* —5C **120**
Beechway. *Gate* —6F **83**
Beech Way. *Kil* —1C **42**
Beechways. *Dur* —4H **151**
Beechwood. *H Spen* —2A **90**
Beechwood Av. *Gate* —2A **96**
Beechwood Av. *Newc T* —1G **55**
Beechwood Av. *Ryton* —4C **62**

Beechwood Av. *Whit B* —1H **45**
Beechwood Clo. *Jar* —3H **71**
Beechwood Cres. *Sund* —2H **101**
Beechwood Gdns. *Gate* —5D **80**
Beechwood Ho. *Newc T* —3A **56**
Beechwood Pl. *Pon* —4E **25**
Beechwoods. *Ches S* —4B **124**
Beechwood St. *Sund* —2B **116**
Beechwood Ter. *Hou S* —6G **127**
Beechwood Ter. *Sund* —2B **116**
Beehive Workshops. *Drag* —5H **153**
Beeston Av. *Sund* —2B **100**
Beetham Cres. *Newc T* —1E **65**
Beethoven St. *S Shi* —5F **61**
Begonia Clo. *Heb* —6C **70**
Bek Rd. *Dur* —1C **152**
Beldene Dri. *Sund* —3G **115**
Belford Av. *Shir* —2D **44**
Belford Clo. *Sund* —4D **116**
Belford Clo. *W'snd* —2B **58**
Belford Gdns. *Gate* —6C **80**
Belford Rd. *Sund* —4E **117**
Belford St. *Pet* —4F **161**
Belford Ter. *Newc T* —4E **69**
Belford Ter. *N Shi* —6C **46**
Belford Ter. *Sund* —4E **117**
Belford Ter. E. *Sund* —4E **117**
Belfry, The. *Shin R* —5E **127**
Belgrade Cres. *Sund* —1B **100**
Belgrade Sq. *Sund* —2B **100**
Belgrave Ct. *Gate* —3D **82**
Belgrave Cres. *Bly* —1D **16**
Belgrave Gdns. *S Shi* —3H **73**
Belgrave Pde. *Newc T* —5D **66**
Belgrave Ter. *Gate* —3D **82**
Belgrave Ter. *S Shi* —4F **61**
Bellamy Cres. *Sund* —2B **100**
Bellburn Ct. *Cra* —1D **20**
Belle Gro. Pl. *Newc T* —2D **66**
Belle Gro. Ter. *Newc T* —2D **66**
Belle Gro. Vs. *Newc T* —2D **66**
Belle Gro. W. *Newc T* —2D **66**
Bellerby Dri. *Ous* —4G **109**
Belle St. *S'ley* —3D **120**
Belle Vue. *H Spen* —6A **76**
Belle Vue. *Tan* —2C **106**
Belle Vue Av. *Newc T* —2F **55**
Belle Vue Bank. *Gate* —6G **81**
Belle Vue Cotts. *Gate* —6G **81**
Bellevue Cres. —5B **14**
Belle Vue Cres. *S Shi* —3D **72**
Belle Vue Cres. *Sund* —3C **116**
Belle Vue Dri. *Sund* —3C **116**
Belle Vue Gro. *Gate* —6H **81**
Belle Vue La. *E Bol* —5E **87**
Belle Vue Pk. *Sund* —3C **116**
Belle Vue Pk. W. *Sund* —3C **116**
Belle Vue Rd. *Sund* —3C **116**
Belle Vue St. *Cul* —2E **47**
Belle Vue Ter. *Dur* —4H **153**
Belle Vue Ter. *E Sle* —2F **9**
Belle Vue Ter. *Gate* —6G **81**
Belle Vue Ter. *N Shi* —2C **60**
Belle Vue Ter. *Spri* —4F **97**
Belle Vue Vs. *E Bol* —5E **87**
Bellfield Av. *Newc T* —1B **54**
Bellgreen Av. *Newc T* —4F **41**
Bell Gro. *Camp* —1B **42**
Bell Ho. Rd. *Sund* —6A **88**
(in two parts)
Bellingham Clo. *W'snd* —3B **58**
Bellingham Ct. *Ken* —2H **53**
Bellingham Dri. *Newc T* —6F **43**
Bellister Gro. *Newc T* —2G **65**
Bellister Pk. *Pet* —3E **163**
Bellister Rd. *N Shi* —1H **59**

Bell Mdw. *B'don* —6C **156**
Belloc Av. *S Shi* —6D **72**
Bells Bldgs. *W Kyo* —4F **119**
Bells Clo. *Bly* —5F **9**
Bells Clo. *Newc T* —4C **64**
Bells Clo. Ind. Est. *Newc T* —4C **64**
Bell's Cotts. *G'side* —2A **76**
Bell's Ct. *Newc T* —4G **67** (5E **5**)
Bell's Folly. *Dur* —2A **158**
Bellshill Clo. *W'snd* —1C **58**
Bell's Pl. *Bed* —5A **8**
Bell St. *Heb* —3B **70**
Bell St. *Hou S* —1F **127**
Bell St. *N Shi* —2D **60**
Bell St. *Sund* —1H **115**
Bell St. *Wash* —3D **112**
Bell's Ville. *Dur* —5G **153**
Bell Vs. *Pon* —5F **25**
Bellway Ind. Est., The. *Longb* —6F **43**
Belmont. —4B 154
Belmont. *Gate* —6G **83**
Belmont Av. *S'hm* —5H **149**
Belmont Av. *Whit B* —1H **45**
Belmont Clo. *W'snd* —2B **58**
Belmont Cotts. *Newc T* —4D **52**
Belmont Ind. Est. *Dur* —3H **153**
Belmont Ri. *Hett H* —4C **146**
Belmont Rd. *Sund* —2H **115**
Belmont St. *Newc T* —6F **69**
Belmont Ter. *Gate* —4E **97**
Belmont Wlk. *Newc T* —6F **69**
Belmount Av. *Newc T* —4F **41**
Belper Clo. *W'snd* —2A **58**
Belsay. *Wash* —3F **111**
Belsay Av. *Haz* —1C **40**
Belsay Av. *Pet* —5F **161**
Belsay Av. *S Shi* —2A **74**
Belsay Av. *Whit B* —1D **46**
Belsay Clo. *W'snd* —2A **58**
Belsay Ct. *Bly* —6A **10**
Belsay Gdns. *Gate* —6C **80**
Belsay Gdns. *Newc T* —5B **40**
Belsay Gdns. *Sund* —2H **115**
Belsay Pl. *Newc T* —3C **66**
Belsfield Gdns. *Jar* —5F **71**
Belsize Pl. *Newc T* —1F **69**
Beltingham. *Newc T* —6C **52**
Belt's Sq. *Bla T* —2H **77**
Belvedere. *N Shi* —6B **46**
Belvedere Av. *Whit B* —1B **46**
Belvedere Ct. *Newc T* —2C **68**
Belvedere Gdns. *Bent* —1D **56**
Belvedere Parkway. *Newc T* —1G **53**
Belvedere Retail Pk. *Newc T* —1H **53**
Belvedere Rd. *Sund* —2C **116**
Bemersyde Dri. *Newc T* —4G **55**
Benbrake Av. *N Shi* —4A **46**
Bendigo Av. *S Shi* —6B **72**
Benedict Rd. *Sund* —3F **103**
Benevente St. *S'hm* —5B **140**
Benfield Gro. *Sea S* —2F **23**
Benfield Rd. *Newc T* —5D **56**
Benfleet Av. *Sund* —2B **100**
Benjamin Rd. *W'snd* —4E **59**
Bennett Ct. *Newc T* —3A **64**
Bennett Ct. *Sund* —4E **117**
Bennett Gdns. *Gate* —1D **82**
Benridge Bank. *W Rai* —3E **145**
Benridge Pk. *Bly* —4H **15**
Bensham. —2F 81
Bensham Av. *Gate* —2F **81**
Bensham Ct. *Gate* —2F **81**
Bensham Ct. *S Shi* —4E **73**
Bensham Cres. *Gate* —2E **81**
Bensham Rd. *Gate* —1G **81**
(in two parts)

Bensham St. *Bol C* —2B **86**
Benson Pl. *Newc T* —3C **68**
Benson Rd. *Newc T* —3D **68**
Benson St. *Ches S* —1C **132**
Benson St. *S'ley* —2C **120**
Benson Ter. *Gate* —3D **82**
Bent Ho. La. *Dur* —6H **153**
Bentinck Cres. *Newc T* —5B **66**
Bentinck Pl. *Newc T* —5B **66**
Bentinck Rd. *Newc T* —5B **66**
Bentinck St. *Newc T* —5B **66**
Bentinck Ter. *Newc T* —4B **66**
Bentinck Vs. *Newc T* —4B **66**
Benton. —1D 56
Benton Av. *Sund* —1B **100**
Benton Bank. *Newc T* —6A **56**
(in two parts)
Benton Clo. *Bent* —2B **56**
Benton Hall Wlk. *Newc T* —5D **56**
Benton La. *Newc T* —4B **42**
(in two parts)
Benton Lodge Av. *Newc T* —2B **56**
Benton Pk. Rd. *Newc T* —2H **55**
Benton Rd. *Newc T* —2C **56**
Benton Rd. *S Shi* —1E **87**
Benton Rd. *W All* —4C **44**
Benton Square. —4H 43
Benton Sq. Ind. Est. *Newc T* —4H **43**
Benton Ter. *Newc T* —2H **67** (1G **5**)
Benton Ter. *S'ley* —2D **120**
Benton Vw. *Newc T* —5D **42**
Benton Way. *W'snd* —1H **69**
Bents Cotts. *S Shi* —5G **61**
Bents Pk. Rd. *S Shi* —4G **61**
Bents, The. *Sund* —4F **89**
Benville Ter. *New B* —1A **156**
Benwell. —4A 66
Benwell Dene Ter. *Newc T* —4G **65**
Benwell Grange. *Newc T* —4H **65**
Benwell Grange Av. *Newc T* —4H **65**
Benwell Grange Clo. *Newc T* —4H **65**
Benwell Grange Rd. *Newc T* —4G **65**
Benwell Grange Ter. *Newc T* —4G **65**
Benwell Gro. *Newc T* —4A **66**
Benwell Hall Dri. *Newc T* —3F **65**
Benwell Hill Gdns. *Newc T* —2G **65**
Benwell Hill Rd. *Newc T* —2F **65**
Benwell La. *Newc T* —4F **65**
(in two parts)
Benwell Shop. Cen. *Newc T* —4A **66**
Benwell Village. *Newc T* —3F **65**
Benwell Village M. *Newc T* —3G **65**
Berberis Way. *Newc T* —1E **63**
(off Lovaine St.)
Beresford Av. *Heb* —6B **70**
Beresford Ct. *Sea S* —3H **23**
Beresford Gdns. *Newc T* —4C **68**
Beresford Pk. *Sund* —2B **116**
Beresford Rd. *N Shi* —2C **46**
Beresford Rd. *Sea S* —3H **23**
Beresford St. *Gate* —2C **80**
Bergen Clo. *Tyn T* —3F **59**
Bergen Sq. *Sund* —1B **100**
Bergen St. *Sund* —1B **100**
Berger Fld. *S'ley* —2D **120**
Berkdale Rd. *Gate* —2G **95**
Berkeley Clo. *Bol C* —1B **86**
Berkeley Clo. *Newc T* —1E **43**
Berkeley Clo. *Sund* —2E **129**
Berkeley Sq. *Newc T* —6D **40**
Berkeley St. *S Shi* —5F **61**
Berkhampstead Ct. *Gate* —4A **84**
Berkley Av. *Bla T* —1C **78**
Berkley Clo. *W'snd* —2B **58**
Berkley Rd. *N Shi* —1H **59**
Berkley St. *Newc T* —1F **63**

Berkley Ter. *Newc T* —1F **63**
Berkley Way. *Heb* —1D **70**
Berkshire Clo. *Dur* —4A **154**
Berkshire Clo. *Newc T* —5D **52**
Berkshire Rd. *Pet* —5C **160**
Bermondsey St. *Newc T*
—3H **67** (3H **5**)
Bernard Shaw St. *Hou S* —3H **135**
Bernard St. *Hou S* —3H **135**
Bernard St. *Newc T* —5H **69**
Bernard Ter. *Pelt F* —4G **123**
Berrington Dri. *Newc T* —4F **53**
Berrishill Gro. *Whit B* —6G **33**
Berry Clo. *Newc T* —4G **69**
Berry Clo. *W'snd* —2A **58**
Berryfield Clo. *Sund* —4A **130**
Berry Hill. *G'sde* —2B **76**
Berryhill Clo. *Bla T* —2B **78**
Bertha Ter. *Hou S* —5H **127**
Bertram Cres. *Newc T* —3G **65**
Bertram Pl. *Shir* —1D **44**
Bertram St. *Bir* —3C **110**
Bertram St. *S Shi* —1D **72**
(in two parts)
Berwick. *Wash* —3F **111**
Berwick Av. *Sund* —1B **100**
Berwick Chase. *Pet* —4B **162**
Berwick Clo. *Newc T* —2G **63**
Berwick Clo. *Pon* —4F **25**
Berwick Dri. *W'snd* —2B **58**
Berwick Hill Rd. *Pon* —3F **25**
Berwick Sq. *Sund* —2B **100**
Berwick St. *Heb* —3B **70**
Berwick Ter. *N Shi* —3H **59**
Beryl Sq. *S Shi* —4E **63**
Besford Gro. *Sund* —1E **117**
Bessemer Rd. *S Het* —6H **147**
Bessie Ter. *Bla T* —1G **77**
Best Vw. *Hou S* —3F **127**
Bethany Gdns. *S'ley* —4F **119**
Bethany Ter. *S'ley* —4F **119**
Bethel Av. *Newc T* —2D **68**
Bethune Av. *S'hm* —4G **139**
Betjeman Clo. *S'ley* —3E **121**
Betts Av. *Newc T* —4F **65**
Bevan Av. *Sund* —2E **131**
Bevan Ct. *Heb* —2D **70**
Bevan Ct. *Newc T* —1H **55**
Bevan Gdns. *Gate* —3G **83**
Bevan Gro. *Dur* —4H **153**
Bevan Sq. *Mur* —1C **148**
Beverley Clo. *Newc T* —3D **40**
Beverley Ct. *Gate* —5A **82**
Beverley Ct. *Jar* —2F **71**
Beverley Ct. *Wash* —6B **98**
Beverley Cres. *Gate* —5A **82**
Beverley Dri. *Bla T* —3F **77**
Beverley Dri. *Swa* —2G **79**
Beverley Gdns. *Ches S* —1D **132**
Beverley Gdns. *N Shi* —2E **47**
Beverley Gdns. *Ryton* —4A **62**
Beverley Pk. *Whit B* —1A **46**
Beverley Pl. *W'snd* —4D **58**
Beverley Rd. *Gate* —5A **82**
Beverley Rd. *Sund* —5F **117**
Beverley Rd. *Whit B* —1A **46**
Beverley Ter. *N Shi* —2E **47**
Beverley Ter. *S'ley* —4E **47**
Beverley Ter. *Walb* —5G **51**
Beverley Ter. *Walk* —4G **69**
Beverley Vs. *N Shi* —2E **47**
Beverley Way. *Pet* —6B **160**
Bevin Sq. *S Het* —2B **148**
Beweshill Cres. *Bla T* —2G **77**
Beweshill La. *Bla T* —1F **77**
Bewick Clo. *Ches S* —3A **132**

Bewick Cres. *Newc T* —2B **64**
Bewicke Lodge. *W'snd* —5E **59**
Bewicke Rd. *W'snd* —6E **59**
(in two parts)
Bewicke St. *W'snd* —6F **59**
Bewick Main Cvn. Pk. *Bir* —2G **109**
Bewick Pk. *W'snd* —2B **58**
Bewick Rd. *Gate* —2G **81**
Bewick St. *Newc T* —5E **67** (6B **4**)
Bewick St. *S Shi* —1E **73**
Bewley Cotts. *Sun* —2G **93**
Bewley Gro. *Pet* —4A **162**
Bewley Ter. *New B* —1A **156**
Bexhill Rd. *Sund* —2B **100**
Bexhill Sq. *Bly* —2C **16**
Bexhill Sq. *Sund* —1B **100**
Bexley Av. *Newc T* —3E **65**
Bexley Gdns. *W'snd* —2B **58**
Bexley Pl. *Whi* —6E **79**
Bexley St. *Sund* —1H **115**
Bickerton Wlk. *Newc T* —6C **52**
Bickington Ct. *Hou S* —6G **127**
Biddick. —3B 112
Biddick Hall. —1D 86
Biddick Hall Dri. *S Shi* —5D **72**
Biddick Inn Ter. *Wash* —1C **126**
Biddick La. *Wash* —1B **126**
Biddick Ter. *Wash* —4C **112**
Biddick Vw. *Wash* —4C **112**
Biddick Village Cen. *Wash* —4B **112**
Biddick Vs. *Wash* —4C **112**
Biddlestone Cres. *N Shi* —2H **59**
Biddlestone Rd. *Newc T* —6C **56**
Bideford Gdns. *Gate* —1H **95**
Bideford Gdns. *Jar* —4A **72**
Bideford Gdns. *S Shi* —6H **61**
Bideford Gdns. *Whit B* —5B **34**
Bideford Gro. *Whi* —6E **79**
Bideford Rd. *Newc T* —3A **54**
Bideford St. *Sund* —5F **117**
Bigbury Clo. *Hou S* —5G **127**
Bigges Gdns. *W'snd* —3F **57**
Bigges Main. —5F 57
Bigg Mkt. *Newc T* —4F **67** (5D **4**)
Big Waters Nature Reserve. —4C **28**
Bilbrough Gdns. *Newc T* —5H **65**
Bill Quay. —1H 83
Bill Quay Farm. —1G **83**
Bill Quay Ind. Est. *Gate* —6H **69**
Billy Mill. —6H 45
Billy Mill Av. *N Shi* —1A **60**
Billy Mill La. *N Shi* —5G **45**
Bilsdale *Sund* —4F **89**
Bilsdale Pl. *Newc T* —1H **55**
Bilsmoor Av. *Newc T* —5B **56**
Bilton Hall Rd. *Jar* —3H **71**
Binchester St. *S Shi* —5C **72**
Bingfield Gdns. *Newc T* —6G **53**
Bingley Clo. *W'snd* —2C **58**
Bingley St. *Sund* —2B **100**
Bink Moss. *Wash* —1G **111**
Binsby Gdns. *Gate* —3B **96**
Binswood Av. *Newc T* —6F **53**
Bircham Dri. *Bla T* —1B **78**
Bircham St. *S'ley* —4B **120**
Birch Av. *Gate* —4G **83**
Birch Av. *Sund* —2F **89**
Birch Ct. *Sund* —3G **129**
Birch Cres. *Burn* —1F **105**
Birch Cres. *Hou S* —1G **135**
Birches, The. *Eas L* —4E **147**
Birches, The. *S Row* —1D **120**
(in two parts)
Birches, The. *Sun* —2G **93**
Birchfield. *Wash* —5C **112**
Birchfield. *Whi* —6F **79**

Birchfield Gdns. *Gate* —3A **96**
Birchfield Gdns. *Newc T* —2C **64**
Birchfield Rd. *Sund* —3B **116**
Birchgate Clo. *Bla T* —2G **77**
Birch Gro. *Jar* —2E **71**
Birch Gro. *W'snd* —2A **58**
Birchgrove Av. *Dur* —4H **153**
Birchington Av. *S Shi* —2E **73**
Birch Rd. *Bla T* —1B **78**
Birch St. *Jar* —2E **71**
Birch Ter. *Bir* —2B **110**
Birch Ter. *Newc T* —4G **69**
Birchtree Gdns. *Whit B* —2B **46**
Birchvale Av. *Newc T* —5E **53**
Birchwood Av. *Newc T* —4C **56**
Birchwood Av. *N Gos* —6D **28**
Birchwood Av. *Whi* —6E **79**
Birchwood Clo. *Beam* —1A **122**
Birchwood Clo. *Seg* —2F **31**
Birdhill Pl. *S Shi* —4E **73**
Birds Nest Rd. *Newc T* —5D **68**
(in two parts)
Bird St. *N Shi* —1E **61**
Birkdale. *S Shi* —6G **61**
Birkdale. *Whit B* —6H **33**
Birkdale Av. *Sund* —4E **89**
Birkdale Clo. *Newc T* —3C **56**
Birkdale Clo. *W'snd* —3H **57**
Birkdale Clo. *Wash* —3H **97**
Birkdale Dri. *Shin R* —5E **127**
Birkdale Gdns. *Dur* —4B **154**
Birkheads. —1A 108
Birkheads La. *Gate* —1H **107**
Birkland La. *Mar H* —4G **93**
Birkshaw Wlk. *Newc T* —6C **52**
Birks Rd. *Hed W* —2B **50**
Birling Pl. *Newc T* —5H **53**
Birnam Gro. *Jar* —1A **86**
Birney Edge. *Pon* —4C **36**
Birnham Pl. *Newc T* —4B **54**
Birnie Clo. *Newc T* —5A **66**
Birrell Sq. *Sund* —1B **100**
Birrell St. *Sund* —1B **100**
Birtley. —3C 110
Birtley Av. *N Shi* —5F **47**
(in two parts)
Birtley Av. *Sund* —1B **100**
Birtley Clo. *Newc T* —3C **54**
Birtley La. *Bir* —2C **110**
Birtley Rd. *Wash* —6F **111**
Birtley Vs. *Bir* —2C **110**
Birtwhistle Av. *Heb* —6B **70**
Biscop Ter. *Jar* —4G **71**
Bishop Cres. *Jar* —1G **71**
Bishopdale. *Hou S* —1C **126**
(in two parts)
Bishopdale. *W'snd* —2F **57**
Bishopdale Av. *Bly* —1G **15**
Bishop Morton Gro. *Sund* —1E **117**
Bishop Ramsey Ct. *S Shi* —3A **74**
Bishop Rock Clo. *Newc T* —1A **56**
Bishop Rock Rd. *Newc T* —1A **56**
(in two parts)
Bishop's Av. *Newc T* —4C **66**
Bishops Clo. *W'snd* —5C **58**
Bishops Ct. *Dur* —3F **159**
Bishops Dri. *Ryton* —6D **62**
Bishops Mdw. *Bed* —4G **7**
Bishop's Rd. *Newc T* —5H **65**
Bishops Way. *Pity Me* —6B **142**
Bishops Way. *Sund* —4G **129**
Bishopton St. *Bly* —1C **16**
Bishopton St. *Sund* —1E **117**
Bisley Ct. *W'snd* —2B **58**
Bisley Dri. *S Shi* —2F **73**
Blackberries, The. *Gate* —4F **97**

Black Boy Rd. *Hou S* —5B **134**
Black Boy Yd. *Newc T*
—4F **67** (5D **4**)
Blackburn Grn. *Gate* —4C **82**
Black Callerton. —5H 37
Blackcap Clo. *Wash* —4F **111**
Blackdown Clo. *Newc T* —1A **56**
Blackdown Clo. *Pet* —2B **162**
Black Dri. *Ches S* —4H **125**
Blackettbridge. *Newc T* —3C **4**
Blackett Pl. *Newc T* —4F **67** (4D **4**)
Blackett St. *Heb & Jar* —1D **70**
Blackett St. *Newc T* —4F **67** (4C **4**)
Blackett St. *S'ley* —5E **119**
Blackett Ter. *Sund* —1A **116**
Blackfell. —1G 111
Blackfell Rd. *Wash* —1F **111**
Blackfell Village Cen. *Wash* —1G **111**
Blackfriars Ct. *Newc T* —5B **4**
Blackfriars Way. *Newc T* —1A **56**
Blackheath Clo. *Wash* —3A **98**
Blackheath Ct. *Newc T* —2F **53**
Blackhill Av. *W'snd* —6C **44**
Blackhill Cres. *Gate* —1D **96**
Blackhills Rd. *Pet* —5G **161**
Blackhills Ter. *Pet* —6G **161**
Blackhouse La. *Ryton* —4B **62**
Black La. *Bla T* —2G **77**
Black La. *Gate* —3B **96**
Black La. *Newc T & Wool* —1D **52**
Blackpool Pde. *Heb* —6E **71**
Black Rd. *Heb* —2D **70**
Black Rd. *Lang M* —3G **157**
Black Rd. *Ryh* —2F **131**
Blackrow La. *Gate* —2A **96**
Blackrow La. *Newc T* —4H **49**
Blackstone Ct. *Bla T* —1G **77**
Black Thorn Clo. *B'don* —6C **156**
Blackthorn Clo. *Sun* —3E **93**
Blackthorn Dri. *W'snd* —2A **58**
Blackthorne. *Gate* —6F **83**
Blackthorne Av. *Pet* —1H **163**
Blackthorn Pl. *Newc T* —6D **66**
Blackthorn Way. *Hou S* —1E **135**
Blackwater Ho. *Sund* —3A **130**
Blackwell Av. *Newc T* —3F **69**
Blackwood Rd. *Sund* —2B **100**
Bladen St. *Jar* —2E **71**
Bladen St. Ind. Est. Jar —2E **71**
(off Bladen St.)
Blagdon Av. *S Shi* —1G **73**
Blagdon Clo. *Newc T* —4G **5**
Blagdon Ct. *Bed* —3D **8**
Blagdon Cres. *Nel V* —1G **19**
Blagdon Dri. *Bly* —5A **16**
Blagdon St. *Newc T* —4H **67** (4G **5**)
Blagdon Ter. *Cra* —3B **20**
Blagdon Ter. *Sea B* —3D **28**
Blaidwood Dri. *Dur* —4A **158**
Blair Clo. *Sher* —6D **154**
Blair Ct. *Lang M* —4G **157**
Blake Av. *Whi* —4F **79**
Blakeburn Cotts. *Bly* —6D **16**
Blake Clo. *S'ley* —3E **121**
Blakelaw. —5G 53
Blakelaw Rd. *Newc T* —5F **53**
(nr. Bonnington Way)
Blakelaw Rd. *Newc T* —5G **53**
(nr. Cragston Av.)
Blakemoor Pl. *Newc T* —6G **53**
Blake St. *Pet* —1F **161**
Blaketown. *Seg* —2G **31**
Blake Wlk. *Gate* —1A **82**
Blanche Ter. *Tant* —5H **105**
Blanch Gro. *Pet* —2D **162**
Blanchland. *Wash* —6C **112**

Blanchland Av. *Dur* —1E **153**
Blanchland Av. *Newc T* —2A **64**
Blanchland Av. *Wide* —5D **28**
Blanchland Clo. *W'snd* —3B **58**
Blanchland Dri. *H'wll* —1D **32**
Blanchland Dri. *Sund* —2C **102**
Blanchland Ter. *N Shi* —6D **46**
Blandford Pl. *S'hm* —4B **140**
Blandford Rd. *N Shi* —4H **45**
Blandford Sq. *Newc T* —5E **67** (6A **4**)
(in two parts)
Blandford St. *Newc T* —5E **67** (6A **4**)
Blandford St. *Sund* —1D **116**
(in two parts)
Blandford Way. *W'snd* —2B **58**
Bland's Opening. *Ches S* —6C **124**
Blaxton Pl. *Whi* —6D **78**
Blaydon. —6B 64
Blaydon Av. *Sund* —1C **100**
Blaydon Bank. *Bla T* —2H **77**
Blaydon Burn. —1G 77
Blaydon Burn Rd. *Bla T* —1F **77**
Blaydon Bus. Cen. *Bla T* —6C **64**
Blaydon Bus. Pk. *Bla T* —5D **64**
Blaydon Haughs. —5C 64
Blaydon Ind. Pk. *Bla T* —6B **64**
Blaykeston Clo. *S'hm* —2E **139**
Blayney Row. *Newc T* —1C **62**
Bleachfeld. *Gate* —5F **83**
Bleach Green. —2A 78
Bleach Grn. *Hett H* —2C **146**
Bleasdale Cres. *Hou S* —2F **127**
Blencathra. *N Shi* —3C **46**
Blencathra. *Wash* —1A **112**
Blenheim. *Newc T* —1D **42**
Blenheim Ct. *Gate* —5D **82**
Blenheim Dri. *Bed* —2C **8**
Blenheim Pl. *Gate* —2A **80**
Blenheim St. *Newc T* —5E **67** (6A **4**)
Blenheim Wlk. *S Shi* —4F **61**
Blenkinsop Gro. *Jar* —6F **71**
Blenkinsop Ct. *Pet* —4B **162**
Blenkinsop St. *W'snd* —5H **57**
Bletchley Av. *Sund* —1B **100**
Blezard Bus. Pk. *Sea B* —2D **28**
Blezard Ct. *Bla T* —5C **64**
Blind La. *Ches S* —3D **124**
Blind La. *Dur* —6B **152**
Blind La. *Hou S* —5E **127**
Blind La. *Sund* —1A **130**
Blindy La. *Eas L* —4E **147**
Bloemfontein Pl. *S'ley* —6F **121**
Bloom Av. *S'ley* —3C **120**
Bloomfield Ct. *Sund* —3F **103**
Bloomfield Dri. *E Rai* —2H **145**
Bloomsbury Ct. *Newc T* —3D **54**
Blossom Gro. *Hou S* —5F **127**
Blossom St. *Hett H* —6D **136**
Blount St. *Newc T* —3D **68**
Blucher Colliery Rd. *Newc T* —6H **51**
Blucher Rd. *Newc T* —4C **42**
Blucher Rd. *N Shi* —4B **60**
Blucher Ter. *Newc T* —6H **51**
Blucher Village. —6H 51
Blue Anchor Ct. *Newc T* —6F **5**
Bluebell Clo. *Gate* —6B **82**
Bluebell Dene. *Newc T* —2E **53**
Bluebell Way. *S Shi* —4D **72**
Blueburn Dri. *Newc T* —1F **43**
Blue Coat Bldgs. *Dur* —5D **152**
Blue Coat Ct. *Dur* —5D **152**
Blue Ho. Bank. *W Pel* —6B **122**
Blue Ho. Ct. *Wash* —5H **97**
Blue Ho. La. *Sund* —4H **87**
Blue Ho. La. *Wash* —5H **97**
Blue Ho. Rd. *Heb* —6B **70**

Blue Quarries Rd. *Gate* —5B **82**
Blue Top Cotts. *Cra* —3D **20**
Blumer St. *Hou S* —3E **135**
Blyth. —6C 10
Blyth Clo. *Dud* —3H **29**
Blyth Ct. *Newc T* —2A **64**
Blyth Ct. *S Shi* —4E **73**
Blyth Dri. *Stan* —4A **6**
Blythe Ter. *Bir* —3B **110**
Blyth Ind. Est. *Bly* —4H **9**
Blyth Power Station Visitors Centre.
—2A **10**
Blyth Rd. *Whit B* —5H **23**
(in two parts)
Blyth Sq. *Sund* —2C **100**
Blyth St. *Sea D* —5A **22**
Blyth St. *Sund* —2C **100**
Blyton Av. *S Shi* —4B **72**
Blyton Av. *Sund* —2E **131**
Bodley Clo. *Newc T* —2H **53**
Bodmin Clo. *W'snd* —2C **58**
Bodmin Ct. *Gate* —3A **96**
Bodmin Rd. *N Shi* —5G **45**
Bodmin Sq. *Sund* —1C **100**
Bodmin Way. *Newc T* —1B **54**
Boghouse La. *S'ley* —5E **107**
Bog Houses. *H'fd* —5C **14**
Bognor St. *Sund* —1B **100**
Bog Row. *Hett H* —2C **146**
Bohemia Ter. *Bly* —1C **16**
Boker La. *E Bol* —3E **87**
Bolam. *Wash* —3F **111**
Bolam Av. *Bly* —6B **10**
Bolam Av. *N Shi* —4C **46**
Bolam Bus. Pk. *Cra* —1G **19**
Bolam Ct. *Newc T* —6D **50**
Bolam Coyne. *Newc T* —4C **68**
Bolam Gdns. *W'snd* —4F **59**
Bolam Gro. *N Shi* —4C **46**
Bolam Ho. *Newc T* —4D **66**
Bolam Pl. *Bed* —3C **8**
Bolam Rd. *Newc T* —2C **42**
Bolams Bldgs. *Tant* —6G **105**
Bolam St. *Gate* —3D **80**
Bolam St. *Newc T* —4C **68**
Bolam St. *Pet* —1F **161**
Bolam Way. *Newc T* —4C **68**
Bolam Way. *Sea D* —6A **22**
Bolbec Rd. *Newc T* —2A **66**
Bolburn. *Gate* —4G **83**
Boldon. —4E 87
Boldon Bus. Pk. Bol C —4H **85**
(off Brooklands Way)
Boldon Bus. Pk. E Bol —4A **86**
(off Didcot Way)
Boldon Clo. *W'snd* —2B **58**
Boldon Colliery. —2A 86
Boldon Dri. *W Bol* —4B **86**
Boldon Gdns. *Gate* —2C **96**
Boldon Ho. *Dur* —4C **142**
Boldon La. *E Bol* —2E **87**
Boldon La. *S Shi* —3D **72**
(in two parts)
Boldon La. *Sund* —2G **87**
Bolingbroke Rd. *N Shi* —1H **59**
Bolingbroke St. *Newc T* —3A **68**
Bolingbroke St. *S Shi* —5F **61**
Bollihope Dene. *Sund* —5B **116**
Bolton Clo. *Dur* —6C **142**
Bonaventure. *Hou S* —1G **127**
Bonchester Clo. *Bed* —3H **7**
Bonchester Ct. *W'snd* —2C **58**
Bonchester Pl. *Cra* —1D **20**
Bond Clo. *Sund* —4C **102**
Bond Ct. *Newc T* —4A **66**
Bondene Av. *Gate* —3E **83**

Bondene Av. W. *Gate* —3D **82**
Bondene Way. *Cra* —5B **14**
Bondfield Ct. *Heb* —2C **70**
Bondfield Gdns. *Gate* —3G **83**
Bondicarr Pl. *Newc T* —6H **53**
Bondicar Ter. *Bly* —6B **10**
Bond St. *Newc T* —4H **65**
Bone La. *Dip* —6D **104**
Bonemill La. *Wash* —1E **125**
Bonner's Fld. *Sund* —5D **102**
Bonnington Way. *Newc T* —5F **53**
Bonnivard Gdns. *Seg* —2G **31**
Bonsall Ct. *S Shi* —4F **73**
Booth St. *Gate* —3D **82**
Booth St. *Sund* —1A **116**
Bootle St. *Sund* —2C **100**
Bordeaux Clo. *Sund* —3G **129**
Border Rd. *W'snd* —6H **57**
Boreham Clo. *W'snd* —2B **58**
Borodin Av. *Sund* —1B **100**
Borough Ct. *Sund* —6E **103**
Borough Rd. *Jar* —3F **71**
Borough Rd. *N Shi* —2C **60**
Borough Rd. *S Shi* —4H **73**
Borough Rd. *Sund* —1D **116**
Borrowdale. *Bir* —6D **110**
Borrowdale. *Wash* —5A **98**
Borrowdale. *Whi* —4H **79**
Borrowdale Av. *Bly* —5G **9**
Borrowdale Av. *Newc T* —2F **69**
Borrowdale Av. *Sund* —6C **88**
Borrowdale Clo. *E Bol* —3E **87**
Borrowdale Cres. *Bla T* —3H **77**
Borrowdale Cres. *Hou S* —1E **127**
Borrowdale Dri. *Dur* —3A **154**
Borrowdale Gdns. *Gate* —2B **96**
Borrowdale Ho. *S Shi* —4E **73**
Borrowdale St. *Hett H* —3C **146**
Boscombe Dri. *W'snd* —3A **58**
Boston Av. *Newc T* —2B **56**
Boston Av. *Wash* —1A **112**
(in two parts)
Boston Clo. *W'snd* —2B **58**
Boston Ct. *Newc T* —5F **43**
Boston Cres. *Sund* —1A **100**
Boston St. *Pet* —1F **161**
Boston St. *Sund* —1A **100**
Boswell Av. *S Shi* —6D **72**
Bosworth. *Newc T* —1D **42**
Bosworth Gdns. *Newc T* —5C **56**
Bothal Clo. *Bly* —1A **16**
Bothal St. *Newc T* —3D **68**
Botham Ho. *N Shi* —4H **59**
Bottle Bank. *Gate* —5G **67**
Bottlehouse St. *Newc T* —5C **68**
Bottle Works Rd. *S'hm* —4C **140**
Boulby Clo. *Sund* —2C **130**
Boulevard, The. *Gate* —2G **79**
Boulmer Av. *Cra* —5B **14**
Boulmer Clo. *Newc T* —5B **40**
Boulmer Ct. *Ches S* —1C **132**
Boulmer Gdns. *Wide* —5D **28**
Boulsworth Rd. *N Shi* —4A **46**
Boult Ter. *Hou S* —3F **127**
Boundary Gdns. *Newc T* —4A **56**
Boundary Houses. —5E 127
Boundary St. *Sund* —3C **102**
Boundary Way. *Sea S* —4H **23**
Bourdon Ho. *Sund* —1D **116**
Bourdon La. *Sund* —6E **103**
Bourne Av. *Newc T* —2A **66**
Bourne Ct. *S'ley* —2E **121**
Bournemouth Ct. *W'snd* —2C **58**
Bournemouth Dri. *Dal D* —5F **139**
Bournemouth Gdns. *Newc T* —4D **52**
Bournemouth Gdns. *Whit B* —5B **34**

Bournemouth Pde. *Heb* —6E **71**
(in two parts)
Bournemouth Rd. *N Shi* —2G **59**
Bourne St. *Pet* —1F **161**
Bourne Ter. *S'ley* —5F **119**
Bourn Lea. *Hou S* —4E **127**
Bournmoor. —6B 126
Bournmoor *Hou S* —6C **126**
Bourtree Clo. *W'snd* —3A **58**
Bowbank Clo. *Sund* —4B **116**
Bowburn Av. *Sund* —3E **101**
Bowburn Clo. *Gate* —4B **84**
Bower St. *Sund* —1D **102**
Bower, The. *Jar* —3F **85**
Bowes Av. *Dal D* —5F **139**
Bowes Av. *Eas L* —4D **146**
Bowes Clo. *Newc T* —3F **93**
Bowes Ct. *Bly* —6C **10**
Bowes Ct. *Dur* —6D **142**
Bowes Ct. *Newc T* —2G **55**
Bowes Cres. *Burn* —5B **92**
Bowes Lea. *Hou S* —5D **126**
Bowes Lyon Clo. *Row G* —5D **90**
Bowes Railway Centre. —3E **97**
Bowes St. *Bly* —6B **10**
(in two parts)
Bowes St. *Newc T* —2G **55**
Bowes Ter. *Dip* —1D **118**
Bowesville. *Burn* —2H **105**
Bowes Wlk. *Newc T* —6C **42**
Bowfell Av. *Newc T* —3H **53**
Bowfell Clo. *Newc T* —4H **53**
Bowfield Av. *Newc T* —4E **41**
Bowland Cres. *Bla T* —1A **78**
Bowland Ter. *Bla T* —6A **64**
Bow La. *Dur* —6C **152**
Bowlynn Clo. *Sund* —3G **129**
Bowman Dri. *Dud* —3B **30**
Bowman Pl. *S Shi* —6E **61**
Bowman St. *Sund* —2F **89**
Bowmont Dri. *Cra* —1D **20**
Bowmont Dri. *Tan L* —1A **120**
Bowmont Wlk. *Ches S* —2A **132**
Bowness Av. *W'snd* —1C **58**
Bowness Clo. *E Bol* —4E **87**
Bowness Clo. *Pet* —6E **161**
Bowness Pl. *Gate* —1B **96**
Bowness Rd. *Newc T* —6E **53**
Bowness Rd. *Whi* —4G **79**
Bowness St. *Sund* —1C **100**
Bowness Ter. *W'snd* —2C **58**
Bowsden Ct. *S Gos* —2G **55**
Bowsden Ter. *Newc T* —2G **55**
Bowtrees. *Sund* —4D **116**
Boxlaw. *Gate* —6C **82**
Boyd Cres. *W'snd* —5A **58**
Boyd Rd. *W'snd* —5A **58**
Boyd St. *Dur* —1D **158**
Boyd St. *Newb* —1E **63**
Boyd St. *Pet* —1F **161**
Boyd St. *Shie* —3H **67**
Boyd Ter. *Blu* —6H **51**
Boyd Ter. *S'ley* —4C **120**
Boyd Ter. *W'hpe* —4D **52**
Boyne Ct. Bly —5C **10**
(off Regent St.)
Boyne Ct. *Lang M* —4F **157**
Boyne Gdns. *Shir* —2C **44**
Boyne Ter. *Wash* —5A **98**
Boyntons. *Nett* —1A **142**
Boystones Ct. *Wash* —1H **111**
Brabourne St. *S Shi* —3E **73**
Bracken Av. *W'snd* —3A **58**
Brackenbeds Clo. *Pelt* —2G **123**
Brackenbeds La. *Pelt* —2H **123**
(in two parts)

Brackenburn Clo. *Hou S* —2G **135**
Bracken Clo. *Din* —5F **27**
Bracken Clo. *S'ley* —3C **120**
Bracken Ct. *Ush M* —4C **150**
(in two parts)
Brackendale Rd. *Dur* —4B **154**
Brackendene Dri. *Gate* —6G **81**
Brackendene Pk. *Low F* —6G **81**
Bracken Dri. *Gate* —5B **80**
Bracken Fld. Rd. *Dur* —2B **152**
Brackenfield Rd. *Newc T* —3D **54**
Bracken Hill. *S West* —2A **162**
Bracken Hill Bus. Pk. *Pet* —3A **162**
Brackenlaw. *Gate* —1C **96**
Bracken Pl. *Newc T* —2H **65**
Brackenridge. *Burn* —1E **105**
Brackenside. *Newc T* —4E **41**
Bracken Way. *Ryton* —6A **62**
Brackenway. *Wash* —6H **97**
Brackenwood Gro. *Sund* —5C **116**
Brackley. *Wash* —4C **98**
Brackley Gro. *N Shi* —3H **59**
Bracknell Clo. *Sund* —1C **130**
Bracknell Gdns. *Newc T* —6H **51**
Brack Ter. *Gate* —1H **83**
Bradbury Clo. *Gate* —4B **84**
Bradbury Clo. *Tan L* —1A **120**
Bradbury Ct. *N Har* —3B **22**
Bradbury Ct. Pon —5F 25
(off Thornhill Rd.)
Bradbury Pl. *N Har* —3B **22**
Bradford Av. *Sund* —1C **100**
Bradford Av. *W'snd* —2B **58**
Bradford Cres. *Dur* —4F **153**
Bradley Av. *Hou S* —5A **136**
Bradley Av. *S Shi* —3A **74**
Bradley Clo. *Ous* —5F **109**
Bradley Lodge Dri. *Dip* —1E **119**
Bradley St. *Pet* —1F **161**
Bradley Ter. *Dip* —2E **119**
Bradley Ter. *Eas L* —4E **147**
Bradman Dri. *Ches S* —1E **133**
Bradman Sq. *Sund* —1C **100**
Bradman St. *Sund* —1C **100**
Bradshaw Sq. *Sund* —2C **100**
Bradshaw St. *Sund* —2C **100**
Bradwell Rd. *Newc T* —2A **54**
Bradwell Way. *Phil* —4G **127**
Brady & Martin Ct. *Newc T* —3G **67**
Brady Sq. *Wash* —3D **112**
Brady St. *Sund* —6H **101**
Braebridge Pl. *Newc T* —4B **54**
Braefell Ct. *Wash* —1H **111**
Braemar Ct. *Gate* —1H **83**
Braemar Dri. *S Shi* —1A **74**
Braemar Gdns. *E Her* —3E **129**
Braemar Gdns. *Sund* —4B **116**
Braemar Gdns. *Whit B* —1G **45**
Braemar Ter. *Pet* —1H **163**
Braeside. *Gate* —4B **80**
Braeside. *Sund* —3B **116**
Braeside Clo. *N Shi* —2C **46**
Braeside Ter. *Whit B* —1E **47**
Brae, The. *Sund* —1B **116**
Braintree Gdns. *Newc T* —3B **54**
Braithwaite Rd. *Pet* —1F **163**
Brakespeare Pl. *Pet* —2E **163**
Brama Teams Ind. Est. *Gate* —2D **80**
Bramble Dykes. *Newc T* —4F **65**
Bramblelaw. *Gate* —1C **96**
Brambles, The. *Ryton* —4B **62**
Brambling Lea. *Bed* —3C **8**
Bramham Ct. *S Shi* —4G **73**
Bramhope Grn. *Gate* —3B **96**
Bramley Clo. *Sund* —4C **114**
Bramley Ct. *Newc T* —5E **57**

Brampton Av.—Brigside Cotts.

Brampton Av. *Newc T* —5F **69**
Brampton Ct. *Cra* —1C **20**
Brampton Ct. *Eas V* —2B **160**
Brampton Gdns. *Gate* —2A **96**
Brampton Gdns. *Newc T* —5D **50**
Brampton Gdns. *W'snd* —3E **59**
Brampton Pl. *N Shi* —2H **59**
Brampton Rd. *S Shi* —4C **72**
Bramwell Ct. *Newc T* —2G **55**
Bramwell Rd. *Sund* —2E **117**
Brancepath Av. *Newc T* —5A **66**
Brancepeth Av. *Hou S* —2E **135**
Brancepeth Chare. *Pet* —4B **162**
Brancepeth Clo. *Dur* —1D **152**
Brancepeth Clo. *Newc T* —2A **64**
Brancepeth Clo. *Ush M* —6E **151**
Brancepeth Rd. *Heb* —2D **70**
Brancepeth Rd. *Wash* —3G **111**
Brancepeth Ter. *Jar* —6F **71**
Brancepeth Vw. *B'don* —6B **156**
Branch St. *Bla T* —2H **77**
Brand Av. *Newc T* —2A **66**
Brandling Ct. *Gate* —2D **82**
Brandling Ct. *Newc T* —1H **67**
Brandling Ct. *S Shi* —5A **74**
Brandling Dri. *Newc T* —4F **41**
Brandling La. *Gate* —2D **82**
Brandling M. *Newc T* —4F **41**
Brandling Pk. *Newc T* —1F **67**
Brandling Pl. *Gate* —2D **82**
Brandling Pl. S. *Newc T* —1G **67**
Brandlings Ct. *Pet* —1D **162**
Brandling St. *Gate* —5H **67**
Brandling St. *Sund* —3E **103**
(in two parts)
Brandling St. S. *Sund* —4E **103**
Brandlings Way. *Pet* —6D **160**
Brandling Ter. *N Shi* —1D **60**
Brandon. —5D 156
Brandon Av. *Shir* —2C **44**
Brandon Clo. *Bla T* —3G **77**
Brandon Clo. *Bly* —5H **9**
Brandon Clo. *Ches S* —2A **132**
Brandon Clo. *Hou S* —4H **135**
Brandon Gdns. *Gate* —2D **96**
Brandon Gro. *Newc T*
　　　　　　　—2H **67** (1H **5**)
Brandon Ho. *B'don* —6C **156**
Brandon La. *Lang M* —5C **156**
Brandon Rd. *Newc T* —1B **54**
Brandon Rd. *N Shi* —1H **59**
Brandon Village. —4C 156
Brandy La. *Wash* —6H **97**
Brandywell. *Gate* —5F **83**
Brannen St. *N Shi* —2C **60**
Bransdale. *Hou S* —1C **126**
Bransdale Av. *Sund* —4F **89**
Branston St. *Sund* —3B **102**
Branton Av. *Heb* —6B **70**
Brantwood. *Ches S* —6H **123**
Brantwood Av. *Whit B* —1H **45**
Branxton Cres. *Newc T* —4F **69**
Brasher St. *S Shi* —3E **61**
Brasside. —5F 143
Brass Thill. *Dur* —6B **152**
Braunespath Est. *New B* —1B **156**
Bray Clo. *W'snd* —2B **58**
Braydon Dri. *N Shi* —4A **60**
Brayside. *Jar* —2H **85**
Breakneck Stairs. *Newc T* —6D **4**
Breamish Dri. *Wash* —6F **111**
Breamish St. *Jar* —4E **71**
Breamish St. *Newc T* —4A **68** (4H **5**)
Brearley Way. *Gate* —3C **82**
Breckenbeds Rd. *Gate* —1G **95**
Brecken Ct. *Gate* —1G **95**

Brecken Way. *Mead* —5E **157**
Brecon Clo. *Newc T* —3F **53**
Brecon Clo. *Pet* —2B **162**
Brecon Pl. *Pelt* —1H **123**
Brecon Rd. *Dur* —6E **143**
Bredon Clo. *Wash* —4H **111**
Brendale Av. *Newc T* —4B **52**
Brendon Pl. *Pet* —6B **160**
Brenkley. —1H 27
Brenkley Av. *Shir* —3C **44**
Brenkley Clo. *Din* —4F **27**
Brenkley Ct. *Sea B* —3D **28**
Brenkley Way. *Sea B* —2D **28**
Brenlynn Clo. *Sund* —3G **129**
Brennan Clo. *Newc T* —3F **65**
Brentford Av. *Sund* —2C **100**
Brentford Sq. *Sund* —2C **100**
Brentwood Av. *Newc T* —5F **55**
Brentwood Clo. *H'wll* —1C **32**
Brentwood Ct. *S'ley* —3G **121**
Brentwood Gdns. *Newc T* —5F **55**
Brentwood Gdns. *Sund* —4B **116**
Brentwood Gdns. *Whi* —6F **79**
Brentwood Gro. *W'snd* —6B **58**
Brentwood Pl. *S Shi* —5F **61**
Brentwood Rd. *Hou S* —4E **127**
Brettanby Gdns. *Ryton* —3C **62**
Brettanby Rd. *Gate* —4C **82**
Brett Clo. *Newc T* —4D **56**
Bretton Gdns. *Newc T* —5C **56**
Brewers La. *N Shi* —5G **59**
Brewer Ter. *Sund* —3G **131**
Brewery Bank. *Swa* —2E **79**
Brewery La. *Gate* —1D **82**
Brewery La. *Pon* —5E **25**
Brewery La. *S Shi* —5D **60**
Brewery La. Swa —2E 79
(off Brewery Bank)
Brewery Sq. *S'ley* —2D **120**
Brewery St. Bly —5D 10
(off Sussex St.)
Brewhouse Bank. *N Shi* —1E **61**
Briar Av. *B'don* —6C **156**
Briar Av. *Hou S* —3H **135**
Briar Av. *Whit B* —4B **34**
Briar Bank. *Dur* —5B **142**
Briar Clo. *Bla T* —1G **77**
Briar Clo. *Fenc* —2C **134**
Briar Clo. *Kim* —2A **142**
Briar Clo. *Shin R* —5D **126**
Briar Clo. *W'snd* —2A **58**
Briardale. *Bed* —4G **7**
Briardale. *Din* —4F **27**
Briardale Rd. *Bly* —6G **9**
Briardene. *Burn* —1E **105**
Briardene. *Dur* —6B **152**
Briardene Clo. *Sund* —3E **129**
Briardene Cres. *Newc T* —4C **54**
Briardene Dri. *Gate* —3B **84**
Briar Edge. *Newc T* —5D **42**
Briarfield. *Wash* —6B **112**
Briarfield Rd. *Newc T* —3D **54**
Briar Glen. *Mur* —3H **147**
Briarhill. *Ches S* —4A **124**
Briar La. *Newc T* —6E **51**
Briarlea. *Hep* —1A **6**
Briar Lea. *Hou S* —5D **126**
Briar Pla. *Newc T* —4E **65**
Briar Rd. *Dur* —3B **154**
Briar Rd. *Row G* —3D **90**
Briarside. *Newc T* —4E **53**
Briars, The. *Sund* —4D **100**
Briarsyde. *Newc T* —1E **57**
Briarsyde Clo. *Whi* —6C **78**
Briar Ter. *Burn* —1A **106**
Briar Wlk. *Newc T* —4E **65**

Briarwood. *Dud* —3B **30**
Briarwood Av. *Newc T* —1G **55**
Briarwood Av. *Pelt F* —6G **123**
Briarwood Cres. *Gate* —3B **80**
Briarwood Cres. *Newc T* —6F **57**
Briarwood Rd. *Bly* —1D **16**
Briarwood St. *Hou S* —2C **134**
Briary, The. *Newc T* —5C **50**
Brick Gth. *Eas L* —5D **146**
Brick Row. *Sund* —2E **131**
Bridekirk. *Wash* —6A **98**
(in two parts)
Bridge App. *Sund* —4A **102**
Bridge Cotts. *Dud* —3B **30**
Bridge Cres. *Sund* —6D **102**
Bridgemere Dri. *Fram M* —1A **152**
Bridge Pk. *Newc T* —5E **41**
Bridge Rd. S. *N Shi* —3A **60**
Bridges Shop. Cen., The. *Sund*
　　　　　　　　　　　　—1C **116**
Bridges, The. Sund —1C 116
(off West St.)
Bridge St. *Bla T* —5A **64**
Bridge St. *Bly* —5C **10**
Bridge St. *Dur* —5B **152**
Bridge St. *Gate* —5G **67**
Bridge St. *Sea B* —3D **28**
Bridge St. *S'ley* —5C **120**
Bridge St. *Sund* —6D **102**
Bridge Ter. *Bed* —2C **8**
Bridge Ter. *Shir* —1D **44**
Bridgewater Clo. *Newc T* —2A **64**
Bridgewater Clo. *W'snd* —3A **58**
Bridgewater Rd. *Wash* —6C **98**
Bridle Path. *E Bol* —4E **87**
Bridle Path. *Newc T* —6G **41**
Bridle Path. *Sund* —1E **129**
Bridle, The. *Mur* —3F **45**
Bridlington Av. *Gate* —2H **95**
Bridlington Clo. *W'snd* —2B **58**
Bridlington Pde. *Heb* —6E **71**
Bridport Rd. *N Shi* —4H **45**
Brier Av. *Pet* —5F **161**
Brier Dene Clo. *Whit B* —3B **34**
Brierdene Ct. *Whit B* —3A **34**
Brier Dene Cres. *Whit B* —3A **34**
Brierdene Rd. *Whit B* —2B **34**
Brierdene Vw. *Whit B* —3A **34**
Brierfield Gro. *Sund* —3F **115**
Brierley Clo. *Bly* —6H **9**
Brierley Rd. *Bly* —6H **9**
Briermede Av. *Gate* —1H **95**
Briermede Pk. *Gate* —1H **95**
Brierville. *Dur* —6B **152**
Brieryside. *Newc T* —6H **53**
Briery Va. Clo. *Sund* —2C **116**
Briery Va. Rd. *Sund* —2C **116**
Brigham Av. *Newc T* —4A **54**
Brigham Pl. *S Shi* —4E **61**
Brightlea. *Bir* —2E **111**
Brightman Rd. *N Shi* —1C **60**
Brighton Clo. *W'snd* —2C **58**
Brighton Gdns. *Gate* —4G **81**
Brighton Gro. *Newc T* —3C **66**
Brighton Gro. *N Shi* —1B **60**
Brighton Gro. *Whit B* —5B **34**
Brighton Pde. *Heb* —6E **71**
Brighton Rd. *Gate* —2F **81**
Brighton Ter. *S Hill* —6H **155**
Bright St. *S Shi* —6H **61**
Bright St. *Sund* —4D **102**
Brignall Clo. *Gt Lum* —4H **133**
Brignall Gdns. *Newc T* —2E **65**
Brignall Ri. *Sund* —5B **116**
Brigside Cotts. *Sea B* —3E **29**
(in two parts)

Brindley Rd. *S West* —1A **162**
Brindley Rd. *Wash* —1C **112**
Brinkburn. *Ches S* —6A **124**
Brinkburn. *Wash* —5C **112**
Brinkburn Av. *Bly* —1D **16**
Brinkburn Av. *Cra* —3C **20**
Brinkburn Av. *Gate* —3G **81**
Brinkburn Av. *Newc T* —1D **54**
Brinkburn Av. *Swa* —3F **79**
Brinkburn Clo. *Bla T* —3G **77**
Brinkburn Clo. *Newc T* —4B **68**
Brinkburn Cres. *Hou* —1G **135**
Brinkburn Pl. *Newc T* —3B **68**
Brinkburn Sq. *Newc T* —4B **68**
  (in two parts)
Brinkburn St. *Newc T* —4C **68**
  (in four parts)
Brinkburn St. *S Shi* —4D **72**
Brinkburn St. *Sund* —2A **116**
Brinkburn St. *W'snd* —6G **59**
Brisbane Av. *S Shi* —6B **87**
Brisbane Ct. *Gate* —6G **67**
Brisbane St. *Sund* —2C **100**
Brislee Av. *N Shi* —6E **47**
Brislee Gdns. *Newc T* —3A **54**
Bristlecone. *Sund* —4G **129**
Bristol Av. *Sund* —2B **100**
Bristol Av. *Wash* —5H **97**
Bristol Dri. *W'snd* —2B **58**
Bristol St. *N Har* —4A **22**
Bristol Ter. *Newc T* —5C **66**
Bristol Wlk. *N Har* —3B **22**
Bristol Way. *Jar* —2G **85**
Britannia Ct. *Newc T* —5C **66**
Britannia Pl. *Newc T* —4C **66**
Britannia Rd. *Sund* —2A **130**
Britannia Ter. *Hou S* —3E **135**
Britten Clo. *S'ley* —4E **121**
Brixham Av. *Gate* —2H **95**
Brixham Clo. *Dal D* —5G **139**
Brixham Cres. *Jar* —4H **71**
Brixham Gdns. *Sund* —4B **116**
Broad Ash. *Newc T* —1A **68**
Broadbank. *Gate* —3H **83**
Broad Chare. *Newc T* —4G **67** (5F **5**)
Broadclose, The. *Pet* —1D **162**
Broadfield Pl. *S Shi* —4F **73**
Broadfield Wlk. *Newc T* —3E **53**
Broad Gth. *Newc T* —5G **67** (6F **5**)
Broad Landing. *S Shi* —4D **60**
Broadlands. *Cle* —4A **88**
Broadlea. *Gate* —3H **83**
Broadmayne Av. *Sund* —3F **115**
Broadmayne Gdns. *Sund* —3F **115**
Broadmeadows. *E Her* —3D **128**
Broad Meadows. *Newc T* —4B **54**
Broad Meadows. *Sund* —3B **116**
Broadmeadows. *Wash* —5C **112**
Broadmead Way. *Newc T* —4D **64**
Broadoak. *Gate* —3H **83**
Broadpark. *Gate* —3H **83**
Broadpool Grn. *Whi* —5G **79**
  (in two parts)
Broadpool Ter. *Whi* —5G **79**
  (in two parts)
Broadshaw Wlk. *Newc T* —6D **50**
Broadsheath Ter. *Sund* —4H **101**
  (in two parts)
Broadside. *Gate* —3H **83**
Broadstairs Ct. *Sund* —3F **115**
Broadstone Gro. *Newc T* —6A **52**
Broadstone Way. *W'snd* —3A **58**
Broad Views. *Gt Lum* —3G **133**
Broadview Vs. *Sher* —6E **155**
Broadwater. *Gate* —2H **83**
Broadway. *Bly* —1C **16**

Broadway. *Ches S* —4C **124**
Broadway. *Gate* —5B **82**
Broadway. *Newc T* —2B **64**
Broadway. *Pon* —2C **36**
Broadway. *Whi* —6D **78**
Broadway Circ. *Bly* —6B **10**
Broadway Clo. *N Shi* —2D **46**
Broadway Ct. *W'snd* —1C **58**
Broadway Cres. *Bly* —1C **16**
Broadway E. *Newc T* —6E **41**
Broadway, The. *C'twn* —5C **100**
Broadway, The. *Hou S* —3A **136**
Broadway, The. *N Shi* —2D **46**
Broadway, The. *S Shi* —3H **55**
Broadway, The. *Sund* —4D **114**
  (in two parts)
Broadway Vs. *Newc T* —4F **65**
Broadway W. *Newc T* —6D **40**
Broadwell Ct. *Newc T* —3H **55**
Broadwood Rd. *Newc T* —2D **64**
Broadwood Vw. *Ches S* —1D **132**
Brockdale. *E Sle* —2F **9**
Brockenhurst Dri. *Sund* —5C **114**
Brock Farm Ct. *N Shi* —1C **60**
Brockhampton Clo. *Bol C* —1A **86**
Brock La. *Bed* —1F **9**
Brockley Av. *S Shi* —5D **72**
Brockley St. *Sund* —2C **100**
Brockley Ter. *Bol C* —2A **86**
Brockley Whins. —6B 72
Brock Sq. *Newc T* —4B **68**
Brock St. *Newc T* —4B **68**
Brockwade. *Gate* —6F **83**
Brockwell Cen., The. *Cra* —1B **20**
Brockwell Clo. *Bla T* —2G **77**
Brockwell Ct. *Bly* —2A **16**
Brockwell Ho. *Newc T* —5G **53**
Brockwell Rd. *Cwthr* —2F **111**
Brockwell St. *Bly* —3A **16**
Broderick Ter. *Hou S* —6H **127**
Brodie Clo. *S Shi* —5E **73**
Brodrick Clo. *Newc T* —2H **53**
Brodrick St. *S Shi* —4F **61**
Brokenheugh. *Newc T* —6D **52**
Bromarsh Ct. *Sund* —4F **103**
Bromford Rd. *Newc T* —2H **53**
Bromley Av. *Whit B* —2A **46**
Bromley Clo. *H Shin* —5H **159**
Bromley Ct. *Newc T* —6H **39**
Bromley Gdns. *Bly* —2C **16**
Bromley Gdns. *W'snd* —2B **58**
Brompton Clo. *Ous* —5G **109**
Brompton Pl. *Gate* —3C **80**
Brompton Ter. *Hou S* —5H **127**
Bromsgrove Clo. *W'snd* —2C **58**
Bronte Pl. *S'ley* —5F **121**
Bronte St. *Gate* —2B **82**
Brookbank Clo. *Sund* —4H **129**
Brook Ct. *Bed* —5A **8**
Brookdale. *Dur* —3C **154**
Brooke Av. *Bol C* —3D **86**
Brooke Av. *Whi* —3E **79**
Brooke Clo. *S'ley* —3E **121**
Brookes Ri. *Lang M* —4F **157**
Brooke St. *Sund* —5C **102**
Brookes Wlk. *S Shi* —1C **86**
Brookfield. *Newc T* —5D **54**
Brookfield Cres. *Newc T* —6A **52**
Brook Gdns. *Whit B* —5D **34**
Brookland Dri. *Newc T* —2E **43**
Brookland Rd. *Sund* —1H **115**
Brooklands. *Pon* —2A **36**
Brooklands Way. *Bol C* —3H **85**
Brookland Ter. *N Shi* —4F **45**
  (in three parts)
Brooklyn St. *Mur* —3D **148**

Brooklyn Ter. *Mur* —3D **148**
Brook Rd. *Sund* —2B **116**
Brookside. *Dud* —4A **30**
Brookside. *Hou S* —5H **135**
Brookside Av. *Bly* —6H **9**
Brookside Av. *Bru V* —6C **28**
Brookside Cotts. *Sund* —3C **116**
Brookside Cres. *Newc T* —6H **53**
Brookside Gdns. *Sund* —3C **116**
Brookside Ter. *Sund* —3C **116**
Brookside Wood. *Wash* —6B **112**
Brooksmead. *W'snd* —3G **57**
Brook St. *Newc T* —4D **68**
Brook St. *Whit B* —6D **34**
Brookvale Av. *Newc T* —3B **54**
Brook Vw. *S'hm* —3F **139**
Brook Wlk. *Sund* —4H **129**
Broom Clo. *Bla T* —3H **77**
Broom Clo. *S'ley* —2F **121**
Broom Clo. *Whi* —5G **79**
Broom Ct. *Spri* —5F **97**
Broom Cres. *Ush M* —5C **150**
Broome Clo. *Faw* —1B **54**
Broome Ct. *B'pk* —1E **157**
Broome Rd. *Dur* —3B **154**
Broom Farm W. *B'pk* —1E **157**
Broomfield. *Jar* —1G **85**
Broomfield Av. *Newc T* —6E **57**
Broomfield Av. *W'snd* —2A **58**
Broomfield Gro. *N Shi* —4A **60**
Broomfield Rd. *Newc T* —3D **54**
Broom Grn. *Whi* —5G **79**
Broom Hall Dri. *Ush M* —6D **150**
Broom Hill. —5B 136
Broom Hill. *S'ley* —2B **120**
Broomhill Est. *Hett H* —5B **136**
Broomhill Gdns. *Newc T* —6H **53**
Broomhill Ter. *Hett H* —6B **136**
Broom La. *Ush M* —6C **150**
Broom La. *Whi* —6F **79**
Broomlaw. *Gate* —1C **96**
Broomlea. *N Shi* —4F **45**
Broomlea Ct. *Bla T* —6A **64**
Broomlee Clo. *Newc T* —4D **56**
Broomlee Rd. *Newc T* —2C **42**
Broomley Ct. *Newc T* —6B **40**
Broomley Wlk. *Newc T* —6B **40**
Broom Park. —1E 157
Broomridge Av. *Newc T* —3H **65**
Broomshields Av. *Sund* —2B **102**
Broomshields Clo. *Sund* —2B **102**
Broomside. —3C 154
Broomside Ct. *Dur* —3B **154**
Broomside La. *Dur* —3A **154**
Brooms La. *Con* —5A **118**
Brooms, The. *Ous* —5H **109**
Broom Ter. *Burn* —1H **105**
Broom Ter. *Whi* —5G **79**
Broomy Hill Rd. *Newc T* —5C **50**
Broomylinn Pl. *Cra* —1C **20**
Brotherlee Rd. *Newc T* —6B **40**
Brougham Ct. *Pet* —4A **162**
Brougham St. *Sund* —1D **116**
Brough Ct. *Newc T* —2C **68**
Brough Gdns. *W'snd* —3E **59**
Brough Park Stadium. —3D 68
Brough Pk. Way. *Newc T* —3D **68**
Brough St. *Newc T* —2C **68**
Broughton Rd. *S Shi* —5F **61**
Brough Way. *Newc T* —2C **68**
Brown Cres. *Gate* —4C **96**
Browne Rd. *Sund* —2D **102**
Browney. —6F 157
Browney La. *Brow* —6E **157**
Browning Clo. *S Shi* —1D **86**
  (in two parts)

Browning Clo. *S'ley* —3F **121**
Browning Sq. *Gate* —1A **82**
Browning St. *Pet* —1F **161**
Brownlow Clo. *Newc T* —4E **57**
Brownlow Rd. *S Shi* —3E **73**
Brownrigg Dri. *Cra* —4C **20**
Brownriggs Ct. *Wash* —1H **111**
Brown Rd. *C'twn* —4D **100**
Browns Bldgs. *Bed* —5G **7**
Brown's Bldgs. *Bir* —6C **110**
Brownsea Pl. *Gate* —4A **82**
Browntop Pl. *S Shi* —4E **73**
Brow, The. *Newc T* —4C **68**
Broxbourne Ter. *Sund* —1A **116**
Broxburn Clo. *W'snd* —2C **58**
Broxburn Ct. *Newc T* —4G **53**
Broxholm Rd. *Newc T* —6B **54**
Bruce Clo. *Newc T* —5D **52**
Bruce Clo. *S Shi* —5E **73**
Bruce Gdns. *Newc T* —2G **65**
Bruce Kirkup Rd. *Pet* —5F **161**
Bruce Pl. *Pet* —5C **160**
Bruce St. *Sund* —3C **102**
Brundon Av. *Whit B* —4B **34**
Brunel Dri. *Sund* —3F **103**
Brunel St. *Gate* —3F **81**
Brunel St. *Newc T* —6D **66**
Brunel Ter. *Newc T* —6C **66**
(in two parts)
Brunel Wlk. *Newc T* —6C **66**
Brunswick Gro. *Bru V* —5C **28**
Brunswick Ind. Est. *Bru V* —5B **28**
Brunswick Pk. Ind. Est. *Bru V*
—5B **28**
Brunswick Pl. *Newc T*
—4F **67** (3D **4**)
Brunswick Rd. *Shir* —3D **44**
Brunswick Rd. *Sund* —1C **100**
Brunswick Sq. *Shir* —3D **44**
Brunswick St. *S Shi* —6E **61**
Brunswick Village. —5C 28
Brunton Av. *Newc T* —1B **54**
Brunton Av. *W'snd* —4F **59**
Brunton Clo. *Shir* —3D **44**
Brunton Gro. *Newc T* —1B **54**
Brunton La. *N Gos & Newc T*
—3H **39**
Brunton M. *Newc T* —3B **40**
Brunton Rd. *Ken F* —6F **39**
Brunton St. *N Shi* —4H **59**
Brunton Ter. *Sund* —1A **116**
Brunton Wlk. *Newc T* —6G **39**
Brunton Way. *Cra* —5B **14**
Brunton Way. *Gate* —1H **83**
Brussels Rd. *Sund* —6F **101**
Brussels Rd. *W'snd* —6H **57**
Bryan's Leap. —6G 91
Bryans Leap. *Burn* —6G **91**
Bryden Ct. *S Shi* —4F **73**
Brydon Cres. *S Het* —6B **148**
Bryers St. *Whit* —2F **89**
Buchanan Grn. *Gate* —2C **80**
Buchanan St. *Heb* —4B **70**
Buckingham. *Sund* —1G **129**
Buckingham Clo. *Sund* —3F **89**
Buckingham Pl. *Pet* —5B **160**
Buckinghamshire Rd. *Dur* —4A **154**
Buckingham St. *Newc T* —4D **66**
Buckland Clo. *Hou S* —1G **135**
Buckland Clo. *Wash* —4B **112**
Buck's Hill. *Dur* —3C **158**
Buck's Hill Vw. *Whi* —5G **79**
Buckthorne Gro. *Newc T* —4C **56**
Buddle Clo. *Newc T* —5H **65**
Buddle Clo. *Pet* —5D **160**
Buddle Ct. *Newc T* —5A **66**

Buddle Gdns. *G'sde* —2A **76**
Buddle Ind. Est. *W'snd* —1A **70**
Buddle Rd. *Newc T* —5H **65**
Buddle St. *W'snd* —6A **58**
Buddle Ter. *Sund* —2E **117**
Buddle Ter. *W All* —4C **44**
Bude Ct. *W'snd* —3A **58**
Bude Gdns. *Gate* —2H **95**
Bude Gro. *N Shi* —4H **45**
Bude Sq. *Mur* —1D **148**
Budle Clo. *Bly* —6A **10**
Budle Clo. *Newc T* —1D **54**
Budleigh Rd. *Newc T* —2B **54**
Budworth Av. *Sea S* —4H **23**
Bugatti Ind. Pk. *N Shi* —2G **59**
Bullfinch Dri. *Whi* —4E **79**
Bullion La. *Ches S* —6B **124**
Bull La. *Sund* —6E **103**
Bulman Ho. *Newc T* —2E **55**
Bulman's La. *N Shi* —5C **46**
Bulmer Ho. *S Shi* —2A **74**
Bulmer Rd. *S Shi* —2A **74**
Bungalows, The. *Bir* —1B **110**
Bungalows, The. *Bla* —1G **77**
Bungalows, The. *Gate* —3E **83**
Bungalows, The. *Hett H* —5B **136**
Bungalows, The. *Lam* —5G **95**
Bungalows, The. *New B* —1B **156**
Bungalows, The. *Pet* —5F **161**
Bungalows, The. *S Het* —6B **148**
Bungalows, The. *Tan L* —1A **120**
Bunyan Av. *S Shi* —6C **72**
Burdale Av. *Newc T* —6E **53**
Burdon. —6B 130
Burdon Av. *Hou S* —3C **136**
Burdon Av. *Nel V* —2H **19**
Burdon Clo. *Sund* —2G **87**
Burdon Cres. *Cle* —2G **87**
Burdon Cres. *Ryh* —3E **131**
Burdon Cres. *S'hm* —2F **139**
Burdon Gro. *Sund* —2B **130**
Burdon La. *Sund* —5B **130**
Burdon Lodge. *Sun* —3G **93**
Burdon Main Row. *N Shi* —3C **60**
Burdon Pk. *Sun* —3G **93**
Burdon Pl. *Newc T* —1G **67**
Burdon Pl. *Pet* —1E **163**
(in two parts)
Burdon Plain. *Mar H* —1F **107**
Burdon Rd. *Cle* —2G **87**
Burdon Rd. *Sund* —2D **116**
(SR2)
Burdon Rd. *Sund* —4B **130**
(SR3)
Burdon St. *N Shi* —4H **59**
Burdon Ter. *Bed* —4G **7**
Burdon Ter. *Newc T* —1G **67**
Burford Ct. *Newc T* —3A **56**
Burford Gdns. *Sund* —4B **116**
Burghley Rd. *Gate* —5C **82**
Burgoyne Ct. *Wash* —5B **98**
Burke St. *Sund* —2C **100**
Burlawn Clo. *Sund* —1F **131**
Burleigh Gth. *Sund* —6F **103**
Burleigh St. *S Shi* —5F **61**
Burlington Clo. *Sund* —2E **117**
Burlington Ct. *W'snd* —6C **44**
Burlington Gdns. *Newc T* —1B **68**
Burlison Gdns. *Gate* —1C **82**
Burnaby Dri. *Ryton* —5B **62**
Burnaby St. *Sund* —2A **116**
Burn Av. *Newc T* —5D **42**
(in two parts)
Burn Av. *W'snd* —5H **57**
Burnbank. *Gate* —5G **83**
Burnbank. *Sea B* —3D **28**

Burnbank. *Sund* —3B **102**
Burnbank Av. *S Well* —6F **33**
Burnbridge. *Sea B* —3D **28**
Burn Closes Cres. *W'snd* —4C **58**
Burn Crook. *Hou S* —5H **135**
Burnden Gro. *Hou S* —4D **126**
Burnet Clo. *W'snd* —2A **58**
Burney Vs. *Gate* —2A **82**
Burnfoot Ter. *Whit B* —1E **47**
Burnfoot Way. *Newc T* —4A **54**
Burn Gdns. *Eas* —1C **160**
Burnhall Dri. *S'hm* —2G **139**
Burnham Av. *Newc T* —2G **63**
Burnham Clo. *Bly* —2C **16**
Burnham Clo. *Shin R* —3F **127**
Burnham Gro. *E Bol* —4F **87**
Burnham Gro. *Newc T* —5E **69**
Burnham St. *S Shi* —3E **73**
Burn Heads Rd. *Heb* —5B **70**
Burnhills Gdns. *G'sde* —2A **76**
Burnhills La. *Bar* —3B **76**
Burnhope Dri. *Sund* —2B **102**
Burnhope Gdns. *Gate* —2D **96**
Burnhope Rd. *Wash* —1C **112**
Burnhope Way. *Pet* —6B **160**
Burnigill. *Mead* —6E **157**
Burnip Rd. *Mur* —1C **148**
Burn La. *Hett H* —2C **146**
Burnlea Gdns. *Seg* —1H **31**
Burnley St. *Bla T* —1A **78**
Burnmoor Gdns. *Gate* —2D **96**
Burnopfield. —1F 105
Burnopfield Gdns. *Newc T* —3E **65**
Burnopfield Rd. *Row G* —4F **91**
Burnop Ter. *Row G* —3A **90**
Burn Park Rd. *Hou S* —3G **135**
Burn Pk. Rd. *Sund* —2B **116**
Burn Promenade. *Hou S* —2H **135**
(in two parts)
Burn Rd. *Bla T* —2F **77**
Burns Av. *Bly* —2A **16**
Burns Av. *Bol C* —3D **86**
Burns Av. N. *Hou S* —4A **136**
Burns Av. S. *Hou S* —4A **136**
Burns Clo. *S'ley* —3E **121**
Burns Clo. *W Rai* —3E **145**
Burns Clo. *Whi* —6F **79**
Burns Ct. *S Shi* —6D **72**
Burns Cres. *Swa* —3E **79**
Burnside. —1G 135
Burnside. *Bed* —2D **8**
Burnside. *E Bol* —4G **87**
Burnside. *Gate* —4E **83**
Burnside. *H'will* —2D **32**
Burnside. *Jar* —5G **71**
Burn Side. *Pet* —1D **162**
Burnside. *Pon* —2B **36**
Burnside Av. *Ann* —3B **30**
Burnside Av. *Hou S* —2G **135**
Burnside Av. *Pet* —1G **163**
Burnside Clo. *Bly* —5H **9**
Burnside Clo. *Seg* —2E **31**
Burnside Clo. *Whi* —1E **93**
Burnside Cotts. *Ann* —3B **30**
Burnside Cotts. *Dal D* —6G **139**
Burnside Rd. *Newc T* —6E **41**
Burnside Rd. *N Shi & Whit B*
—2D **46**
Burnside Rd. *Row G* —3D **90**
Burnside, The. *Newc T* —6C **52**
Burnside Vw. *Seg* —2E **31**
Burns St. *Jar* —2F **71**
Burnstones. *Newc T* —6C **52**
Burn Ter. *Heb* —1A **84**
Burn Ter. *Hou S* —3G **127**
Burn Ter. *W'snd* —5D **58**

Burnthouse Bank. *Pelt F* —5H **123**
Burnt Ho. Clo. *Bla T* —3G **77**
Burnthouse La. *Whi* —6E **79**
  (in two parts)
Burnt Ho. Rd. *Whit B* —2A **46**
Burntland Av. *Sund* —3H **101**
Burn Vw. *Dud* —3B **30**
Burn Vw. *Jar* —3G **85**
Burnville. *Newc T* —2A **68**
Burnville Rd. *Sund* —2B **116**
Burnville Rd. S. *Sund* —2B **116**
Burnway. *S'hm* —3G **139**
Burnway. *Wash* —5H **97**
Burradon. —5C 30
Burradon. *Burr* —6C **30**
Burradon Rd. *Ann* —3C **30**
Burradon Rd. *Burr* —5B **30**
Burrow St. *S Shi* —4E **61**
Burscough Cres. *Sund* —3D **102**
Burstow Av. *Newc T* —6E **69**
Burt Av. *N Shi* —2A **60**
Burt Clo. *Pet* —5D **160**
Burt Cres. *Dud* —3B **30**
Burtree. *Wash* —5H **111**
Burt Rd. *Bed* —2E **9**
Burt St. *Bly* —5C **10**
Burt Ter. *Newc T* —5G **51**
Burwell Av. *Newc T* —1D **64**
Burwood Clo. *Newc T* —6G **69**
Burwood Rd. *Newc T* —6F **69**
Burwood Rd. *N Shi* —5G **45**
Bushblades La. *Dip* —1E **119**
Buston Ter. *Newc T* —6H **55**
Busty Bank. *Row G & Burn* —4F **91**
Butcher's Bri. Rd. *Jar* —4F **71**
Bute Cotts. *Gate* —2A **80**
Bute Ct. *Sund* —3A **130**
Bute Dri. *H Spen* —1A **90**
Buteland Rd. *Newc T* —2D **64**
Bute Rd. N. *H Spen* —1A **90**
Bute Rd. S. *H Spen* —2A **90**
Bute St. *Tant* —5G **105**
Butler St. *Pet* —1F **161**
Butsfield Gdns. *Sund* —5B **116**
Butterfield Clo. *Ryton* —6A **62**
Buttermere. *Gate* —3G **83**
Buttermere. *Pet* —4A **162**
Buttermere. *Sund* —2A **88**
Buttermere Av. *Eas L* —5E **147**
Buttermere Av. *Whi* —4G **79**
Buttermere Clo. *Ches S* —1C **132**
Buttermere Clo. *Den B* —6F **53**
Buttermere Clo. *Kil* —2C **42**
Buttermere Cres. *Bla T* —3H **77**
Buttermere Cres. *S Het* —5G **147**
Buttermere Gdns. *Gate* —6A **82**
Buttermere Gdns. *S Shi* —3G **73**
Buttermere Rd. *N Shi* —3C **46**
Buttermere St. *Sund* —5E **117**
Buttermere Way. *Bly* —4H **9**
Buttsfield Ter. *Hou S* —1F **127**
Buxton Clo. *W'snd* —2B **58**
Buxton Gdns. *Newc T* —4D **52**
Buxton Gdns. *Sund* —4B **116**
Buxton Grn. *Newc T* —4D **52**
Buxton Rd. *Jar* —4G **71**
Buxton St. *Newc T* —4H **67** (4G **5**)
Byer Bank. *Hou S* —4C **136**
Byermoor. —6B 92
Byermoor Ind. Est. *Burn* —6B **92**
Byers Ct. *Sund* —1B **130**
Byer Sq. *Hett H* —5C **136**
Byer St. *Hett H* —5C **136**
Byeways, The. *Newc T* —1B **56**
Bygate Clo. *Newc T* —4A **54**
Bygate Rd. *Whit B* —1A **46**

Byker. —4C 68
Byker Bank. *Newc T* —4A **68**
Byker Bri. *Newc T* —3H **67** (3H **5**)
Byker Bldgs. *Newc T* —3A **68**
Byker Cres. *Newc T* —3C **68**
Byker Hill Ind. Est. Newc T —2C 68
  (off Shields Rd.)
Byker Lodge. *Newc T* —4C **68**
Byker St. *Newc T* —3F **69**
Byker Ter. *Newc T* —3F **69**
Byland Clo. *Hou S* —1G **135**
Byland Ct. *Bear* —4D **150**
Byland Ct. *Wash* —2A **112**
Byland Rd. *Newc T* —1H **55**
Bylands Gdns. *Sund* —4B **116**
Byony Toft. *Sund* —2G **131**
Byrness. *Newc T* —6C **52**
Byrness Clo. *Newc T* —3G **53**
Byrness Ct. *W'snd* —2C **58**
Byrness Row. *Cra* —1C **20**
Byrne Ter. *Sund* —2B **130**
Byrne Ter. W. *Sund* —2B **130**
Byron Av. *Bly* —2A **16**
Byron Av. *Bol C* —3C **86**
Byron Av. *Heb* —3D **70**
Byron Av. *Pelt F* —6G **123**
Byron Av. *W'snd* —6E **59**
Byron Clo. *Ous* —6H **109**
Byron Clo. *S'ley* —3E **121**
Byron Ct. *Newc T* —5A **52**
Byron Ct. *Swa* —3E **79**
Byron Lodge Est. *S'hm* —3E **139**
Byron Rd. *Sund* —3A **102**
Byrons Ct. *S'hm* —1A **140**
Byron St. *Newc T* —3G **67** (2F **5**)
Byron St. *Ous* —6H **109**
Byron St. *Pet* —1F **161**
Byron St. *S Shi* —1F **73**
Byron St. *Sund* —4C **102**
Byron Ter. *Hou S* —4A **136**
Byron Ter. *S'hm* —2F **139**
Byron Wlk. *Gate* —1A **82**
By-Way, The. *Newc T* —6D **50**
Bywell Av. *Faw* —5B **40**
Bywell Av. *Newc T* —2C **64**
Bywell Av. *S Shi* —2A **74**
Bywell Av. *Sund* —2C **102**
Bywell Dri. *Pet* —4C **162**
Bywell Gdns. *Lob H* —6C **80**
Bywell Gdns. *Win N* —5B **82**
Bywell Gro. *Shir* —2E **45**
Bywell Rd. *Sund* —3H **87**
Bywell St. *Newc T* —4D **68**
  (in two parts)
Bywell Ter. *Jar* —6F **71**
Bywell Ter. *Sea S* —3H **23**

Cadlestone Ct. *Cra* —1D **20**
Cadwell La. *Pet* —1B **160**
Caernarvon Clo. *Newc T* —3F **53**
Caernarvon Dri. *Sund* —3E **129**
Caer Urfa Clo. *S Shi* —3E **61**
Caesar's Wlk. *S Shi* —3E **61**
Cairncross. *Sund* —4C **100**
Cairnglass Grn. *Cra* —1D **20**
Cairngorm Av. *Wash* —4G **111**
Cairnhill Ter. *Hou S* —5H **127**
Cairnside. *Sund* —2E **129**
Cairnside S. *Sund* —2D **128**
Cairnsmore Clo. *Cra* —5B **20**
Cairnsmore Clo. *Newc T* —1H **69**
Cairnsmore Dri. *Wash* —4H **111**
Cairns Rd. *Mur* —2A **148**
Cairns Rd. *Sund* —1C **102**
Cairns Sq. *Sund* —1C **102**

Cairns Way. *Newc T* —6B **40**
Cairo St. *Sund* —3E **117**
Caithness Rd. *Sund* —3B **100**
Caithness Sq. *Sund* —3B **100**
Calais Rd. *Sund* —4B **100**
Caldbeck Av. *Newc T* —6F **69**
Caldbeck Clo. *Newc T* —6F **69**
Calderbourne Av. *Sund* —1E **103**
Calder Ct. *Sund* —3H **129**
Calderdale. *W'snd* —2F **57**
Calderdale Av. *Newc T* —2F **69**
Calder Grn. *Jar* —1G **85**
Calder's Cres. *Wash* —6B **112**
Calder Wlk. *Sun* —3E **93**
  (in three parts)
Calderwood Cres. *Gate* —2A **96**
Calderwood Pk. *Gate* —2A **96**
Caldew Ct. *Eas L* —3D **146**
Caldew Cres. *Newc T* —1E **65**
Caldwell Rd. *Newc T* —5B **40**
Caledonia. *Bla T* —2G **77**
Caledonia. *Gt Lum* —3G **133**
Caledonian Rd. *Sund* —2B **100**
Caledonian St. *Heb* —2B **70**
Caledonia St. *Newc T* —5G **69**
Calfclose Dri. *Jar* —1F **85**
Calfclose La. *Jar* —1F **85**
Calfclose Wlk. *Jar* —6G **71**
California. *Bla T* —2H **77**
Callaley Av. *Whi* —5D **78**
Callaly Av. *Cra* —3C **20**
Callaly Way. *Newc T* —5D **68**
Callander. *Ous* —5A **110**
Callendar Ct. *Gate* —6C **82**
Callerdale Rd. *Bly* —6G **9**
Callerton. —1H 51
Callerton. *Kil* —6D **30**
Callerton Av. *N Shi* —1G **59**
Callerton Clo. *Cra* —3C **20**
Callerton Ct. *Pon* —1E **37**
Callerton La. *H Cal & Newc T* —3E **37**
Callerton Lane End. —1E 51
Callerton La. End Cotts. *Newc T*
                                      —6E **37**
Callerton Pl. *Newc T* —4C **66**
Callerton Pl. *S'ley* —6H **121**
Callerton Rd. *Newc T* —5D **50**
Callerton Vw. *N Wal* —3H **51**
Calley Clo. *Pet* —4C **162**
Callington Clo. *Hou S* —1C **134**
Callington Dri. *Sund* —2F **131**
Calow Way. *Whi* —6D **78**
Calver Ct. *S Shi* —4G **73**
  (in two parts)
Calvert Ter. *Mur* —2B **148**
Calvus Dri. *Hed W* —5H **49**
Camberley Clo. *Sund* —1C **130**
Camberley Dri. *B'don* —6B **156**
Camberley Rd. *W'snd* —3E **59**
Camberwell Clo. *Gate* —5D **80**
Camberwell Way. *Dox I* —3F **129**
Cambo Av. *Bed* —4C **8**
Cambo Av. *Whit B* —2H **45**
Cambo Clo. *Bly* —6A **10**
Cambo Clo. *Newc T* —2F **55**
Cambo Clo. *W'snd* —1B **58**
Cambo Dri. *Cra* —4C **20**
Cambo Grn. *Newc T* —5G **53**
Cambois. —1B 10
Cambo Pl. *N Shi* —4C **46**
Camborne Gro. *Gate* —2H **81**
Camborne Pl. *Gate* —2H **81**
Cambourne Av. *Sund* —1E **103**
Cambria Grn. *Sund* —1C **114**
Cambrian Clo. *Wash* —4H **111**
Cambrian Way. *Wash* —3H **111**

Cambria St. *Sund* —1C **114**
Cambridge Av. *Heb* —3D **70**
Cambridge Av. *Newc T* —5D **42**
Cambridge Av. *W'snd* —4G **57**
Cambridge Av. *Wash* —5H **97**
Cambridge Av. *Whit B* —6C **34**
Cambridge Cres. *Hou S* —3E **127**
Cambridge Dri. *Gt Lum* —4G **133**
Cambridge Pl. *Bir* —6C **110**
Cambridge Rd. *Pet* —5C **160**
Cambridge Rd. *Sund* —2A **130**
Cambridgeshire Dri. *Dur* —5A **154**
Cambridge St. *Newc T* —6D **66**
Cambridge Ter. *Gate* —2G **81**
Camden Sq. *S'hm* —5A **140**
Camden St. *Newc T* —3G **67** (2F **5**)
Camden St. *N Shi* —2D **60**
Camden St. *Sund* —4A **102**
Camelford Ct. *Newc T* —1A **64**
Camelot Clo. *S'hm* —3A **140**
Cameron Clo. *S Shi* —6E **73**
Cameron Wlk. *Gate* —1G **79**
(in two parts)
Camerton Pl. *W'snd* —6C **44**
Camilla Rd. *Hed W* —5H **49**
Camilla St. *Gate* —2H **81**
Cam Mead. *Sund* —5A **130**
Campbell Park. —4D 70
Campbell Pk. Rd. *Heb* —3C **70**
Campbell Pl. *Newc T* —4C **66**
Campbell Rd. *Sund* —3B **100**
Campbell Sq. *Sund* —3B **100**
Campbell St. *Heb* —2C **70**
Campbell St. *Pet* —1F **161**
Campbell Ter. *Eas L* —4D **146**
Camperdown. —6C 30
Camperdown. *W Den* —6D **52**
Camperdown Av. *Camp* —1B **42**
Camperdown Av. *Ches S* —4D **124**
Camperdown Cen. *Camp* —6B **30**
Camperdown Ind. Est. *Camp* —1B **42**
Campion Dri. *Tan L* —1B **120**
Campion Gdns. *Gate* —6D **82**
Campsie Clo. *Wash* —4H **111**
Campsie Cres. *N Shi* —4C **46**
Camp St. *Pet* —1F **161**
Camp Ter. *N Shi* —1C **60**
Campus Martius. *Hed W* —5F **49**
Campville. *N Shi* —1C **60**
Camsey Clo. *Newc T* —1H **55**
Camsey Pl. *Newc T* —1H **55**
Canberra Av. *Whit B* —2H **45**
Canberra Dri. *S Shi* —5A **72**
Canberra Rd. *Sund* —3F **115**
Candelford Clo. *Newc T* —4D **56**
Candlish St. *S Shi* —6F **61**
Candlish Ter. *S'hm* —5C **140**
Canning St. *Heb* —4B **70**
Canning St. *Newc T* —4A **66**
Cannock. *Newc T* —1D **42**
Cannock. *Ous* —5H **109**
Cannock Dri. *Newc T* —3A **56**
Cannon St. *Gate* —5G **67**
Cann Rd. *Pet* —5D **160**
Cann St. *Pet* —1C **160**
Canonbie Sq. *Cra* —1D **20**
Canon Cockin St. *Sund* —3E **117**
Canon Gro. *Jar* —2G **71**
Canonsfield Clo. *Newc T* —4H **51**
Canonsfield Clo. *Sund* —4H **129**
Canterbury Av. *W'snd* —1B **58**
Canterbury Clo. *Gt Lum* —5G **133**
Canterbury Rd. *Dur* —5D **142**
Canterbury Rd. *Sund* —3C **100**
Canterbury St. *Newc T* —3D **68**
(in two parts)

Canterbury St. *S Shi* —1F **73**
Canterbury Way. *Jar* —2E **85**
Canterbury Way. *Wide* —5D **28**
Capercaillie Lodge. *Dud* —2B **30**
Capetown Rd. *Sund* —3B **100**
Capetown Sq. *Sund* —3B **100**
Caplestone Clo. *Wash* —4H **111**
Capstan La. *Gate* —3C **96**
Captains Row, The. *S Shi* —1D **72**
Captains Wharf. *S Shi* —4D **60**
Capulet Gro. *S Shi* —4C **72**
Capulet Ter. *Sund* —3E **117**
Caradoc Clo. *Wash* —4H **111**
Caragh Rd. *Ches S* —2B **132**
Caraway Wlk. *S Shi* —1G **87**
(in two parts)
Carden Av. *S Shi* —4B **74**
Cardiff Sq. *Sund* —4B **100**
Cardiff St. *Pet* —1F **161**
Cardigan Gro. *N Shi* —2C **46**
Cardigan Rd. *Sund* —3B **100**
Cardigan Ter. *Newc T* —2B **68**
Cardinal Clo. *Longb* —4A **58**
Cardinal Clo. *Newc T* —4H **51**
Cardinals Clo. *Sund* —4H **129**
Cardonnel St. *N Shi* —3C **60**
Cardwell St. *Sund* —4E **103**
(in two parts)
Careen Cres. *Sund* —2D **128**
Carew Ct. *Cra* —4B **20**
Carham Av. *Cra* —3C **20**
Carham Clo. *Gos* —1F **55**
Carisbrooke. *Bed* —3H **7**
Caris St. *Gate* —3A **82**
Carlby Way. *Cra* —5H **13**
Carlcroft Pl. *Cra* —4C **20**
Carley Hill. —2A 102
Carley Hill Rd. *Sund* —2B **102**
Carley Rd. *Sund* —3B **102**
Carley Sq. *Sund* —3B **102**
Carlingford Rd. *Ches S* —2B **132**
Carliol Pl. *Newc T* —4G **67** (4E **5**)
Carliol Sq. *Newc T* —4G **67** (4E **5**)
(in two parts)
Carliol St. *Newc T* —4E **5**
Carlisle Ct. *Gate* —2D **82**
Carlisle Cres. *Hou S* —2E **127**
Carlisle Pl. *Gate* —1B **96**
Carlisle Rd. *Dur* —6E **143**
Carlisle St. *Gate* —2D **82**
Carlisle Ter. *Sund* —3A **102**
Carlisle Ter. *W All* —4C **44**
Carlton Av. *Bly* —4A **16**
Carlton Clo. *Newc T* —4C **54**
Carlton Clo. *Ous* —5G **109**
Carlton Ct. *Team T* —6E **81**
Carlton Cres. *Sund* —2E **129**
Carlton Gdns. *Newc T* —2C **64**
Carlton Rd. *Newc T* —1D **56**
Carlton St. *Bly* —6D **10**
Carlton Ter. *Bly* —5B **10**
Carlton Ter. *Gate* —6G **81**
Carlton Ter. *N Shi* —2B **60**
Carlton Ter. *Pet* —2B **160**
Carlton Ter. *Spri* —4F **97**
Carlyle Ct. *W'snd* —6E **59**
Carlyle Cres. *Swa* —3E **79**
Carlyle St. *W'snd* —6E **59**
Carlyon St. *Sund* —2D **116**
Carmel Gro. *Cra* —6A **14**
Carmel Rd. *S'ley* —3B **120**
Carnaby Rd. *Newc T* —5F **69**
Carnation Av. *Hou S* —6C **126**
Carnation Ter. *Whi* —4F **79**
Carnegie Clo. *S Shi* —5E **73**
Carnegie St. *Sund* —5F **117**

Carnforth Clo. *W'snd* —6C **44**
Carnforth Gdns. *Gate* —1B **96**
Carnforth Gdns. *Row G* —2E **91**
Carnforth Grn. *Newc T* —3A **54**
Carnoustie. *Ous* —6H **109**
Carnoustie. *Wash* —2A **98**
Carnoustie Clo. *Newc T* —3C **56**
Carnoustie Ct. *Gate* —5H **83**
Carnoustie Ct. *Whit B* —6G **33**
Carnoustie Dri. *S Shi* —6H **73**
Carol Gdns. *Newc T* —4B **56**
Caroline Cotts. *Newc T* —1F **65**
Caroline Gdns. *W'snd* —4E **59**
Caroline St. *Hett H* —1C **146**
Caroline St. *Jar* —2E **71**
Caroline St. *Newc T* —5A **66**
Caroline St. *S'hm* —4B **140**
Caroline Ter. *Bla T* —5H **63**
Carol St. *Sund* —6B **102**
Carolyn Clo. *Newc T* —1C **56**
Carolyn Cres. *Whit B* —4A **34**
Carolyn Way. *Whit B* —4A **34**
Carpenters St. *S Shi* —5D **60**
Carr Av. *B'don* —5D **156**
Carr-Ellison Ho. *Newc T* —6B **66**
Carr Fld. *Pon* —4F **25**
Carrfield Rd. *Newc T* —2B **54**
Carr Hill. —5B 82
Carr Hill Rd. *Gate* —3A **82**
Carr Ho. Dri. *Dur* —1C **152**
Carrhouse La. *Sea* —6G **137**
Carrick Ct. *Bly* —3B **16**
Carrick Dri. *Bly* —2B **16**
Carrington Dri. *Seg* —1F **31**
Carrisbrook Ct. *Sund* —1B **116**
Carrmere Rd. *Lee I* —6E **117**
Carrmyers. *S'ley* —3E **119**
Carrock Clo. *Pet* —4D **162**
Carrock Ct. *Sund* —3H **129**
Carroll Wlk. *S Shi* —1C **86**
Carrowmore Rd. *Ches S* —2C **132**
Carr Row. *Leam* —2C **144**
Carrsdale. *Dur* —2B **154**
Carrside. *Dur* —1B **152**
Carrs, The. *Dur* —6C **142**
Carr St. *Bly* —3A **16**
Carr St. *Heb* —2B **70**
(in two parts)
Carrsway. *Dur* —2B **154**
Carrsyde Clo. *Whi* —6D **78**
Carr Vw. *Pres* —6A **26**
Carrville. —3A 154
Carsdale Rd. *Newc T* —2H **53**
Carter Av. *Heb* —3C **70**
Cartington Av. *Shir* —3C **44**
Cartington Clo. *Pet* —4D **162**
Cartington Ct. *Newc T* —1A **54**
Cartington Rd. *Dur* —2C **152**
Cartington Rd. *N Shi* —2A **60**
Cartington Ter. *Newc T* —6B **56**
Cartmel Bus. Cen. *Gate* —2G **83**
Cartmel Ct. *Ches S* —1A **132**
Cartmel Grn. *Newc T* —6E **53**
Cartmel Gro. *Gate* —4F **81**
Cartmel Pk. *Pel* —2G **83**
Cartmel Ter. *Pelt* —2D **122**
Cartwright Rd. *Sund* —4D **100**
Carville Gdns. *W'snd* —1H **69**
Carville Link Rd. *Dur* —5E **153**
Carville Ri. *Newc T* —3C **68**
Carville Rd. *W'snd* —6H **57**
Carville Sta. Cotts. *W'snd* —6A **58**
Carville St. *Gate* —1B **82**
Carvis Clo. *B'don* —6C **156**
Carwarding Pl. *Newc T* —5G **53**
Caseton Clo. *Whit B* —5G **33**

Caspian Clo. *Jar* —4G **71**
Caspian Rd. *Sund* —4B **100**
Caspian Sq. *Sund* —4B **100**
Castellian Rd. *Sund* —4E **101**
Casterton Gro. *Newc T* —4H **51**
Castle Chare. *Dur* —5C **152**
Castle Clo. *Ches S* —1D **132**
Castle Clo. *Hett H* —3D **146**
Castle Clo. *Newc T* —2H **53**
Castle Clo. *Whi* —4E **79**
Castle Ct. *Ann P* —5F **119**
Castle Ct. *Pon* —5E **25**
(off Merton Rd.)
Castledale Av. *Bly* —1G **15**
Castle Dene. —2G 133
Castledene Ct. *Newc T* —3H **55**
Castledene Ct. *Sund* —3C **100**
Castle Dene Gro. *Hou S* —3H **135**
Castle Eden Dene. —5C **162**
Castle Eden Dene Nature Reserve.
—3F **163**
Castle Farm M. *Newc T & Jes*
—4H **55**
Castle Farm Rd. *S Gos & Newc T*
—4G **55**
Castle Fields. *Hou S* —6B **126**
Castleford Rd. *Sund* —3B **100**
Castle Gth. *Newc T* —5G **67** (6E **5**)
Castlegate Gdns. *Gate* —2C **80**
(in two parts)
Castle Keep. —5G **67** (6E **5**)
Castlemain Clo. *Hou S* —6B **126**
Castle M. *Sund* —2F **129**
(off Castles Grn.)
Castlenook Pl. *Newc T* —2D **64**
Castlereagh Homes, The. *S'hm*
—2B **140**
Castlereagh Rd. *S'hm* —4B **140**
Castlereagh St. *Sund* —2A **130**
Castlereigh Clo. *Hou S* —6B **126**
Castle Riggs. *Ches S* —6B **124**
Castle Rd. *Wash* —2G **111**
Castles Grn. *Newc T* —2E **43**
Castles Grn. *Sund* —2F **129**
Castleside Rd. *Newc T* —3E **65**
Castle Sq. *Back* —6H **31**
Castle Stairs. *Newc T* —5G **67** (6E **5**)
Castle St. *Haz* —1C **40**
Castle St. *Pet* —1F **161**
Castle St. *Sund* —6C **102**
Castle St. S. *Sund* —4E **101**
Castle, The. —5D **162**
Castleton Clo. *Cra* —6A **14**
Castleton Clo. *Newc T* —5H **55**
Castleton Gro. *Newc T* —5H **55**
Castleton Lodge. *Newc T* —4B **66**
Castleton Rd. *Jar* —4G **71**
Castletown. —4C 100
Castletown Rd. *Sund* —4E **101**
Castletown Way. *Sund* —3F **101**
Castle Vw. *Ches S* —5C **124**
Castle Vw. *Hou S* —1F **127**
Castle Vw. *Sund* —4D **100**
Castle Vw. *Ush M* —6E **151**
Castleway. *Din* —5F **27**
Castlewood Clo. *Newc T* —5B **52**
Catcheside Clo. *Whi* —6E **79**
Catchgate. —4E 119
Catchwell Rd. *Dip* —1D **118**
Cateran Way. *Cra* —4B **20**
Caterhouse Rd. *Dur* —1B **152**
Catharine St. W. *Sund* —1A **116**
Cathedral Ct. *Gate* —6A **68**
Cathedral Vw. *Hou S* —6H **127**
Catherine Cookson Building. *Newc T*
—1B **4**

Catherine Cookson Ct. *S Shi* —6G **61**
Catherine Rd. *Hou S* —3H **127**
Catherine St. *S Shi* —4F **61**
Catherine Ter. *Ann P* —5H **119**
Catherine Ter. *Gate* —3C **82**
Catherine Ter. *S Row* —1D **120**
Catholic Row. *Bed* —5G **7**
Catkin Wlk. *Ryton* —6A **62**
Cato Sq. *Sund* —3A **102**
Cato St. *Sund* —3A **102**
Catrail Pl. *Cra* —1C **20**
Catton Gro. *Sun* —2F **93**
Catton Pl. *W'snd* —1C **58**
Caulderdale Wlk. *Newc T* —2A **54**
Cauldwell. —1G 73
Cauldwell Av. *S Shi* —2G **73**
Cauldwell Av. *Whit B* —2H **45**
Cauldwell Clo. *Whit B* —1A **46**
Cauldwell La. *Whit B* —1H **45**
(in two parts)
Cauldwell Pl. *S Shi* —2G **73**
Cauldwell Vs. *S Shi* —2G **73**
Causeway. *Gate* —4B **82**
Causeway, The. *Gate* —3A **82**
Causeway, The. *Jar* —2H **71**
Causeway, The. *Newc T* —6D **50**
Causeway, The. *Sund* —5D **102**
Causey. —2F 107
Causey Arch. —3E **107**
Causey Bank. *Newc T* —4H **67** (5F **5**)
Causey Bldgs. *Newc T* —3E **55**
Causey Dri. *S'ley* —1E **121**
Causey Rd. *S'ley* —6B **120**
Causey Row. *Mar H* —2F **107**
Causey St. *Newc T* —3E **55**
Causey Vw. *S'ley* —2F **121**
Cavalier Vw. *Heb* —2B **70**
Cavalier Way. *Sund* —2H **129**
Cavel Burrs. *Ryh* —3G **131**
Cavell Pl. *S'ley* —5F **121**
Cavell Rd. *Sund* —3C **100**
Cavel Sq. *Pet* —1D **160**
Cavendish Dri. *Bdon* —6C **156**
Cavendish Pl. *Hob* —3G **105**
Cavendish Pl. *Newc T* —6H **55**
Cavendish Pl. *Sund* —2H **129**
Cavendish Rd. *Newc T* —6H **55**
Caversham Rd. *Newc T* —4H **51**
Cawburn Clo. *Newc T* —4E **57**
Cawdell Ct. *N Shi* —2D **60**
Cawnpore Sq. *Sund* —6G **101**
Cawthorne Ter. *Hob* —3G **105**
(off Cragleas)
Cawthorne Ter. *N Shi* —5C **46**
(off Front St.)
Caxton Wlk. *S Shi* —1C **86**
Caxton Way. *Ches S* —1D **124**
(in three parts)
Caynham Clo. *N Shi* —5A **46**
Cayton Gro. *Newc T* —5H **51**
Cecil Ct. *Pon* —5F **25**
Cecil Ct. *W'snd* —1H **69**
Cecil St. *N Shi* —2C **60**
Cedar Av. *Kim* —1A **142**
Cedar Clo. *Bed* —3H **7**
Cedar Clo. *Dur* —4G **153**
Cedar Clo. *Whit B* —2B **46**
Cedar Cres. *Burn* —1F **105**
Cedar Cres. *Dun* —4B **80**
Cedar Cres. *Low F* —1H **95**
Cedar Cres. *S'hm* —3A **140**
Cedar Dri. *Dur* —4B **158**
Cedar Gro. *Heb* —6C **70**
Cedar Gro. *Ryton* —3B **62**
Cedar Gro. *S Shi* —4H **73**
Cedar Gro. *Sund* —1F **89**

Cedar Gro. *W'snd* —5B **58**
Cedar Rd. *Bla T* —1A **78**
Cedar Rd. *Newc T* —2G **65**
Cedars. *Ches S* —4B **124**
Cedars Ct. *Sund* —3D **115**
Cedars Cres. *Mur* —2D **148**
Cedars Cres. *Sund* —4E **117**
Cedars Grn. *Gate* —2A **96**
Cedars Pk. *Sund* —4E **117**
Cedars, The. *Gate* —3C **96**
Cedars, The. *Hou S* —1F **127**
Cedars, The. *Newc T* —6D **66**
Cedars, The. *Sund* —4D **116**
Cedars, The. *Whi* —1F **93**
Cedar St. *H'dn* —1H **163**
Cedar Ter. *Hou S* —3E **135**
Cedar Ter. *Wash* —6H **111**
Cedartree Gdns. *Whit B* —2A **46**
Cedarway. *Gate* —6E **83**
Cedar Way. *Newc T* —5E **43**
Cedarwood. *Hou S* —2C **134**
Cedarwood Av. *Newc T* —6G **57**
Cedarwood Gro. *Sund* —5C **116**
Cedric Cres. *Sund* —3B **116**
Celadine Clo. *Newc T* —6F **41**
Celadon Clo. *Newc T* —1A **64**
Celandine Way. *Gate* —5D **82**
Cellar Hill Ter. *Hou S* —1H **135**
Celtic Clo. *Sund* —2G **87**
Celtic Cres. *Sund* —2G **87**
Cemetery App. *S Shi* —1G **73**
Cemetery Rd. *Gate* —2H **81**
Cemetery Rd. *Jar* —3G **71**
Cemetery Rd. *S'ley* —2D **120**
Centenary Av. *S Shi* —4A **74**
Centenary Ct. *Newc T* —5B **66**
Central Arc. *Newc T* —4D **4**
Central Av. *Mead* —6E **157**
Central Av. *N Shi* —1H **59**
Central Av. *S Shi* —3H **73**
Central Av. *Sund* —3E **89**
Central Gdns. *S Shi* —3H **73**
Central Motorway. *Newc T*
—4G **67** (4F **5**)
Central Sq. *Gate* —6H **67**
Centralway. *Team T* —1E **95**
Centurion Way. *Bed* —3G **7**
Centurion Rd. *Newc T* —1D **64**
Centurion Way. *Gate* —5B **82**
Centurion Way. *Hed W* —5G **49**
Century Ter. *S'ley* —4E **119**
Ceolfrid Ter. *Jar* —5G **71**
Chacombe. *Wash* —4A **112**
Chadderton Dri. *Newc T* —5H **51**
Chad Ho. *Gate* —1H **81**
Chadwick St. *W'snd* —6H **57**
Chadwick Wlk. *Gate* —1E **81**
Chaffinch Rd. *Sund* —4E **101**
Chaffinch Way. *Kil* —1C **42**
Chainbridge Rd. *Bla T* —6B **64**
Chainbridge Rd. Ind. Est. *Bla T*
—5D **64**
Chains, The. *Dur* —5D **152**
Chalfont Rd. *Sund* —5C **114**
Chalfont Rd. *Newc T* —5F **69**
Chalfont Way. *Mead* —5E **157**
Chalford Rd. *Sund* —3B **102**
Chamberlain St. *Bly* —1D **16**
Chambers Cres. *Gate* —4C **96**
Chancery La. *Bly* —6B **10**
Chandler Clo. *Dur* —6G **153**
Chandler Ct. *Eas C* —1F **161**
Chandler Ct. *Newc T* —5H **55**
Chandlers Ford. *Hou S* —1C **126**
Chandlers Quay. *Newc T* —6C **68**
Chandos. *Sund* —5A **130**

Chandos St. *Gate* —3H **81**
Chandra Pl. *Newc T* —5F **53**
Chantry Clo. *Sund* —4G **129**
Chantry Dri. *Wide* —4D **28**
Chantry Pl. *W Rai* —3E **145**
Chapel Av. *Burn* —1H **105**
Chapel Clo. *Gate* —1F **109**
Chapel Clo. *Newc T* —4F **41**
Chapel Ct. *H Spen* —6A **76**
Chapel Ct. *Sea B* —3D **28**
Chapel Ct. *Sher* —6E **155**
Chapel Hill Rd. *Pet* —6F **161**
Chapel Ho. Dri. *Newc T* —6A **52**
Chapel Ho. Gro. *Newc T* —6A **52**
Chapel Ho. Rd. *Newc T* —6A **52**
Chapel La. *Whit B* —1A **46**
Chapel Park. —3A 52
Chapel Pk. Shop. Cen. *Newc T*
—3B **52**
Chapel Pas. *Dur* —6D **152**
Chapel Pl. *Sea B* —3D **28**
Chapel Rd. *Jar* —2F **71**
Chapel Row. *Bir* —4E **111**
Chapel Row. *Hou S* —5C **126**
Chapel Row. *Phil* —4G **127**
Chapel St. *Hett H* —1D **146**
Chapel St. *N Shi* —2A **60**
Chapel St. *Tant* —5H **105**
Chapel Vw. *Bru V* —5C **28**
Chapel Vw. *Row G* —2E **91**
Chapel Vw. *W Rai* —4D **144**
Chapelville. *Sea B* —3D **28**
Chaplin St. *S'hm* —6B **140**
Chapman St. *Sund* —1E **103**
Chapter Row. *S Shi* —4E **61**
Chare, The. *Newc T* —3F **67** (3C **4**)
Chare, The. *Pet* —1D **162**
Charlbury Clo. *Gate* —4F **97**
Charlcote Cres. *E Bol* —4F **87**
Charles Av. *Faw* —1A **54**
Charles Av. *For H* —5D **42**
Charles Av. *Shir* —1D **44**
Charles Av. *Whit B* —6D **34**
Charles Baker Wlk. *S Shi* —2B **74**
Charles Dri. *Dud* —3B **30**
Charles St. *Bol C* —3B **86**
Charles St. *Gate* —6H **67**
Charles St. *Haz* —1C **40**
Charles St. *Hou S* —5H **127**
Charles St. *Pet* —1F **161**
Charles St. *Ryh* —3G **131**
Charles St. *S'hm* —4B **140**
Charles St. *S'ley* —5C **120**
Charles St. *Sund* —6D **102**
(SR1)
Charles St. *Sund* —1A **130**
(SR3)
Charles St. *Sund* —5D **102**
(SR6)
Charles Ter. *Pelt F* —4G **123**
Charleswood. *Newc T* —5F **41**
Charlie St. *G'sde* —2A **76**
Charliol St. *Newc T* —4G **67**
Charlotte Clo. *Newc T* —6D **66**
Charlotte M. *Newc T* —5B **4**
Charlotte Sq. *Newc T* —4E **67** (5B **4**)
Charlotte St. *N Shi* —2D **60**
Charlotte St. *S Shi* —5E **61**
Charlotte St. *S'ley* —5C **120**
Charlotte St. *W'snd* —5A **58**
(in two parts)
Charlton Ct. *Whit B* —2A **46**
Charlton Gro. *Cle* —3A **88**
Charlton Rd. *Sund* —2C **102**
Charlton St. *Bly* —6B **10**
Charlton St. *Newc T* —3B **64**

Charlton Vs. *G'sde* —2B **76**
(off Lead Rd.)
Charlton Wlk. *Gate* —2E **81**
Charman St. *Sund* —6D **102**
Charminster Gdns. *Newc T* —5C **56**
Charnwood. *S'ley* —1C **120**
Charnwood Av. *Newc T* —1A **56**
Charnwood Ct. *S Shi* —5G **61**
Charnwood Gdns. *Gate* —5B **82**
Charter Dri. *Sund* —2E **129**
Charters Cres. *S Het* —6H **147**
Chase Ct. *Sher* —6E **155**
Chasedale Cres. *Bly* —6G **9**
Chase Farm. —6F 9
Chase Farm Dri. *Bly* —5F **9**
Chase M. *Bly* —6F **9**
Chase, The. *Newc T* —1A **56**
Chase, The. *N Shi* —1C **60**
Chase, The. *Wash* —6F **111**
Chase, The. *W Moor* —3A **42**
Chatham Clo. *Sea D* —2B **32**
Chatham Rd. *Sund* —3C **100**
Chathill Clo. *Whit B* —6G **33**
Chathill Ter. *Newc T* —4F **69**
Chatsworth. *Newc T* —5E **55**
Chatsworth Ct. *S Shi* —4F **61**
Chatsworth Cres. *Sund* —3A **116**
Chatsworth Gdns. *St A* —5D **68**
Chatsworth Gdns. *W'hpe* —4D **52**
Chatsworth Gdns. *Whit B* —2A **46**
Chatsworth Pl. *Whi* —6E **79**
Chatsworth Rd. *Jar* —4G **71**
Chatsworth St. *Sund* —2A **116**
Chatsworth St. S. *Sund* —3A **116**
Chatterton St. *Sund* —3A **102**
Chatton Av. *Cra* —3C **20**
Chatton Av. *S Shi* —1B **74**
Chatton Clo. *Ches S* —2A **132**
Chatton St. *W'snd* —6G **59**
Chatton Wynd. *Newc T* —6C **40**
Chaucer Av. *S Shi* —6C **72**
Chaucer Clo. *Gate* —1A **82**
Chaucer Clo. *S'ley* —3E **121**
Chaucer Rd. *Whi* —3F **79**
Chaucer St. *Hou S* —3H **135**
Chaytor Gro. *Sund* —1E **117**
Chaytor St. *Jar* —1F **71**
Chaytor Ter. N. *S'ley* —6F **121**
Chaytor Ter. S. *S'ley* —6G **121**
Cheadle Av. *Cra* —5A **14**
Cheadle Av. *W'snd* —1B **58**
Cheadle Rd. *Sund* —3C **100**
Cheam Clo. *Whi* —6F **79**
Cheam Rd. *Sund* —3C **100**
Cheddar Gdns. *Gate* —2H **95**
Chedder Ct. *S'ley* —6F **119**
Cheeseburn Gdns. *Newc T* —1G **65**
Cheldon Clo. *Whit B* —5G **33**
Chelford Clo. *W'snd* —6C **44**
Chelmsford Gro. *Newc T*
—2A **68** (1H **5**)
Chelmsford Rd. *Sund* —3C **100**
Chelmsford Sq. *Sund* —2C **100**
Chelmsford St. *Sund* —1A **130**
Chelsea Gdns. *Gate* —3B **82**
Chelsea Gro. *Newc T* —4C **66**
Chelsea Ho. S'ley —2D 120
(off Quarry Rd.)
Cheltenham Dri. *Bol C* —1A **86**
Cheltenham Rd. *Sund* —3C **100**
Cheltenham Sq. *Sund* —3C **100**
Cheltenham Ter. *Newc T* —2B **68**
Chelton Clo. *Haz* —1D **40**
Chepstow Gdns. *Gate* —4F **81**
Chepstow Rd. *Newc T* —3D **64**
Chepstow St. *Sund* —1B **116**

Cherribank. *Sund* —3E **131**
Cherry Av. *Pet* —1H **163**
Cherry Banks. *Ches S* —4D **124**
Cherry Blossom Way. *Sund* —4F **99**
Cherryburn Gdns. *Newc T* —1A **66**
Cherry Cotts. *Tant* —5H **105**
Cherry Gro. *Newc T* —1C **42**
Cherry Pk. *B'don* —6C **156**
Cherrytree Clo. *Newc T* —3F **43**
Cherrytree Ct. *Bed* —3D **8**
Cherry Tree Dri. *Bed* —4H **7**
Cherrytree Dri. *Whi* —3G **79**
Cherrytree Gdns. *Gate* —1A **96**
Cherrytree Gdns. *Whit B* —2B **46**
Cherrytree Rd. *Ches S* —4A **124**
Cherry Trees. *Bly* —1B **16**
Cherrytree Sq. *Sund* —1E **131**
Cherry Tree Wlk. *Heb* —5C **70**
Cherry Way. *Hou S* —2F **135**
Cherry Way. *Kil* —1C **42**
Cherwell. *Wash* —5D **98**
Cherwell Rd. *Pet* —2B **162**
Cherwell Sq. *Newc T* —4C **42**
Chesham Gdns. *Newc T* —5H **51**
Chesham Grn. *Newc T* —2B **54**
Cheshire Av. *Bir* —6C **110**
Cheshire Ct. *Heb* —4B **70**
Cheshire Dri. *Dur* —5A **154**
Cheshire Gdns. *W'snd* —4G **57**
Cheshire Gro. *S Shi* —2B **74**
Chesils, The. *Newc T* —2A **56**
Chesmond Dri. *Bla T* —6A **64**
Chessar Av. *Newc T* —5F **53**
Chester Av. *W'snd* —4D **58**
Chester Clo. *Pon* —1B **36**
Chester Ct. *Newc T* —1B **56**
Chester Cres. *Newc T*
—2H **67** (1G **5**)
Chester Cres. *Sund* —1B **116**
Chesterfield Rd. *Newc T* —5B **66**
Chester Gdns. *S Shi* —2G **73**
Chester Gro. *Bly* —1A **16**
Chester Gro. *Seg* —2E **31**
Chesterhill. *Cra* —5B **20**
Chester-le-Street. —6C 124
Chester M. *Sund* —2B **116**
Chester Moor. —4A 132
Chester Oval. *Sund* —1B **116**
Chester Pl. *Gate* —1F **81**
Chester Pl. *Pet* —6B **160**
Chester Rd. *Ches S* —4E **125**
Chester Rd. *Pen* —3F **127**
Chester Rd. *S'ley* —2E **121**
Chester Rd. *Sund* —2G **115**
Chester Rd. Est. *S'ley* —2E **121**
Chesters Av. *Newc T* —1H **55**
Chesters Clo. *Gate* —5H **81**
Chesters Pk. *Gate* —5H **81**
Chesters, The. *Newc T* —6A **52**
Chesters, The. *Whit B* —5H **33**
Chester St. *Hou S* —1H **135**
Chester St. *Newc T* —2H **67** (1G **5**)
Chester St. *Sund* —1A **116**
Chester St. E. *Sund* —1B **116**
Chester St. W. *Sund* —1A **116**
Chester Ter. *Pet* —1D **160**
Chester Ter. *Sund* —1B **116**
Chester Ter. N. *Sund* —1B **116**
Chesterton Rd. *S Shi* —5D **72**
Chester Way. *Jar* —2E **85**
Chesterwood Dri. *W'snd* —5G **57**
Chesterwood Ter. *Gate* —1H **83**
Chestnut Av. *Bly* —4B **10**
Chestnut Av. *Newc T* —5H **53**
Chestnut Av. *Wash* —6H **111**
Chestnut Av. *Whi* —6F **79**

Chestnut Av. *Whit B* —1B **46**
Chestnut Clo. *Jar* —2H **85**
Chestnut Clo. *Newc T* —1B **42**
Chestnut Cres. *Sund* —2H **101**
Chestnut Gdns. *Gate* —3E **81**
Chestnut Gro. *S Shi* —5H **73**
Chestnut Gro. *Ush M* —6C **150**
Chestnut St. *W'snd* —6A **58**
Chestnut Ter. *Hou S* —1G **135**
Cheswick Dri. *Newc T* —1F **55**
Cheswick Rd. *Sea D* —1C **32**
Cheveley Pk. Shop. Cen. *Dur*
                              —3B **154**
Cheveley Wlk. *Dur* —4B **154**
Chevin Clo. *Newc T* —6G **57**
Chevington. *Gate* —6G **83**
Chevington Gdns. *Newc T* —6H **53**
Chevington Gro. *Whit B* —4H **33**
Cheviot Clo. *N Shi* —3B **46**
Cheviot Clo. *Wash* —1G **111**
Cheviot Ct. *Bla T* —6A **64**
Cheviot Ct. *Newc T* —3A **56**
Cheviot Ct. *S'hm* —3G **139**
Cheviot Ct. *S'ley* —6F **119**
Cheviot Ct. *Whit B* —1E **47**
Cheviot Gdns. *Gate* —4C **80**
Cheviot Gdns. *S'hm* —3G **139**
Cheviot Grange. *Burr* —5C **30**
Cheviot Grn. *Gate* —3C **80**
Cheviot Ho. *Wash* —3A **112**
Cheviot La. *Sund* —2D **130**
Cheviot Mt. *Newc T* —3C **68**
Cheviot Pl. *Pet* —6B **160**
  (in two parts)
Cheviot Rd. *Bla T* —2A **78**
  (in two parts)
Cheviot Rd. *Ches S* —2B **132**
  (in two parts)
Cheviot Rd. *Mon V* —5E **71**
Cheviot Rd. *S Shi* —1A **74**
Cheviot St. *Sund* —6H **101**
Cheviot Ter. *S'ley* —4E **121**
Cheviot Vw. *Bru V* —5C **28**
Cheviot Vw. *Ches S* —3A **132**
Cheviot Vw. *Longb* —1D **56**
Cheviot Vw. *Pon* —5G **25**
Cheviot Vw. *Seg* —2F **31**
Cheviot Vw. *W All* —4B **44**
Cheviot Vw. *Whit B* —1D **46**
Chevy Chase. *Newc T* —3C **4**
Cheyne, The. *Sund* —4A **130**
Chichester Av. *Nel V* —1H **19**
Chichester Clo. *Gate* —1G **81**
Chichester Clo. *Newc T* —6H **39**
Chichester Gro. *Bed* —3H **7**
Chichester Pl. *S Shi* —1E **73**
Chichester Rd. *Dur* —6D **142**
Chichester Rd. *S Shi* —1E **73**
Chichester Rd. *Sund* —1E **103**
Chichester Rd. E. *S Shi* —6F **61**
Chichester Way. *Jar* —2F **85**
Chicken Rd. *W'snd* —4G **57**
Chicks La. *Sund* —3F **89**
Chigwell Clo. *Pen* —2F **127**
Chilcote. *Gate* —4D **82**
Chilcrosse. *Gate* —5F **83**
  (in two parts)
Chilham Ct. *N Shi* —5F **45**
Chilham Ct. *Wash* —3H **111**
Chillingham Clo. *Bly* —2H **15**
Chillingham Ct. *Newc T* —2C **68**
Chillingham Dri. *Ches S* —3A **132**
Chillingham Ind. Est. *Newc T* —2C **68**
Chillingham Rd. *Dur* —1D **152**
Chillingham Rd. *Newc T* —6C **56**
Chillingham Ter. *Jar* —5H **71**

Chilside Rd. *Gate* —4D **82**
Chiltern Av. *Ches S* —1B **132**
  (in two parts)
Chiltern Clo. *Wash* —4H **111**
Chiltern Dri. *Newc T* —4B **42**
Chiltern Gdns. *Gate* —4C **80**
  (in two parts)
Chiltern Gdns. *S'ley* —4E **121**
Chiltern Rd. *N Shi* —3A **46**
Chilton Av. *Hou S* —2D **134**
Chilton Gdns. *Hou S* —3E **135**
Chilton Gth. *Pet* —2F **163**
Chilton Moor. —4E 135
Chilton St. *Sund* —4C **102**
China St. *Sund* —3E **117**
Chingford Clo. *Pen* —2G **127**
Chipchase. *Wash* —3F **111**
Chipchase Av. *Cra* —3B **20**
Chipchase Clo. *Bed* —4F **7**
Chipchase Ct. *N Har* —3A **22**
Chipchase Cres. *Newc T* —4C **52**
Chipchase Ter. *Jar* —6F **71**
Chippendale Pl. *Newc T* —2D **66**
Chirnside. *Cra* —5B **20**
Chirnside Ter. *S'ley* —6E **119**
Chirton. —2B 60
Chirton Av. *N Shi* —2B **60**
Chirton Av. *S Shi* —3C **74**
Chirton Dene Way. *N Shi* —4B **60**
Chirton Grn. *Bly* —2H **15**
Chirton Grn. *N Shi* —2B **60**
Chirton Gro. *S Shi* —3C **74**
Chirton Hill Dri. *N Shi* —6G **45**
Chirton La. *N Shi* —1A **60**
Chirton Lodge. *N Shi* —2A **60**
Chirton W. Vw. *N Shi* —2B **60**
Chirton Wynd. *Newc T* —4C **68**
Chislehurst Rd. *Hou S* —2F **127**
Chiswick Gdns. *Gate* —3A **82**
Chiswick Rd. *Sund* —3C **100**
Chiswick Sq. *Sund* —3C **100**
Chollerford Av. *N Shi* —1G **59**
Chollerford Av. *Whit B* —1D **46**
Chollerford Clo. *Newc T* —3C **54**
Chollerford M. *H'will* —1D **32**
Chollerton Dri. *Bed* —4A **8**
Chollerton Dri. *Newc T* —6G **43**
Choppington Rd. *Bed* —4H **7**
Chopwell Gdns. *Gate* —3D **96**
Chorley Pl. *Newc T* —4E **69**
Chowdene. —2H 95
Chowdene Bank. *Gate* —3G **95**
Chowdene Ter. *Gate* —1H **95**
Christal Ter. *Sund* —2D **102**
Christchurch Pl. *Pet* —2C **162**
Christie Ter. *Newc T* —4F **69**
Christon Clo. *Newc T* —2G **55**
Christon Rd. *Newc T* —2E **55**
Christon Way. *Gate* —1H **83**
Christopher Rd. *Newc T* —2E **69**
Chudleigh Gdns. *Newc T* —5H **51**
Chudleigh Ter. *Bla T* —1A **78**
Church Av. *Newc T* —2F **55**
Church Av. *Sco G* —1G **7**
Church Bank. *Jar* —2H **71**
Church Bank. *Newc T* —2F **63**
Church Bank. *S'ley* —2D **120**
Church Bank. *Sund* —4A **102**
Church Bank. *W'snd* —5B **58**
Church Chare. *Ches S* —6D **124**
Church Chare. *Pon* —4F **25**
Church Chare. *Whi* —4F **79**
Church Clo. *Bed* —4H **7**
Church Clo. *B'mr* —5C **126**
Church Clo. *Din* —4F **27**
Church Clo. *Pet* —2E **163**

Church Clo. *S'hm* —3A **140**
Church Clo. *Whit B* —1G **45**
Church Ct. *Bed* —5H **7**
Church Ct. *Gate* —2D **82**
Church Ct. *S'hm* —3G **139**
Churchdown Clo. *Bol C* —1A **86**
Church Dri. *Gate* —5A **82**
Churcher Gdns. *W'snd* —3G **57**
Church Flatt. *Pon* —4F **25**
Church Grn. *S'hm* —3A **140**
Church Grn. *Whi* —4F **79**
Churchill Av. *Dur* —5F **153**
Churchill Av. *Sund* —3A **102**
Churchill Av. *Whit B* —2A **46**
Churchill Ct. *Bla T* —2H **77**
Churchill Gdns. *Newc T* —6A **56**
Churchill Sq. *Dur* —4F **153**
Churchill Sq. *Hou S* —3F **135**
Churchill St. *Newc T* —5E **67**
Churchill St. *Sund* —1E **117**
Churchill St. *W'snd* —2D **58**
Church La. *Bed* —5A **8**
Church La. *Dur* —1D **158**
Church La. *Gate* —5B **82**
Church La. *Mur* —2B **148**
Church La. *Newc T* —2F **55**
Church La. *Sund* —1C **116**
Church La. *Whi* —3F **89**
Church La. N. *Mur* —2B **148**
Church Pl. *Gate* —2D **82**
Church Ri. *Ryton* —4E **63**
  (in two parts)
Church Ri. *Whi* —4F **79**
Church Rd. *Back* —6A **32**
Church Rd. *Gate* —6A **82**
Church Rd. *Gos* —2E **55**
  (in two parts)
Church Rd. *Hett H* —5C **136**
Church Rd. *Newb* —2F **63**
Church Rd. *Pelt* —3F **123**
Church Row. Gate —5C **82**
  (off Windy Nook Rd.)
Churchside. *Din* —4F **27**
Church Side. *Gt Lum* —4G **133**
Church St. *Bir* —3C **110**
Church St. *Bly* —5C **10**
Church St. *Cat* —5F **119**
Church St. *Cra* —3B **20**
Church St. *Dun* —2C **80**
Church St. *Dur* —1D **158**
Church St. *Gate* —5G **67**
  (NE8)
Church St. *Gate* —3D **82**
  (NE10)
Church St. *Heb* —2B **70**
Church St. *Hes* —6G **163**
Church St. *Hou S* —3A **136**
CHurch St. *Jar* —2F **71**
Church St. *Mar H* —5E **93**
Church St. *Mur* —3C **148**
Church St. *Newc T* —4G **69** (6A **4**)
Church St. *N Shi* —1D **60**
Church St. *S'hm* —4B **140**
Church St. *Shin R* —3F **127**
Church St. *S Hyl* —1C **114**
Church St. *S'ley* —2D **120**
Church St. *Sund* —3B **102**
Church St. *Walk* —5G **69**
Church St. *W Rai* —3E **145**
Church St. *Winl* —2H **77**
Church St. E. *Sund* —6E **103**
Church St. Head. *Dur* —1D **158**
Church St. N. *Sund* —4D **102**
  (in two parts)
Church St. Vs. *Dur* —1D **158**
Church Ter. *Bla T* —6A **64**

Church Va. *H Pitt* —3G **155**
Church Vw. *Bir* —3C **110**
Church Vw. *Bol C* —2A **86**
Church Vw. *Dur* —3B **154**
Church Vw. *Ear* —6E **33**
Church Vw. *Kim* —2A **142**
Church Vw. *Newc T* —2C **54**
Church Vw. *Sund* —2A **130**
Church Vw. *W'snd* —5B **58**
Church Vw. *Wash* —6B **98**
Church Vw. Vs. Hett H —1C **146**
 (off Co-operative Ter.)
Church Wlk. *Eas V* —2B **160**
Church Wlk. *Gate* —5G **67** (6F **5**)
Church Wlk. *Newc T* —4G **69**
 (in three parts)
Church Wlk. *Sund* —6F **103**
Churchwalk Ho. *Newc T* —4G **69**
Church Ward. *Sund* —3G **131**
Church Way. *Ear* —5E **33**
Church Way. *N Shi* —1C **60**
 (nr. Albion Rd.)
Church Way. *N Shi* —2D **60**
 (nr. Saville St.)
Church Way. *S Shi* —4E **61**
Church Wynd. *Sher* —6D **154**
Churston Clo. *Hou S* —5G **127**
Cicero Ter. *Sund* —3A **102**
Cinderford Clo. *Bol C* —1A **86**
Circle, The. *Jar* —5F **71**
Cirencester St. *Sund* —6B **102**
Cirus Ho. *Sund* —3A **130**
Citadel E. *Newc T* —2D **42**
Citadel W. *Newc T* —2D **42**
City Rd. *Newc T* —4G **67** (5F **5**)
City Way. *Sund* —4D **128**
Civic Ct. *Heb* —4D **70**
Clacton Rd. *Sund* —4B **100**
Clanfield Ct. *Newc T* —3H **55**
Clanny Ho. *Sund* —1H **115**
Clanny St. *Sund* —1B **116**
Clapham Av. *Newc T* —4D **68**
Clappersgate. *Pet* —2A **160**
Clara Av. *Shir* —1D **44**
Clarabad Ter. *Newc T* —4G **43**
Clarance Pl. *Newc T* —2G **55**
Clara St. *Bla T* —2H **77**
Clara St. *Newc T* —5H **65**
Clara St. *S'hm* —3H **139**
Claremont Av. *Newc T* —1B **64**
Claremont Av. *Sund* —2E **103**
Claremont Bri. *Newc T* —1D **4**
Claremont Ct. Whit B —4A **34**
 (off Claremont Cres.)
Claremont Cres. *Whit B* —4A **34**
Claremont Dri. *Hou S* —3E **127**
Claremont Gdns. *E Bol* —4F **87**
Claremont Gdns. *Whit B* —5B **34**
Claremont Ho. *Newc T*
 —2E **67** (1B **4**)
Claremont N. Av. *Gate* —1G **81**
Claremont Pl. *Gate* —2G **81**
Claremont Pl. *Newc T*
 —2E **67** (1B **4**)
Claremont Rd. *Newc T*
 —1C **66** (1C **4**)
Claremont Rd. *Sund* —2E **103**
Claremont Rd. *Whit B* —3A **34**
Claremont S. Av. *Gate* —2G **81**
Claremont St. *Gate* —2G **81**
Claremont St. *Newc T* —2E **67**
Claremont Ter. *Bill Q* —1H **83**
Claremont Ter. *Bly* —6B **10**
Claremont Ter. *Newc T* —2E **67**
Claremont Ter. *Spri* —4F **97**
Claremont Ter. *Sund* —2C **116**

Claremont Tower. *Newc T* —1C **4**
Claremont Wlk. *Gate* —2F **81**
 (in two parts)
Claremount Ct. *W Bol* —4D **86**
Clarence Cres. *Whit B* —1D **46**
Clarence Ho. *Newc T* —2G **5**
Clarence St. *Newc T* —3H **67** (3G **5**)
Clarence St. *S'hm* —4B **140**
Clarence St. *Sea S* —4H **23**
Clarence St. *Sund* —3H **101**
 (in two parts)
Clarence St. *Tant* —5H **105**
Clarence Ter. *Ches S* —6C **124**
Clarence Wlk. *Newc T*
 —3H **67** (2G **5**)
Clarendon Rd. *Newc T* —6C **56**
Clarendon Sq. *Sund* —2B **102**
Clare Rd. *Pet* —2B **162**
Clarewood Av. *S Shi* —1A **74**
Clarewood Ct. *Newc T* —3C **66**
Clarewood Grn. *Newc T* —3C **66**
Clarewood Pl. *Newc T* —1G **65**
Clark Cotts. *Whi* —4E **79**
Clarke's Ter. *Dud* —4A **30**
Clarke Ter. *Gate* —3C **82**
Clarke Ter. *Mur* —2C **148**
Clarks Hill Wlk. *Newc T* —2F **63**
Clark's Ter. *S'hm* —2E **139**
Clark Ter. *S Shi* —5F **61**
Clark Ter. *S'ley* —1D **120**
Clarty La. *Kib* —3F **109**
Clasper Ct. *S Shi* —3E **61**
Clasper St. *Newc T* —6D **66**
Claude Gibb Hall. *Newc T* —1F **5**
Claude St. *Hett H* —2C **146**
Claude Ter. *Mur* —2D **148**
Claudius Ct. *S Shi* —3E **61**
Claverdon St. *Newc T* —3H **51**
Clavering Pl. *Newc T* —5F **67** (6D **4**)
Clavering Pl. *S'ley* —6F **119**
Clavering Rd. Bla T —2A **78**
 (off Shibdon Bank)
Clavering Rd. *Swa* —3E **79**
Clavering Shop. Cen. *Whi* —6D **78**
Clavering Sq. *Gate* —3B **80**
Clavering St. *W'snd* —6F **59**
 (in two parts)
Clavering Way. *Bla T* —1C **78**
Claverley Dri. *Back* —6A **32**
Claxheugh Rd. *Sund* —6D **100**
Claxton St. *Pet* —6G **161**
Clay La. *Dur* —1A **158**
 (in two parts)
Claymere Rd. *Sund* —6E **117**
Claypath. *Dur* —5D **152**
Claypath. *Gate* —1F **97**
Claypath Ct. *Dur* —5D **152**
Claypath La. *S Shi* —5E **61**
 (in two parts)
Claypath Rd. *Hett H* —3C **146**
Claypath St. *Newc T* —3A **68**
Claypool Ct. *S Shi* —4E **73**
Clayside Ho. *S Shi* —6F **61**
Clayton Ho. *Newc T* —1E **55**
Clayton Pk. Sq. *Newc T* —1G **67**
Clayton Rd. *Newc T* —1F **67**
Clayton St. *Bed* —3D **8**
Clayton St. *Dud* —3H **29**
Clayton St. *Jar* —2F **71**
Clayton St. *Newc T* —4F **67**
 (in two parts)
Clayton St. W. *Newc T*
 —5E **67** (6B **4**)
Clayton Ter. *Gate* —2C **82**
Clayworth Rd. *Newc T* —4D **40**
Cleadon. —2A **88**

Cleadon Gdns. *Gate* —2D **96**
Cleadon Gdns. *W'snd* —2E **59**
Cleadon Hill Dri. *S Shi* —5A **74**
Cleadon Hill Rd. *S Shi* —5B **74**
Cleadon La. *E Bol* —2G **87**
Cleadon La. *Sund* —2B **88**
Cleadon La. Ind. Est. *E Bol* —3F **87**
Cleadon Lea. *Cle* —2H **87**
Cleadon Meadows. *Sund* —2A **88**
Cleadon Park. —5A **74**
Cleadon St. *Newc T* —3E **69**
Cleadon Towers. *S Shi* —5B **74**
Cleasby Gdns. *Gate* —5H **81**
Cleaside Av. *S Shi* —5A **74**
Cleehill Dri. *N Shi* —4B **46**
Cleeve Ct. *Wash* —2B **112**
Cleghorn St. *Newc T* —1C **68**
Clegwell Ter. *Heb* —3D **70**
Clelands Way. *W'snd* —6D **58**
Clematis Cres. *Gate* —3D **96**
Clement Av. *Bed* —4C **8**
Clementhorpe. *N Shi* —6C **46**
Clementina Clo. *Sund* —2E **117**
Clement St. *Gate* —6H **81**
Clennell Av. *Heb* —4B **70**
Clent Way. *Newc T* —1A **56**
Clephan St. *Gate* —2B **80**
Clervaux Ter. *Jar* —3G **71**
Cleveland Av. *Ches S* —1B **132**
Cleveland Av. *N Shi* —1B **60**
Cleveland Ct. *Jar* —2E **71**
Cleveland Ct. *S Shi* —3E **61**
Cleveland Cres. *N Shi* —1C **60**
Cleveland Dri. *Wash* —4H **111**
Cleveland Gdns. *Newc T* —4A **56**
Cleveland Gdns. *W'snd* —4F **59**
Cleveland Pl. *Pet* —1B **162**
Cleveland Rd. *N Shi* —1B **60**
Cleveland Rd. *Sund* —3H **115**
Cleveland St. *S Shi* —3F **61**
Cleveland Ter. *N Shi* —1C **60**
Cleveland Ter. *S'ley* —4E **121**
Cleveland Ter. *Sund* —2A **116**
Cleveland Vw. *Sund* —5E **89**
Cliff Cotts. *Jar* —1H **71**
Cliffe Ct. *Sund* —1F **103**
Cliffe Pk. *Sund* —1F **103**
Clifford Rd. *Newc T* —4D **68**
Clifford Rd. *S'ley* —3C **120**
Clifford's Fort Moat. *N Shi* —2E **61**
Clifford St. *Bla T* —6A **64**
Clifford St. *Ches S* —2C **132**
Clifford St. *Newc T* —3B **68**
Clifford St. *N Shi* —1E **61**
Clifford St. *Sund* —1A **116**
Clifford Ter. *Ches S* —1C **132**
Cliff Rd. *Sund* —3G **131**
Cliff Row. *N Shi* —1E **47**
Cliffside. *S Shi* —3C **74**
Cliff Ter. *Pet* —2B **160**
Cliff Ter. *Sund* —3G **131**
Cliff Vw. *Sund* —3G **131**
Clifton Av. *S Shi* —2G **73**
Clifton Av. *W'snd* —5H **57**
Cliftonbourne Av. *Sund* —1E **103**
Clifton Clo. *Ryton* —5E **63**
Clifton Ct. *Newc T* —6H **39**
Clifton Ct. *Spri* —4E **97**
Clifton Ct. *Whit B* —4A **34**
Clifton Gdns. *Bly* —3B **16**
Clifton Gdns. *Gate* —4H **81**
Clifton Gdns. *N Shi* —4A **60**
Clifton Gro. *Whit B* —5A **34**
Clifton Ho. *Sund* —2C **100**
Clifton Rd. *Cra* —4C **20**
Clifton Rd. *Newc T* —4A **66**

Clifton Rd. *Sund* —2E **103**
Clifton Sq. *Pet* —6D **160**
Clifton Ter. *Newc T* —6D **42**
Clifton Ter. *S Shi* —2E **73**
Clifton Ter. *Whit B* —6D **34**
Cliftonville Av. *Newc T* —4A **66**
Cliftonville Gdns. *Whit B* —5C **34**
Clifton Wlk. *Newc T* —5H **51**
Clifton Yd. *Sund* —1C **114**
Clintburn Ct. *Cra* —1C **20**
Clinton Pl. *Newc T* —3D **40**
Clinton Pl. *Newc T* —3E **129**
Clipsham Clo. *Newc T* —1B **56**
Clipstone Av. *Newc T* —6E **69**
Clipstone Clo. *Newc T* —5C **50**
Clive Pl. *Newc T* —4B **68**
Clive St. *N Shi* —3D **60**
Clive St. *S Shi* —5C **72**
Clockburn La. *Whi* —6B **78**
Clockburn Lonnen. *Whi* —1C **92**
Clockburnsyde Clo. *Whi* —6C **78**
Clockmill Rd. *Gate* —2C **80**
Clockstand Clo. *Sund* —3E **103**
Clockwell St. *Sund* —4H **101**
Cloggs, The. *Pon* —4F **25**
Cloister Av. *S Shi* —4C **72**
Cloister Ct. *Gate* —6H **67**
Cloister Gth. *Newc T* —2H **55**
Cloisters, The. *Newc T* —2H **55**
Cloisters, The. *S Shi* —2H **73**
Cloisters, The. *Sund* —3D **116**
Cloister Wlk. *Jar* —2G **71**
Close. *Newc T* —5F **67** (6D **4**)
Closeburn Sq. *Sund* —3B **130**
Close E., The. *Ches S* —4C **124**
Closefield Gro. *Whit B* —1A **46**
Close Ho. Est. *Hed W* —6F **49**
Close St. *Sund* —6A **102**
Close, The. *Bla T* —2G **77**
Close, The. *Bly* —4C **10**
Close, The. *Burn* —6A **92**
Close, The. *Ches S* —4C **124**
Close, The. *Cle* —2H **87**
Close, The. *Dur* —4B **154**
Close, The. *Hou S* —3B **136**
Close, The. *Newc T* —1C **64**
Close, The. *Pon* —6E **25**
Close, The. *Seg* —2F **31**
Cloth Mkt. *Newc T* —4F **67** (5D **4**)
Clough Dene. —4G 105
Clough Dene. *Burn* —4G **105**
Clough La. *Newc T* —5D **4**
Clousden Dri. *Newc T* —4E **43**
Clousden Grange. *Newc T* —4E **43**
Clousden Hill. *Newc T* —4E **43**
Clovelly Gdns. *Bed* —5H **7**
Clovelly Gdns. *Whit B* —5C **34**
Clovelly Pl. *Jar* —4A **72**
Clovelly Pl. *Pon* —3C **36**
Clovelly Rd. *Sund* —2B **100**
Clovelly Sq. *Sund* —2C **100**
Clover Av. *Gate* —1B **82**
Clover Av. *Hou S* —4F **127**
Clover Av. *Winl M* —5A **78**
Cloverdale. *Bed* —4G **7**
Cloverdale Gdns. *Newc T* —4B **56**
Cloverdale Gdns. *Whi* —6F **79**
Cloverfield Av. *Newc T* —1B **54**
Clover Hill. *Jar* —2G **85**
Clover Hill. *Sun* —3E **93**
(in two parts)
Cloverhill Av. *Heb* —6B **70**
Cloverhill Clo. *Ann* —2A **30**
Cloverhill Dri. *Ryton* —5A **62**
Clover Laid. *B'don* —6C **156**
Clowes Ter. *S'ley* —5F **119**

Clowes Wlk. *S'ley* —2F **121**
Club La. *Dur* —4H **151**
Clumber St. *Newc T* —6C **66**
(in two parts)
Clyde Av. *Heb* —6C **70**
Clyde Ct. *Sund* —3H **129**
Clydedale Av. *Newc T* —6D **42**
Clydesdale Av. *Hou S* —2F **127**
Clydesdale Gth. *Dur* —5C **142**
Clydesdale Mt. *Newc T* —4C **68**
Clydesdale Rd. *Newc T* —4C **68**
Clydesdale St. *Hett H* —3C **146**
Clyde St. *Gate* —3A **82**
Clyde St. *S'ley* —2F **121**
Clyvedon Ri. *S Shi* —6A **74**
Coach La. *Haz* —1G **39**
(in two parts)
Coach La. *Newc T* —2C **56**
Coach La. *N Shi* —2C **60**
Coach Open. *Newc T* —6F **59**
Coach Rd. *Gate* —6D **80**
Coach Rd. *Newc T* —5C **50**
Coach Rd. *W'snd* —6A **58**
Coach Rd. *Wash* —4A **98**
Coach Rd. Est. *Wash* —4A **98**
Coach Rd. Grn. *Gate* —1C **82**
Coalbank Rd. *Hett H* —3B **146**
Coalbank Sq. *Hett H* —3B **146**
Coaley La. *Hou S* —6G **127**
Coalford La. *H Pitt* —2G **155**
Coalford Rd. *Sher* —5D **154**
Coalway Dri. *Whi* —3F **79**
Coalway La. *Whi* —3F **79**
Coalway La. N. *Swa* —2F **79**
Coanwood Bungalows. *Cra* —4B **20**
Coanwood Dri. *Cra* —4B **20**
Coanwood Gdns. *Gate* —6D **80**
Coanwood Rd. *Newc T* —5F **65**
Coanwood Way. *Sun* —2F **93**
Coast Rd. *Newc T* —5C **56**
Coast Rd. *N Shi* —1H **59**
Coast Rd. *Pet & H'pool* —1G **163**
Coast Rd. *S Shi & Sund* —6H **61**
(in two parts)
Coates Clo. *S'ley* —4E **121**
Coatsworth Ct. *Gate* —1G **81**
Coatsworth Rd. *Gate* —1G **81**
Cobalt Clo. *Newc T* —1A **64**
Cobbett Cres. *S Shi* —6D **72**
Cobden Rd. *Cra* —5C **20**
Cobden St. *Gate* —2A **82**
Cobden St. *W'snd* —5H **57**
Cobden Ter. *Gate* —2A **82**
Cobham Pl. *Newc T* —5G **69**
Cobham Sq. *Sund* —3B **102**
Coble Dene. *N Shi* —4A **60**
Coblehouse. *Whit B* —1E **47**
Coble Landing. *S Shi* —4D **60**
Coburg St. *Bly* —6D **10**
Coburg St. *Gate* —1H **81**
Coburg St. *N Shi* —1D **60**
Coburn Clo. *Burr* —6C **30**
Cochrane Ct. *Newc T* —4H **65**
(in two parts)
Cochrane Pk. Av. *Newc T* —4C **56**
Cochrane St. *Newc T* —4A **66**
Cochrane Ter. *Din* —4F **27**
Cochrane Ter. *Ush M* —6C **150**
Cochran St. *Bla T* —6A **64**
Cockburn Ter. *N Shi* —4H **59**
Cocken La. *Gt Lum* —4H **143**
Cocken Lodge Farm Cvn. Pk. *Hou S*
—2A **144**
Cocken Rd. *Dur & Leam* —2D **142**
Cockermouth Grn. *Newc T* —1E **65**
Cockermouth Rd. *Sund* —2B **100**

Cockhouse La. *Ush M* —5A **150**
Colbeck Av. *Swa* —2F **79**
Colbeck Ter. *N Shi* —6F **47**
Colbourne Av. *Cra* —6G **13**
Colbourne Cres. *Cra* —6G **13**
Colbury Clo. *Cra* —5A **14**
Colby Ct. *Newc T* —5D **66**
Colchester St. *S Shi* —5C **72**
Colchester Ter. *Sund* —2H **115**
Cold Hesledon. —3G 149
Cold Hesledon Ind. Est. *Cold H*
(in two parts) —2G **149**
Coldingham Gdns. *Newc T* —5H **53**
Coldside Gdns. *Newc T* —4H **51**
Coldstream. *Ous* —5A **110**
Coldstream Av. *Sund* —3B **102**
Coldstream Clo. *Hou S* —4F **127**
Coldstream Dri. *Bla T* —3G **77**
Coldstream Gdns. *W'snd* —4E **59**
Coldstream Rd. *Newc T* —3F **65**
Coldstream Way. *N Shi* —5G **45**
Coldwell Clo. *S Het* —6G **147**
Coldwell La. *Gate* —4C **82**
Coldwell Pk. Av. *Gate* —4C **82**
Coldwell Pk. Dri. *Gate* —4C **82**
Coldwell St. *Gate* —3D **82**
Coldwell Ter. *Gate* —4C **82**
Colebridge Clo. *Newc T* —4G **53**
Colebrooke. *Bir* —5D **110**
Cole Gdns. *Gate* —3G **83**
Colegate. *Gate* —4F **83**
Colegate W. *Gate* —4F **83**
Colepeth. *Gate* —4E **83**
Coleridge Av. *Gate* —1G **95**
Coleridge Av. *S Shi* —6G **61**
Coleridge Gdns. *Dip* —1D **118**
Coleridge Pl. *Pelt F* —6G **123**
Coleridge Rd. *Sund* —3D **100**
Coleridge Sq. *Heb* —3C **70**
Coley Grn. *Newc T* —3H **51**
Coley Hill Clo. *Newc T* —3A **52**
Coley Ter. *Sund* —2E **103**
Colgrove Pl. *Newc T* —2A **54**
Colgrove Way. *Newc T* —2A **54**
(in two parts)
Colima Av. *Sund E* —5D **100**
Colin Ct. *Bla T* —5C **64**
Colin Pl. *Newc T* —1G **69**
Colin Ter. *Sund* —3F **131**
College Burn Rd. *Sund* —4G **129**
College Dri. *S Shi* —1G **73**
College Ho. *Newc T* —2E **5**
College La. *Newc T* —1C **56**
College Rd. *Heb* —6B **70**
College St. *Newc T* —3B **67** (2E **5**)
College, The. *Dur* —6C **152**
College Vw. *Bear* —4C **150**
College Vw. *Sund* —4C **102**
Collier Clo. *Thro* —6D **50**
Collierley La. *Dip* —6C **104**
Colliery La. *Hett H* —3D **146**
Colliery La. *Newc T* —4D **66** (4A **4**)
Colliery Rd. *Bear* —3D **150**
Colliery Rd. *Gate* —1B **80**
Colliery Row. —3E 135
Collin Av. *S Shi* —4B **74**
Colling Av. *S'hm* —4G **139**
Collingdon Grn. *H Spen* —1A **90**
Collingdon Rd. *H Spen* —1A **90**
Collingwood Av. *W'snd* —3H **57**
Collingwood Clo. *Cra* —1G **19**
Collingwood Cotts. *Pon* —4B **24**
Collingwood Ct. *Wash* —5D **98**
Collingwood Cres. *Pon* —1D **36**
Collingwood Dri. *Hou S* —3E **127**
Collingwood Gdns. *Gate* —1D **82**

Collingwood Mans. *N Shi* —3D **60**
Collingwood Rd. *Well* —6E **33**
Collingwood St. *Gate* —2D **82**
Collingwood St. *Heb* —3E **71**
Collingwood St. *Hett H* —5C **136**
Collingwood St. *Newc T*
—5F **67** (6D **4**)
Collingwood St. *S Shi* —1E **73**
Collingwood St. *Sund* —3B **102**
(in two parts)
Collingwood Ter. *Bly* —6C **10**
Collingwood Ter. *Gate* —2C **80**
Collingwood Ter. *Newc T* —6H **55**
Collingwood Ter. *Tyn* —6F **47**
Collingwood Ter. *Whit B* —1E **47**
Collingwood Vw. *N Shi* —2B **60**
Collingwood Wlk. *Wash* —5D **98**
(off Collingwood Ct.)
Collins Cft. *Newc T* —4D **66**
Collywell Bay Rd. *Sea S* —3H **23**
Collywell Ct. *Sea S* —3H **23**
Colman Av. *S Shi* —3C **72**
Colmet Ct. *Team T* —1F **95**
Colnbrook Clo. *Newc T* —6H **39**
Colombo Rd. *Sund* —4B **100**
Colpitts Ter. *Dur* —6B **152**
Colston Pl. *Newc T* —6D **42**
Colston Ri. *Pet* —6C **160**
Colston St. *Newc T* —4H **65**
Colston Way. *Whit B* —4H **33**
Coltere Av. *E Bol* —4G **87**
Colton Gdns. *Gate* —2A **96**
Coltpark. *Newc T* —6D **52**
Coltpark Pl. *Cra* —4B **20**
Coltsfoot Gdns. *Gate* —6C **82**
Coltspool. *Gate* —1F **109**
Columba St. *Sund* —3B **102**
Columba Wlk. *Newc T* —2F **55**
(in two parts)
Columbia. —3D 112
Columbia Grange. *Newc T* —2A **54**
Columbia Ter. *Bly* —1C **16**
Column of Liberty. —2H **91**
Colville Ct. *S'ley* —3F **121**
Colwell Pl. *Newc T* —2G **65**
Colwell Rd. *N Shi* —4B **46**
Colwell Rd. *Shir* —3D **44**
Colwyne Pl. *Newc T* —5F **53**
Colwyn Pde. *Heb* —1E **85**
Combe Dri. *Newc T* —2H **63**
Comet Dri. *Eas* —1C **160**
Comet Row. *Newc T* —3C **42**
Comet Sq. *Sund* —2A **130**
Comma Ct. *Gate* —4D **80**
Commerce Way. *Hou S* —4G **135**
Commercial Rd. *Bly* —5C **10**
Commercial Rd. *Gos* —2G **55**
Commercial Rd. *Jar* —1G **71**
(in two parts)
Commercial Rd. *Newc T* —4C **68**
Commercial Rd. *S Shi* —6D **60**
Commercial Rd. *Sund* —2F **117**
Commercial Sq. *B'don* —5E **157**
Commercial St. *Bla T* —2H **77**
Commercial St. *B'don* —4E **157**
Commercial Way. *Cra* —3A **20**
Commissioners Wharf. *N Shi*
—5B **60**
Compton Av. *S Shi* —2F **73**
Compton Ct. *Wash* —2H **111**
Compton Rd. *N Shi* —2B **60**
Concord. —5B 98
Concorde Ho. *Wash* —5B **98**
Concorde Sq. *Sund* —2A **130**
Concorde Way. *Jar* —3F **71**
Condercum Ct. *Newc T* —4G **65**

Condercum Ind. Est. *Newc T* —4H **65**
Condercum Rd. *Newc T* —4H **65**
Condercum Rd. Bk. *Newc T* —4H **65**
Cone St. *S Shi* —5D **60**
Cone Ter. *Ches S* —6D **124**
Conewood Ho. *Newc T* —1B **54**
Conhope La. *Newc T* —4H **65**
Conifer Clo. *Bla T* —3H **77**
Conifer Clo. *Dur* —4G **153**
Conifer Ct. *G'sde* —2B **76**
Conifer Ct. *Newc T* —5F **43**
Coningsby Clo. *Newc T* —5F **41**
Coniscliffe Av. *Newc T* —4B **54**
Coniscliffe Pl. *Sund* —4E **103**
Coniscliffe Rd. *S'ley* —4B **120**
Coniscliffe Ter. *Pet* —2B **160**
Conishead Ter. *S Het* —5H **147**
Coniston. *Bir* —5D **110**
(in two parts)
Coniston. *Gate* —3G **83**
Coniston Av. *Eas L* —5E **147**
Coniston Av. *Heb* —4D **70**
Coniston Av. *Sund* —1C **102**
Coniston Av. *W Jes* —5G **55**
Coniston Av. *Whi* —4H **79**
Coniston Clo. *Ches S* —1C **132**
Coniston Clo. *Dur* —3C **154**
Coniston Clo. *Kil* —2C **42**
Coniston Clo. *Newc T* —2E **63**
Coniston Clo. *Pet* —1E **163**
Coniston Ct. *Newc T* —1F **65**
Coniston Cres. *Bla T* —3H **77**
Coniston Dri. *Jar* —6H **71**
Coniston Gdns. *Gate* —6B **82**
Coniston Pl. *Gate* —6B **82**
Coniston Rd. *Kit I* —4F **9**
Coniston Rd. *N Shi* —3B **46**
Coniston Rd. *W'snd* —3D **58**
Connaught Clo. *Phil* —4G **127**
Connaught Gdns. *Newc T* —6D **42**
Connaught Ter. *Jar* —3F **71**
Connolly Ho. *S Shi* —6F **73**
Consett Rd. *Gate* —6B **80**
Constable Av. *Sund* —5D **114**
Constable Clo. *Ryton* —5C **62**
Constable Clo. *S'ley* —3D **120**
Constable Gdns. *S Shi* —6E **73**
Constables Gth. *Bir* —3C **110**
Constance St. *Pelt* —2G **123**
Constitutional Hill. *Dur* —6E **153**
Content St. *Bla T* —2A **78**
Convent Rd. *Newc T* —2H **65**
(in two parts)
Conway Clo. *Bed* —4F **7**
Conway Clo. *Ryton* —6D **62**
Conway Dri. *Newc T* —3A **56**
Conway Gdns. *Sund* —2F **129**
Conway Gdns. *W'snd* —3G **57**
Conway Gro. *Sea S* —2F **23**
Conway Pl. *Pelt* —1H **123**
Conway Rd. *Sund* —3B **100**
Conway Sq. *Gate* —3A **82**
Conway Sq. *Sund* —3B **100**
Conyers Av. *Ches S* —4B **124**
Conyers Cres. *Pet* —4E **161**
Conyers Gdns. *Ches S* —4B **124**
Conyers Pl. *Ches S* —4B **124**
Conyers Rd. *Ches S* —4B **124**
Conyers Rd. *Newc T* —3B **68**
Cook Av. *Bear* —4C **150**
Cook Clo. *S Shi* —1D **72**
Cook Cres. *Mur* —2B **148**
Cooke's Wood. *B'pk* —1E **157**
Cook Gdns. *Gate* —3H **83**
Cook Gro. *Pet* —4E **161**
Cook La. *Newc T* —3F **67**

Cook's Cotts. *Ush M* —5B **150**
Cookshold La. *Sher* —6E **155**
Cookson Clo. *Newc T* —4D **66**
Cookson Ho. *S Shi* —5D **60**
Cookson's La. *Newc T* —5F **67**
Cookson St. *Newc T* —4C **66**
Cookson Ter. *Ches S* —6B **124**
Cook Sq. *Sund* —3C **100**
Cooks Wood. *Wash* —4B **112**
Cook Va. *S Shi* —2D **72**
Coomassie Rd. *Bly* —6C **10**
Coomside. *Cra* —5C **20**
Co-operative Bldgs. *Dip* —1C **118**
Co-operative Bldgs. *Sea D* —6B **22**
Co-operative Cres. *Gate* —4C **82**
Cooperative St. *Ches S* —5C **124**
Co-operative Ter. *Bru V* —5C **122**
Co-operative Ter. *Burn* —1H **105**
Co-operative Ter. *Ches S* —5C **122**
Co-operative Ter. *Dip* —1C **118**
Co-operative Ter. *Fenc* —2D **134**
Co-operative Ter. *Gate* —4C **82**
Co-operative Ter. *Hett H* —1C **146**
Co-operative Ter. *H Spen* —6A **76**
Co-operative Ter. *New B* —1A **156**
Co-operative Ter. *Newc T* —4G **43**
Co-operative Ter. *Pelt* —2C **122**
Co-operative Ter. *Shir* —2C **44**
Co-operative Ter. *Sund* —2A **116**
Co-operative Ter. *Wash* —5C **98**
Co-operative Ter. *W All* —4C **44**
Co-operative Ter. E. *Dip* —1D **118**
Co-operative Ter. W. *Dip* —1C **118**
Co-operative Vs. *Lang M* —4G **157**
Cooperative Vs. *S Hill* —6H **155**
Cooper Sq. *Dur* —4F **153**
Cooper St. *Sund* —3E **103**
Copeland Ct. *Dur* —1A **158**
Copenhagen Ho. *Newc T* —6G **5**
Copland Ter. *Newc T* —3H **67** (3G **5**)
Copley Av. *S Shi* —1E **87**
Copley Dri. *Sund* —5B **116**
Copperas La. *Newc T* —2D **64**
Copperfield. *Dur* —2A **158**
Coppergate Ct. *Heb* —2D **70**
Coppice, The. *Sea S* —3G **23**
Coppice Way. *Newc T* —3H **67** (2G **5**)
Coppy La. *Mar H* —2F **107**
Copse, The. *Bla T* —2D **78**
Copse, The. *Burn* —1F **105**
Copse, The. *Newc T* —5F **41**
Copse, The. *Pet* —2B **160**
Copse, The. *Wash* —3H **97**
Coptleigh. *Hou S* —4C **136**
Coqetdale Av. *Newc T* —3G **69**
Coquet. *Wash* —6F **111**
Coquet Av. *Bly* —2C **16**
Coquet Av. *Newc T* —1D **54**
Coquet Av. *S Shi* —1B **74**
Coquet Av. *Whit B* —6C **34**
Coquet Bldgs. *Newc T* —6H **51**
Coquetdale Pl. *Bed* —4C **8**
Coquetdale Vs. *Sund* —3E **103**
Coquet Dri. *Pelt* —1G **123**
Coquet Gdns. *S'ley* —5C **120**
Coquet Gro. *Newc T* —5C **50**
Coquet Ho. *Sund* —3H **129**
Coquet St. *Heb* —3B **70**
Coquet St. *Jar* —4E **71**
Coquet St. *Newc T* —4H **67** (4H **5**)
Coquet Ter. *Dud* —3H **29**
Coquet Ter. *Newc T* —6C **56**
Coram Pl. *Newc T* —4E **65**
Corbett Pl. *Pet* —1F **161**
Corbett St. *S'hm* —3H **139**
(in two parts)

Corbiere Clo. *Sund* —3G **129**
Corbitt St. *Gate* —2E **81**
Corbridge Av. *Wide* —5D **28**
Corbridge Clo. *W'snd* —1C **58**
Corbridge Rd. *Newc T* —3C **68**
Corbridge St. *Newc T* —3B **68**
(in two parts)
Corby Gdns. *Newc T* —3F **69**
Corby Ga. *Sund* —3D **116**
Corby Gro. *Pet* —4A **162**
Corby Hall Dri. *Sund* —3D **116**
Corby M. *Sund* —3D **116**
Corchester Rd. *Bed* —3G **7**
Corchester Wlk. *Newc T* —3B **56**
Corcyra St. *S'hm* —5B **140**
Corfu Rd. *Sund* —3C **100**
(in two parts)
Corinthian Sq. *Sund* —3C **100**
Cork St. *Sund* —6E **103**
Cormorant Clo. *Bly* —3M **9**
Cormorant Clo. *Wash* —4F **111**
Cornbank Clo. *Sund* —4A **130**
Corndean. *Wash* —3E **113**
Cornelia Clo. *Sund* —2A **130**
Cornelia St. *Sund* —2A **130**
Cornelia Ter. *S'hm* —4A **140**
Cornel M. *Newc T* —4C **56**
Cornel Rd. *Newc T* —4B **56**
Corney St. *S Shi* —2D **72**
Cornfield Gth. *Pet* —2F **163**
Cornfields, The. *Heb* —3C **70**
Cornforth Clo. *Gate* —4A **84**
Cornhill. *Jar* —2G **85**
Cornhill. *Newc T* —6D **52**
Cornhill Av. *Newc T* —6B **40**
Cornhill Clo. *N Shi* —6H **45**
Cornhill Cres. *N Shi* —6H **45**
(in two parts)
Cornhill Rd. *Cra* —3C **20**
Cornhill Rd. *Sund* —3B **102**
Corn Mill Dri. *Hou S* —5H **135**
Cornmoor Gdns. *Whi* —6F **79**
Cornmoor Rd. *Whi* —5F **79**
Cornsay Cres. *Ous* —5H **109**
Cornthwaite Dri. *Sund* —2E **89**
Cornwall Ct. *Mur* —2D **148**
Cornwallis. *Wash* —4C **98**
Cornwallis Sq. *S Shi* —6D **60**
Cornwallis St. *S Shi* —5E **61**
Cornwall Rd. *Heb* —6D **70**
Cornwall St. *Pet* —1F **161**
Cornwall Wlk. *Dur* —4B **154**
Cornwell Ct. *Newc T* —3H **55**
Cornwell Cres. *Bed* —5B **8**
Coronation Av. *Dur* —3B **154**
Coronation Av. *Pet* —1G **163**
Coronation Av. *Sund* —3F **131**
Coronation Av. *Sun* —3F **93**
Coronation Bungalows. *Gos* —2F **55**
Coronation Clo. *Sund* —6E **103**
Coronation Cres. *Hou S* —1G **135**
Coronation Cres. *L Pit* —1F **155**
Coronation Cres. *Whit B* —6B **34**
Coronation Grn. *Eas L* —5F **147**
Coronation Rd. *Newc T* —4H **51**
Coronation Rd. *Sea D* —6A **22**
Coronation Rd. *Sun* —3F **93**
Coronation Sq. *S Het* —6B **148**
Coronation St. *Ann* —2B **30**
Coronation St. *Bly* —1C **16**
Coronation St. *Ches S* —2D **132**
Coronation St. *N Shi* —3C **60**
Coronation St. *Ryton* —5E **63**
Coronation St. *S Shi* —5D **60**
Coronation St. *Sund* —6E **103**
Coronation St. *W'snd* —5A **58**

Coronation Ter. *Bol C* —2A **86**
Coronation Ter. *Ches S* —2C **132**
Coronation Ter. *Dur* —6A **154**
Coronation Ter. *Gate* —4F **97**
Coronation Ter. *Gran V* —5D **122**
Coronation Ter. *Hett H* —3C **146**
Coronation Ter. *Kib* —1E **109**
Coronation Ter. *N Shi* —4F **45**
Coronation Ter. *S'ley* —5H **119**
Coronation Ter. *Sund* —1D **114**
Corporation Rd. *Sund* —3F **117**
Corporation St. *Newc T*
—4D **66** (5A **4**)
Corriedale Clo. *Pity Me* —5C **142**
Corrighan Ter. *E Rai* —1G **145**
Corrofell Gdns. *Gate* —1E **83**
Corry Ct. *Sund* —3G **115**
Corsair. *Whi* —5D **78**
Corsenside. *Newc T* —6D **52**
Corstophine Town. *S Shi* —1D **72**
Cortina Av. *Sund* —3F **115**
Corvan Ter. *Tant* —6G **105**
Cosford Ct. *Newc T* —6G **39**
Cossack Ter. *Sund* —6G **101**
Cosserat Pl. *Heb* —2B **70**
Cosser St. *Bly* —3H **15**
Coston Dri. *S Shi* —4E **61**
(in two parts)
Cosyn St. *Newc T* —4A **68**
Cotehill Dri. *Pon* —1B **36**
Cotehill Rd. *Newc T* —6F **53**
Cotemede. *Gate* —5G **83**
Cotemede Ct. *Gate* —5G **83**
Cotfield Wlk. *Gate* —2F **81**
Cotgarth, The. *Gate* —4E **83**
Cotherstone Ct. *Sund* —5B **116**
Cotherstone Rd. *Dur* —1D **152**
Cotman Gdns. *S Shi* —1F **87**
Cotsford Cres. *Pet* —1G **163**
Cotsford Grange. *Pet* —1H **163**
Cotsford La. *Pet* —1G **163**
Cotsford Pk. Est. *Pet* —1H **163**
Cotswold Av. *Ches S* —1A **132**
(in two parts)
Cotswold Av. *Newc T* —4B **42**
Cotswold Clo. *Wash* —3H **111**
Cotswold Dri. *Whit B* —2B **46**
Cotswold Gdns. *Gate* —4C **80**
Cotswold Gdns. *Newc T* —4A **56**
Cotswold Pl. *Pet* —6B **160**
Cotswold Rd. *N Shi* —3A **46**
Cotswold Rd. *Sund* —3C **100**
Cotswolds La. *Bol C* —2A **86**
Cotswold Sq. *Sund* —2C **100**
Cotswold Ter. *S'ley* —4E **121**
Cottage Gdns. *Cle* —2A **88**
Cottage La. *Newc T* —6H **53**
Cottages, The. *Bed* *S'hm* —5B **140**
Cottages, The. *Gate* —4G **95**
Cottages, The. *Pet* —4E **161**
Cottenham Chare. *Newc T* —4D **66**
Cottenham St. *Newc T* —4D **66**
Cotterdale. *W'snd* —2F **57**
Cotterdale Av. *Gate* —3H **81**
Cotter Riggs Pl. *Newc T* —5H **51**
Cotter Riggs Wlk. *Newc T* —5H **51**
Cottersdale Gdns. *Newc T* —4H **51**
Cottingham Clo. *Pet* —6B **160**
Cottingwood Ct. *Newc T* —3D **66**
Cottingwood Gdns. *Newc T* —3D **66**
Cottingwood Grn. *Bly* —4A **16**
Cottonwood. *Sund* —4G **129**
Coulthards La. *Gate* —6H **67**
Coulthards Pl. *Gate* —5A **68**
Coulton Dri. *E Bol* —4F **87**
Council Av. *Hou S* —3F **127**

Council Ter. *Wash* —6B **98**
Counden Rd. *Newc T* —4C **52**
Countess Av. *Whit B* —6C **34**
Countess Dri. *Newc T* —2E **65**
Coupland Gro. *Jar* —6F **71**
Courtfield Rd. *Newc T* —1F **69**
Court La. *Dur* —6D **152**
Courtney Ct. *Newc T* —6G **39**
Courtney Dri. *Pelt* —2H **123**
Courtney Dri. *Sund* —1H **129**
Court Rd. *Bed* —4H **7**
Court St. *Pet* —1F **161**
Court, The. *Whi* —5G **79**
Courtyard, The. *Tan L* —1A **120**
Cousin St. *Sund* —6E **103**
Coutts Rd. *Newc T* —1E **69**
Covent Garden. *Sund* —6E **103**
Coventry Gdns. *Newc T* —5A **66**
Coventry Gdns. *N Shi* —3A **60**
Coventry Rd. *Dur* —6E **143**
Coventry Way. *Jar* —1F **85**
Coverdale. *Gate* —5G **83**
Coverdale. *W'snd* —2F **57**
Coverdale Av. *Bly* —6G **9**
Coverdale Av. *Wash* —5A **98**
Coverdale Wlk. *S Shi* —2E **73**
Coverley. *Gt Lum* —3G **133**
Coverley Rd. *Sund* —3D **100**
Covers, The. *Bent* —1E **57**
Cove, The. *Hou S* —3F **127**
Cowan Clo. *Bla T* —5G **63**
Cowans Av. *Camp* —1C **42**
Cowan Ter. *Sund* —1D **116**
Cowdray Ct. *Newc T* —6G **39**
Cowdray Rd. *Sund* —3D **100**
Cowdray Ho. *N Shi* —4H **59**
Cowell Gro. *Highf* —3C **90**
Cowell St. *Pet* —6F **161**
Cowen Gdns. *Gate* —4A **96**
Cowen Rd. *Bla T* —6B **64**
Cowen St. *Bla T* —3H **77**
Cowen St. *Newc T* —3F **69**
Cowen Ter. *Row G* —2F **91**
Cowgate. —6H 53
Cowgate. *Newc T* —4G **67** (5F **5**)
Cowley Cres. *E Rai* —1G **145**
Cowley Pl. *Bly* —5H **9**
Cowley Rd. *Bly* —4H **9**
Cowpath Gdns. *Gate* —2G **83**
Cowpen. —5G 9
Cowpen Hall Rd. *Bly* —5G **9**
Cowpen New Town. —4G 9
Cowpen Rd. *Bly* —5E **9**
(in two parts)
Cowpen Sq. *Bly* —4B **10**
Cowper Ter. *Newc T* —4C **42**
Cox Chare. *Newc T* —4H **67** (5G **5**)
Coxfoot Clo. *S Shi* —4E **73**
Cox Green. —4F 113
Coxgreen Rd. *Hou S* —1E **127**
Coxlodge. —2C 54
Coxlodge Rd. *Newc T* —2C **54**
Coxlodge Ter. *Newc T* —2C **54**
Coxon St. *Gate* —1H **83**
Coxon St. *Sund* —2E **117**
Coxon Ter. *Gate* —2C **82**
Cradock Av. *Heb* —5B **70**
Cragdale Gdns. *Hett H* —3B **146**
Craggyknowe. *Wash* —1F **111**
Craghall Dene. *Newc T* —3G **55**
Craghall Dene Av. *Newc T* —3G **55**
Craghead. —6G 121
Craghead La. *S'ley* —6G **121**
Craghead Rd. *Pelt* —5G **123**
Cragleas. *Hob* —3G **105**
Cragside. *Ches S* —5A **124**

Cragside. *Cra* —5B **20**
Cragside. *Newc T* —4B **56**
Cragside. *S Shi* —4B **74**
Cragside. *Wash* —6G **97**
Cragside. *Whit B* —4A **34**
Cragside. *Wide* —5D **28**
Cragside Av. *N Shi* —5H **45**
Cragside Ct. *Hou S* —3B **136**
Cragside Ct. *Newc T* —6A **66**
Cragside Ct. *S'ley* —6F **119**
Cragside Gdns. *Gate* —6C **80**
Cragside Gdns. *Kil* —1F **43**
Cragside Gdns. *W'snd* —4D **58**
Cragston Av. *Newc T* —4G **53**
Cragston Clo. *Blak* —5G **53**
Cragston Ho. *Newc T* —5G **53**
Cragston Way. *Newc T* —5G **53**
Cragton Gdns. *Bly* —6H **9**
Craigavon Rd. *Sund* —4D **100**
Craig Cres. *Dud* —3A **30**
Craigend. *Cra* —4C **20**
Craighill. *Hou S* —3E **127**
Craiglands, The. *Sund* —4C **116**
(off Tunstall Rd.)
Craigmillar Av. *Newc T* —4G **53**
Craigmillar Clo. *Newc T* —4F **53**
Craigmill Pk. *Bly* —5G **9**
Craigmont Ct. *Newc T* —1D **56**
(off West Av.)
Craigshaw Rd. *Sund* —2B **100**
Craigshaw Sq. *Sund* —2B **100**
Craig St. *Bir* —2C **110**
Craig Ter. *Pet* —2B **160**
Craigwell Dri. *Sund* —5A **130**
Crake Way. *Wash* —5F **111**
Cramer St. *Gate* —2H **81**
Cramlington. —2A 20
Cramlington Rd. *Sund* —4B **100**
Cramlington Sq. *Sund* —3B **100**
Cramlington Ter. *Bly* —3A **16**
Cramlington Ter. *W All* —4C **44**
Cramlington Village. —2B 20
Cramond Ct. *Gate* —2G **95**
Cramond Way. *Cra* —5B **20**
Cranberry Rd. *Sund* —3C **100**
Cranberry Sq. *Sund* —3C **100**
Cranborne. *Sund* —3E **129**
Cranbrook Av. *Newc T* —6E **41**
Cranbrook Ct. *Newc T* —6A **40**
Cranbrook Pl. *Newc T* —5F **65**
Cranbrook Rd. *Newc T* —5F **65**
Cranesville. *Gate* —1C **96**
(in two parts)
Craneswater Av. *Whit B* —2B **34**
Cranfield Pl. *Newc T* —2A **64**
Cranford Gdns. *Newc T* —2C **64**
Cranford St. *S Shi* —3E **73**
Cranford Ter. *Pet* —1B **160**
Cranford Ter. *Sund* —2A **116**
Cranham Clo. *Newc T* —1F **43**
Cranlea. *Newc T* —1G **53**
Cranleigh. *Gt Lum* —4G **133**
Cranleigh Av. *Newc T* —6G **39**
Cranleigh Pl. *Whit B* —5H **33**
Cranleigh Rd. *Sund* —3C **100**
Cranshaw Pl. *Cra* —4C **20**
Cranston Pl. *Sund* —3G **131**
Crantock Rd. *Newc T* —2B **54**
Cranwell Ct. *Newc T* —6G **39**
Cranwell Dri. *Wide* —5D **28**
Craster Av. *Newc T* —4F **43**
Craster Av. *Shir* —2C **44**
Craster Av. *S Shi* —1B **74**
Craster Clo. *Bly* —6A **10**
Craster Clo. *Ches S* —2A **132**

Craster Clo. *Whit B* —5H **33**
Craster Gdns. *W'snd* —4D **58**
Craster Rd. *N Shi* —2H **59**
Craster Sq. *Newc T* —1C **54**
Craster Ter. *Newc T* —5B **56**
Crathie. *Bir* —6C **96**
Craven Ct. *Sund* —4F **103**
Crawford Av. *Pet* —5D **160**
Crawford Av. W. *Pet* —5C **160**
Crawford Clo. *Sher* —6D **154**
Crawford Ct. *Sund* —3H **129**
Crawford Gdns. *Ryton* —5A **62**
Crawford Pl. *Whit B* —1A **46**
Crawford St. *Bly* —4B **10**
Crawford Ter. *Newc T* —4F **69**
Crawhall Rd. *Newc T* —4H **67** (4H **5**)
Crawlaw Bungalows. *Pet* —1E **161**
Crawlaw Rd. *Pet* —1D **160**
Crawley Av. *Heb* —6B **70**
Crawley Gdns. *Whi* —4G **79**
Crawley Rd. *Heb* —6H **57**
Crawley Sq. *Heb* —6B **70**
Craythorne Gdns. *Newc T* —5C **56**
Creeverlea. *Wash* —4A **112**
Creighton Av. *Newc T* —4A **54**
Creland Way. *Newc T* —4G **53**
Crescent, The. *Bar* —5C **76**
Crescent, The. *Ches S* —6B **124**
Crescent, The. *Ches M* —4A **132**
Crescent, The. *Cle* —3H **87**
Crescent, The. *Dun* —3B **80**
Crescent, The. *Dur* —4A **152**
Crescent, The. *Hett H* —2C **146**
Crescent, The. *H Spen* —2A **90**
Crescent, The. *Jar* —5E **71**
Crescent, The. *Ken F* —1F **53**
Crescent, The. *Kib* —1E **109**
Crescent, The. *Longb* —2B **56**
Crescent, The. *New S* —6A **116**
Crescent, The. *N Shi* —5E **47**
Crescent, The. *Pelt* —1H **123**
Crescent, The. *Phil* —5H **127**
Crescent, The. *Pon* —2A **36**
Crescent, The. *Row G* —3F **91**
Crescent, The. *Ryton* —4D **62**
Crescent, The. *Seg* —2F **31**
Crescent, The. *Sher* —6D **154**
Crescent, The. *Shin R* —4E **127**
Crescent, The. *S Shi* —5H **73**
Crescent, The. *Sun* —3F **93**
Crescent, The. *Tan L* —1B **120**
Crescent, The. *Thro* —5D **50**
Crescent, The. *W'snd* —4H **57**
Crescent, The. *W Rai* —3D **144**
Crescent, The. *Whi* —5G **79**
Crescent, The. *Whit B* —1D **46**
Crescent Va. *Whit B* —1C **46**
(off Jesmond Ter.)
Crescent Way. *Newc T* —5E **43**
Cres. Way N. *Newc T* —5E **43**
Cres. Way S. *Newc T* —5E **43**
Creslow. *Gate* —5F **83**
Cressbourne Av. *Sund* —1E **103**
Cresswell Av. *Newc T* —4E **43**
Cresswell Av. *N Shi* —6B **46**
Cresswell Av. *Pet* —1G **163**
Cresswell Av. *Sea S* —3G **23**
Cresswell Clo. *Bla T* —3G **77**
Cresswell Clo. *Whit B* —2A **46**
Cresswell Dri. *Bly* —2A **16**
Cresswell Dri. *Newc T* —6A **40**
Cresswell Rd. *W'snd* —6G **57**
Cresswell St. *Newc T* —3D **68**
(in two parts)
Cresswell Ter. *Sund* —2C **116**
Cresthaven. *Gate* —5E **83**

Crest, The. *Bed* —4G **7**
Crest, The. *Din* —4F **27**
Crest, The. *Sea S* —5H **23**
Crewe Av. *Dur* —6H **153**
Crichton Av. *Ches S* —2D **132**
Cricket Ter. *Burn* —1G **105**
Cricklewood Dri. *Pen* —2F **127**
Cricklewood Rd. *Sund* —4B **100**
Criddle St. *Gate* —3A **68**
Crieff Gro. *Jar* —6H **71**
Crieff Sq. *Sund* —3B **100**
Crigdon Hill. *Newc T* —6D **52**
Crighton. *Wash* —2G **111**
Crimdon Gro. *Hou S* —4G **135**
Crimea Rd. *Sund* —3B **100**
Crindledykes. *Wash* —5C **112**
Cripps Av. *Gate* —3H **83**
Crocus Clo. *Bla T* —1G **77**
Croft Av. *Newc T* —6E **43**
Croft Av. *Sund* —1A **116**
Croft Av. *W'snd* —5A **58**
Croft Clo. *Ryton* —5D **62**
Croftdale Rd. *Bla T* —1A **78**
Crofter Clo. *Ann* —2A **30**
Crofthead Dri. *Cra* —5B **20**
Crofton Mill Ind. Est. *Bly* —1D **16**
Crofton St. *Bly* —6C **10**
Crofton St. *S Shi* —3E **73**
Crofton Way. *Newc T* —2H **63**
Croft Rigg. *B'don* —6C **156**
Croft Rd. *Bly* —6C **10**
Croftside. *Bir* —2C **110**
Croftside Av. *Whit* —3F **89**
Croftside Ho. *Sund* —4H **129**
Crofts Pk. *Hep* —1A **6**
Croft Stairs. *Newc T* —5F **5**
Crofts, The. *Pon* —5F **25**
Croft St. *Newc T* —4G **67** (4E **5**)
Croftsway. *Newc T* —5B **66**
Croft Ter. *Jar* —3F **71**
Croft Ter. *S'ley* —5G **119**
Croft, The. *Ken* —3C **54**
Croft, The. *Kil* —1E **43**
Croft, The. *Ned V* —5C **6**
Croft, The. *Ryton* —5D **62**
Croft, The. *S'hm* —3D **148**
Croft, The. *S Hill* —6H **155**
Croft Vw. *Newc T* —3E **43**
Croft Vs. *Craw* —1A **76**
Croftwell Clo. *Bla T* —2B **78**
Cromarty. *Ous* —5H **109**
Cromarty St. *Sund* —3D **102**
Cromdale Pl. *Newc T* —6F **53**
Cromer Av. *Gate* —2H **95**
Cromer Ct. *Gate* —2A **96**
Cromer Gdns. *Newc T* —4G **55**
Cromer Gdns. *Whit B* —5C **34**
Crompton Rd. *Newc T* —6B **56**
Cromwell Av. *Bla T* —1H **77**
Cromwell Ct. *Bla T* —5G **63**
Cromwell Pl. *Bla T* —2G **77**
Cromwell Rd. *Gate* —1H **83**
Cromwell Rd. *Whi* —3G **79**
Cromwell St. *Bla T* —5G **63**
Cromwell St. *Gate* —2A **82**
Cromwell St. *Sund* —6A **102**
Cromwell Ter. *Bill Q* —1H **83**
Cromwell Ter. *Gate* —2F **81**
Cromwell Ter. *N Shi* —1B **60**
Crondall St. *S Shi* —2F **73**
Cronin Av. *S Shi* —5D **72**
Crookgate Bank. —1A 106
Crookham Way. *Cra* —5C **20**
Crookhill. —4E 63
Crookhill Ter. *Ryton* —5E **63**
Cropthorne. *Gate* —5H **83**

Crosby Ct. *Sund* —2F **117**
Crosby Gdns. *Gate* —2B **96**
Crosland Pk. *Cra* —6H **13**
Crosland Way. *Cra* —5H **13**
Cross Av. *W'snd* —3F **57**
Crossbank Rd. *Newc T* —4H **53**
Crossbrook Rd. *Newc T* —5H **53**
Cross Camden La. *N Shi* —2D **60**
Cross Carliol St. *Newc T*
—4G **67** (4E **5**)
Cross Dri. *Ryton* —3C **62**
Crossfell. *Pon* —2C **36**
Crossfield Pk. *Fel* —5C **82**
Crossfield Ter. *Newc T* —5G **69**
Crossgate. *Dur* —6B **152**
Crossgate. *S Shi* —5E **61**
Crossgate Moor. —5A 152
Crossgate Moor Gdns. *Dur* —4H **151**
Crossgate Peth. *Dur* —6A **152**
Crossgate Rd. *Hett H* —3C **146**
Crossgill. *Wash* —6H **97**
Crosshill Rd. *Newc T* —5F **65**
Cross Keys La. *Gate* —6H **81**
Cross La. *Gate* —2C **94**
(nr. Coach Rd.)
Cross La. *Gate* —2H **79**
(nr. Scotswood Vw.)
Cross La. *Swa* —3G **79**
Crosslaw. *Newc T* —6D **52**
Crosslea Av. *Sund* —4B **116**
Crossley Ter. *Art H* —3B **66**
Crossley Ter. *Newc T* —4F **43**
Cross Morpeth St. *Newc T* —1D **66**
Cross Pde. *Newc T* —5D **66**
Cross Pl. *Sund* —6E **103**
Cross Row. *Gate* —2B **82**
Cross Row. *O Pit* —6C **142**
Cross Row. *Ryton* —5E **63**
Cross Sheraton St. *Newc T* —1D **66**
Cross St. *Gate* —2H **81**
Cross St. *Hou S* —3E **135**
(nr. Front St.)
Cross St. *Hou S* —2H **135**
(nr. Station Rd.)
Cross St. *L'ton* —3H **155**
Cross St. *Newc T* —4E **67** (5B **4**)
(NE1)
Cross St. *Newc T* —4A **68**
(NE6)
Cross St. *Pet* —1F **161**
Cross Ter. *Row G* —4D **90**
Cross Ter. *Ryton* —3C **62**
Cross Va. Rd. *Sund* —3C **116**
Cross Vw. Ter. *Dur* —1A **158**
Cross Villa Pl. No. 2. *Newc T*
—4E **67** (5A **4**)
Cross Villa Pl. No. 3. *Newc T*
—4E **67** (5A **4**)
Cross Villa Pl. No. 4. *Newc T*
—4D **66** (5A **4**)
Cross Villa Pl. No. 5. *Newc T*
—4D **66** (5A **4**)
Crossway. *Gate* —5A **82**
(in two parts)
Crossway. *Jes* —4G **55**
Crossway. *N Shi* —5E **47**
Cross Way. *S Shi* —4A **74**
Crossways. *E Bol* —4G **87**
Crossways. *Jar* —2G **85**
Crossways. *Sund* —2H **129**
Crossways, The. *Haz* —1C **40**
Cross Way, The. *Ken* —3A **54**
Crossway, The. *Lem* —2B **64**
Crosthwaite Gro. *Sund* —4C **100**
Croudace Row. *Gate* —3D **82**
Crow Bank. *W'snd* —5A **58**

Crow Hall La. *Cra* —5H **13**
Crowhall La. *Gate* —3D **82**
Crow Hall Rd. *Cra* —6H **13**
Crowhall Towers. *Gate* —3D **82**
Crow La. *Sund* —2D **128**
Crowley Av. *Whi* —3G **79**
Crowley Gdns. *Bla T* —1A **78**
Crowley Rd. *Swa* —2E **79**
Crowley Vs. *Swa* —2E **79**
(off Crowley Rd.)
Crown Rd. *Sund* —5A **102**
Crown St. *Bly* —6D **10**
Crown Ter. *G'sde* —2B **76**
Crowther Ind. Est. *Wash* —2F **111**
Crowther Rd. *Wash* —2F **111**
Crowtree Rd. *Sund* —1C **116**
Croxdale Ct. *S Shi* —4C **72**
Croxdale Gdns. *Gate* —1G **83**
Croxdale Gdns. *Gate* —2G **83**
Croxdale Ter. *G'sde* —2C **76**
Croydon Rd. *Newc T* —3C **66**
Crozier St. *Sund* —4C **102**
Cruddas Pk. Shop. Cen. *Newc T*
—6C **66**
Crudwell Clo. *Bol C* —1A **86**
Crummock Av. *Sund* —1C **102**
Crummock Ct. *W'snd* —3E **59**
Crummock Rd. *Newc T* —1F **65**
Crumstone Ct. *Newc T* —1E **43**
Crusade Wlk. *Jar* —4F **71**
Cuba St. *Sund* —3E **117**
Cuillin Clo. *Wash* —4H **111**
Culford Pl. *W'snd* —1C **58**
Cullercoats. —2E 47
Cullercoats Rd. *Sund* —4B **100**
Cullercoats Sq. *Sund* —4B **100**
Cullercoats St. *Newc T* —3E **69**
(in two parts)
Culloden Ter. *Pet* —2F **161**
Culloden Wlk. *Newc T* —1D **42**
Cumberland Av. *Bed* —4G **7**
Cumberland Ct. *Heb* —4B **70**
Cumberland Pl. *Bir* —6D **110**
Cumberland Pl. *S Shi* —2B **74**
Cumberland Rd. *N Shi* —6F **45**
Cumberland Rd. *Sund* —1A **130**
Cumberland St. *Sund* —6D **102**
(in two parts)
Cumberland St. *W'snd* —5A **58**
(nr. Boyd Rd.)
Cumberland St. *W'snd* —6F **59**
(nr. Norman Ter.)
Cumberland Wlk. *Newc T* —3B **56**
(in two parts)
Cumberland Way. *Wash* —3B **98**
Cumbrian Av. *Ches S* —1C **132**
(in two parts)
Cumbrian Av. *Sund* —6C **88**
Cumbrian Gdns. *Gate* —5C **80**
Cumbrian Way. *Pet* —1E **163**
Cumbria Pl. *S'ley* —2E **121**
Cumbria Wlk. *Newc T* —4C **66**
Cummings Av. *Sher* —5D **154**
Cummings St. *Bly* —5C **10**
Cunningham Pl. *Dur* —4F **153**
Curlew Clo. *Newc T* —6A **42**
Curlew Clo. *Ryton* —5E **63**
Curlew Clo. *Wash* —5G **111**
Curlew Rd. *Jar* —1G **71**
(in two parts)
Curlew Way. *Bly* —3C **16**
Curran Ho. *Jar* —2G **71**
Curren Gdns. *Gate* —1C **82**
Curtis Rd. *Newc T* —2B **66**
Curzon Pl. *Newc T* —5F **53**
Curzon Rd. W. *W'snd* —6H **57**

Curzon St. *Gate* —3G **81**
Cushat Clo. *Newc T* —4C **68**
Cushycow La. *Ryton* —5D **62**
Customs House, The. —5D **60**
Customs Ho. *N Shi* —3D **60**
Cut Bank. *Newc T* —4A **68**
Cuthbert Av. *Dur* —6H **153**
Cuthbert Clo. *Dur* —6H **153**
(nr. Cuthbert Av.)
Cuthbert Clo. *Dur* —6H **153**
(nr. Front St.)
Cuthbertson Ct. *Sund* —6E **89**
Cuthbert St. *Gate* —1F **81**
Cuthbert St. *Heb* —3B **70**
(in two parts)
Cuthbert St. *Mar H* —4E **93**
Cuthbert Wlk. *Newc T* —2G **55**
Cutting St. *S'hm* —2F **139**
Cygnet Clo. *Newc T* —3B **52**
Cyncopa Way. *Newc T* —5H **53**
Cypress Av. *Newc T* —1H **65**
Cypress Ct. *B'don* —6D **156**
Cypress Cres. *Bly* —6C **10**
Cypress Cres. *Gate* —3B **80**
Cypress Dri. *Bly* —6C **10**
Cypress Gdns. *Bly* —6C **10**
Cypress Gdns. *Newc T* —1C **42**
Cypress Gro. *Dur* —4G **153**
Cypress Gro. *Ryton* —3B **62**
(in two parts)
Cypress Rd. *Bla T* —1A **78**
Cypress Rd. *Gate* —3D **96**
Cypress Sq. *Sund* —1A **130**
Cyprus Gdns. *Gate* —5A **82**

Dachet Rd. *Whit B* —4H **33**
Dacre Rd. *Sund* —1D **102**
Dacre St. *S Shi* —1E **73**
(in two parts)
Daffodil Av. *Pet* —6F **161**
Daffodil Clo. *Bla T* —1H **77**
Dahlia Ct. *Sund* —6B **102**
Dahlia Cres. *Pet* —2D **160**
Dahlia Pl. *Newc T* —2H **65**
Dahlia Way. *Heb* —5C **70**
(in three parts)
Dainton Clo. *Hou S* —5G **127**
Dairnbrook. *Wash* —1G **111**
Dairy La. *Hou S* —3G **135**
Dairy Wlk. *Ches S* —3H **125**
Daisy Cotts. *Bir* —3C **110**
Dalden Gro. *S'hm* —3B **140**
Dalegarth. *Wash* —1H **111**
Dalegarth Gro. *Sund* —6C **88**
Dale Rd. *Whit B* —1H **45**
Dalesford Grn. *Newc T* —4D **56**
Dales, The. *Newc T* —5A **54**
Dale St. *Camb* —4C **10**
Dale St. *S Shi* —4F **61**
Dale St. *Ush M* —5B **150**
Dale Ter. *Dal D* —6G **139**
Dale Ter. *Sund* —2E **103**
Dale Top. *H'wll* —2C **32**
Dalla St. *Sund* —6C **100**
Dalmahoy. *Wash* —2B **98**
Dalmatia Ter. *Bly* —1C **16**
Dalston Pl. *Bly* —3C **16**
Dalton Av. *S'hm* —4G **139**
(in two parts)
Dalton Clo. *Cra* —3B **20**
Dalton Ct. *Heb* —2C **70**
Dalton Ct. *W'snd* —2F **57**
Dalton Cres. *Newc T* —3B **68**
Dalton Heights. *Dal D* —5E **139**
(in two parts)

Dalton-le-Dale. —6F 139
Dalton Pl. *Newc T* —4A 52
Daltons La. *S Shi* —5D 60
Dalton St. *Newc T* —3B 68
(in two parts)
Dalton Ter. *Mur* —3D 148
Dalton Way. *Hou S* —2E 127
Dame Dorothy Cres. *Sund* —4E 103
(in two parts)
Dame Dorothy St. *Sund* —5D 102
Dame Flora Robson Av. *S Shi*
—5B 72
Damson Way. *Drag* —5H 153
Danby Clo. *Sund* —3B 130
Danby Clo. *Wash* —1F 125
Danby Gdns. *Newc T* —5D 56
Danelaw. *Gt Lum* —3G 133
Danville Rd. *Sund* —1D 102
Daphne Cres. *S'hm* —5A 140
D'Arcy Ct. *Sund* —1E 117
D'Arcy Sq. *Mur* —1E 149
D'Arcy St. *Sund* —1E 117
Darden Clo. *Newc T* —1F 43
Darden Lough. *Newc T* —6D 52
Darenth St. *S Shi* —4E 73
Darien Av. *Sund* —1D 102
Darley Ct. *Plaw* —1A 142
Darley Ct. *Sund* —3H 129
Darley Pl. *Newc T* —4E 65
Darling Pl. *S'ley* —4E 121
Darlington Av. *Pet* —5F 161
Darlington Rd. *Dur* —1A 158
Darnell Pl. *Newc T* —3D 66
Darras Ct. *S Shi* —6F 61
Darras Dri. *N Shi* —6G 45
Darras Hall. —1B 36
Darras M. *Pon* —2C 36
Darras Rd. *Pon* —2A 36
Darrell St. *Bru V* —5C 28
Dartford Clo. *Sea D* —6B 22
Dartford Rd. *S Shi* —5H 61
Dartford Rd. *Sund* —1D 102
Dartmouth Av. *Gate* —2H 95
Dartmouth Clo. *Dal D* —5G 139
Dartmouth Rd. *N Shi* —1G 59
Darvall Clo. *Whit B* —4H 33
Darwin Cres. *Newc T* —4B 54
Darwin St. *Sund* —4H 101
Daryl Clo. *Bla T* —2G 77
Daryl Way. *Gate* —3B 84
Davenport Dri. *Newc T* —4D 40
David Gdns. *Sund* —2F 103
Davidson Cotts. *Newc T* —4G 55
Davidson Rd. *Gate* —1H 83
Davidson St. *Gate* —3D 82
David St. *W'snd* —6H 57
Davies Wlk. *Pet* —5E 161
Davison Av. *Sund* —2B 130
Davison Av. *Whit B* —5B 34
Davison Cres. *Mur* —2B 148
Davison Pl. *Gate* —3C 80
Davison St. *Bly* —5C 10
Davison St. *Bol C* —2A 86
Davison St. *Newc T* —1E 63
Davison Ter. Sund —3A 102
(off N. Hylton Rd.)
Davis Ter. *Pet* —1D 160
Davy Bank. *W'snd* —6B 58
Davy Dri. *N West* —5A 160
Dawdon. —6B 140
Dawdon Cres. *S'hm* —5B 140
Dawlish Clo. *N Shi* —5H 45
Dawlish Clo. *S'hm* —5B 139
Dawlish Gdns. *Gate* —2H 95
Dawlish Pl. *Newc T* —4A 52
Dawson Sq. *N Shi* —6F 47

Dawson St. *Newc T* —3G 69
Dawson Ter. *Sund* —6C 100
Daylesford Dri. *Newc T* —3H 55
Daylesford Rd. *Cra* —5A 14
Dayshield. *Newc T* —6D 52
Deacon Clo. *Newc T* —5H 51
Deaconsfield Clo. *Sund* —4H 129
(in two parts)
Deal Clo. *Bly* —3C 16
Dean Clo. *Pet* —2F 163
Deanery St. *Bed* —4H 7
Deanham Gdns. *Newc T* —1G 65
Dean Ho. *Newc T* —1G 69
Dean Rd. *S Shi* —2D 72
(in three parts)
Deans. —2E 73
Deans Clo. *Whi* —3F 79
Deansfield Clo. *Sund* —4H 129
Deansfield Clo. *Newc T* —4H 51
Dean St. *Gate* —6H 81
Dean St. *Newc T* —4G 67 (5E 5)
Deans Wlk. *Dur* —4F 153
Dean Ter. *Ryton* —4C 62
Dean Ter. *S Shi* —2D 72
Dean Ter. *Sund* —4H 101
Dearham Gro. *Cra* —5A 14
Debdon Gdns. *Newc T* —6C 56
Debdon Pl. *Cra* —3B 20
Debussy Ct. *Jar* —3G 71
Deckham. —3A 82
Deckham St. *Gate* —3A 82
Deckham Ter. *Gate* —3A 82
Deepbrook Rd. *Newc T* —6G 53
Deepdale. *W'snd* —2F 57
Deepdale. *Wash* —6G 111
Deepdale Clo. *Whi* —1D 92
Deepdale Cres. *Cow* —5H 53
Deepdale Grn. *Newc T* —5A 54
Deepdale Rd. *N Shi* —3D 46
Deepdale St. *Hett H* —3C 146
Deepdene Gro. *Sund* —6E 89
Deepdene Rd. *Sund* —6D 88
Deerbolt Pl. *Newc T* —6C 42
Deerbush. *Newc T* —6D 52
Deerness Ct. *B'don* —5E 157
Deerness Heights. *B'don*
—4D 156
Deerness Rd. *Sund* —2E 117
Dee Rd. *Heb* —6D 70
Deer Pk. Way. *Bla T* —2C 78
Dees Av. *W'snd* —4H 57
Dee St. *Jar* —2G 71
Defender Ct. *Sund E* —5D 100
Defoe Av. *S Shi* —6E 73
De Grey St. *Newc T* —6C 66
Deighton Wlk. *Newc T* —6D 52
Delacour Rd. *Bla T* —6A 64
Delamere Clo. *Sund* —3A 130
Delamere Cres. *Cra* —5A 14
Delamere Gdns. *Pet* —1C 160
Delamere Rd. *Newc T* —2B 54
Delaval. —5F 65
Delaval. *Ches S* —6A 124
Delaval Av. *N Shi* —1A 60
Delaval Av. *Sea D* —6A 22
Delaval Ct. *Bed* —3C 8
Delaval Ct. *S Shi* —6F 61
Delaval Cres. *Bly* —3H 15
Delavale Clo. *Pet* —1F 163
Delaval Gdns. *Bly* —3H 15
Delaval Gdns. *Newc T* —5F 65
Delaval Rd. *For H* —5D 42
Delaval Rd. *Newc T* —5F 65
(in two parts)
Delaval Rd. *Whit B* —1E 47
Delaval St. *Bly* —3H 15

Delaval Ter. *Bly* —5B 10
(in two parts)
Delaval Ter. *Newc T* —3C 54
Delaval Trad. Est. *Sea D* —4A 22
Delhi Cres. *W'sde* —6A 62
Delhi Gdns. *W'sde* —6A 62
Delhi Vw. *W'sde* —6A 62
Delight Bank. *Dip* —2D 118
Delight Ct. *Dip* —1D 118
Delight Row. *Dip* —1D 118
Dellfield Dri. *Sund* —3C 114
Dell, The. *Hou S* —6H 127
Delta Bank Rd. *Met P* —6G 65
Demesne Dri. *Bed* —5H 7
Dempsey Rd. *Haz* —1D 40
Denbeigh Pl. *Newc T* —6C 42
Denbigh Av. *Sund* —1D 102
Denbigh Av. *W'snd* —3E 59
Denby Clo. *Cra* —5A 14
Denby Wlk. *Newc T* —4A 52
Dene Av. *Bru V* —5C 28
Dene Av. *Hou S* —4C 136
Dene Av. *Lem* —3B 64
Dene Av. *Row G* —4D 90
Dene Av. *S Gos* —3G 55
Dene Av. *W Moor* —3A 42
Denebank. *Whit B* —6A 34
Dene Bank Av. *Pet* —1G 163
Dene Bank Vw. *Newc T* —4A 54
Deneburn. *Gate* —4G 83
Dene Clo. *Newc T* —6A 56
Dene Clo. *Ryton* —4D 62
Dene Ct. *Bir* —6C 96
Dene Ct. *Lem* —1C 64
Dene Ct. *Newc T* —6B 56
Dene Ct. *Wash* —1A 112
Dene Cres. *Newc T* —3G 55
Dene Cres. *Row G* —4D 90
Dene Cres. *Ryton* —4D 62
Dene Cres. *W'snd* —5B 58
Dene Cres. *Whit B* —5B 34
Dene Dri. *Dur* —2B 154
Deneford. *Gate* —4A 96
Dene Gdns. *Gate* —2H 83
Dene Gdns. *Hou S* —4B 136
Dene Gdns. *Newc T* —3B 64
Dene Gdns. *Whit B* —6A 34
Dene Gro. *Newc T* —3G 55
Dene Gro. *Seg* —1G 31
Deneholm. *W'snd* —4B 58
Deneholm. *Whit B* —5A 34
Dene Ho. Rd. *S'hm* —3A 140
Dene La. *Cle* —4C 88
Dene La. *Sund* —1D 102
Dene M. *Sund* —4E 101
Dene Pk. *Pon* —2B 36
Dene Pk. *Sund* —4E 101
Dene Rd. *Bla T* —6A 64
Dene Rd. *N Shi* —5E 47
Dene Rd. *Row G* —4D 90
Dene Rd. *S'hm* —6F 139
Dene Rd. *Sund* —4E 101
Deneside. —5G 139
Dene Side. *Bla T* —1B 78
Deneside. *Den B* —2E 65
Deneside. *Gate* —4B 80
Deneside. *Jar* —2G 85
Deneside. *Seg* —1G 31
Deneside. *S Shi* —3C 74
Deneside. *Who G* —3D 52
Deneside Av. *Gate* —1G 95
Deneside Ct. *Newc T* —1A 68
Dene St. *Hett H* —5C 136
Dene St. *H'will* —1D 32
Dene St. *New S* —6A 116
Dene St. *Pet* —6G 161

Dene St.—Discovery Ct.

Dene St. *S'ley* —4B **120**
Dene St. *Sund* —6H **101**
Dene Ter. Bla T —1H **77**
 (off Park Av.)
Dene Ter. *Gos* —3G **55**
Dene Ter. *Jar* —5E **71**
Dene Ter. *Pet* —1G **163**
Dene Ter. *S'hm* —3B **140**
Dene Ter. *Sund* —1D **102**
Dene Ter. *Walb* —6F **51**
Dene, The. *Ches M* —4B **132**
Dene, The. *Dal D* —6G **139**
Dene, The. *W Rai* —3E **145**
Dene, The. *Whit B* —6A **34**
Dene Vw. *Bed* —4C **8**
Dene Vw. *Burn* —1G **105**
Dene Vw. *Crag* —2G **121**
Dene Vw. *Gos* —3G **55**
Dene Vw. *Highf* —3C **90**
Dene Vw. *H Spen* —2A **90**
Dene Vw. *H'wll* —1D **32**
Dene Vw. Ct. *Bly* —5H **9**
Dene Vw. Cres. *Sund* —1D **114**
Dene Vw. Dri. *Bly* —5H **9**
Dene Vw. E. *Bed* —5C **8**
Dene Vw. W. *Bed* —5B **8**
Dene Vs. *Ches S* —2D **132**
Dene Vs. *Pet* —1H **163**
 (in two parts)
Dene Wlk. *N Shi* —5A **60**
Deneway. *Row G* —1G **91**
Dene Way. *S'hm* —3A **140**
Denewell Av. *Gate* —6H **81**
Denewell Av. *Newc T* —4A **56**
Denewood. *Kil* —3D **42**
Denewood Ct. *Will Q* —6E **59**
Denham Av. *Sund* —1D **102**
Denham Dri. *Sea D* —1B **32**
Denham Gro. *Bla T* —3F **77**
Denham Wlk. *Newc T* —4H **51**
Denhill Pk. *Newc T* —3H **65**
Denholm Av. *Cra* —5A **14**
Denholme Lodge. *Gate* —2B **80**
Denmark Cen. *S Shi* —4E **61**
Denmark Ct. *Newc T* —2C **68**
Denmark St. *Gate* —1H **81**
Denmark St. *Newc T* —2C **68**
Dennison Cres. *Bir* —1C **110**
Denshaw Clo. *Cra* —5A **14**
Dentdale. *Hou S* —1C **126**
Denton Av. *Newc T* —3B **64**
Denton Av. *N Shi* —1G **59**
Denton Burn. —1D 64
Denton Chare. *Newc T*
 —5F **67** (6D **4**)
Denton Ct. *Newc T* —2E **65**
Denton Gdns. *Newc T* —4G **65**
Denton Ga. *Newc T* —4E **53**
Denton Gro. *Newc T* —4E **53**
Denton Hall Turrett —1D **64**
Denton Pk. Shop. Cen. *Newc T*
 —5C **52**
Denton Rd. *Newc T* —3D **64**
Denton Vw. *Bla T* —1H **77**
Dent St. *Bly* —1D **16**
Dent St. *Sund* —1D **102**
Denver Gdns. *Newc T* —4E **69**
Denway Gro. *Sea S* —2F **23**
Denwick Av. Newc T —3A **64**
 (off Shirley St.)
Denwick Clo. *Ches S* —3A **132**
Denwick Ter. *N Shi* —6E **47**
Depot Rd. *Newc T* —2D **68**
Deptford. —5B 102
Deptford Rd. *Gate* —5A **68**
Deptford Rd. *Sund* —6B **102**

Deptford Ter. *Sund* —5A **102**
Derby Ct. *Newc T* —3D **66**
Derby Cres. *Heb* —4B **70**
Derby Gdns. *W'snd* —4G **57**
Derby Rd. *S'ley* —4C **120**
Derbyshire Dri. *Dur* —5B **154**
Derby St. *Jar* —2G **71**
Derby St. *Newc T* —3D **66**
Derby St. *S Shi* —5E **61**
Derby St. *Sund* —1C **116**
Derby Ter. *S Shi* —5F **61**
Dereham Clo. *Sea S* —4H **23**
Dereham Ct. *Newc T* —3F **53**
Dereham Rd. *Sea S* —5H **23**
Dereham Way. *N Shi* —5F **45**
Derry Av. *Sund* —1E **103**
Derwent Av. *Heb* —6C **70**
Derwent Av. *Newc T* —2E **63**
Derwent Av. *Row G* —4E **91**
Derwent Av. *Team T* —6F **81**
Derwent Clo. *S'hm* —3A **140**
Derwent Ct. *Newc T* —3A **56**
Derwent Cres. *Gt Lum* —4H **133**
Derwent Cres. *Swa* —3E **79**
Derwent Crook Dri. *Gate* —6G **81**
Derwent Crookfoot Rd. *Gate* —1G **95**
Derwentdale Gdns. *Newc T* —4B **56**
Derwentdale Ho. *Ryton* —3C **62**
Derwent Gdns. *Gate* —6A **82**
Derwent Gdns. *W'snd* —3E **59**
Derwenthaugh. —6F 65
Derwenthaugh Ind. Est. *Swa* —6D **64**
Derwenthaugh Marina. *Bla T* —6E **65**
Derwenthaugh Riverside Pk. *Gate*
 —1E **79**
Derwenthaugh Rd. *Bla T & Swa*
 —6E **65**
Derwent Pk. Cvn. & Camping Pk.
 Row G —3F **91**
Derwent Pl. *Bla T* —2H **77**
Derwent Rd. *N Shi* —3D **46**
Derwent Rd. *Pet* —6E **161**
Derwent Rd. *Sea S* —3F **23**
Derwentside. *Swa* —3E **79**
Derwent St. *Eas L* —3D **146**
Derwent St. *Newc T* —4F **65**
Derwent St. *Shin R* —3F **127**
Derwent St. *S'ley* —1C **120**
Derwent St. *Sund* —1C **116**
Derwent Ter. *Burn* —1H **105**
Derwent Ter. *S Het* —5G **147**
Derwent Ter. *S'ley* —6E **119**
Derwent Ter. *Wash* —3C **112**
Derwent Tower. *Gate* —2C **80**
Derwent Valley Cotts. *Row G* —4F **91**
Derwent Vw. *Bla T* —2H **77**
Derwent Vw. *Burn* —1H **105**
Derwent Vw. Ter. *Dip* —6D **104**
Derwentwater Av. *Ches S* —2B **132**
Derwentwater Ct. *Gate* —2F **81**
Derwentwater Gdns. *Whi* —4H **79**
Derwentwater Rd. *Gate* —3D **80**
 (in two parts)
Derwentwater Ter. *S Shi* —1E **73**
Derwent Way. *Bla T* —2C **78**
Derwent Way. *Kil* —2C **42**
Deuchar St. *Newc T* —1H **67**
Devon Av. *Whi* —4G **79**
Devon Cres. *Bir* —1B **110**
Devon Dri. *Sund* —1A **130**
Devon Gdns. *Gate* —4H **81**
Devon Gdns. *S Shi* —2B **74**
Devonport. *Hou S* —6G **127**
Devon Rd. *Heb* —6D **70**
Devon Rd. *N Shi* —4H **45**
Devonshire Dri. *Hol* —4A **44**

Devonshire Gdns. *W'snd* —4G **57**
Devonshire Pl. *Newc T* —6H **55**
Devonshire Rd. *Dur* —4B **154**
Devonshire St. *S Shi* —2D **72**
Devonshire St. *Sund* —4C **102**
Devonshire Ter. *Newc T*
 —2F **67** (1D **4**)
Devonshire Ter. *Whit B* —1D **46**
Devonshire Tower. *Sund* —4D **102**
Devon St. *Hett H* —1B **146**
Devon St. *Hou S* —3G **127**
Devon Wlk. *Wash* —4B **98**
Devonworth Pl. *Bly* —6G **9**
Dewhurst Ter. *Sun* —3F **93**
Dewley. *Cra* —4B **20**
Dewley Ct. *Cra* —4B **20**
Dewley Pl. *Newc T* —4C **52**
Dewley Rd. *Newc T* —6E **53**
Dewsgreen. *Cra* —3B **20**
Dexter Ho. *N Shi* —4H **59**
Dexter Way. *Gate* —3C **82**
Deyncourt. *Dur* —3A **158**
Deyncourt. *Pon* —3D **36**
Deyncourt Clo. *Pon* —4D **36**
Diamond Ct. *Newc T* —2G **53**
Diamond St. *W'snd* —5H **57**
Diamond Ter. *Dur* —5C **152**
Diana St. *Newc T* —4D **66** (4A **4**)
Dibley Sq. *Newc T* —4B **68**
Dibley St. *Newc T* —4B **68**
Dickens Av. *S Shi* —6D **72**
Dickens Av. *Swa* —3E **79**
Dickens St. *Hou S* —3H **135**
Dickens St. *Sund* —4A **102**
Dickens Wlk. *Newc T* —4A **52**
Dickens Wynd. *Dur* —2A **158**
Dickins Wlk. *Pet* —2E **163**
Didcot Av. *N Shi* —3A **60**
Didcot Way. *E Bol* —4A **86**
Dillon St. *Jar* —4E **71**
Dillon St. *S'hm* —4B **140**
Dilston Av. *Whit B* —1D **46**
Dilston Clo. *Pet* —4C **162**
Dilston Clo. *Shir* —3D **44**
Dilston Clo. *Wash* —3G **111**
Dilston Dri. *Newc T* —5C **52**
Dilston Gdns. *Sund* —2H **115**
Dilston Rd. *Dur* —1D **152**
Dilston Rd. *Newc T* —4C **66**
 (in two parts)
Dilston Ter. *Jar* —6F **71**
Dilston Ter. *Newc T* —3G **55**
Dimbula Gdns. *Newc T* —5D **56**
Dinmont Pl. *Cra* —4B **20**
Dinnington. —4F 27
Dinnington Rd. *Din* —5G **27**
Dinnington Rd. *N Shi* —1G **59**
Dinsdale Av. *W'snd* —3A **58**
Dinsdale Cotts. *Sund* —3F **131**
Dinsdale Dri. *Dur* —3B **154**
Dinsdale Pl. *Newc T* —2H **67** (1H **5**)
Dinsdale Rd. *Newc T* —2H **67**
 (in two parts)
Dinsdale Rd. *Sund* —3E **103**
Dinsdale St. *Sund* —3F **131**
Dinsdale St. S. *Sund* —3F **131**
Dinting Clo. *Pet* —2B **162**
Dipe La. *W Bol* —5C **86**
Dipton. —1D 118
Dipton Av. *Newc T* —5A **66**
Dipton Gdns. *Sund* —5B **116**
Dipton Gro. *Cra* —3B **20**
Dipton Rd. *Whit B* —4H **33**
Dipwood Rd. *Row G* —5D **90**
Dipwood Way. *Row G* —5D **90**
Discovery Ct. *Sund* —3H **129**

Dishforth Grn. *Gate* —4B **96**
Dispensary La. *Newc T*
    —4F **67** (5B **4**)
Disraeli St. *Bly* —5B **10**
  (in two parts)
Disraeli St. *Hou S* —3F **135**
Dissington March. —5B **36**
Dissington Pl. *Newc T* —1G **65**
Dissington Pl. *Whi* —6E **79**
Ditchburn Ter. *Sund* —5H **101**
Dixon Pl. *Gate* —3B **80**
Dixon Ri. *Pet* —1H **163**
Dixon Rd. *Hou S* —5H **135**
Dixons Sq. *Sund* —4D **102**
Dixon St. *Gate* —2E **81**
Dixon St. *S Shi* —6E **61**
Dobson Clo. *Newc T* —6D **66**
Dobson Cres. *Newc T* —5C **68**
Dobson Ho. *Newc T* —3C **42**
Dobson Ter. *Mur* —2C **148**
Dockendale La. *Whi* —4G **79**
Dock Rd. *N Shi* —3C **60**
Dock Rd. S. *N Shi* —4C **60**
Dock St. *S Shi* —3D **72**
Dock St. *Sund* —5E **103**
Dockwray Clo. *N Shi* —2D **60**
Dockwray Sq. *N Shi* —2D **60**
Doctor Henry Russell Ct. *Newc T*
    —4E **65**
Dr. Pit Cotts. *Bed* —4H **7**
Dr. Winterbottom Hall. *S Shi* —6H **61**
Doddfell Clo. *Wash* —1G **111**
Doddington Clo. *Newc T* —2H **63**
Doddington Dri. *Cra* —3B **20**
Doddington Vs. *Gate* —4C **82**
Dodd's Ct. *Sund* —2C **100**
Dodds Ter. *Bir* —1C **110**
Dodd Ter. *S'ley* —6F **119**
Dodsworth N. *G'sde* —2B **76**
Dodsworth Ter. *G'sde* —2B **76**
Dodsworth Vs. *G'sde* —2B **76**
Dogbank. *Newc T* —5G **67** (6F **5**)
*Dog Leap Stairs. Newc T —6E **5***
  (off Side)
Dolley Bldgs. *S'hm* —4B **140**
Dolley Dri. *Pelt* —2G **123**
Dolphin Ct. *Newc T* —4H **65**
Dolphin Quay. *N Shi* —2D **60**
Dolphin St. *Newc T* —4H **65**
Dolphin Vs. *Haz* —1D **40**
Dominies Clo. *Row G* —2F **91**
Dominion Rd. *B'don* —6D **156**
Donald Av. *S Het* —5G **147**
Donald St. *Newc T* —2G **55**
Doncaster Rd. *Newc T*
    —2H **67** (1H **5**)
Don Cres. *Gt Lum* —4H **133**
Doncrest Rd. *Wash* —4H **97**
Don Dixon Dri. *Jar* —2F **85**
Don Gdns. *Wash* —4B **98**
Don Gdns. *W Bol* —4B **86**
Donkin Rd. *Arm* —5G **97**
Donkins St. *Bol C* —2A **86**
Donkin Ter. *N Shi* —6E **47**
Donnington Clo. *Sund* —4C **100**
Donnington Ct. *Newc T* —3H **55**
Donnini Ho. *Pet* —1C **160**
Donnini Pl. *Dur* —4F **153**
Donnison Gdns. *Sund* —6E **103**
Donridge. *Wash* —4H **97**
Don Rd. *Jar* —2H **71**
Donside. *Gate* —1F **97**
Don St. *Team T* —1E **95**
Donvale Rd. *Wash* —4G **97**
Don Vw. *W Bol* —4B **86**

Donwell. —4H **97**
Dorcas Av. *Newc T* —4G **65**
Dorcas Ter. *Wash* —5B **98**
Dorchester Clo. *Newc T* —4H **51**
Dorchester Ct. *N Har* —3A **22**
Dorchester Gdns. *Gate* —3H **95**
Doreen Av. *Dal D* —5F **139**
Doric Rd. *New B* —2B **156**
Dorking Av. *N Shi* —3A **60**
Dorking Clo. *Bly* —3C **16**
Dorking Rd. *Sund* —1E **103**
Dorlonco Vs. *Mead* —6E **157**
Dormand Dri. *Pet* —4D **162**
Dornoch Cres. *Gate* —5E **83**
Dorrington Rd. *Newc T* —1A **54**
Dorset Av. *Bir* —6D **110**
Dorset Av. *Heb* —4D **70**
Dorset Av. *S Shi* —2B **74**
Dorset Av. *Sund* —1E **103**
Dorset Av. *W'snd* —5G **57**
Dorset Gro. *N Shi* —4H **45**
Dorset La. *Sund* —2B **130**
Dorset Rd. *Gate* —5A **68** (6H **5**)
Dorset Rd. *Newc T* —3D **64**
Dorset St. *Eas L* —5E **147**
Double Row. *Sea D* —5H **21**
Douglas Av. *Newc T* —4C **54**
Douglas Av. *Pet* —6F **161**
Douglas Clo. *S Shi* —5E **73**
Douglas Ct. *G'cft* —6E **119**
Douglas Ct. *Team T* —3G **95**
Douglas Gdns. *Dur* —2A **158**
  (in two parts)
Douglas Gdns. *Gate* —4C **80**
Douglas Pde. *Heb* —1E **85**
Douglas Rd. *Sund* —1E **103**
Douglass St. *W'snd* —5H **57**
Douglas St. *W'snd* —6E **59**
Douglas Ter. *Dip* —3A **118**
Douglas Ter. *Hou S* —1G **127**
Douglas Ter. *Newc T* —4D **66**
Douglas Ter. *Wash* —3B **98**
Douglas Vs. *Dur* —5E **153**
Douglas Way. *Newc T* —3C **4**
Doulting Clo. *Newc T* —1B **56**
Douro Ter. *Sund* —2D **116**
Dove Av. *Jar* —6G **71**
Dove Clo. *B'don* —5C **156**
Dove Clo. *Kil* —1C **42**
Dovecote Clo. *Whit B* —5G **33**
Dovecote Farm. *Ches S* —6H **123**
Dovecote Rd. *Newc T* —6E **43**
Dove Ct. *Bir* —2C **110**
Dove Ct. *N Shi* —2E **47**
Dovecrest Ct. *W'snd* —3D **58**
Dovedale Av. *Bly* —6G **9**
Dovedale Ct. *S Shi* —5C **72**
Dovedale Gdns. *Gate* —1A **96**
Dovedale Gdns. *Newc T* —4A **56**
Dovedale Rd. *Sund* —6C **88**
Dover Clo. *Bed* —4F **7**
Dover Clo. *Newc T* —4A **52**
Dovercourt Rd. *Newc T* —5G **69**
Dove Row. *N Shi* —2E **47**
Dowling Av. *Whit B* —1B **46**
Downe Clo. *Bly* —3C **16**
Downend Rd. *Newc T* —4B **52**
Downfield. *Wash* —2B **98**
Downham. *Newc T* —6D **52**
Downham Ct. *S Shi* —6E **61**
Downhill. —2D **100**
Downhill La. *W Bol* —1G **99**
Downs La. *Hett H* —6D **136**
  (in two parts)
Downs Pit La. *Hett H* —1D **146**
Downswood. *Kil* —2F **43**

Dowsey Rd. *Sher* —5D **154**
Dowson Sq. *Mur* —2A **148**
Doxford Av. *Hett H* —5B **136**
Doxford Cotts. *Hett H* —5B **136**
Doxford Dri. *S West* —1A **162**
Doxford Gdns. *Newc T* —6H **53**
Doxford International Bus. Pk. *Dox I*
    —4E **129**
Doxford Park. —4A **130**
Doxford Pl. *Cra* —4B **20**
Doxford Ter. *Hett H* —5C **136**
Doxford Ter. N. *Mur* —2A **148**
Doxford Ter. S. *Mur* —2A **148**
Dragon La. *Dur* —4H **153**
Dragon Villa. *Dur* —6H **153**
Dragonville Ind. Est. *Dur* —4H **153**
  (in two parts)
Dragonville Pk. *Dur* —5H **153**
Drake Clo. *S Shi* —1D **72**
Drayton Rd. *Newc T* —3A **54**
Drayton Rd. *Sund* —1D **102**
Drey, The. *Pon* —2B **36**
Drivecote. *Gate* —3E **83**
Drive, The. *Bir* —5D **110**
Drive, The. *Den B* —1D **64**
Drive, The. *Gate* —4H **81**
  (NE9)
Drive, The. *Gate* —3E **83**
  (NE10)
Drive, The. *Gos* —4E **55**
Drive, The. *Longb* —3B **56**
Drive, The. *N Shi* —5F **47**
Drive, The. *W'snd* —5H **57**
Drive, The. *Wash* —4A **98**
Drive, The. *Whi* —5G **79**
Dronfield Clo. *Ches S* —2A **132**
Drove Rd. *Newc T* —3B **50**
Drumaldrace. *Wash* —1G **111**
Drum Ind. Est. *Ches S* —2B **124**
Drummond Building. *Newc T* —1D **4**
Drummond Cres. *S Shi* —4B **72**
Drummond Rd. *Newc T* —4B **54**
Drummond Ter. *N Shi* —6D **46**
Drumoyne Clo. *Sund* —3D **128**
Drumoyne Gdns. *Whit B* —2H **45**
Drum Rd. *Ches S* —1B **124**
Drumsheugh Pl. *Newc T* —5F **53**
Druridge Av. *Sund* —6E **89**
Druridge Cres. *Bly* —1H **15**
Druridge Cres. *S Shi* —1B **74**
Druridge Dri. *Bly* —1H **15**
Druridge Dri. *Newc T* —6G **53**
Drury La. *Dur* —6C **152**
Drury La. *Jar* —1G **71**
*Drury La. Newc T —5D **4***
  (off Mosley St.)
Drury La. *N Shi* —6G **45**
Drury La. *Sund* —6E **103**
Drybeck Ct. *Cra* —1D **20**
Drybeck Ct. *Newc T* —4D **66**
Drybeck Sq. *Sund* —3B **130**
Drybeck Wlk. *Cra* —1D **20**
Dryborough St. *Sund* —6B **102**
Dryburgh. *Wash* —2B **112**
Dryburgh Clo. *N Shi* —5A **46**
Dryburn Hill. *Dur* —2A **152**
Dryburn Pk. *Dur* —2A **152**
Dryburn Rd. *Dur* —3A **152**
Dryburn Vw. *Dur* —2A **152**
Dryden Clo. *S Shi* —1D **86**
Dryden Clo. *S'ley* —3E **121**
Dryden Ct. *Gate* —3H **81**
Dryden Rd. *Gate* —3H **81**
Dryden St. *Sund* —3A **102**
Drysdale Ct. *Bru V* —5C **28**
Drysdale Cres. *Bru V* —5C **28**

Dubmire Cotts. *Hou S* —4D **134**
Dubmire Ct. *Hou S* —3E **135**
Dubmire Ind. Est. *Hou S* —2F **135**
Duce Dri. *Gate* —3B **80**
Duce Gdns. *NE13* —5C **28**
Duchess Cres. E. *Jar* —6F **71**
Duchess Cres. W. *Jar* —6F **71**
Duchess Dri. *Newc T* —2E **65**
Duchess St. *Whit B* —6C **34**
Duckpool La. *Whi* —4G **79**
Duckpool La. N. *Whi* —3G **79**
Duddon Clo. *Pet* —1E **163**
Duddon Pl. *Gate* —1B **96**
Dudley. —3H 29
Dudley Av. *Sund* —1D **102**
Dudley Ct. *Cra* —3A **20**
Dudley Dri. *Dud* —3A **30**
Dudley Gdns. *Sund* —2E **129**
Dudley La. *Cra* —6A **20**
Dudley La. *Dud* —1A **30**
Dudley La. *Sea B* —3E **29**
(in two parts)
Duffy Ter. *S'ley* —6G **119**
Dugdale Ct. *Newc T* —2H **53**
Dugdale Rd. *Newc T* —2H **53**
Duke of Northumberland Ct. *W'snd*
—2C **58**
Duke's Av. *Heb* —5B **70**
Dukes Cotts. *Back* —6A **32**
Dukes Cotts. *Newc T* —2F **63**
Dukes Dri. *Newc T* —4D **40**
Dukesfield. *Cra* —3B **20**
Duke's Gdns. *Bly* —5A **10**
Dukes Mdw. *Wool* —5C **38**
Duke St. *Newc T* —5E **67** (6A **4**)
Duke St. *N Shi* —3D **60**
Duke St. *Pel* —2G **83**
Duke St. *S'hm* —3H **139**
Duke St. *S'ley* —4E **119**
Duke St. *Sund* —1A **106**
Duke St. *Whit B* —6C **34**
Duke St. N. *Sund* —1A **106**
Dukesway. *Team T* —6D **80**
Dukesway Ct. *Team T* —2E **95**
Dukesway W. *Team T* —3E **95**
Duke Wlk. *Gate* —2E **81**
Dulverston Clo. *Newc T* —4A **52**
Dulverton Av. *S Shi* —2F **73**
Dulverton Ct. *Newc T* —5H **55**
Dumas Wlk. *Newc T* —4A **52**
Dumfries Cres. *Jar* —6A **72**
Dunbar Clo. *Newc T* —4A **52**
Dunbar Gdns. *W'snd* —3E **59**
Dunbar St. *Sund* —2H **115**
Dunblane Cres. *Newc T* —1D **64**
Dunblane Dri. *Bly* —3C **16**
Dunblane Rd. *Sund* —6E **89**
Dunbreck Gro. *Sund* —3A **116**
Duncairn. S'ley —2D *120*
(off View La.)
Duncan St. *Gate* —2B **82**
Duncan St. *Newc T* —3G **69**
Duncan St. *Sund* —6H **101**
Duncombe Cres. *S'ley* —1D **120**
Duncow La. *Dur* —6C **152**
Dun Cow St. *Sund* —6C **102**
Dundas St. *Sund* —5D **102**
Dundas Way. *Gate* —3C **82**
Dundee Clo. *Newc T* —4A **52**
Dundee Ct. *Jar* —6A **72**
Dundrennan. *Wash* —4A **112**
Dunelm. *Sund* —3A **116**
(in two parts)
Dunelm Clo. *Bir* —3C **110**
Dunelm Ct. *B'don* —6C **156**
Dunelm Ct. *Dur* —6C **152**

Dunelm Ct. *Heb* —4B **70**
Dunelm Dri. *Hou S* —3G **135**
Dunelm Dri. *W Bol* —4D **86**
Dunelm Rd. *Hett H* —1B **146**
Dunelm S. *Sund* —3B **116**
Dunelm St. *S Shi* —5F **61**
Dunelm Ter. *Dal D* —1F **149**
Dunelm Wlk. *Pet* —6D **160**
Dunford Gdns. *Newc T* —3B **52**
Dunholm Clo. *Hou S* —4A **136**
Dunholme Clo. *Ayk H* —2B **152**
Dunholme Rd. *Newc T* —4B **66**
Dunira Clo. *Newc T* —5H **55**
Dunkeld Clo. *Bly* —3C **16**
Dunkirk Av. *Hou S* —4B **136**
Dunlin Clo. *Ryton* —5E **63**
Dunlin Dri. *Bly* —3C **16**
Dunlin Dri. *Wash* —4F **111**
Dunlop Clo. *Newc T* —3C **56**
Dunlop Cres. *S Shi* —3A **74**
Dunmoor Clo. *Newc T* —3C **54**
Dunmoor Ct. *Ches S* —2A **132**
Dunmore Av. *Sund* —6E **89**
Dunmorlie St. *Newc T* —3D **68**
Dunn Av. *Sund* —6A **116**
Dunne Rd. *Bla T* —5C **64**
Dunning St. *Sund* —6C **102**
Dunnlynn Clo. *Sund* —3G **129**
Dunnock Dri. *Sun* —2E **93**
Dunnock Dri. *Wash* —5F **111**
Dunn Rd. *Pet* —6D **160**
(in two parts)
Dunns Clo. *Newc T* —1D **66**
Dunn's Ter. *Newc T* —1D **66**
Dunn St. *Newc T* —6D **66**
Dunn St. *S'ley* —5F **119**
Dunns Yd. *W Kyo* —4F **119**
Dunn Ter. *Newc T* —3B **68**
Dunnykirk Av. *Newc T* —2H **53**
Dunraven Clo. *Phil* —4G **127**
Dunsany Ter. *Pelt F* —5G **123**
Dunsdale Dri. *Cra* —1D **20**
Dunsdale Rd. *H'wll* —1C **32**
Dunsgreen. *Pon* —6E **25**
Dunsgreen Ct. *Pon* —6E **25**
Dunsley Gdns. *Din* —4F **27**
Dunsmuir Gro. *Gate* —3F **81**
Dunstable Pl. *Newc T* —4H **51**
Dunstanburgh Clo. *Bed* —4F **7**
Dunstanburgh Clo. *Newc T* —4D **68**
Dunstanburgh Clo. *Wash* —3H **111**
Dunstanburgh Ct. *Gate* —4H **83**
Dunstanburgh Rd. *Newc T* —4D **68**
Dunstan Clo. *Ches S* —2A **132**
Dunstan Wlk. *Newc T* —6D **52**
Dunston. —3C 80
Dunston Bank. *Gate* —4A **80**
Dunston Enterprise Pk. *Dun*
—1A **80**
Dunston Hill. —4B 80
Dunston Pl. *Bly* —6H **9**
Dunston Rd. *Dun* —3B **80**
Dunston Rd. *Gate* —1B **80**
Dunvegan. *Bir* —5E **111**
Dunvegan Av. *Ches S* —2B **132**
Durant Rd. *Newc T* —3G **67** (3E **5**)
Durban St. *Bly* —5B **10**
Durdham St. *Newc T* —4A **66**
Durham. —5C 152
Durham Av. *Pet* —5F **161**
Durham Av. *Wash* —5H **97**
Durham Castle. —5C **152**
Durham Cathedral. —6C **152**
Durham City Northern By-Pass. *Dur*
—5B **142**
Durham Clo. *Bed* —4F **7**

Durham College of Agriculture &
Horticulture. —2E **159**
Durham County Cricket Ground.
—1E **133**
Durham Ct. *Heb* —4B **70**
Durham Dri. *Jar* —2E **85**
Durham Gro. *Jar* —1E **85**
Durham Heritage Centre & Museum.
—6C **152**
Durham La. *Eas V* —2A **160**
Durham La. *Has* —6H **155**
Durham Light Infantry Museum &
Arts Centre. —6C **152**
Durham Moor. *Dur* —2A **152**
Durham Pl. *Bir* —1C **124**
Durham Pl. *Gate* —2H **81**
Durham Pl. Hou S —6H *127*
(off Front St.)
Durham Rd. *Arm P* —6G **119**
Durham Rd. *Ayk H* —3A **152**
Durham Rd. *Bear* —4E **151**
Durham Rd. *Bir* —1C **110**
Durham Rd. *Ches S* —3C **132**
Durham Rd. *Cra* —6C **14**
Durham Rd. *E Rai* —1G **145**
(in two parts)
Durham Rd. *Gate & Low F* —2H **81**
Durham Rd. *Hou S* —3A **136**
(DH4)
Durham Rd. *Hou S & Nbtle* —1B **136**
(DH5)
Durham Rd. *S'ley* —4E **121**
Durham Rd. *Sund* —3D **128**
(SR3)
Durham Rd. *Sund* —3B **116**
(in two parts)
Durham Rd. *Ush M* —5B **150**
Durham Rd. Trad. Est. *Bir* —1C **124**
Durham St. *Gate* —2F **83**
Durham St. *Hou S* —3E **135**
Durham St. *Newc T* —5B **66**
(in two parts)
Durham St. *S'hm* —3H **139**
Durham St. *W'snd* —5A **58**
Durham St. W. *W'snd* —5A **58**
Durham Ter. *Dur* —1A **152**
Durham Ter. *Sund* —6A **116**
Durham University Botanic Garden.
—3D **158**
Durham University Oriental Museum.
—2C **158**
Durham Way. *Pet* —3B **162**
Dutton Ct. *Bla T* —5D **64**
Duxfield Rd. *Newc T* —4B **56**
Duxford Pk. Way. *Sund* —3G **129**
Dwyer Cres. *Sund* —3F **131**
Dyer Sq. *Sund* —3B **102**
Dykefield Av. *Newc T* —6A **40**
Dyke Heads. —1B 76
Dyke Heads La. *G'sde* —1B **76**
Dykelands Rd. *Sund* —1D **102**
Dykelands Way. *S Shi* —6B **72**
Dykenook Clo. *Whi* —1E **93**
Dykes Way. *Gate* —6D **82**
Dymock Ct. *Newc T* —2F **53**

Eaglescliffe Dri. *Newc T* —5D **56**
Eaglesdene. *Hett H* —1C **146**
Eagle St. *Team T* —5D **80**
Ealing Ct. *Newc T* —1F **53**
Ealing Dri. *N Shi* —4E **47**
Ealing Sq. *Cra* —3F **19**
Ealing Sq. *Sund* —2A **102**
Eardulph Av. *Ches S* —6D **124**
Earl Grey Way. *N Shi* —4B **60**

Earlington Ct. *Newc T* —4E **43**
Earl of Durham Monument.
    —6G **113**
Earls Ct. *Sund* —1A **102**
Earl's Ct. *Team T* —6F **81**
Earls Dene. *Gate* —1H **95**
Earls Dri. *Gate* —1H **95**
Earl's Dri. *Newc T* —2E **65**
Earl's Gdns. *Bly* —5A **10**
Earls Grn. *E Rai* —2H **145**
Earlston St. *Sund* —1A **102**
  (in two parts)
Earlston Way. *Cra* —5C **14**
Earl St. *S'hm* —3G **139**
Earl St. *S'ley* —4F **119**
Earl St. *Sund* —1B **116**
Earls Way. *Newc T* —3D **4**
Earlsway. *Team T* —4E **81**
Earlswood Av. *Gate* —1H **95**
Earlswood Gro. *Bly* —4B **16**
Earlswood Pk. *Gate* —1H **95**
Earnshaw Way. *Whit B* —4H **33**
Earsdon. —6E 33
Earsdon Clo. *Newc T* —6E **53**
Earsdon Grange Rd. *Hou S* —2B **136**
Earsdon Rd. *Hou S* —3B **136**
Earsdon Rd. *Newc T* —4A **54**
Earsdon Rd. *Shir* —3B **44**
Earsdon Ter. *Sund* —3F **131**
Earsdon Ter. *W All* —4C **44**
Earsdon Vw. *Shir* —1D **44**
Easby Clo. *Newc T* —5F **41**
Easby Rd. *Wash* —3B **112**
Easedale. *Sea S* —3G **23**
Easedale Av. *Newc T* —4E **41**
Easedale Gdns. *Gate* —1A **96**
Easington. —1B 160
Easington Av. *Cra* —5C **14**
Easington Av. *Gate* —2C **96**
Easington Lane. —4E 147
Easington St. *Pet* —1D **160**
Easington St. *Sund* —5C **102**
Easington St. N. *Sund* —5C **102**
East Acres. *Bla T* —1B **78**
East Acres. *Din* —3G **27**
E. Atherton St. *Dur* —6B **152**
East Av. *Ches M* —4A **132**
East Av. *Newc T* —1D **56**
East Av. *S Shi* —3A **74**
  (in two parts)
East Av. *Wash* —6H **111**
East Av. *Whit B* —6A **34**
East Back Pde. *Sund* —2F **117**
East Boldon. —4G 87
East Boldon Rd. *Sund* —3G **87**
Eastbourne Av. *Gate* —3G **81**
Eastbourne Av. *Newc T* —3G **69**
Eastbourne Ct. *Newc T* —3G **69**
Eastbourne Gdns. *Cra* —3F **19**
Eastbourne Gdns. *Newc T* —3G **69**
Eastbourne Gdns. *Whit B* —5B **34**
Eastbourne Gro. *S Shi* —4F **61**
Eastbourne Pde. *Heb* —1E **85**
Eastbourne Sq. *Sund* —1B **102**
E. Bridge St. *Hou S* —6C **112**
Eastburn Gdns. *Gate* —1G **83**
Eastcheap. *Newc T* —6C **56**
E. Cleft Rd. *Sund* —1B **116**
Eastcliffe Av. *Newc T* —4C **54**
East Clo. *S Shi* —3A **74**
Eastcombe Clo. *Bol C* —1A **86**
E. Coronation St. *Mur* —2D **148**
Eastcote Ter. *Newc T* —5F **69**
East Cramlington. —4E 21
E. Cramlington Ind. Est. *Cra* —5E **21**

East Cramlington Pond.
  (Nature Reserve) —5G **21**
East Cres. *Bed* —3D **8**
E. Cross St. *Sund* —6D **102**
Eastdene Rd. *S'hm* —4F **139**
Eastdene Way. *Pet* —2F **163**
East Denton. —1E 65
East Dri. *Bly* —3A **16**
East Dri. *Cle* —3H **87**
E. Ellen St. Mur —3D **148**
  (off W. Ellen St.)
Easten Gdns. *Gate* —2D **82**
Eastern Av. *Team T & Gate* —1F **95**
Eastern Ter. *W'snd* —6G **59**
Eastern Way. *Newc T* —5H **53**
Eastern Way. *Pon* —6D **24**
E. Farm Ct. *Cra* —3B **20**
E. Farm Rd. *Sun* —2G **93**
E. Farm Ter. *Cra* —3B **20**
Eastfield. *Pet* —2F **163**
Eastfield Av. *Newc T* —1G **69**
Eastfield Av. *Whit B* —1H **45**
Eastfield Ho. *Newc T* —1G **69**
Eastfield Rd. *Newc T* —1C **56**
Eastfield Rd. *S Shi* —6H **61**
Eastfields. *S'ley* —4C **120**
East Fields. *Sund* —3F **89**
Eastfield St. *Sund* —2H **115**
Eastfield Ter. *Newc T* —1D **56**
E. Forest Hall Rd. *Newc T* —5E **43**
East Front. *Newc T* —1G **67**
Eastgarth. *Newc T* —2E **53**
  (in two parts)
Eastgate. *Gate* —6H **67**
Eastgate. *Sco G* —1G **7**
Eastgate Gdns. *Newc T* —5B **66**
East Gateshead. —6B 68
E. George Potts St. *S Shi* —6F **61**
E. George St. *N Shi* —1E **61**
East Grange. *H'wll* —1D **32**
East Grange. *Sund* —2C **102**
E. Grange Ct. *Eas V* —2B **160**
East Gro. *Sund* —2D **114**
East Hartford. —4B 14
E. Hendon Rd. *Sund* —1F **117**
East Herrington. —2D 128
E. Hill Rd. *Gate* —2B **82**
E. Holburn. *S Shi* —5D **60**
East Holywell. —5C 32
E. Howden By-Pass. *W'snd* —6G **59**
East Howdon. —5G 59
East Jarrow. —3H 71
East Kyo. —3H 119
Eastlands. *Bla T* —2H **77**
Eastlands. *Hett H* —2B **146**
Eastlands. *H Ric* —2E **125**
Eastlands. *Newc T* —4A **56**
East Lea. *Bla T* —3A **78**
Eastlea Cres. *S'hm* —4G **139**
Eastleigh Clo. *Bol C* —3A **86**
E. Moffett St. *S Shi* —6F **61**
Eastmoor Rd. *Mur* —3E **149**
East Moor Rd. *Sund* —6H **101**
E. Norfolk St. *N Shi* —2D **60**
Easton Homes. *Bed* —3C **8**
East Pde. *Kim* —2A **142**
East Pde. *S'ley* —2F **121**
East Pde. *Whit B* —6D **34**
E. Park Gdns. *Bla T* —2A **78**
E. Park Rd. *Gate* —5G **81**
  (in two parts)
E. Park Vw. *Bly* —6E **11**
E. Percy St. *N Shi* —1E **61**
East Rainton. —1H 145
East Riggs. *Bed* —5H **7**

E. Side Av. *Bear* —4C **150**
East Sleekburn. —2G 9
East Sq. *Cra* —3A **20**
E. Stainton St. *S Shi* —6F **61**
East Stanley. —2E 121
E. Stanley By-Pass. *S'ley* —2F **121**
E. Stevenson St. *S Shi* —6F **61**
East St. *Gate* —6H **67**
East St. *Gran V* —4C **122**
East St. *Heb* —2D **70**
  (in three parts)
East St. *H Spen* —1A **90**
East St. *S Shi* —4E **61**
East St. *S'ley* —2F **121**
East St. *Sund* —6G **101**
  (SR4)
East St. *Sund* —3F **89**
  (SR6)
East St. *Tyn* —5G **47**
East Ter. *Hes* —6G **163**
East Thorp. *Newc T* —2D **52**
East Vw. *Bed* —2D **8**
East Vw. *Bla T* —6B **64**
East Vw. *Bol C* —3B **86**
East Vw. *Burn* —1G **105**
East Vw. *C'twn* —4E **101**
East Vw. *Dip* —1D **118**
East Vw. *E Bol* —4C **86**
East Vw. *Gate* —5F **83**
East Vw. *Kim* —3A **142**
East Vw. *Mead* —6E **157**
East Vw. *Mur* —3D **148**
East Vw. *Pet* —5G **161**
East Vw. *Row G* —3C **90**
East Vw. *Ryh* —3E **131**
East Vw. *S'hm* —2F **139**
East Vw. *Sea D* —4A **22**
East Vw. *Seg* —2F **31**
East Vw. *S Hill* —6H **155**
East Vw. *S Moor* —6C **120**
East Vw. *Sund* —2E **103**
East Vw. *Wide* —4D **28**
East Vw. Av. *Cra* —3B **20**
East Vw. S. *Sund* —4E **101**
East Vw. Ter. *Dud* —3A **30**
East Vw. Ter. *Gate* —5F **83**
East Vw. Ter. *Swa* —3F **79**
East Vines. *Sund* —6F **103**
Eastward Grn. *Whit B* —1H **45**
Eastway. *S Shi* —4B **74**
East-West Link Rd. *Cra* —2B **20**
Eastwood Av. *Bly* —4B **16**
Eastwood Clo. *Burr* —6C **30**
Eastwood Ct. *Newc T* —6D **42**
Eastwood Gdns. *Fel* —2C **82**
Eastwood Gdns. *Low F* —5A **82**
Eastwood Gdns. *Newc T* —3B **54**
Eastwood Pl. *Cra* —5C **14**
Eaton Pl. *Newc T* —4B **66**
Eavers Ct. *S Shi* —4E **73**
Ebba Wlk. *Newc T* —2F **55**
Ebchester Av. *Gate* —2D **96**
Ebchester Ct. *Newc T* —2G **53**
Ebchester St. *S Shi* —4C **72**
Ebdon La. *Sund* —1D **102**
Ebor St. *Newc T* —1C **68**
Ebor St. *S Shi* —5C **72**
Eccles Ct. *Back* —6A **32**
Eccles Ter. *W All* —4C **44**
Eccleston Rd. *S Shi* —5G **61**
Ecgfrid Ter. *Jar* —4G **71**
Eddison Rd. *Wash* —3D **112**
Eddleston. *Wash* —6G **111**
Eddleston Av. *Newc T* —4C **54**
Eddrington Gro. *Newc T* —4A **52**
Ede Av. *Gate* —3B **80**

Ede Av. *S Shi* —3B **74**
Eden Av. *Burn* —1G **105**
Edenbridge Cres. *Newc T* —6B **42**
Eden Clo. *Newc T* —5A **52**
Eden Cotts. *Hes* —6G **163**
Eden Ct. *Bed* —5A **8**
Eden Ct. *W'snd* —6H **57**
Edencroft. *W Pel* —3C **122**
Edendale Av. *Bly* —5H **9**
Edendale Av. *Kil V* —6C **42**
Edendale Av. *Newc T* —3G **69**
Edendale Ct. *Bly* —5H **9**
Edendale Ct. *S Shi* —5C **72**
Edendale Ter. *Dur* —3H **81**
Edendale Ter. *Pet* —1F **163**
Edenfield. *W Pel* —2C **122**
Edengarth. *N Shi* —3B **46**
Edenhill Rd. *Pet* —6E **161**
Eden Ho. Rd. *Sund* —2B **116**
Eden La. *Pet* —5D **160**
Eden Pl. *N Shi* —4C **46**
Eden Rd. *Dur* —1C **152**
Eden St. *Pet* —6G **161**
Eden St. *W'snd* —6H **57**
Eden St. W. *Sund* —6C **102**
Eden Ter. *Dur* —4H **153**
Eden Ter. *Hou S* —3F **127**
Eden Ter. *S'ley* —4B **120**
Eden Ter. *Sund* —2B **116**
Eden Va. *Sund* —2B **116**
Edenvale Est. *Pet* —1F **163**
Eden Vs. *Wash* —3C **112**
Eden Wlk. *Jar* —6G **71**
Edgar St. *Newc T* —2H **55**
Edgecote. *Wash* —5D **98**
Edge Ct. *Dur* —5F **153**
Edgefield Av. *Newc T* —2B **54**
Edgefield Dri. *Cra* —5C **14**
Edge Hill. *Pon* —4B **36**
Edgehill Clo. *Pon* —4C **36**
Edgemount. *Kil* —1E **43**
Edgeware Ct. *Sund* —2A **102**
Edgeware Rd. *Gate* —3A **82**
Edgeware Wlk. *Newc T* —6A **66**
Edgewood. *Pon* —3D **36**
Edgewood Av. *Bed* —4C **8**
Edgeworth Clo. *Bol C* —1A **86**
Edgeworth Cres. *Sund* —3D **102**
Edgmond Ct. *Sund* —1E **131**
Edhill Av. *S Shi* —4C **72**
Edhill Gdns. *S Shi* —5B **72**
Edinburgh Ct. *Newc T* —5H **39**
Edinburgh Rd. *Jar* —5A **72**
Edinburgh Sq. *Sund* —2A **102**
Edington Gro. *N Shi* —4C **46**
Edington Rd. *N Shi* —4C **46**
Edison Gdns. *Gate* —4G **81**
Edison St. *Mur* —2C **148**
Edith Av. *Bla T* —1A **78**
Edith Av. *Wash* —5C **98**
Edith Moffat Ho. N Shi —1C **60**
(off Albion Rd.)
Edith St. *Jar* —2E **71**
Edith St. *N Shi* —5E **47**
Edith St. *S'hm* —6C **140**
Edith St. *Sund* —3E **117**
Edith Ter. *Hou S* —6H **127**
Edlingham Clo. *S Gos* —3H **55**
Edlingham Ct. *Hou S* —3B **136**
Edlingham Rd. *Dur* —2C **152**
Edmonton Sq. *Sund* —2A **102**
Edmund Ct. *Bear* —3C **150**
Edmund Pl. *Gate* —6H **81**
Edna Ter. *Newc T* —4E **53**
Edrich Ho. *N Shi* —4A **60**
Edward Av. *Pet* —6F **161**

Edward Burdis St. *Sund* —3B **102**
Edward Cain Ct. *Pet* —6G **161**
Edward Pl. *Newc T* —4D **66**
Edward Rd. *Bed* —2D **8**
Edward Rd. *Bir* —2B **110**
Edward Rd. *W'snd* —4D **58**
Edwardson Rd. *Mead I* —6F **157**
Edwards Rd. *Whit B* —1E **47**
Edward St. *Bla T* —6B **64**
Edward St. *Bly* —5B **10**
Edward St. *Ches S* —6C **124**
Edward St. *Dur* —5F **153**
Edward St. *Heb* —3A **70**
Edward St. *Hett H* —1C **146**
Edward St. *Hob* —3G **105**
Edward St. *Newc T* —2E **55**
Edward St. *S'hm* —5B **140**
Edward St. *S'ley* —6G **121**
Edward St. *Sund* —2A **130**
Edward's Wlk. *Newc T*
—3F **67** (2C **4**)
Edward Ter. *New B* —1B **156**
Edward Ter. *Pelt* —3E **123**
Edward Ter. *S'ley* —5H **119**
Edwina Gdns. *N Shi* —6A **46**
Edwin Gro. *W'snd* —4E **59**
Edwin's Av. *Newc T* —5E **43**
Edwin's Av. S. *Newc T* —5E **43**
Edwin St. *Bru V* —5C **28**
Edwin St. *Hou S* —2A **136**
Edwin St. *Sund* —6G **101**
Edwin Ter. *G'side* —1C **76**
Egerton Rd. *S Shi* —3E **73**
Egerton St. *Newc T* —5H **65**
(in two parts)
Egerton St. *Sund* —2E **117**
Eggleston Clo. *Dur* —1E **153**
Eggleston Clo. *Gt Lum* —4H **133**
Eggleston Dri. *Sund* —5A **116**
Egham Rd. *Newc T* —5A **52**
Eglesfield Rd. *S Shi* —1E **73**
Eglingham Av. *N Shi* —4E **47**
Eglinton St. *Sund* —4C **102**
Eglinton St. N. *Sund* —4C **102**
Eglinton Tower. *Sund* —4D **102**
Egremont Dri. *Gate* —5A **82**
Egremont Gdns. *Gate* —5A **82**
Egremont Gro. *Pet* —4A **162**
Egremont Pl. *Whit B* —1D **46**
Egremont Way. *Cra* —5C **14**
Egton Ter. *Bir* —2C **110**
Eider Clo. *Bly* —4C **16**
Eider Wlk. *Kil* —1C **42**
Eighteenth Av. *Bly* —2A **16**
(in two parts)
Eighth Av. *Bly* —2B **16**
Eighth Av. *Ches S* —6B **124**
Eighth Av. *Newc T* —1C **68**
Eighth Av. *Team T* —2E **95**
Eighth St. *Pet* —6G **161**
Eighton Banks. —3D 96
Eighton Ter. *Gate* —2E **97**
Eishort Way. *Newc T* —1B **56**
Eland Clo. *Newc T* —2H **53**
Eland Edge. *Pon* —4F **25**
Eland Grange. *Pon* —5F **25**
Eland La. *Pon* —5F **25**
Eland Vw. *Pon* —5F **25**
Elberfeld Ct. *Jar* —3F **71**
Elder Clo. *Ush M* —6D **150**
Elder Gdns. *Gate* —4C **96**
Elder Gro. *Gate* —6H **81**
Elder Gro. *S Shi* —6H **73**
Elders Wlk. *Whit* —3F **89**
Elderwood Gdns. *Gate* —6D **80**
Eldon Ct. *Newc T* —3F **67**

Eldon Ct. *W'snd* —6F **59**
(off Eldon St.)
Eldon Gdns. *Newc T* —3F **67** (3C **4**)
Eldon Ho. *Newc T* —1E **55**
Eldon La. *Newc T* —4F **67** (4D **4**)
Eldon Pl. *Lem* —2B **64**
Eldon Pl. *Newc T* —2F **67** (1D **4**)
Eldon Pl. *S Shi* —2D **72**
Eldon Rd. *Newc T* —2B **64**
Eldon Sq. *Newc T* —4F **67** (4C **4**)
Eldon Sq. Bus Concourse. Newc T
(off Percy St.) —3C **4**
Eldon Sq. Shop. Cen. *Newc T*
—3F **67** (3D **4**)
Eldon St. *Gate* —1A **82**
Eldon St. *S Shi* —6D **60**
Eldon St. *Sund* —1A **116**
Eldon St. *W'snd* —6F **59**
Eldon Wlk. *Newc T* —3C **4**
Eldon Way. *Newc T* —3F **67** (3D **4**)
Eleanor St. *N Shi* —1E **47**
Eleanor St. *S Shi* —4F **61**
Eleanor Ter. *Ryton* —5A **62**
Eleanor Ter. Whi —4E **79**
(off Whickham Bank)
Electric Cres. *Hou S* —5G **127**
Elemore La. *East L* —6A **146**
(in two parts)
Elemore La. *H Pitt* —2G **155**
Elemore St. *H Pitt* —2F **155**
Elemore Vale. —5D 146
Elemore Vw. *S Het* —6H **147**
Elenbel Av. *Bed* —4C **8**
Eleventh Av. *Bly* —1C **16**
Eleventh Av. *Ches S* —6B **124**
Eleventh Av. *Team T* —3F **95**
Eleventh Av. N. *Team T* —2G **95**
Eleventh St. *Pet* —6F **161**
Elford Clo. *Whit B* —6H **33**
Elfordleigh. *Hou S* —5G **127**
Elgar Av. *Newc T* —5A **52**
Elgar Clo. *S'ley* —4E **121**
Elgen Vs. *Row G* —4D **90**
Elgin Av. *S'hm* —4F **139**
Elgin Av. *W'snd* —3D **58**
Elgin Clo. *Bed* —3C **8**
Elgin Clo. *Cra* —3F **19**
Elgin Clo. *N Shi* —5G **45**
Elgin Ct. *Gate* —1H **83**
Elgin Gdns. *Newc T* —3F **69**
Elgin Gro. *S'ley* —3F **121**
Elgin Pl. *Bir* —5D **110**
Elgin Rd. *Gate* —4B **82**
Elgin St. *Jar* —5A **72**
Elgy Rd. *Newc T* —4D **54**
Elisabeth Av. *Bir* —1B **110**
Elite Bldgs. *S'ley* —2D **120**
Elizabeth Clo. *Cra* —3H **19**
Elizabeth Ct. *Newc T* —5G **43**
Elizabeth Cres. *Dud* —3A **30**
Elizabeth Diamond Gdns. *S Shi*
—1D **72**
Elizabeth Dri. *Newc T* —5G **43**
Elizabeth Rd. *W'snd* —4E **59**
Elizabeth St. *C'twn* —4D **100**
Elizabeth St. *Cra* —4F **21**
Elizabeth St. *Hou S* —2A **136**
Elizabeth St. *Newc T* —3A **68**
Elizabeth St. *S'hm* —4A **140**
Elizabeth St. *S Shi* —5F **61**
Elizabeth St. *S'ley* —6G **119**
Elizabeth St. *Sund* —2C **102**
Ellam Av. *Dur* —1A **158**
Ella McCambridge Ho. *Newc T*
—4G **69**

Ell-Dene Cres. *Gate* —4E **83**

Ellen Ct. *Jar* —2F **71**
Ellen Ter. *Wash* —5D **98**
Ellen Wilkinson Ct. *Heb* —2C **70**
Ellerbeck Clo. *Gate* —3C **82**
Ellerby Ho. Newc T —6E **69**
 (off McCutcheon Ct.)
Ellersmere Gdns. *N Shi* —3D **46**
Ellerton Way. *Cra* —5C **14**
Ellerton Way. *Gate* —3C **82**
Ellesmere. *Hou S* —6B **126**
 (in three parts)
Ellesmere Av. *Gos* —3G **55**
Ellesmere Av. *Walkg* —2E **69**
Ellesmere Av. *W'hpe* —5E **53**
Ellesmere Ct. *Lee I* —6E **117**
Ellesmere Dri. *S'hm* —4F **139**
Ellesmere Rd. *Newc T* —4A **66**
Ellesmere Ter. *Sund* —2E **103**
Ellie Bldgs. S'ley —2C **120**
 (off Royal Rd.)
Ellington Clo. *Newc T* —2H **63**
Ellington Clo. *Ous* —5G **109**
Ellington Clo. *Ryh* —4F **131**
Elliott Clo. *Hou S* —2F **127**
Elliott Dri. *Gate* —3D **82**
Elliott Gdns. *S Shi* —1F **87**
Elliott Gdns. *W'snd* —3G **57**
Elliott Rd. *Gate* —1B **82**
 (in two parts)
Elliott Rd. *Pet* —6D **160**
Elliott St. *Bly* —3H **15**
Elliott Ter. *Newc T* —4B **66**
Elliott Ter. *Wash* —5C **98**
Elliott Wlk. *Haz* —1B **40**
Ellis Leazes. *Dur* —5E **153**
Ellison Building. *Newc T* —3E **5**
Ellison Main Gdns. *Gate* —3E **83**
Ellison Pl. *Gate* —1H **95**
Ellison Pl. *Jar* —1F **71**
Ellison Pl. *Newc T* —3G **67** (3E **5**)
Ellison Rd. *Gate* —3B **80**
Ellison Rd. *Pet* —6E **161**
Ellison St. *Gate* —6G **67**
Ellison St. *Heb* —2A **70**
 (in two parts)
Ellison St. *Jar* —1F **71**
 (in two parts)
Ellison Ter. *Newc T* —3G **67** (3E **5**)
Ellison Vs. *Gate* —2A **82**
Ellis Rd. *Sund* —2A **102**
Ellis Sq. *Sund* —2B **102**
Ellwood Gdns. *Gate* —3H **81**
Elm Av. *B'don* —6D **156**
Elm Av. *Din* —4F **27**
Elm Av. *Gate* —4B **80**
Elm Av. *Pelt* —3E **123**
Elm Av. *S Shi* —5H **73**
Elm Av. *Whi* —3G **79**
Elm Clo. *Cra* —5C **14**
Elm Ct. *Whi* —6F **79**
Elm Cres. *Kim* —2A **142**
Elm Cres. *S'hm* —6A **140**
Elm Croft Rd. *Newc T* —6E **43**
Elm Dri. *Bed* —6H **7**
Elm Dri. *Sund* —2G **89**
Elmfield App. *Newc T* —4E **55**
Elmfield Av. *Dur* —4H **153**
Elmfield Clo. *Sund* —3E **129**
Elmfield Gdns. *Newc T* —3D **54**
Elmfield Gdns. *W'snd* —4F **57**
Elmfield Gdns. *Whit B* —2H **45**
Elmfield Gro. *Newc T* —3D **54**
Elmfield Pk. *Newc T* —4D **54**
Elmfield Rd. *Gos* —4D **54**
Elmfield Rd. *Heb* —6D **70**
Elmfield Rd. *Thro* —5E **51**

Elmfield Ter. *Gate* —2G **83**
Elmfield Ter. *Heb* —5D **70**
Elm Gro. *Burn* —1F **105**
Elm Gro. *Faw* —6B **40**
Elm Gro. *For H* —4D **42**
Elm Gro. *S Shi* —5H **73**
Elm Gro. *Ush M* —6D **150**
Elm Pl. *Hou S* —6H **127**
Elm Rd. *Bla T* —1B **78**
Elm Rd. *N Shi* —6F **45**
Elm Rd. *Pon* —6G **25**
Elmsford Gro. *Newc T* —1B **56**
Elmsleigh Gdns. *Sund* —1A **88**
Elms, The. *Eas L* —5F **147**
Elms, The. *Gos* —4D **54**
Elms, The. *Sund* —2D **116**
Elm St. *Ches S* —6C **124**
Elm St. *Jar* —2E **71**
Elm St. *Sea B* —3E **29**
Elm St. *S'ley* —5B **120**
Elm St. *Sun* —3F **93**
Elm St. *Team T* —5D **80**
Elm St. W. *Sun* —3F **93**
Elms W. *Sund* —2D **116**
Elm Ter. *Bir* —2B **110**
Elm Ter. *Crag* —6F **121**
Elm Ter. *Haz* —6C **28**
Elm Ter. *Pet* —1G **163**
Elm Ter. *S'ley* —5E **119**
Elm Ter. *Tant* —5H **105**
Elm Ter. *W'snd* —5A **58**
Elmtree Gdns. *Whit B* —2A **46**
Elmtree Gro. *Newc T* —4D **54**
Elmway. *Ches S* —4A **124**
Elmwood. Lem —1A **64**
 (off Hospital La.)
Elmwood Av. *N Gos* —6E **29**
Elmwood Av. *Sund* —2H **101**
Elmwood Av. *W'snd* —5D **58**
 (in three parts)
Elmwood Cres. *Newc T* —6F **57**
Elmwood Dri. *Pon* —4E **25**
Elmwood Gdns. *Gate* —5D **80**
Elmwood Gro. *Whit B* —5C **34**
Elmwood Ho. *Newc T* —3A **56**
Elmwood Rd. *Whit B* —1A **46**
Elmwood Sq. *Sund* —3H **101**
Elmwood St. *Hou S* —2C **134**
Elmwood St. *Sund* —2B **116**
Elrick Clo. *Newc T* —5A **52**
Elrington Gdns. *Newc T* —1F **65**
Elsdon Av. *Sea D* —6A **22**
Elsdonburn Rd. *Sund* —4G **129**
Elsdon Clo. *Bly* —6A **10**
Elsdon Clo. *Ches S* —2A **132**
Elsdon Clo. *Pet* —4C **162**
Elsdon Ct. *Whi* —6E **79**
Elsdon Dri. *Newc T* —5F **43**
Elsdon Gdns. *Gate* —3C **80**
Elsdon M. *Heb* —2D **70**
Elsdon Pl. *N Shi* —3C **60**
Elsdon Rd. *Dur* —1D **152**
Elsdon Rd. *Newc T* —2E **55**
Elsdon Rd. *Whi* —5E **79**
Elsdon St. *N Shi* —3C **60**
Elsdon Ter. *N Shi* —3H **59**
Elsdon Ter. *W'snd* —6H **57**
Elsham Grn. *Newc T* —1A **54**
Elsing Clo. *Newc T* —3F **53**
Elstob Cotts. *Sund* —5A **116**
Elstob Pl. *Newc T* —5E **69**
Elstob Pl. *Sund* —5A **116**
Elston Clo. *Newc T* —5A **52**
Elstree Ct. *Newc T* —6F **39**
Elstree Gdns. *Bly* —4B **16**
Elstree Sq. *Sund* —1A **102**

Elswick. —5B **66**
Elswick Ct. *Newc T* —3F **67** (3D **4**)
Elswick Dene. *Newc T* —6C **66**
Elswick E. Ter. *Newc T*
 —5D **66** (6A **4**)
Elswick Rd. *Arm* —6G **97**
Elswick Rd. *Newc T* —5A **66**
Elswick Row. *Newc T* —4D **66**
Elswick St. *Newc T* —4D **66**
Elswick Way. *S Shi* —3C **72**
Elswick Way Ind. Est. *S Shi* —3C **72**
Elsworth Grn. *Newc T* —4G **53**
Elterwater Rd. *Ches S* —2B **132**
Eltham St. *S Shi* —1D **72**
Elton St. E. *W'snd* —6H **57**
Elton St. W. *W'snd* —6H **57**
Eltringham Clo. *W'snd* —5G **57**
Elvaston Rd. *Ryton* —3C **62**
Elvet Bri. *Dur* —6D **152**
Elvet Clo. *Newc T* —2C **68**
Elvet Clo. *Wide* —5C **28**
Elvet Ct. *Newc T* —2C **68**
Elvet Cres. *Dur* —6D **152**
Elvet Grn. *Ches S* —1C **132**
Elvet Grn. *Hett H* —4C **146**
Elvet Hill Rd. *Dur* —2C **158**
Elvet Moor. *Dur* —2A **158**
Elvet Waterside. *Dur* —6D **152**
Elvet Way. *Newc T* —2C **68**
Elvington St. *Sund* —2E **103**
Elwin Clo. *Sea S* —4H **23**
Elwin Pl. *Pelt* —3G **123**
Elwin Pl. *Sea S* —4H **23**
Elwin St. *Pelt* —3G **123**
Elwin Ter. *Sund* —2C **116**
Ely Clo. *Newc T* —3D **56**
Ely Rd. *Dur* —5D **142**
Elysium La. *Gate* —2F **81**
Ely St. *Gate* —2G **81**
Ely Ter. *S'ley* —4A **120**
Ely Way. *Jar* —2F **85**
Embankment Rd. *S'hm* —5B **140**
 (nr. Cottages Rd.)
Embankment Rd. *S'hm* —3H **139**
 (nr. Stanley St.)
Embassy Gdns. *Newc T* —3F **65**
Emblehope. *Wash* —1G **111**
Emblehope Dri. *Gos* —3C **54**
Embleton Av. *Newc T* —1C **54**
Embleton Av. *S Shi* —1B **74**
Embleton Av. *W'snd* —2C **58**
Embleton Clo. *Dur* —6D **142**
Embleton Cres. *N Shi* —5G **45**
Embleton Dri. *Bly* —2A **16**
Embleton Dri. *Ches S* —2A **132**
Embleton Gdns. *Gate* —2D **82**
Embleton Gdns. *Newc T* —6H **53**
Embleton Rd. *Gate* —1H **83**
Embleton Rd. *N Shi* —5G **45**
Embleton St. *S'hm* —6B **140**
Embleton Wlk. Gate —1F **81**
 (off St Cuthbert's Rd.)
Emden Rd. *Newc T* —1B **54**
Emerson. —5F **111**
Emerson Ct. *Pet* —6G **161**
Emerson Ct. *Shir* —2C **44**
Emerson Rd. *Wash* —3F **111**
Emily St. *Gate* —2B **82**
Emily St. *Hou S* —5H **127**
Emily St. *Newc T* —3E **69**
Emily St. *S'hm* —4A **140**
Emily St. E. *S'hm* —4B **140**
 (in two parts)
Emlyn Rd. *S Shi* —3E **73**
Emma Ct. *Sund* —2E **117**
Emmaville. *Ryton* —5A **62**

Emmbrook Clo. *E Rai* —1H **145**
Emmerson Pl. *Shir* —2C **44**
Emmerson Ter. *Sund* —2B **130**
Emmerson Ter. *Wash* —2C **112**
Emmerson Ter. W. *Sund* —2B **130**
Empire Bldgs. *Dur* —5G **153**
Empress Rd. *Newc T* —5H **69**
Empress St. *Sund* —4C **102**
Emsworth Rd. *Sund* —2A **102**
Emsworth Sq. *Sund* —2A **102**
Enderby Rd. *Sund* —6B **102**
Enfield Av. *Swa* —2F **79**
Enfield Gdns. *Whi* —6F **79**
Enfield Rd. *Gate* —3H **81**
Enfield Rd. *S'hm* —4F **139**
Enfield St. *Sund* —6H **101**
Engels Ter. *S'ley* —4E **121**
Engel St. *Row G* —3B **90**
Engine Inn Rd. *W'snd* —3D **58**
Engine La. *Low F* —1H **95**
Englefield. *Gate* —1F **97**
Englefield Clo. *Newc T* —6H **39**
Englemann Way. *Sund* —4G **129**
Enid Av. *Sund* —2D **102**
Enid St. *Haz* —1C **40**
Ennerdale. *Bir* —5E **111**
Ennerdale. *Gate* —3G **83**
Ennerdale. *Sund* —3C **116**
Ennerdale. *Wash* —6A **98**
Ennerdale Clo. *Dur* —3C **154**
Ennerdale Clo. *Pet* —6D **160**
Ennerdale Clo. *S'hm* —4F **139**
Ennerdale Cres. *Bla T* —3H **77**
Ennerdale Cres. *Hou S* —1E **127**
Ennerdale Gdns. *Gate* —6A **82**
Ennerdale Gdns. *W'snd* —3E **59**
Ennerdale Pl. *Ches S* —2C **132**
Ennerdale Rd. *Bly* —5E **9**
Ennerdale Rd. *Newc T* —3F **69**
Ennerdale Rd. *N Shi* —3C **46**
Ennerdale St. *Hett H* —3B **146**
Ennerdale Wlk. *Whi* —1D **92**
Ennismore Ct. *Newc T* —1D **56**
Ensign Ho. *N Shi* —6F **47**
Enslin Gdns. *Newc T* —6F **69**
Enslin St. *Newc T* —6F **69**
Enterprise Ct. *Cra* —6H **13**
Enterprise Ho. *Team T* —1F **95**
Entra Way. *Sund* —6G **101**
Eothen Rest Ho. *Whit B* —6C **34**
Epinay Wlk. *Jar* —3G **71**
Epping Clo. *S'hm* —5F **139**
Epping Ct. *Cra* —3F **19**
Epping Sq. *Sund* —2A **102**
Eppleton. —6C 136
Eppleton Est. *Hett H* —6D **136**
Eppleton Hall Clo. *S'hm* —3E **139**
Eppleton Row. *Hett H* —1D **146**
Eppleton Ter. *Pelt* —2D **122**
Eppleton Ter. E. *Hett H* —1D **146**
Eppleton Ter. W. *Hett H* —1D **146**
Epsom Clo. *N Shi* —3B **60**
Epsom Ct. *Newc T* —6G **39**
Epsom Sq. *Sund* —2A **102**
Epsom Way. *Bly* —4B **16**
Epwell Gro. *Cra* —5C **14**
Epworth. *Tan L* —1A **120**
Epworth Gro. *Gate* —2F **81**
Equitable St. *W'snd* —6H **57**
Erick St. *Newc T* —4G **67** (4E **5**)
(in two parts)
Erin Sq. *Sund* —2B **102**
Erith Ter. *Sund* —1H **115**
Ermine Cres. *Gate* —5B **82**
Ernest Pl. *Dur* —5G **153**
Ernest St. *Bol C* —3C **86**

Ernest St. *Pelt* —2G **123**
Ernest St. *Sund* —3E **117**
Ernest Ter. *Ches S* —1C **132**
Ernest Ter. *S'ley* —2D **120**
Ernest Ter. *Sund* —3G **131**
Ernwill Av. *Sund* —4D **100**
Errington Clo. *Pon* —3C **36**
Errington Dri. *Tan L* —1A **120**
Errington Rd. *Pon* —3B **36**
Errington Ter. *Newc T* —4E **43**
Errol Pl. *Bir* —5D **110**
Erskine Rd. *S Shi* —5F **61**
Erskine Way. *S Shi* —5F **61**
Escallond Dri. *Dal D* —5F **139**
Escombe Ter. *Newc T* —4C **68**
(off St Peter's Rd.)
Esdale. *Sund* —3E **131**
Esher Ct. *Newc T* —6G **39**
Esher Gdns. *Bly* —4B **16**
Esher Pl. *Cra* —3F **19**
Eshmere Cres. *Newc T* —4A **52**
Eshott Clo. *Gos* —1C **54**
Eshott Clo. *W Den* —6E **53**
Eshott Ct. *Newc T* —6E **53**
Esk Av. *Gt Lum* —4H **133**
Esk Ct. *Sund* —3H **129**
Eskdale. *Bir* —6E **111**
Eskdale. *Hou S* —1E **127**
Eskdale Av. *Bly* —5G **9**
Eskdale Av. *W'snd* —2A **58**
Eskdale Clo. *Dur* —3C **154**
Eskdale Clo. *S'hm* —4F **139**
Eskdale Ct. *S Shi* —3E **73**
Eskdale Dri. *Jar* —6H **71**
Eskdale Gdns. *Gate* —2A **96**
Eskdale Rd. *Sund* —5F **89**
Eskdale St. *Hett H* —3B **146**
Eskdale St. *S Shi* —4E **73**
Eskdale Ter. *Newc T* —1G **67**
Eskdale Ter. *N Shi* —1E **47**
Eskdale Wlk. *Pet* —1E **163**
Esk St. *Gate* —4B **82**
Esk Ter. *Bir* —2C **110**
Eslington Ct. *Gate* —3D **80**
Eslington Rd. *Newc T* —2G **67**
Eslington Ter. *Newc T* —1G **67**
Esmeralda Gdns. *Seg* —2G **31**
Esplanade. *Whit B* —6D **34**
Esplanade Av. *Whit B* —6D **34**
Esplanade Pl. *Whit B* —6D **34**
Esplanade, The. *Sund* —2D **116**
Esplanade W. *Sund* —2D **116**
Espley Clo. *Newc T* —5G **43**
Espley Ct. *Faw* —6A **40**
Essen Way. *Sund* —4B **116**
Essex Clo. *Newc T* —6D **66**
Essex Cres. *S'hm* —4F **139**
Essex Dri. *Wash* —3B **98**
Essex Gdns. *Gate* —4H **81**
Essex Gdns. *S Shi* —2C **74**
Essex Gdns. *W'snd* —4C **58**
Essex Gro. *Sund* —1A **130**
Essex Pl. *Pet* —5C **160**
Essex St. *Hett H* —1B **146**
Essington Way. *Pet* —4C **160**
Estate Houses. *B'mr* —5C **86**
Esther Campbell Ct. *Newc T*
—2E **67** (1A **4**)
Esther Sq. *Wash* —3C **112**
Esthwaite Av. *Ches S* —2B **132**
Eston Ct. *Bly* —5H **9**
Eston Ct. *W'snd* —2F **57**
Eston Gro. *Sund* —2C **102**
Estuary Way. *Sund* —6D **100**
Etal Av. *N Shi* —3H **59**

Etal Av. *Whit B* —1D **46**
Etal Clo. *Shir* —2D **44**
Etal Ct. *N Shi* —1C **60**
Etal Cres. *Jar* —5A **72**
Etal Cres. *Shir* —2D **44**
Etal La. *Newc T* —4E **53**
Etal Pl. *Newc T* —6C **40**
Etal Rd. *Bly* —4H **15**
Etal Way. *Newc T* —3F **53**
Ethel Av. *Bla T* —1A **78**
Ethel Av. *Sund* —3G **131**
Ethel St. *Dud* —5A **30**
Ethel St. *Newc T* —5H **65**
Ethel Ter. *H Spen* —2A **90**
Ethel Ter. *S Shi* —4D **72**
Ethel Ter. *Sund* —4D **100**
Etherley Clo. *Dur* —6D **142**
Etherley Rd. *Newc T* —2D **68**
Etherstone Av. *Newc T* —5C **56**
Eton Clo. *Cra* —5C **14**
Eton Sq. *Heb* —3D **70**
Ettrick Clo. *Newc T* —1C **42**
Ettrick Gdns. *Gate* —3B **82**
Ettrick Gdns. *Sund* —3H **115**
Ettrick Gro. *Sund* —3H **115**
Ettrick Rd. *Jar* —4E **71**
Ettrick Ter. N. *S'ley* —6F **121**
Ettrick Ter. S. *S'ley* —6F **121**
European Way. *Sund* —6F **101**
Euryalus Ct. *S Shi* —6H **61**
Eustace Av. *N Shi* —2A **60**
Euston Ct. *Sund* —1A **102**
Evanlade. *Gate* —5H **83**
Eva St. *Newc T* —3A **64**
Evelyn St. *Sund* —2B **116**
Evelyn Ter. *Bla T* —6A **64**
Evelyn Ter. *S'ley* —3C **120**
Evelyn Ter. *Sund* —3F **131**
Evenwood Gdns. *Gate* —6B **82**
Everall Gth. *Kil* —1C **42**
Everard St. *H'fd* —4B **14**
Everest Gro. *W Bol* —4D **86**
Everest Sq. *Sund* —1A **102**
Ever Ready Ind. Est. *Tan L* —5C **106**
Eversleigh Pl. *Newc T* —5E **51**
Eversley Cres. *Sund* —2A **102**
(in three parts)
Eversley Pl. *Newc T* —2B **68**
Eversley Pl. *W'snd* —4D **58**
Everton Dri. *S'hm* —4F **139**
Everton La. *Sund* —2A **102**
Evesham. *Sund* —1C **114**
Evesham Av. *Whit B* —5B **34**
Evesham Clo. *Bol C* —2B **86**
Evesham Gth. *Newc T* —4A **54**
Evesham Pl. *Cra* —2F **19**
Evesham Rd. *S'hm* —4F **139**
Eve St. *Pet* —1H **163**
Evistones Gdns. *Newc T* —6E **69**
Evistones Rd. *Gate* —5H **81**
(in three parts)
Ewart Ct. *Newc T* —6C **40**
Ewart Cres. *S Shi* —5A **72**
Ewbank Av. *Newc T* —2A **66**
Ewe Hill Cotts. *Hou S* —2D **134**
Ewe Hill Ter. *Hou S* —2D **134**
Ewe Hill Ter. W. *Hou S* —2D **134**
Ewehurst Cres. *Dip* —6E **105**
Ewehurst Gdns. *Dip* —6E **105**
Ewehurst Pde. *Dip* —6E **105**
Ewehurst Rd. *Dip* —6E **105**
Ewen Ct. *N Shi* —5F **45**
Ewesley. *Wash* —1G **125**
Ewesley Clo. *Newc T* —6E **53**
Ewesley Gdns. *Wide* —5D **28**
Ewesley Rd. *Sund* —2H **115**

Ewing Pl. *Sund* —2A **116**
Ewing Rd. *Sund* —2B **116**
Exchange Bldgs. *Whit B* —6D **34**
Exelby Clo. *Newc T* —5F **41**
Exell Ri. *Pel* —2G **83**
Exeter Av. *S'hm* —4H **139**
(in two parts)
Exeter Clo. *Cra* —3G **19**
Exeter Clo. *Gt Lum* —5G **133**
Exeter Ct. *Heb* —4B **70**
Exeter Rd. *N Shi* —4G **45**
Exeter Rd. *W'snd* —2G **57**
Exeter St. *Gate* —2G **81**
Exeter St. *Newc T* —5G **69**
Exeter St. *Sund* —6H **101**
Exeter Way. *Jar* —1F **85**
Exmouth Clo. *S'hm* —5G **139**
Exmouth Rd. *N Shi* —2G **59**
Exmouth Sq. *Sund* —2A **102**
Exmouth St. *Sund* —2A **102**
Extension Rd. *Sund* —1F **117**
Eyemouth Ct. *S Shi* —4C **72**
Eyemouth La. *Sund* —2A **102**
Eyemouth Rd. *N Shi* —2G **59**
Eyre St. *S'ley* —4B **120**

Faber Rd. *Sund* —2A **102**
Factory Rd. *Bla T* —5B **64**
Factory, The. *Cas E* —6B **162**
Fairacres. *Hett H* —2D **146**
Fairbairn Rd. *Pet* —5D **160**
Fairburn Av. *Hou S* —3A **136**
Fairburn Av. *Newc T* —3C **56**
Fairclough Ct. *Pet* —2B **162**
Fairdale Av. *Newc T* —3C **56**
Fairfalls Ter. *New B* —1A **156**
Fairfield. *Longb* —1H **55**
Fairfield. *Pelt* —2F **123**
Fairfield. *S'ley* —4F **119**
Fairfield Av. *Bly* —3B **16**
Fairfield Av. *Newc T* —5D **42**
Fairfield Av. *Whi* —6E **79**
Fairfield Clo. *Gate* —2B **80**
Fairfield Dri. *N Shi* —3D **46**
Fairfield Dri. *Sund* —1F **89**
Fairfield Dri. *Whit B* —1G **45**
Fairfield Grn. *Whit B* —1G **45**
Fairfield Ind. Est. *Bill Q* —1G **83**
Fairfield Rd. *Newc T* —6F **55**
Fairfields. *Ryton* —4B **62**
Fairfield Ter. *Gate* —2G **83**
Fair Grn. *Whit B* —1G **45**
Fairgreen Clo. *Sund* —4H **129**
Fairhaven. *Spri* —3F **97**
Fairhaven Av. *Newc T* —3G **69**
Fairhill Clo. *Newc T* —3C **56**
Fairhills Av. *Dip* —2C **118**
Fairholme Av. *S Shi* —3H **73**
Fairholme Rd. *Sund* —4C **116**
Fairholm Rd. *Newc T* —4A **66**
Fairisle. *Ous* —6A **110**
Fairlands E. *Sund* —3D **102**
Fairlands W. *Sund* —3D **102**
Fairlawn Gdns. *Sund* —3G **115**
Fairless Gdns. *Newc T* —6C **66**
(off Brunel Ter.)
Fairless Gdns. *Newc T* —3D **68**
(off Grace St.)
Fairles St. *S Shi* —3F **61**
Fairmead Way. *Sund* —2C **114**
Fairmile Dri. *Sund* —4A **130**
Fairmont Way. *Newc T* —3C **56**
Fairney Clo. *Pon* —5F **25**
Fairney Edge. *Pon* —5F **25**
Fairnley Wlk. *Newc T* —5E **53**

Fairport Ter. *Pet* —2F **161**
Fairspring. *Newc T* —5E **53**
Fair Vw. *Burn* —1E **105**
Fair Vw. *W Rai* —3D **144**
Fairview Av. *S Shi* —2H **73**
Fairview Grn. *Newc T* —3C **56**
Fairview Ter. *S'ley* —6E **119**
Fairville Clo. *Cra* —5B **14**
Fairville Cres. *Newc T* —3C **56**
Fairway. *Bla T* —5G **63**
Fairway. *Whit B* —1A **46**
Fairway Clo. *Newc T* —5D **40**
Fairways. *Sund* —2B **130**
Fairways. *Whit B* —6G **33**
Fairways Av. *Newc T* —3C **56**
Fairways, The. *S Moor* —6C **120**
Fairways, The. *W Pel* —3C **122**
Fairway, The. *Newc T* —5D **40**
Fairway, The. *Wash* —2A **98**
Fairy St. *Hett H* —1C **146**
Falconars Ct. *Newc T* —4F **67**
Falconar St. *Newc T* —3G **67**
Falconers Ct. *Newc T* —5C **4**
Falconer St. *Newc T* —3F **5**
Falcon Pl. *Newc T* —6A **42**
Falcon Way. *S Shi* —5D **72**
Faldonside. *Newc T* —5D **56**
Falkirk. *Newc T* —1D **42**
Falkland Av. *Heb* —3C **70**
Falkland Av. *Newc T* —4B **54**
Falkland Rd. *Sund* —1G **115**
Falla Pk. Cres. *Gate* —3C **82**
Falla Pk. Rd. *Gate* —3C **82**
Falloden Av. *Newc T* —5B **40**
Fallodon Gdns. *Newc T* —5H **53**
Fallodon Rd. *N Shi* —2H **59**
Fallowfeld. *Gate* —5G **83**
(in two parts)
Fallowfield Av. *Newc T* —1B **54**
Fallowfield Ter. *S Het* —6A **148**
Fallowfield Way. *Wash* —5C **112**
Fallow Pk. Av. *Bly* —1A **16**
Fallow Rd. *S Shi* —3D **74**
Fallsway. *Dur* —2B **154**
Falmouth Clo. *Dal D* —5G **139**
Falmouth Dri. *Jar* —4H **71**
Falmouth Rd. *Newc T* —2B **68**
Falmouth Rd. *N Shi* —4H **45**
Falmouth Rd. *Sund* —6G **101**
Falmouth Sq. *Sund* —1G **115**
Falmouth Wlk. *Cra* —1A **20**
Falsgrave Pl. *Whi* —6D **78**
Falstaff Rd. *N Shi* —1H **59**
Falston Clo. *Newc T* —5G **43**
Falstone. *Gate* —6F **83**
Falstone. *Wash* —5C **112**
Falstone Av. *Newc T* —1C **64**
Falstone Av. *S Shi* —3A **74**
Falstone Dri. *Ches S* —2A **132**
Falstone Sq. *Newc T* —1C **54**
Falston Rd. *Bly* —2A **16**
Fancett Ga. *S Well* —6F **33**
Faraday Clo. *Wash* —2F **113**
Faraday Gro. *Gate* —4F **81**
Faraday Gro. *Sund* —1G **115**
Faraday Rd. *N East* —4E **161**
Faraday St. *Mur* —2C **148**
Farding Lake Ct. *S Shi* —3C **74**
Farding Sq. *S Shi* —3D **74**
Fareham Gro. *Bol C* —3H **85**
Fareham Way. *Cra* —2B **20**
Farewell Hall. —4B **158**
Farewell Vw. *Lang M* —3G **157**
Farlam Av. *N Shi* —4C **46**
Farlam Rd. *Newc T* —1F **65**
Farleigh Ct. *N Shi* —5F **45**

Farm Clo. *Sun* —3F **93**
Farm Clo. *Wash* —4H **97**
Farmer Cres. *Mur* —2B **148**
Farm Hill Rd. *Sund* —1A **88**
Farm Rd. *Hou* —4D **158**
Farm St. *Sund* —4B **102**
Farm Wlk. *Sund* —4A **130**
Farnborough Clo. *Cra* —1B **20**
Farnborough Dri. *Sund* —1B **130**
Farn Ct. *Newc T* —5H **39**
Farndale. *W'snd* —2F **57**
Farndale Av. *Sund* —5F **89**
Farndale Clo. *Bla T* —3F **77**
Farndale Clo. *Din* —4F **27**
Farndale Ct. *Bly* —3B **16**
Farndale Rd. *Newc T* —4A **66**
Farne Av. *Newc T* —6C **40**
Farne Av. *S Shi* —2B **74**
Farne Rd. *Newc T* —5E **43**
Farne Rd. *Shir* —2D **44**
Farne Sq. *Sund* —6F **101**
Farne Ter. *Newc T* —3E **69**
Farnham Clo. *Dur* —2C **152**
Farnham Clo. *Newc T* —3B **64**
Farnham Gro. *Bly* —3B **16**
Farnham Lodge. *Newc T* —6B **42**
Farnham Rd. *Dur* —2C **152**
Farnham Rd. *N Shi* —3H **59**
Farnham Rd. *S Shi* —3E **73**
Farnham St. *Newc T* —3B **64**
Farnham Ter. *Sund* —2H **115**
Farnley Hey Rd. *Dur* —6A **152**
Farnley Mt. *Dur* —6A **152**
Farnley Ridge. *Dur* —6A **152**
Farnley Rd. *Newc T* —6C **56**
Farnon Rd. *Newc T* —2C **54**
Farquhar St. *Newc T* —1H **67**
Farrfeld. *Gate* —1F **97**
Farringdon. —2F **129**
Farringdon Av. *Sund* —1E **129**
Farringdon Rd. *N Shi* —3C **46**
Farringdon Row. *Sund* —5C **102**
Farrington's Ct. *Newc T*
                        —4F **67** (5D **4**)
Farrow Dri. *Sund* —2E **89**
Farthings, The. *Wash* —3H **97**
Fatfield. —6B **112**
Fatfield Pk. *Wash* —5B **112**
Fatfield Rd. *Wash* —3C **112**
Fatherly Ter. *Hou S* —3F **135**
Faversham Ct. *Newc T* —6H **39**
Faversham Pl. *Cra* —1B **20**
Fawcett St. *Sund* —6D **102**
(in two parts)
Fawcett Ter. *Ryh* —3G **131**
Fawcett Way. *S Shi* —4E **61**
Fawdon. —1B **54**
Fawdon Clo. *Newc T* —5B **40**
Fawdon Ho. *Newc T* —5B **40**
Fawdon La. *Newc T* —6B **40**
Fawdon Pk. Cen. *Newc T* —1B **54**
Fawdon Pk. Ho. *Newc T* —1B **54**
(off Fawdon Pk. Rd.)
Fawdon Pk. Rd. *Newc T* —6A **40**
Fawdon Pl. *N Shi* —1G **59**
Fawdon Wlk. *Newc T* —6H **39**
Fawlee Grn. *Newc T* —3G **53**
Fawley Clo. *Bol C* —2A **86**
Fawn Rd. *Sund* —1E **115**
Fearon Wlk. *Dur* —6D **152**
Featherbed La. *Ryh* —3G **131**
Featherstone. *Gt Lum* —3H **133**
Featherstone. *Wash* —2F **111**
Featherstone Gro. *Jar* —6E **71**
Featherstone Rd. *Dur* —2D **152**

Featherstone St. *Sund* —3F **103**
Featherstone Vs. *Sund* —3F **103**
Federation Sq. *Mur* —3C **148**
Federation Ter. *Tant* —5H **105**
Federation Way. *Dun* —2A **80**
Fee Ter. *Sund* —3E **131**
Feetham Av. *Newc T* —5F **43**
Feetham Ct. *Newc T* —4G **43**
Felixstowe Dri. *Newc T* —4C **56**
Fell Bank. *Bir* —3C **110**
Fell Clo. *Bir* —4E **111**
Fell Clo. *Sun* —3F **93**
Fell Clo. *Wash* —6H **97**
Fell Cotts. Gate —4F **97**
  (off Fell Rd.)
Fell Ct. *Gate* —6B **82**
Fellcross. *Bir* —2C **110**
Felldyke. *Gate* —6E **83**
Fellgate. —2F 85
Fellgate Av. *Jar* —2G **85**
Fellgate Gdns. *Gate* —3A **84**
Felling. —2D 82
Felling By-Pass. *Gate* —1C **82**
Felling Dene Gdns. *Gate* —2E **83**
  (in two parts)
Felling Ga. *Gate* —2C **82**
Felling Ho. Gdns. *Gate* —2D **82**
Felling Ind. Est. *Gate* —1D **82**
Felling Shore Ind. Est. *Gate* —6D **68**
Felling Vw. *Newc T* —6F **69**
Fellmere Av. *Gate* —3G **83**
Fell Pl. *Gate* —4F **97**
Fell Rd. *Gate* —4F **97**
Fell Rd. *Pelt F* —6G **123**
Fell Rd. *Gate* —6F **101**
Fellrose Ct. *Pelt F* —5G **123**
Fellsdyke Ct. *Gate* —5C **82**
Fellside. —3C 92
Fellside. *Bir* —4D **110**
Fellside. *Pon* —3B **36**
Fellside. *S Shi* —4B **74**
Fellside Av. *Sun* —2F **93**
Fellside Clo. *Pon* —4B **36**
Fellside Clo. *S'ley* —2F **121**
Fellside Ct. *Wash* —1H **111**
Fellside Ct. *Whi* —4E **79**
Fellside Gdns. *Dur* —3A **154**
Fellside Park. —5D 78
Fellside Rd. *Burn* —6A **92**
Fellside Rd. *Whi* —5D **78**
Fell Side, The. *Newc T* —3B **54**
Fell Sq. *Sund* —6E **101**
Fells Rd. *Gate* —4F **81**
Fells, The. *Gate* —5A **82**
Fell Ter. *Burn* —1H **105**
Fell Vw. *H Spen* —2A **90**
Fell Vw. *S'ley* —4C **120**
Fell Way, The. *Newc T* —6B **52**
Felsham Sq. *Sund* —1G **115**
Felstead Cres. *Sund* —6F **101**
Felstead Pl. *Bly* —3B **16**
Felstead Sq. *Sund* —1F **115**
Felthorpe Ct. *Newc T* —3F **53**
Felton Av. *Newc T* —1C **54**
Felton Av. *S Shi* —3A **74**
Felton Av. *Whit B* —1D **46**
Felton Clo. *Shir* —2D **44**
Felton Cres. *Gate* —4G **81**
Felton Dri. *Newc T* —4F **43**
Felton Grn. *Newc T* —3C **68**
Felton Ter. N Shi —5F **47**
  (off Hotspur St.)
Felton Wlk. *Newc T* —3C **68**
Femwick Wlk. Gate —1F **81**
  (off St Cuthbert's Rd.)
Fence Houses. —2E 135

Fencer Ct. *Newc T* —5E **41**
Fencer Hill Pk. *Newc T* —5E **41**
Fence Rd. *Ches S* —3C **126**
Fenham. —1H 65
Fenham Chase. *Newc T* —1H **65**
Fenham Ct. *Newc T* —1A **66**
Fenham Hall Dri. *Fenh* —1H **65**
Fenham Rd. *Newc T* —3C **66**
  (in two parts)
Fenkle St. *Newc T* —4F **67** (5B **4**)
Fennel. *Gate* —1C **96**
Fennel Gro. *S Shi* —6G **73**
Fenning Pl. *Newc T* —5C **68**
Fenside Rd. *Sund* —1H **131**
Fenton Clo. *Ches S* —1A **132**
Fenton Sq. *Sund* —1F **115**
Fenton Ter. *Hou S* —3H **127**
Fenton Wlk. *Newc T* —5E **53**
Fenton Well La. *Gt Lum* —4E **133**
Fenwick Av. *Bly* —2B **16**
Fenwick Av. *S Shi* —4C **72**
Fenwick Clo. *Ches S* —2A **132**
Fenwick Clo. *Hou S* —2F **127**
Fenwick Clo. *Newc T* —6H **55**
Fenwick Row. *S'hm* —5C **140**
Fenwick St. *Bol C* —2A **86**
Fenwick St. *Hou S* —1F **127**
Fenwick Ter. *Dur* —1H **157**
Fenwick Ter. *Newc T* —6H **55**
Ferens Clo. *Dur* —4D **152**
Ferens Pk. *Dur* —4D **152**
Ferguson Cres. *Haz* —1C **40**
Ferguson's La. *Newc T* —3E **65**
Ferguson St. *Sund* —1F **117**
Fern Av. *Cra* —5B **14**
Fern Av. *Faw* —6B **40**
Fern Av. *Jes* —6G **55**
Fern Av. *N Shi* —1B **60**
Fern Av. *S'ley* —4B **120**
Fern Av. *Sund* —3A **102**
Fern Av. *Whit* —1F **89**
Fern Av. *Whit B* —6D **34**
Fernbank. *Sea S* —3F **23**
Fern Cres. *S'hm* —6A **140**
Ferndale. *Dur* —4B **154**
Ferndale Av. *E Bol* —4F **87**
Ferndale Av. *Newc T* —4F **41**
Ferndale Av. *W'snd* —5A **58**
Ferndale Clo. *Bly* —5G **9**
Ferndale Gro. *E Bol* —4F **87**
Ferndale La. *E Bol* —4F **87**
Ferndale Rd. *Hou S* —1E **127**
Ferndale Ter. *Gate* —4F **97**
Ferndale Ter. *Sund* —5G **101**
Fern Dene. *W'snd* —3C **58**
Ferndene Av. *Pelt F* —6G **123**
Ferndene Ct. *Newc T* —4F **55**
Ferndene Cres. *Sund* —1H **115**
Ferndene Gro. *Newc T* —4B **56**
Ferndene Gro. *Ryton* —3D **62**
Fern Dene Rd. *Gate* —3G **81**
Ferndown Ct. *Gate* —4H **83**
Ferndown Ct. *Ryton* —5D **62**
Fern Dri. *Dud* —3A **30**
Fern Dri. *Sund* —2H **87**
Fern Gdns. *Gate* —5H **81**
Ferngrove. *Jar* —3G **85**
Fernhill Av. *Whi* —4E **79**
Fernlea. *Dud* —3B **30**
Fernlea Clo. *Wash* —5C **112**
Fernlea Gdns. *Ryton* —5A **62**
Fernlea Grn. *Newc T* —2B **54**
Fernleigh. *Gt Lum* —4G **133**
Fernley Vs. *Cra* —3C **20**
Fernlough. *Gate* —6C **82**
Fern St. *Sund* —6B **102**

Fernsway. *Sund* —4B **116**
Fern Ter. *Tant* —6F **105**
Fernville Av. *Sun* —3F **93**
Fernville Rd. *Newc T* —4D **54**
Fernville St. *Sund* —2B **116**
Fernwood Av. *Newc T* —1F **55**
Fernwood Clo. *Sund* —4A **130**
Fernwood Rd. *Jes* —1G **67**
Fernwood Rd. *Lem* —3B **64**
Ferrand Dri. *Hou S* —3H **135**
Ferriby Clo. *Newc T* —5F **41**
Ferrisdale Way. *Newc T* —6B **40**
Ferry App. *S Shi* —4D **60**
Ferryboat La. *Sund* —2B **100**
Ferrydene Av. *Newc T* —3B **54**
Ferry St. *Jar* —1F **71**
Ferry St. *S Shi* —4D **60**
Festival Cotts. *Camp* —6B **30**
Festival Park. —4D 80
Festival Pk. Dri. *Gate* —4D **80**
Festival Way. *Gate* —2C **80**
Fetcham Ct. *Newc T* —6G **39**
Fewster Sq. *Gate* —5G **83**
Field Clo. *Newc T* —3H **67** (3H **5**)
Fieldfare Clo. *Wash* —4F **111**
Field Fare Ct. *Burn* —2A **106**
Field Ho. *S Shi* —1H **73**
Fieldhouse Clo. *Hep* —1A **6**
Fieldhouse La. *Dur* —4A **152**
Fieldhouse La. *Hep* —1A **6**
Field Ho. Rd. *Gate* —4G **81**
Fieldhouse Ter. *Dur* —4B **152**
Fielding Ct. *Newc T* —3E **53**
Fielding Ct. *S Shi* —6C **72**
Fielding Pl. *Gate* —3B **82**
Field La. *Gate* —3F **83**
Fieldside. *E Rai* —2G **145**
Fieldside. *Pelt* —2G **123**
Fieldside. *Sund* —2E **89**
Field Sq. *Sund* —1F **115**
Field St. *Gate* —2D **82**
Field St. *Newc T* —2G **55**
Field Ter. *Jar* —4F **71**
Field Ter. *Newc T* —5D **50**
Field Vw. *Dur* —4D **150**
Fieldway. *Jar* —2G **85**
Fife Av. *Ches S* —6B **124**
Fife Av. *Jar* —6A **72**
Fife St. *Gate* —2A **82**
Fife St. *Mur* —3D **148**
Fifteenth Av. *Bly* —1B **16**
Fifth Av. *Bly* —1B **16**
Fifth Av. *Ches S* —6B **124**
Fifth Av. *Newc T* —2C **68**
Fifth Av. *Team T* —6E **81**
  (in two parts)
Fifth Av. Bus. Pk. *Team T* —1F **95**
Fifth Av. E. *Team T* —6F **81**
Fifth St. *Pet* —6G **161**
  (in two parts)
Filby Dri. *Dur* —2B **154**
Filey Clo. *Cra* —1B **20**
Filton Clo. *Cra* —1B **20**
Finchale. *Wash* —4A **112**
Finchale Av. *Bras* —5E **143**
Finchale Clo. *Gate* —5B **80**
Finchale Clo. *Hou S* —3H **135**
Finchale Clo. *Sund* —2E **117**
Finchale Ct. *W Rai* —3D **144**
Finchale Gdns. *Gate* —3C **96**
Finchale Gdns. *Newc T* —4D **50**
Finchale Priory. —2H **143**
Finchale Rd. *Dur* —2B **152**
  (nr. Front St.)
Finchale Rd. *Dur* —5D **142**
  (nr. Pit La.)

Finchale Rd. *Heb* —1C **84**
Finchale Ter. *Hou S* —2C **134**
Finchale Ter. *Jar* —5H **71**
Finchale Ter. *Newc T* —4C **68**
Finchale Vw. *Dur* —5B **142**
Finchale Vw. *W Rai* —3C **144**
Finchdale Clo. *N Shi* —3B **60**
Finchdale Ter. *Ches S* —6C **124**
Finchley Ct. *Newc T* —1G **69**
Finchley Cres. *Newc T* —1G **69**
Findon Gro. *N Shi* —3B **60**
  (in two parts)
Fines Pk. *S'ley* —5G **119**
Finney Ter. *Dur* —5D **152**
Finsbury Av. *Newc T* —3E **69**
Finsbury St. *Sund* —4C **102**
Finsmere Pl. *Newc T* —6F **53**
Finstock Ct. *Newc T* —3H **55**
Fir Av. *B'don* —6D **156**
Fir Av. *Dur* —6G **153**
Firbank Av. *N Shi* —3D **46**
Firbanks. *Jar* —2H **85**
Fire Sta. Cotts. *Sund* —1D **102**
Firfield Rd. *Newc T* —5G **53**
Fir Gro. *S Shi* —4H **73**
Fir Pk. *Ush M* —5D **150**
First Av. *Bly* —1B **16**
First Av. *Ches S* —1B **124**
First Av. *Newc T* —2C **68**
First Av. *Team* —5E **81**
First Av. *Tyn T* —3F **59**
Firs, The. *Newc T* —3D **54**
Fir St. *Jar* —2E **71**
Fir St. *Team* —6E **81**
First St. *Gate* —2F **81**
First St. *Pet* —6G **161**
Fir Ter. *Burn* —1H **105**
Firth Sq. *Sund* —6F **101**
Firtree Av. *For H* —4D **42**
Firtree Av. *Walkv* —6G **57**
Firtree Av. *Wash* —6H **111**
Fir Tree Clo. *Dur* —3G **153**
Fir Tree Copse. *Hep* —1A **6**
Firtree Cres. *Newc T* —4C **42**
Firtree Gdns. *Whit B* —2B **46**
Firtree Rd. *Whi* —5E **79**
Firtrees. *Ches S* —4B **124**
Firtrees. *Gate* —6E **83**
Firtrees Av. *W'snd* —4F **59**
Firwood Cres. *H Spen* —2A **90**
Firwood Gdns. *Gate* —6D **80**
Fisher Ind. Est. *Newc T*
  —3H **69**
Fisher La. *Sea B* —1D **28**
Fisher Rd. *Back* —6H **31**
Fisher St. *Newc T* —2H **69**
Fisherwell Rd. *Gate* —1G **83**
Fish Quay. *N Shi* —2E **61**
Fitzpatrick Pl. *S Shi* —5G **61**
Fitzroy Ter. *Sund* —3H **101**
Fitzsimmons Av. *W'snd* —4H **57**
Flag Chare. *Newc T* —5G **5**
Flagg Ct. *S Shi* —4F **61**
Flagg Ct. Ho. *S Shi* —4F **61**
Flake Cotts. *Ches S* —5D **124**
Flambard Rd. *Dur* —2B **152**
Flass Av. *Ush M* —5B **150**
Flassburn Rd. *Dur* —4A **152**
Flass St. *Dur* —5B **152**
Flass Ter. *Ush M* —5B **150**
Flaunden Clo. *S Shi* —4B **74**
Flaxby Clo. *Newc T* —5F **41**
Flax Cotts. *Sco G* —1G **7**
Flax Sq. *Sund* —6E **101**
Fleetham Clo. *Ches S* —2A **132**
Fleet St. *Sund* —1F **117**

Fleming Bus. Cen., The. *Newc T*
  —1F **67**
Fleming Ct. *Gate* —1E **81**
Fleming Gdns. *Gate* —4C **82**
Fleming Pl. *Pet* —1D **162**
Fletcher Cres. *Hou S* —3A **128**
Fletcher Ter. *Hou S* —5H **127**
Flexbury Gdns. *Fel* —3C **82**
Flexbury Gdns. *Har G* —3A **96**
Flexbury Gdns. *Newc T* —2C **64**
Flight, The. *Winl* —2G **77**
Flint Hill. —6E 105
Flint Hill Bank. *Dip* —6E **105**
Flock Sq. *Sund* —6F **101**
Flodden. *Newc T* —1D **42**
Flodden Clo. *Ches S* —2A **132**
Flodden Rd. *Sund* —1F **115**
Flodden St. *Newc T* —4D **68**
Floral Dene. *Sund* —1C **114**
Floralia Av. *Sund* —3G **131**
Flora St. *Newc T* —3B **68**
Florence Av. *Gate* —5A **82**
Florence Cres. *Sund* —3H **101**
Florence St. *Bla T* —2H **77**
Florence Ter. *Hett H* —3C **146**
Florida St. *Sund* —6H **101**
Flotterton Gdns. *Newc T* —2G **65**
Flour Mill Rd. *Dun* —1B **80**
Flying Ho. *Sund* —4H **129**
Folds Clo. *New B* —2A **156**
Folds, The. *Chil M* —3F **135**
Fold, The. *Burn* —6G **91**
Fold, The. *Newc T* —1G **69**
Fold, The. *Whit B* —6A **34**
Folldon Av. *Sund* —2D **102**
Follingsby. —6B 84
Follingsby Av. *Gate* —6B **84**
Follingsby Clo. *Gate* —5B **84**
Follingsby Dri. *Gate* —4A **84**
Follingsby La. *Gate* —6A **84**
Follonsby La. *W Bol* —1H **99**
Follonsby Ter. *Gate* —4C **84**
Follonsby Ter. *W Bol* —4E **87**
Folly Cotts. *G'side* —2B **76**
Folly La. *W'sde* —1A **76**
Folly Ter. *Dur* —6A **142**
Folly, The. —1C 76
Folly, The. *W Bol* —4C **86**
Folly Yd. *G'sde* —1C **76**
Fondlyset La. *Dip* —2D **118**
Fontburn Ct. *Sund* —1H **101**
Fontburn Pl. *Newc T* —2A **56**
Fontburn Rd. *Bed* —4C **8**
Fontburn Rd. *Sea D* —6B **22**
Fontburn Ter. *N Shi* —1D **60**
Fonteyn Pl. *Cra* —5B **14**
Fonteyn Pl. *S'ley* —4F **121**
Fontwell Dri. *Gate* —4F **81**
Forbeck Rd. *Sund* —1F **115**
Forber Av. *S Shi* —3B **74**
Forbes Ter. *Sund* —3E **131**
Ford Av. *N Shi* —3H **59**
Ford Av. *Sund* —1C **114**
Ford Cres. *Jar* —6F **71**
Ford Cres. *Shir* —2C **44**
Ford Cres. *Sund* —1C **114**
Ford Dri. *Bly* —6A **10**
Fordenbridge Cres. *Sund* —1F **115**
Fordenbridge Rd. *Sund* —1F **115**
Fordenbridge Sq. *Sund* —1G **115**
Ford Estate. —1G 115
Fordfield Rd. *Sund* —1E **115**
Ford Gro. *Newc T* —6D **40**
Fordhall Dri. *Sund* —1G **115**
Fordham Rd. *Dur* —1C **152**
Fordham Rd. *Sund* —6F **101**

Fordham Sq. *Sund* —1G **115**
Fordland Pl. *Sund* —1H **115**
Fordley. —3B 30
Fordmoss Wlk. *Newc T* —5E **53**
Ford Oval. *Sund* —6D **100**
Ford Rd. *Dur* —6D **142**
Ford St. *Gate* —2B **82**
Ford St. *Newc T* —4A **68**
Ford Ter. *Sund* —1H **115**
Ford Ter. *W'snd* —5D **58**
Ford Vw. *Dud* —2A **30**
Forest Av. *Newc T* —5E **43**
Forestborn Ct. *Newc T* —5D **52**
Forest Dri. *Wash* —1F **125**
Forest Hall. —5D 42
Forest Hall Rd. *Newc T* —5E **43**
Forest Pl. *Shir* —2C **44**
Fore St. *Newc T* —1A **68**
Forest Rd. *Newc T* —5G **65**
Forest Rd. *S Shi* —5E **61**
Forest Rd. *Sund* —6F **101**
Forest Vw. *B'don* —6B **156**
Forest Way. *Seg* —2F **31**
Forfar St. *Sund* —3D **102**
Forge La. *Ches S* —2H **133**
Forge Rd. *Gate* —3C **80**
Forge Wlk. *Newc T* —6F **51**
Forres St. *S'ley* —3F **121**
Forres Pl. *Cra* —1B **20**
Forrest Rd. *W'snd* —6G **57**
Forster Av. *Bed* —4G **7**
Forster Av. *Mur* —4E **149**
Forster Av. *Sher* —5D **154**
Forster Av. *S Shi* —2G **73**
Forster Cres. *S Het* —6B **148**
Forster St. *Bly* —6D **10**
Forster St. *Newc T* —4H **67** (5G **5**)
Forster St. *Sund* —3E **103**
Forsyth Rd. *Newc T* —6F **55**
Forsyth St. *N Shi* —4F **45**
Forth Banks. *Newc T* —5F **67**
Forth Clo. *Pet* —2D **162**
Forth Ct. *S Shi* —4E **73**
Forth Ct. *Sund* —3H **129**
Forth La. *Newc T* —5F **67**
  (in two parts)
Forth Pl. *Newc T* —5E **67** (6B **4**)
Forth St. *Newc T* —5E **67** (6C **4**)
Fortrose Av. *Sund* —4A **116**
Fort Sq. *S Shi* —3E **61**
Fort St. *S Shi* —3F **61**
Forum Ct. *Bed* —4H **7**
Forum, The. *Newc T* —2D **64**
Forum, The. *W'snd* —6H **57**
Forum Way. *Cra* —3H **19**
Fossdyke. *Gate* —6F **83**
Fossefeld. *Gate* —4G **83**
Fosse Law. *Newc T* —6E **51**
Fosse Ter. *Gate* —5A **82**
Fossway. *Newc T* —2D **68**
Foss Way. *S Shi* —4D **72**
Foster Ct. *Team T* —2E **95**
Foster Memorial Homes. *Bly* —6B **10**
Foster St. *Walk* —3H **69**
  (in two parts)
Foundry Ct. *Newc T* —5C **68**
Foundry La. *Newc T* —3A **68**
Foundry La. *Swa* —2E **79**
Foundry Rd. *S'hm* —4C **140**
Fountain Clo. *Bed* —4H **7**
Fountain Gro. *S Shi* —1H **73**
Fountain Head Bank. *Sea S* —3G **23**
Fountain La. *Bla T* —6A **64**
  (in two parts)
Fountain Row. *Newc T* —2D **66**
Fountains Clo. *Gate* —5B **80**

Fountains Clo. *Wash* —3B **112**
Fountains Cres. *Heb* —6C **70**
Fountains Cres. *Hou S* —1G **135**
Fouracres Rd. *Newc T* —5A **54**
Four La. Ends. *Hett H* —3D **146**
Fourstones. *Newc T* —5E **53**
Fourstones Clo. *Newc T* —2H **53**
Fourstones Rd. *Sund* —6G **101**
Fourteenth Av. *Bly* —1B **16**
Fourth Av. *Bly* —1B **16**
Fourth Av. *Ches S* —6B **124**
Fourth Av. *Newc T* —2C **68**
Fourth Av. *Team T* —6E **81**
Fourth St. *Gate* —2F **81**
Fourth St. *Pet* —6G **161**
  (in two parts)
Fowberry Cres. *Newc T* —2A **66**
Fowberry Rd. *Newc T* —5D **64**
Fowler Clo. *Phil* —5G **127**
Fowler Gdns. *Gate* —2B **80**
Fowler St. *S Shi* —4E **61**
Fox Av. *S Shi* —5B **72**
Foxcover Ct. *S'hm* —6A **140**
Foxcover La. *Sund* —2D **128**
Foxcover Rd. *Sund* —5B **114**
Fox Covert La. *Pon* —5D **24**
Foxglove Ct. *S Shi* —5D **72**
Foxhills Clo. *Wash* —5C **112**
Foxhills Covert. *Wash* —6C **78**
Foxhills, The. *Whi* —5C **78**
Foxhomes. *Jar* —3H **85**
Fox & Hounds La. *Newc T* —3G **65**
Fox & Hounds Rd. *Newc T* —2G **65**
Foxhunters Rd. *Whit B* —2B **46**
Foxlair Clo. *Sund* —5A **130**
Fox Lea Wlk. *Seg* —2E **31**
Foxley. *Wash* —5C **98**
Foxley Clo. *Newc T* —1F **43**
Foxpit La. *S'ley* —4E **107**
Fox St. *Gate* —2C **82**
Fox St. *S'hm* —5B **140**
Fox St. *Sund* —2B **116**
Foxton Av. *Newc T* —6B **40**
Foxton Av. *N Shi* —2D **46**
Foxton Clo. *N Shi* —4A **60**
Foxton Ct. *Cle* —2A **88**
Foxton Grn. *Newc T* —2A **54**
Foxton Hall. *Wash* —2B **98**
Foxton Way. *Gate* —1H **83**
Foxton Way. *H Shin* —4H **159**
Foyle St. *Sund* —1D **116**
Framlington Ho. *Newc T* —2E **67**
Framlington Pl. *Newc T* —2E **67**
Framwelgate. *Dur* —5C **152**
Framwelgate Peth. *Dur* —4B **152**
Framwelgate Waterside. *Dur*
　　　　　　　　—5C **152**
Framwellgate Moor. —2A 152
Frances St. *Bla T* —1G **77**
Frances St. *New S* —2A **130**
Frances Ville. *Sco G* —1G **7**
Francis St. *Sund* —3D **102**
Francis Way. *Hett H* —1C **146**
Frank Av. *S'hm* —5G **139**
  (in two parts)
Frankham St. *Newc T* —5D **52**
Frankland Dri. *Whit B* —2A **46**
Frankland La. *Dur* —4C **152**
Frankland Mt. *Whit B* —2A **46**
Frankland Rd. *Dur* —2B **152**
Franklin Ct. *Wash* —5B **98**
Franklin St. *S Shi* —5E **61**
Franklin St. *Sund* —4A **102**
Franklyn Av. *Sea S* —2F **23**
Franklyn Rd. *Pet* —6C **160**
Frank Pl. *Bir* —4C **110**

Frank Pl. *N Shi* —1C **60**
Frank St. *Dur* —5G **153**
Frank St. *G'sde* —2A **76**
Frank St. *Sund* —3B **102**
Frank St. *W'snd* —6H **57**
Fraser Clo. *S Shi* —1D **72**
Fraser Fld. *Newc T* —4F **67**
Frater Ter. *W'snd* —5G **59**
Frazer Ter. *Gate* —2G **83**
Freda St. *Sund* —4H **101**
Frederick Gdns. *Hou S* —2E **127**
Frederick Pl. *Hou S* —3A **136**
Frederick Rd. *Sund* —6D **102**
Frederick St. *S'hm* —4B **140**
Frederick St. *S Hyl* —1C **114**
Frederick St. *S Shi* —1E **73**
Frederick St. *Sund* —6D **102**
Frederick St. N. *Mead* —6E **157**
Frederick St. S. *Mead* —6E **157**
Frederick Ter. *Eas L* —4D **146**
Frederick Ter. *S Het* —6H **147**
Frederick Ter. *Sund* —2F **89**
Freehold St. *Bly* —5D **10**
Freeman Rd. *S Gos & H Hea*
　　　　　　　　—3H **55**
Freemans Pl. *Dur* —5C **152**
Freeman Way. *Whit B* —4A **34**
Freesia Gdns. *Sund* —2C **102**
Freesia Grange. *Wash* —4C **112**
Freezemoor Rd. *Hou S* —3H **127**
Freight Village. *Wool* —3C **38**
Fremantle Rd. *S Shi* —4B **74**
Frenchmans Way. *S Shi* —2B **74**
French St. *Bly* —5C **10**
Frensham. *Wash* —3E **113**
Frensham Way. *Mead* —5E **157**
Frenton Clo. *Newc T* —5A **52**
Friarage Av. *Sund* —2D **102**
Friar Rd. *Sund* —1F **115**
Friars. *Newc T* —5C **4**
  (off Low Friar St.)
Friars Dene Rd. *Gate* —1C **82**
Friarsfield Clo. *Sund* —4G **129**
Friars Goose. —6D 68
Friarside Ct. *Row G* —5D **90**
Friarside Gdns. *Burn* —1F **105**
Friarside Gdns. *Whi* —5E **79**
Friarside Rd. *Newc T* —1A **66**
Friar Sq. *Sund* —1F **115**
Friar's Row. *Burn* —2F **105**
Friars Row. *Dur* —4F **153**
Friars St. *Newc T* —4E **67** (5B **4**)
Friars Way. *Newc T* —1G **65**
Friar Way. *Jar* —2G **71**
Friary Gdns. *Gate* —1C **82**
Friday Fields La. *Newc T* —4G **55**
Friendly Bldgs. *Din* —2F **27**
Frobisher Ct. *Sund* —3H **129**
Frobisher St. *Heb* —3D **70**
Frome Gdns. *Gate* —3H **95**
Frome Pl. *Cra* —1B **20**
Frome Sq. *Sund* —1E **115**
Front Rd. *Sund* —6F **101**
Front St. *Ann* —2B **30**
Front St. *Bent* —2C **56**
Front St. *Bly* —6D **8**
Front St. *Bol C* —2A **86**
Front St. *B'pk* —1E **157**
Front St. *Burn* —1E **105**
Front St. *Camp* —6B **30**
Front St. *Ches S* —5C **124**
Front St. *Cle* —2A **88**
Front St. *Col R* —3E **135**
Front St. *Crag* —6G **121**
Front St. *Cra* —3B **20**
  (nr. Church St.)

Front St. *Cra* —4D **20**
  (nr. High Pit Rd.)
Front St. *Cul* —1E **47**
Front St. *Din* —4F **27**
Front St. *Dip* —2C **118**
  (in two parts)
Front St. *Ear* —6E **33**
Front St. *Eas L* —5G **147**
Front St. *E Bol* —4E **87**
Front St. *Fram M & Pity Me* —2A **152**
Front St. *Gt Lum* —4G **133**
Front St. *Hes* —6F **163**
Front St. *Hett H* —1C **146**
  (nr. Houghton Rd.)
Front St. *Hett H* —4A **146**
  (nr. Moorsley Rd.)
Front St. *H Spen* —6A **76**
Front St. *Lang M* —3G **157**
Front St. *L Pit* —1E **155**
Front St. *Monk* —1A **46**
  (in two parts)
Front St. *Nbtle* —6H **127**
Front St. *New D* —6H **153**
  (in two parts)
Front St. *Newf* —4F **123**
Front St. *Pelt* —2F **123**
  (nr. Pelton)
Front St. *Pelt* —1H **123**
  (nr. Perkinsville)
Front St. *Pen* —1G **127**
Front St. *Pre* —5C **46**
Front St. *Seg* —2E **31**
Front St. *S'ley* —3C **120**
  (in two parts)
Front St. *S'ley* —2E **121**
  (nr. Chester Rd.)
Front St. *Tan* —3B **106**
Front St. *Tant* —5H **105**
Front St. *Tyn* —6F **47**
Front St. *Wash* —5B **98**
Front St. *W Kyo* —5F **119**
Front St. *Whi* —4E **79**
Front St. *Whit* —3E **89**
Front St. *Winl* —2H **77**
  (in three parts)
Front St. E. *Bed* —5A **8**
Front St. E. *Pen* —1F **127**
Front St. W. *Bed* —5H **7**
Front St. W. *Pen* —1F **127**
Front Ter. *Hou S* —6H **127**
Frosterley Clo. *Dur* —1D **152**
Frosterley Clo. *Eas L* —5F **147**
Frosterley Clo. *Gt Lum* —4H **133**
Frosterley Gdns. *S'ley* —5F **119**
Frosterley Gdns. *Sund* —5B **116**
Frosterley Pl. *Newc T* —3C **66**
Frosterley Wlk. *Sun* —2F **93**
Froude Av. *S Shi* —6E **73**
Fuchsia Pl. *Newc T* —5H **53**
Fulbrook Clo. *Cra* —5C **14**
Fulbrook Rd. *Newc T* —2B **54**
Fulforth Clo. *Bear* —3C **150**
Fuller Rd. *Sund* —3E **117**
Fullerton Pl. *Gate* —3A **82**
Fulmar Dri. *Bly* —3C **16**
Fulmar Dri. *Wash* —3F **111**
Fulmar Wlk. *Sund* —1F **89**
Fulton Pl. *Newc T* —5G **53**
Fulwell. —1D 102
Fulwell Av. *S Shi* —2B **74**
Fulwell Grn. *Newc T* —6F **53**
Fulwell Rd. *Pet* —1E **163**
Fulwell Rd. *Sund* —1D **102**
Furnace Bank. *Bly* —4D **8**
Furness Clo. *Pet* —1B **162**
Furness Ct. *Sund* —3H **129**

Furrowfield. *Gate* —6C **82**
Furzefield Rd. *Newc T* —3D **54**
Fuschia Gdns. *Heb* —6C **70**
Fylingdale Dri. *Sund* —2C **130**
Fynes Clo. *Pet* —5D **160**
Fynes St. *Bly* —5C **10**

Gables Ct. *Sund* —4E **115**
Gables, The. *Bly* —5B **10**
Gables, The. *Ken F* —1F **53**
Gables, The. Wash —3C **112**
  (off Fatfield Rd.)
Gadwall Rd. *Hou S* —5F **135**
Gainers Ter. *W'snd* —1A **70**
Gainford. *Ches S* —6A **124**
Gainford. *Gate* —3H **95**
  (in three parts)
Gainford Ho. *Ches S* —6A **124**
Gainsborough Av. *S Shi* —6F **73**
Gainsborough Av. *Wash* —3C **112**
Gainsborough Clo. *Whit B* —5G **33**
Gainsborough Cres. *Gate* —4B **82**
Gainsborough Cres. *Shin R* —4E **127**
Gainsborough Gro. *Newc T* —3B **66**
Gainsborough Pl. *Cra* —6B **20**
Gainsborough Rd. *S'ley* —4D **120**
Gainsborough Rd. *Sund* —5E **115**
Gainsborough Sq. *Sund* —5E **115**
Gainsford Av. *Gate* —1G **95**
Gair Ct. *Nett* —1A **142**
Gairloch Dri. *Pelt* —2H **123**
Gairloch Dri. *Wash* —4G **111**
Gairloch Rd. *Sund* —4E **115**
Gairsay Clo. *Sund* —1E **131**
Gaitskell Ct. *Heb* —2D **70**
Galashiels Gro. *Hou S* —4F **127**
Galashiels Rd. *Sund* —4D **114**
Galashiels Sq. *Sund* —4E **115**
Gale St. *S'ley* —4B **120**
Galfrid Clo. *Dal D* —5F **139**
Gallagher Cres. *Pet* —1F **163**
Gallalaw Ter. *Newc T* —2H **55**
Gallant Ter. *W'snd* —6G **59**
Galleria, The. *Gate* —2G **79**
Galleries Shop. Cen., The. *Wash*
  —2A **112**
Galley's Gill Rd. *Sund* —6C **102**
Galloping Grn. Cotts. *Gate* —3D **96**
Galloping Grn. Farm Clo. *Gate*
  —3D **96**
Galloping Grn. Rd. *Gate* —2D **96**
Galloway Rd. *Pet* —6D **160**
Gallowgate. *Newc T* —4E **67** (4B **4**)
Galsworthy Rd. *S Shi* —6C **72**
Galsworthy Rd. *Sund* —4E **115**
Galway Rd. *Sund* —4D **114**
Galway Sq. *Sund* —4D **114**
Gambia Rd. *Sund* —5D **114**
Gambia Sq. *Sund* —5D **114**
Ganton Av. *Cra* —5B **20**
Ganton Clo. *Wash* —3A **98**
Ganton Ct. *S Shi* —6H **73**
Garasdale Clo. *Bly* —3B **16**
Garcia Ter. *Sund* —1E **103**
  (in two parts)
Garden Av. *Dur* —1A **152**
Garden Clo. *Sea B* —3D **28**
Garden Cft. *Newc T* —5E **43**
Garden Dri. *Heb* —6C **70**
Garden Est. *Hett H* —1D **146**
Garden Ho. Cres. *Whi* —3G **79**
Garden La. *S Shi* —5E **61**
Garden La. *Sund* —3H **87**
Garden Pk. *W'snd* —3D **58**
Garden Pl. *Pen* —2F **127**

Garden Pl. *Sund* —6C **102**
  (in two parts)
Gardens, The. *Ches S* —6B **124**
Gardens, The. *Wash* —3C **102**
Gardens, The. *Whit B* —1B **46**
Garden St. *Bla T* —6A **64**
Garden St. *Hou S* —6H **127**
Garden St. *Newc T* —2E **55**
Garden Ter. *Crag* —6F **121**
Garden Ter. *Ear* —6E **33**
Garden Ter. *Hou S* —6H **127**
Garden Ter. *S'ley* —4C **120**
Garden Ter. Winl —2H **77**
  (off Florence St.)
Garden Ter. *W'sde* —6A **62**
Garden Wlk. *Gate* —1G **79**
Gardiner Cres. *Pelt F* —5G **123**
Gardiner Rd. *Sund* —4C **114**
Gardiner Sq. *Gate* —2E **109**
Gardiner Sq. *Sund* —4D **114**
Gardner Pk. *N Shi* —2B **60**
Gardner Pl. *N Shi* —2D **60**
Gardners Pl. *Lang M* —4F **157**
Garesfield Gdns. *Burn* —1F **105**
Garesfield Gdns. *Row G* —2E **91**
Garesfield La. *Bla T* —6E **77**
Garrick Clo. *N Shi* —6G **45**
Garrick St. *S Shi* —1E **73**
Garrigill. *Wash* —6D **112**
Garrigill Pl. *Newc T* —1A **56**
  (in two parts)
Garron St. *S'hm* —5B **140**
  (in two parts)
Garsdale. *Bir* —6E **111**
Garsdale Av. *Wash* —5A **98**
Garsdale Rd. *Whit B* —2A **34**
Garside Av. *Bir* —1C **110**
Garside Gro. *Pet* —5B **160**
Garside Mans. *Newc T* —3H **67**
Garstin Clo. *Newc T* —4E **57**
Garth Cres. *Bla T* —2H **77**
Garth Cres. *S Shi* —6H **61**
Gth. Farm Rd. *Bla T* —2H **77**
Garthfield Clo. *Newc T* —4E **53**
Garthfield Corner. *Newc T* —4E **53**
Garthfield Cres. *Newc T* —4E **53**
Garth Four. *Newc T* —2C **42**
Garth Heads. *Newc T* —4H **67** (5G **5**)
Garth Six. *Newc T* —2C **42**
Garth Sixteen. *Newc T* —1D **42**
Garth, The. *Bla T* —2H **77**
Garth, The. *Ken* —3B **54**
Garth, The. *Pelt* —2G **123**
Garth, The. *W Den* —6C **52**
Garth Thirteen. *Newc T* —1C **42**
Gth. Thirty Three. *Newc T* —2D **42**
Gth. Thirty Two. *Newc T* —2E **43**
Garth Twenty. *Newc T* —2E **43**
Gth. Twenty Five. *Newc T* —2F **43**
Gth. Twenty Four. *Newc T* —2E **43**
Gth. Twenty One. *Newc T* —1E **43**
Gth. Twenty Seven. *Newc T* —2F **43**
Gth. Twenty Two. *Newc T* —2E **43**
Gartland Rd. *Sund* —4C **114**
Garvey Vs. *Gate* —5B **82**
Gashouse Dri. *Ches S* —3A **126**
Gaskell Av. *S Shi* —6D **72**

Gas La. *Bla T* —5A **64**
Gas Works Rd. *S'hm* —5C **140**
Gatacre St. *Bly* —5C **10**
Gateley Av. *Bly* —3B **16**
Gatesgarth. *Gate* —6A **82**
Gatesgarth Gro. *Sund* —6D **88**
Gateshead. —6H 67
Gateshead F.C. —6B **68**
Gateshead Highway. *Gate* —6H **67**
Gateshead International Stadium.
  —6B **68**
Gateshead Rd. *Sun* —4F **93**
Gateshead Thunder R.L.F.C. —6B **68**
Gateshead Western By-Pass. *Whi*
  —2G **79**
Gatwick Ct. *Newc T* —6F **39**
Gatwick Rd. *Sund* —4D **114**
Gaughan Clo. *Newc T* —6F **69**
Gaweswell Ter. Hou S —5H **127**
  (off North St.)
Gayfield Ter. *Pet* —2F **161**
Gayhurst Cres. *Sund* —3A **130**
Gayton Rd. *Wash* —4C **98**
Geddes Rd. *Sund* —4D **114**
Gellesfield Chare. *Whi* —1F **93**
Gelt Cres. *Eas L* —3D **146**
General Graham St. *Sund* —2A **116**
General Havelock Rd. *Sund* —6G **101**
General's Wood, The. *Wash*
  —1H **125**
Geneva Rd. *Sund* —4D **114**
Genister Pl. *Newc T* —1H **65**
Geoffrey Av. *Dur* —1A **158**
Geoffrey St. *S Shi* —6E **73**
Geoffrey St. *Sund* —2F **89**
Geoffrey Ter. *S'ley* —4B **120**
George All. *Sund* —6H **101**
George Gro. *Hett H* —1C **146**
George Pit La. *Gt Lum* —5H **133**
George Pl. *Newc T* —3F **67** (2D **4**)
George Rd. *Bed* —3D **8**
George Rd. *Newc T & W'snd* —1H **69**
George Scott St. *S Shi* —3F **61**
George Smith Gdns. *Gate* —1C **82**
George Sq. *N Shi* —1D **60**
Georges Rd. *Newc T* —5B **66**
  (in two parts)
George Stephenson Way. *N Shi*
  —4B **60**
George St. *Bir* —3B **110**
George St. *Bla T* —6B **64**
George St. *Bly* —1C **16**
George St. *Bru V* —5C **28**
George St. *Ches S* —1D **132**
George St. *Dip* —1D **118**
George St. *Dur* —6A **152**
George St. *Gate* —2F **83**
George St. *Gos* —2C **54**
George St. *Hett H* —6C **136**
George St. *Mur* —3D **148**
George St. *Newc T* —5E **67** (6A **4**)
George St. *N Shi* —1D **60**
George St. *S'hm* —4A **140**
George St. *Sher* —6D **154**
George St. *S'ley* —6G **121**
George St. *Sund* —3G **131**
George St. *Walb* —5F **51**
George St. *W'snd* —6F **59**
George St. *Whi* —4E **79**
George St. E. *Sund* —1A **130**
George St. Ind. Est. *S'hm* —4A **140**
George St. N. *Sund* —5D **102**
George St. W. *Sund* —1A **130**
George's Vw. *Dud* —4A **30**
George Ter. *Bear* —4E **151**
George Ter. *Jar* —6F **71**

George Way. *Newc T* —5E **67** (6A **4**)
Georgian Ct. *Newc T* —4B **42**
Georgian Ct. *Sund* —3A **116**
Gerald St. *Newc T* —5H **65**
Gerald St. *S Shi* —6E **73**
Gerrard Clo. *Cra* —5B **20**
Gerrard Clo. *Whit B* —2A **34**
Gerrard Rd. *Sund* —4D **114**
Gerrard Rd. *Whit B* —2A **34**
Gertrude St. *Hou S* —1H **135**
Ghyll Fld. Rd. *Dur* —2B **152**
Gibbons Wlk. *S Shi* —1C **86**
Gibbs Ct. *Ches S* —1C **132**
Gibside. —4A 92
Gibside. —4G **91**
Gibside. *Ches S* —6A **124**
Gibside Clo. *S'ley* —2F **121**
Gibside Ct. *Gate* —5B **80**
Gibside Cres. *Burn* —5B **92**
Gibside Gdns. *Newc T* —3F **65**
Gibside Ter. *Burn* —1H **105**
Gibside Vw. *Bla T* —2H **77**
Gibside Way. *Gate* —1F **79**
Gibson Ct. *Bol C* —3B **86**
Gibsons Bldgs. Ryton —5A 62
 (off Main St.)
Gibson St. *Newc T* —4H **67** (5H **5**)
Gibson St. *W'snd* —2D **58**
Gibson Ter. Ryton —5A 62
 (off Main St.)
Gifford Sq. *Sund* —3E **115**
Gilberdyke. *Gate* —6G **83**
Gilbert Rd. *Pet* —6C **160**
Gilbert Rd. *Sund* —4D **114**
Gilbert Sq. *Sund* —5D **114**
Gilbert St. *S Shi* —1E **73**
Gilderdale. *Hou S* —1C **126**
Gilderdale Way. *Cra* —6A **20**
Gilesgate. —5F 153
Gilesgate. *Dur* —5D **152**
Gilesgate Clo. *Dur* —5D **152**
Gilesgate Moor. —5G 153
Gilesgate Rd. *Eas L* —3D **146**
Gilhurst Ho. *Sund* —6B **102**
Gillas La. *Hou S* —4C **136**
Gillas La. E. *Hou S* —4B **136**
Gillas La. W. *Hou S* —5A **136**
Gill Cres. N. *Hou S* —1C **134**
Gill Cres. S. *Hou S* —2C **134**
Gill Cft. *Ches S* —1A **132**
Gilley Law. —1G 129
Gilley Law Ter. *Sund* —1H **129**
Gillhurst Grange. *Sund* —6B **102**
Gillies St. *Newc T* —3D **68**
Gilliland Cres. *Bir* —1C **110**
Gillingham Rd. *Sund* —4D **114**
Gillside Ct. *S Shi* —4C **72**
Gill Side Gro. *Sund* —3E **103**
Gill St. *Newc T* —4A **66**
Gill Ter. Sund —6C 100
 (off Pottery La.)
Gilmore Clo. *Newc T* —4B **52**
Gilpin St. *Hou S* —3H **135**
Gilsland Av. *W'snd* —4D **58**
Gilsland Gro. *Cra* —6B **14**
Gilsland St. *Sund* —1A **116**
Gilwell Way. *Newc T* —4D **40**
Gingler La. *W'sde* —1A **76**
Girtin Rd. *S Shi* —1F **87**
Girton Clo. *Pet* —2B **162**
Girvan Clo. *S'ley* —3F **121**
Girven Ter. *Eas L* —4E **147**
Girven Ter. W. *Eas L* —4D **146**
Gishford Way. *Newc T* —5F **53**
Givens St. *Sund* —3E **103**
Gladeley Way. *Sun* —3E **93**

Glade, The. *Jar* —2F **85**
Glade, The. *Newc T* —5G **51**
Gladstonbury Pl. *Newc T* —1C **56**
Gladstone Av. *Whit B* —5B **34**
Gladstone M. *Bly* —5B **10**
Gladstone Pl. *Newc T* —2G **67** (1F **5**)
Gladstone St. *Beam* —2H **121**
Gladstone St. *Bly* —5B **10**
Gladstone St. *Col R* —3F **135**
Gladstone St. *Heb* —3E **71**
Gladstone St. *Lem* —3A **64**
Gladstone St. *Oxh* —4B **120**
Gladstone St. *Sund* —4D **102**
Gladstone St. *W'snd* —6F **59**
Gladstone Ter. *Bed* —5A **8**
Gladstone Ter. *Bir* —3B **110**
Gladstone Ter. *Bol C* —1A **86**
Gladstone Ter. *Gate* —2H **81**
Gladstone Ter. *Newc T*
 —2G **67** (1F **5**)
Gladstone Ter. *Pen* —1D **126**
Gladstone Ter. *Wash* —5D **98**
Gladstone Ter. *Whit B* —1D **46**
Gladstone Ter. W. *Gate* —2G **81**
Gladstone Vs. *Dur* —1D **158**
Gladwyn Rd. *Sund* —5D **114**
Gladwyn Sq. *Sund* —5D **114**
Glaholm Rd. *Sund* —1F **117**
Glaisdale Ct. *S Shi* —5C **72**
Glaisdale Dri. *Sund* —5E **89**
Glaisdale Rd. *Newc T* —2A **56**
Glamis Av. *Newc T* —3E **41**
Glamis Av. *Sund* —3E **115**
Glamis Ct. *S Shi* —6H **73**
Glamis Cres. *Row G* —1G **91**
Glamis Ter. *Mar H* —4E **93**
Glamis Vs. *Bir* —1C **110**
Glanmore Rd. *Sund* —4D **114**
Glantlees. *Newc T* —5E **53**
Glanton Av. *Sea D* —6A **22**
Glanton Clo. *Ches S* —1A **132**
Glanton Clo. *Gate* —4A **84**
Glanton Clo. *Newc T* —5C **68**
Glanton Ct. *Gate* —2C **80**
Glanton Rd. *N Shi* —6H **45**
Glanton Sq. *Sund* —4E **115**
Glanton Ter. *Pet* —1H **163**
Glanton Wynd. *Newc T* —6D **40**
Glanville Clo. *Gate* —4D **80**
Glanville Rd. *Sund* —4F **129**
Glasbury Av. *Sund* —3E **115**
Glasgow Rd. *Jar* —5A **72**
Glassey Ter. *Bed* —4D **8**
Glasshouse Bri. *Newc T* —4A **68**
Glasshouse St. *Newc T* —5C **68**
Glastonbury. *Wash* —3B **112**
Glastonbury Gro. *Newc T* —5H **55**
Glaston Ho. *Bly* —5H **9**
Gleaston Ct. *Pet* —4B **162**
Glebe. —2B 112
Glebe Av. *Newc T* —6D **42**
Glebe Av. *Pet* —1D **160**
Glebe Av. *Whi* —4F **79**
Glebe Cen. *Wash* —2B **112**
Glebe Clo. *Newc T* —4B **52**
Glebe Clo. *Pon* —4E **25**
Glebe Ct. *Bed* —4H **7**
Glebe Cres. *Newc T* —4D **42**
Glebe Cres. *Pet* —1D **160**
Glebe Cres. *Wash* —1C **112**
Glebe Dri. *S'hm* —1F **139**
Glebe Est. *S'hm* —1F **139**
Glebe M. *Bed* —4H **7**
Glebe Mt. *Wash* —1C **112**
Glebe Ri. *Whi* —4F **79**
Glebe Rd. *Bed* —4H **7**

Glebe Rd. *Newc T* —4D **42**
Glebeside. *Hett H* —6C **136**
Glebe Ter. *Gate* —3B **80**
 (in four parts)
Glebe Ter. *Hou S* —2H **135**
Glebe Ter. *Newc T* —4D **42**
Glebe Ter. *Pet* —1C **160**
 (in two parts)
Glebe Ter. *Sco G* —1G **7**
Glebe Vw. *Mur* —1E **149**
 (in two parts)
Glebe Vs. *Newc T* —4C **42**
Glebe Wlk. *Whi* —4F **79**
Glenallen Gdns. *N Shi* —4E **47**
Glenamara Ho. *Newc T* —2F **5**
Glenavon Av. *Ches S* —5B **124**
Glen Barr. *Ches S* —5B **124**
Glenbrooke Ter. *Gate* —1H **95**
Glenburn Clo. *Wash* —4F **111**
Glencarron Clo. *Wash* —4G **111**
Glen Clo. *Row G* —2E **91**
Glencoe. *Newc T* —1D **42**
Glencoe Av. *Ches S* —5B **124**
Glencoe Av. *Cra* —6B **20**
Glencoe Ri. *Row G* —4C **90**
Glencoe Rd. *Sund* —5D **114**
Glencoe Sq. *Sund* —4D **114**
Glencoe Ter. *Row G* —4C **90**
Glencot Gro. *Haw* —6G **149**
Glencourse. *E Bol* —4G **87**
Glen Ct. *Heb* —3B **70**
Glendale Av. *Bly* —5E **9**
Glendale Av. *Newc T* —3C **54**
Glendale Av. *N Shi* —4H **61**
Glendale Av. *W'snd* —3H **57**
Glendale Av. *Wash* —5A **98**
Glendale Av. *Whi* —5E **79**
Glendale Av. *Whit B* —4C **34**
Glendale Clo. *Bla T* —3F **77**
Glendale Clo. *Newc T* —4B **52**
Glendale Clo. *Sund* —3E **129**
Glendale Gdns. *Gate* —6B **82**
Glendale Gro. *N Shi* —1B **60**
Glendale Rd. *Shir* —2E **45**
Glendale Ter. *Newc T* —3C **68**
Glendford Pl. *Bly* —3B **16**
Glendower Av. *N Shi* —1H **59**
Glendyn Clo. *Newc T* —6A **56**
Gleneagle Clo. *Newc T* —4B **52**
Gleneagles. *S Shi* —6H **61**
Gleneagles. *Whit B* —6H **33**
Gleneagles Clo. *Bent* —2C **56**
Gleneagles Ct. *Whit B* —6H **33**
Gleneagles Dri. *Wash* —3H **97**
Gleneagles Rd. *Gate* —2G **95**
Gleneagles Rd. *Sund* —5D **114**
Gleneagles Sq. *Sund* —5D **114**
Glenesk Gdns. *Sund* —5C **116**
Glenesk Rd. *Sund* —4C **116**
Glenfield Av. *Cra* —6B **14**
Glenfield Rd. *Newc T* —6B **42**
 (in two parts)
Glengarvan Clo. *Wash* —4G **111**
Glenholme Clo. *Wash* —4F **111**
Glenhurst Cotts. *Pet* —1D **160**
Glenhurst Dri. *Newc T* —4B **52**
Glenhurst Dri. *Whi* —1D **92**
Glenhurst Gro. *S Shi* —3H **73**
Glenhurst Rd. *Pet* —1D **160**
Glenhurst Ter. *Mur* —2D **148**
Glenkerry Clo. *Wash* —4G **111**
Glenleigh Dri. *Sund* —3E **115**
Glenluce. *Bir* —4E **111**
 (in two parts)
Glenluce Ct. *Cra* —5B **20**
Glenluce Dri. *Cra* —6A **20**

Glen Luce Dri. *Sund* —5F **117**
Glenmoor. *Heb* —2B **70**
Glenmore Av. *Ches S* —5C **124**
Glenmuir Av. *Cra* —6A **20**
Glenorrin Clo. *Wash* —4G **111**
Glen Path. *Sund* —4D **116**
Glenridge Av. *Newc T* —6B **56**
Glenroy Gdns. *Ches S* —5B **124**
Glens Flats. *H Pitt* —2F **155**
Glenshiel Clo. *Wash* —4G **111**
Glenside. *Jar* —1G **85**
Glenside Ter. *Pelt F* —5H **123**
Glen St. *Heb* —4B **70**
Glen Ter. *Ches S* —5A **124**
Glen Ter. Hou S —1F **127**
  (off Rainton St.)
Glen Ter. *Wash* —3C **112**
Glen, The. *Sund* —4D **116**
Glenthorne Rd. *Sund* —3E **103**
Glenthorn Rd. *Newc T* —5G **55**
Glen Thorpe Av. *Sund* —3E **103**
Glenthorpe Ho. *S Shi* —6F **61**
Glenwood Wlk. *Newc T* —4B **52**
Gloria Av. *N Har* —3B **22**
Glossop St. *H Spen* —1A **90**
Gloucester Av. *Sund* —1E **103**
Gloucester Clo. *Gt Lum* —5G **133**
Gloucester Ct. *Newc T* —5G **39**
Gloucester Pl. *Pet* —6B **160**
Gloucester Pl. *S Shi* —4A **74**
Gloucester Rd. *Newc T* —4C **66**
Gloucester Rd. *N Shi* —6F **43**
Gloucestershire Dri. *Dur* —4A **154**
Gloucester St. *N Har* —4B **22**
Gloucester Ter. *Sund* —5C **66**
Gloucester Way. *Jar* —2F **85**
Gloucester Way. *Newc T* —5D **66**
Glover Ind. Est. *Wash* —6D **98**
Glover Rd. *Sund* —5D **114**
Glover Rd. *Wash* —5D **98**
Glover Sq. *Sund* —5D **114**
Glue Gth. *Dur* —5F **153**
Glynfellis. *Gate* —6F **83**
Glynfellis Ct. *Gate* —6F **83**
Glynwood Clo. *Cra* —6B **14**
Glynwood Gdns. *Gate* —6A **82**
Goalmouth Clo. *Sund* —3E **103**
Goatbeck Ter. *Lang M* —4F **157**
Goathland Av. *Newc T* —1B **56**
Goathland Dri. *Sund* —2B **130**
Godfrey Rd. *Sund* —4D **114**
Gofton Wlk. *Newc T* —5E **53**
Goldcrest Rd. *Wash* —4F **111**
Goldfinch Clo. *Newc T* —6B **66**
Goldlynn Dri. *Sund* —3G **129**
Goldsbrough Ct. *Newc T* —2E **67**
Goldsmith Rd. *Sund* —5D **114**
Goldspink La. *Newc T* —2H **67**
Goldstone Ct. *Newc T* —1E **43**
Golf Course Rd. *Hou S* —5D **126**
Gompertz Gdns. *S Shi* —1D **72**
Goodrich Clo. *Phil* —4G **127**
Good St. *S'ley* —1C **120**
Goodwood. *Newc T* —2E **43**
Goodwood Av. *Gate* —3E **81**
Goodwood Clo. *Newc T* —4B **52**
Goodwood Rd. *Sund* —4C **114**
Goodwood Sq. *Sund* —4C **114**
Goodyear Cres. *Dur* —6G **153**
Goole Rd. *Sund* —4E **115**
Gordon Av. *Newc T* —3E **55**
Gordon Av. *Pet* —6F **161**
Gordon Av. *Sund* —5C **100**
Gordon Ct. Gate —2D **82**
  (off Church Pl.)
Gordon Dri. *E Bol* —4F **87**

Gordon Rd. *Bly* —2D **16**
Gordon Rd. *Newc T* —4B **68**
Gordon Rd. *S Shi* —3E **73**
Gordon Rd. *Sund* —5D **114**
Gordon Sq. *Newc T* —4B **68**
Gordon Sq. *Whit B* —1E **47**
Gordon St. *S Shi* —1E **73**
Gordon Ter. *Bed* —5A **8**
Gordon Ter. *O Pen* —1G **127**
Gordon Ter. *Ryh* —3G **131**
Gordon Ter. *S'ley* —1D **120**
Gordon Ter. *Sund* —3A **102**
Gordon Ter. *Whit B* —6E **35**
Gorleston Way. *Sund* —5A **130**
Gorse Av. *S Shi* —4H **73**
Gorsedale Gro. *Dur* —4B **154**
Gorsedene Av. *Whit B* —2B **34**
Gorsedene Rd. *Whit B* —2A **34**
Gorsehill. *Gate* —6C **82**
Gorse Hill Way. *Newc T* —4G **53**
Gorse Rd. *Sund* —2D **116**
Gort Pl. *Dur* —4F **153**
Goschen St. *Bly* —5B **10**
  (in two parts)
Goschen St. *Gate* —3F **81**
Goschen St. *Sund* —3A **102**
Gosforth. —2E 55
Gosforth Av. *S Shi* —5E **73**
Gosforth Bus. Pk. *Newc T* —6H **41**
Gosforth Cen., The. *Newc T* —3E **55**
Gosforth Ind. Est. *Newc T* —2G **55**
Gosforth Pk. Vs. *N Gos* —1E **41**
Gosforth Pk. Way. *Newc T* —6H **41**
  (in two parts)
Gosforth St. *Gate* —2D **82**
Gosforth St. *Newc T* —3H **67** (2G **5**)
  (in three parts)
Gosforth St. *Sund* —4E **103**
Gosforth Ter. *Gate* —2F **83**
Gosforth Ter. *Newc T* —2G **55**
Gosport Way. *Bly* —3B **16**
Gossington. *Wash* —2E **113**
Goswick Av. *Newc T* —5B **56**
Goswick Dri. *Newc T* —5B **40**
Gouch Av. *Bed* —1A **8**
Goundry Av. *Sund* —3G **131**
Gourock Sq. *Sund* —4C **114**
Gowanburn. *Cra* —6A **20**
Gowanburn. *Wash* —5D **112**
Gowan Ter. *Newc T* —6H **55**
Gower Rd. *Sund* —3A **102**
Gower St. *Newc T* —5G **69**
Gower Wlk. *Gate* —3C **82**
Gowland Av. *Newc T* —2A **66**
Gowland Sq. *Mur* —2B **148**
Goy Cotts. *Dur* —6B **152**
Goy Pk. *S Shi* —4E **73**
Goy Vw. *Bed* —2C **8**
Grace Ct. *G'cft* —6E **119**
Gracefield Clo. *Newc T* —4B **52**
Grace Gdns. *W'snd* —3G **57**
Grace Ho. *N Shi* —4A **60**
Grace St. *Gate* —3B **80**
Grace St. *Newc T* —3C **68**
  (in two parts)
Grafton Clo. *Newc T* —3B **68**
Grafton Pl. *Newc T* —3B **68**
Grafton Rd. *Whit B* —1E **47**
Grafton St. *Newc T* —3B **68**
Grafton St. *Sund* —6B **102**
Gragareth Way. *Wash* —1G **111**
Graham Av. *Whi* —3E **79**
Graham Pk. Rd. *Newc T* —4E **55**
Graham Rd. *Heb* —4B **70**
Grahamsley St. *Gate* —1H **81**
Graham St. *S Shi* —5F **61**

Graham Ter. *H Pitt* —2F **155**
Graham Ter. *Mur* —2D **148**
Graham Way, The. *S'hm* —5F **139**
Grainger Mkt. *Newc T*
  —4F **67** (4C **4**)
Grainger Pk. Rd. *Newc T* —5B **66**
Grainger St. *Newc T* —5F **67** (6C **4**)
Graingerville N. Newc T —4C **66**
  (off Westgate Rd.)
Graingerville S. Newc T —4C **66**
  (off Westgate Rd.)
Grampian Av. *Ches S* —1B **132**
  (in two parts)
Grampian Clo. *N Shi* —4B **46**
Grampian Ct. *S'ley* —6E **119**
Grampian Dri. *Pet* —2B **162**
Grampian Gdns. *Gate* —5D **80**
Grampian Gro. *E Bol* —4D **86**
Grampian Pl. *Newc T* —4B **42**
Granaries, The. *H Spen* —1A **90**
Granaries, The. *Hou S* —3F **135**
Granby Clo. *Sund* —4B **116**
Granby Clo. *Sun* —2F **93**
Granby Ter. *Sun* —3F **93**
Grand Pde. *N Shi* —3E **47**
Grandstand Rd. *Newc T* —1B **66**
Grange Av. *Bed* —2E **9**
Grange Av. *Hou S* —2E **135**
Grange Av. *Newc T* —1E **57**
Grange Av. *Pet* —2B **160**
Grange Av. *Shir* —1D **44**
Grange Clo. *Bly* —3B **16**
Grange Clo. *N Shi* —3D **46**
Grange Clo. *Pet* —5C **160**
Grange Clo. *W'snd* —5A **58**
Grange Clo. *Whit B* —1H **45**
Grange Ct. *Gate* —4G **83**
Grange Ct. *Gran V* —4D **122**
Grange Ct. *Jar* —2F **71**
Grange Ct. *Ryton* —5C **62**
Grange Cres. *Gate* —4G **83**
Grange Cres. *Ryton* —5C **62**
Grange Cres. *Sund* —2D **116**
Grange Dri. *Ryton* —5C **62**
Grange Est. *Gate* —1E **109**
Grange Farm Dri. *Whi* —6E **79**
Grange La. *Whi* —6E **79**
Grange Lonnen. *Ryton* —4B **62**
Grangemere Clo. *Sund* —5E **117**
Grange Nook. *Whi* —6E **79**
Grange Park. —2E 9
Grange Pk. *Whit B* —1H **45**
Grange Pk. Av. *Bed* —2D **8**
Grange Pk. Av. *Sund* —2C **102**
Grange Pl. *Jar* —2F **71**
Grange Rd. *Dur* —3A **154**
Grange Rd. *Fenh* —3G **65**
Grange Rd. *Gate* —4G **83**
Grange Rd. *Gos* —6E **41**
Grange Rd. *Jar* —2F **71**
  (in two parts)
Grange Rd. *Newb* —1E **63**
Grange Rd. *Pon* —4E **25**
Grange Rd. *Ryton* —4C **62**
Grange Rd. *S'ley* —3B **120**
Grange Rd. *Sund* —5C **100**
Grange Rd. W. *Jar* —2E **71**
Granger Vw. *Newc T* —3A **64**
Grange St. *Pelt* —2G **123**
Grange St. S. *Sund* —5F **117**
Grange Ter. *Dec* —3A **82**
Grange Ter. *E Bol* —4F **87**
Grange Ter. *Kib* —1E **109**
Grange Ter. *Pelt F* —5F **123**
Grange Ter. *Sund* —2C **116**
  (SR2)

Grange Ter. *Sund* —3B **102**
(SR5)
Grange, The. *E Bol* —4F **87**
Grange, The. *Ned V* —5C **6**
Grange, The. *Tan L* —1A **120**
Grange, The. *Whit B* —1G **45**
Grangetown. —5F 117
Grange Vw. *E Rai* —6H **135**
Grange Vw. *Nbtle* —6H **127**
Grange Vw. *Ryton* —5C **62**
Grange Vw. *Sund* —2C **102**
Grange Villa. —4C 122
Grange Vs. *W'snd* —5A **58**
Grange Wlk. *Whi* —6E **79**
Grangeway. *N Shi* —4B **46**
Grangewood Clo. *Shin R* —4E **127**
Grangewood Ct. *Hou S* —3E **127**
Grantham Av. *S'hm* —5H **139**
Grantham Dri. *Gate* —1G **95**
Grantham Pl. *Cra* —5A **20**
(in three parts)
Grantham Rd. *Newc T*
—2H **67** (1G **5**)
Grantham Rd. *Sund* —3E **103**
Grantham St. *Bly* —1D **16**
Grants Cres. *S'hm* —4A **140**
Grant St. *Jar* —2E **71**
Grant St. *Pet* —6G **161**
Granville Av. *Newc T* —4E **43**
Granville Av. *Sea S* —4H **23**
Granville Av. *S'ley* —5F **119**
Granville Ct. *Newc T* —1H **67**
Granville Cres. *Newc T* —6E **43**
Granville Dri. *Cha P* —4B **52**
Granville Dri. *For H* —6E **43**
Granville Dri. *Phil* —4G **127**
Granville Gdns. *Newc T* —1A **68**
Granville Rd. *Gos* —6F **41**
Granville Rd. *Jes* —1H **67**
Granville Rd. *Pet* —2F **163**
Granville St. *Gate* —2H **81**
Granville St. *Sund* —6B **102**
Grape La. *Dur* —6C **152**
(in two parts)
Grasmere. *Bir* —5E **111**
Grasmere. *Sund* —2A **88**
Grasmere Av. *Eas L* —5E **147**
Grasmere Av. *Gate* —3F **83**
Grasmere Av. *Jar* —6H **71**
Grasmere Av. *Newb* —2E **63**
Grasmere Av. *Walk* —4E **69**
Grasmere Ct. *Kil* —2C **42**
Grasmere Ct. *Newc T* —2E **63**
Grasmere Cres. *Bla T* —3H **77**
Grasmere Cres. *Shin R* —3F **127**
Grasmere Cres. *Sund* —2C **102**
Grasmere Cres. *Whit B* —4B **34**
Grasmere Gdns. *S Shi* —3G **73**
Grasmere Gdns. *Wash* —3C **112**
Grasmere Ho. *Newc T* —4E **69**
Grasmere Pl. *Newc T* —6E **41**
Grasmere Rd. *Ches S* —2B **132**
Grasmere Rd. *Heb* —4D **70**
Grasmere Rd. *Pet* —6E **161**
Grasmere Rd. *W'snd* —6G **57**
Grasmere Rd. *Whi* —4G **79**
Grasmere St. *Gate* —2G **81**
Grasmere St. W. *Gate* —2G **81**
Grasmere Ter. *Mur* —3D **148**
Grasmere Ter. *S Het* —6B **148**
Grasmere Ter. *S'ley* —5B **120**
Grasmere Ter. *Wash* —3C **112**
Grasmere Way. *Bly* —5G **9**
Grasmoor Pl. *Newc T* —2H **63**
Grassbanks. *Gate* —5H **83**
Grassdale. *Dur* —4B **154**

Grassholm Meadows. *Sund* —5B **116**
Grassholm Pl. *Newc T* —6A **42**
Grassington Dri. *Cra* —5A **20**
Grasslees. *Wash* —5F **125**
Grasswell. —1H 135
Grasswell Cvn. Pk. *Gras* —1H **135**
Grasswell Dri. *Newc T* —4H **53**
Grasswell Ter. *Hou S* —1H **135**
Gravel Walks. *Hou S* —2A **136**
Gravesend Rd. *Sund* —5D **114**
Gravesend Sq. *Sund* —5E **115**
Gray Av. *Ches S* —1B **132**
Gray Av. *Dur* —2B **152**
Gray Av. *Hes* —6F **163**
Gray Av. *Mur* —2C **148**
Gray Av. *Sher* —5D **154**
Gray Av. *Wide* —4E **29**
Gray Ct. *Pet* —1D **160**
Gray Ct. *Sund* —3D **116**
Graylands. *H Ric* —1E **125**
Grayling Ct. *Dox I* —4E **129**
Gray Rd. *Sund* —3D **116**
(in two parts)
Grays Cross. Sund —6E 103
(off High St. E.)
Grays Ter. *Bol C* —2A **86**
Grays Ter. *Dur* —6A **152**
Graystones. *Gate* —4H **83**
Gray St. *Camb* —4C **10**
Gray St. *Jar* —2G **71**
Gray's Wlk. *S Shi* —1C **86**
Gray Ter. *S'ley* —5A **120**
Graythwaite. *Ches S* —6H **123**
Great Eppleton. —6F 137
Greathead St. *S Shi* —2D **72**
Gt. Lime Rd. *Newc T* —2A **42**
(in two parts)
Great Lumley. —4G 133
Gt. North Rd. *Dur* —1A **152**
Gt. North Rd. *Newc T* —4F **55** (1D **4**)
(NE2)
Gt. North Rd. *Newc T* —5E **41**
(NE3)
Grebe Clo. *Bly* —2C **16**
Greely Rd. *Newc T* —5D **52**
Greenacre Pk. *Gate* —2H **95**
Greenacres. *Pelt* —2F **123**
Greenacres. *Pon* —3C **36**
Greenacres Clo. *Ryton* —6A **62**
Green Av. *Hou S* —5H **127**
Greenbank. *Bla T* —1A **78**
Greenbank. *Jar* —2F **71**
Greenbank Dri. *Sund* —2C **114**
Greenbank St. *Ches S* —5D **124**
Greenbank Ter. *Ches S* —5C **124**
Greenbourne Gdns. *Gate* —4C **82**
Green Clo. *N Shi* —4D **46**
Green Clo. *Whit B* —1H **45**
Green Cres. *Dud* —3G **29**
Greencroft. —6E 119
Greencroft. *S Het* —6A **148**
Greencroft Av. *Newc T* —1G **69**
Greencroft Ind. Pk. *G'cft* —6E **119**
Greencroft Parkway. *S'ley* —6F **119**
Greencroft Ter. *S'ley* —6D **118**
Greendale Clo. *Bly* —5G **9**
Greendale Gdns. *Hett H* —3B **146**
Green Dri. *S'hm* —6B **140**
Greendyke Ct. *Newc T* —2E **53**
Greenfield Av. *Newc T* —5E **53**
Green Fld. Pl. *Newc T* —4E **67** (5A **4**)
Greenfield Pl. *Ryton* —4C **62**
Greenfield Rd. *Newc T* —3D **40**
Greenfields. *Ous* —5A **110**
Green Fields. *Ryton* —4B **62**
Greenfield Ter. *Gate* —2F **83**

Greenfield Ter. *S'ley* —5F **119**
Greenfinch Clo. *Wash* —5F **111**
Greenford. *Gate* —1F **109**
Greenford La. *Gate* —5G **95**
Greenford Rd. *Newc T* —6F **69**
Green Gro. *W'sde* —6B **62**
Greenhall Vw. *Newc T* —5A **54**
Greenhaugh. *W Moor* —4B **42**
Greenhaugh Rd. *Whit B* —6F **33**
Greenhead. *Wash* —3F **111**
Greenhill. *Mur* —2D **148**
Greenhills. *Kil* —6D **30**
Greenhill Vw. *Newc T* —5A **54**
Green Hill Wlk. *S Shi* —3C **74**
Greenholme Clo. *Cra* —6B **14**
Greenhow Clo. *Ryh* —4F **131**
Greenlands. *Jar* —1G **85**
Greenlands. *S'ley* —5B **120**
Greenlands Ct. *Sea D* —5B **22**
Green La. *Dud* —3H **29**
Green La. *Dur* —6E **153**
Green La. *E Bol* —5F **87**
Green La. *Fel* —2C **82**
(in two parts)
Green La. *Gate* —1D **82**
Green La. *Gil* —5F **153**
(in two parts)
Green La. *Kil* —1E **43**
Green La. *Newc T* —2E **43**
Green La. *Pel* —2G **83**
Green La. *Sea* —5G **137**
Green La. *Sher* —6C **154**
Green La. *S Shi* —5C **72**
Green La. *Wool* —5D **38**
Green La. Gdns. *Gate* —1C **82**
Green La. Ind. Est. *Pel* —2G **83**
Greenlaw. *Newc T* —1C **64**
Greenlaw Rd. *Cra* —6A **20**
Greenlea. *N Shi* —4F **45**
Greenlea Clo. *H Spen* —2A **90**
Greenlea Clo. *Sund* —4E **115**
Greenlee Dri. *Newc T* —4D **56**
Green Mkt. *Newc T* —4C **4**
Green Pk. *W'snd* —4E **57**
Greenrigg. *Bla T* —2B **78**
Greenrigg. *Sea S* —3G **23**
Greenrigg Gdns. *Sund* —4B **116**
Greenriggs Av. *Newc T* —4F **41**
Green's Bank. *W Pel* —2C **122**
Greenshields Rd. *Sund* —5D **114**
Greenshields Sq. *Sund* —5D **114**
Greenside. —2B 76
Greenside. *S Shi* —3B **74**
Greenside Av. *Bru V* —5C **28**
Greenside Av. *Pet* —6F **161**
Greenside Av. *W'snd* —4D **58**
Greenside Ct. *Sund* —5E **115**
Greenside Cres. *Newc T* —2E **65**
Greenside Rd. *Craw* —1A **76**
Green's Pl. *S Shi* —3E **61**
(in two parts)
Green Sq. *Whit B* —1H **45**
Green St. *S'hm* —4B **140**
Green St. *Sund* —6D **102**
(in two parts)
Green Ter. *Sund* —1C **116**
Green, The. *Ches S* —6B **124**
Green, The. *Fel* —3E **83**
Green, The. *Gos* —4B **54**
Green, The. *H Shin* —5H **159**
Green, The. *Hou S* —2B **136**
Green, The. *Pet* —3A **162**
Green. The. *Pon* —3F **25**
Green, The. *Row G* —3C **90**
Green, The. *S'hm* —6H **149**
Green, The. *S'wck* —4A **102**

Green, The—Half Moon La.

Green, The. *Walb* —6F **51**
Green, The. *W'snd* —5A **58**
Green, The. *Wash* —1B **112**
Green, The. *Whit B* —3A **34**
Greentree La. *S'ley* —4E **119**
Greentree Sq. *Newc T* —5F **53**
Greenway. *Cha P* —3A **52**
Greenway. *Fenh* —1H **65**
Green Way. *Whit B* —1H **45**
Greenway, The. *Sund* —3E **115**
Greenwell Clo. *Bla T* —2G **77**
Greenwich Pl. *Gate* —5A **68**
Greenwood. *Kil* —2F **43**
Greenwood Av. *Bed* —2D **8**
Greenwood Av. *Hou S* —3G **135**
Greenwood Av. *Newc T* —6G **57**
Greenwood Gdns. *Fel* —2D **82**
Greenwood Gdns. *Lob H* —6C **80**
Greenwood Rd. *Sund* —4D **114**
Greenwood Sq. *Sund* —5D **114**
Greetlands Rd. *Sund* —5C **116**
Gregory Rd. *Sund* —5D **114**
Gregory Ter. *Hou S* —2E **135**
Gregson Ter. *S'hm* —2F **139**
Grenada Clo. *Whit B* —3B **34**
Grenada Dri. *Whit B* —3B **34**
Grenada Pl. *Whit B* —3B **34**
Grenfell Sq. *Sund* —5D **114**
Grenville Ct. *Cra* —4A **20**
Grenville Ct. *Pon* —1A **36**
Grenville Dri. *Newc T* —4D **40**
Grenville Ter. *Newc T* —4H **67** (4G **5**)
Grenville Way. *Whit B* —4A **34**
Gresford St. *S Shi* —3E **73**
Gresham Clo. *Cra* —5B **20**
Gresley Rd. *S West* —1A **162**
Greta Av. *Hou S* —3E **127**
Greta Gdns. *S Shi* —1F **73**
Greta St. N. *Pelt* —3E **123**
Greta St. S. *Pelt* —3E **123**
Greta Ter. *Sund* —2A **116**
Gretna Dri. *Jar* —1B **86**
Gretna Rd. *Newc T* —2F **65**
Gretna Ter. *Gate* —3C **82**
Gretton Pl. *Newc T* —4A **56**
Grey Av. *Cra* —6A **20**
Greybourne Gdns. *Sund* —5C **116**
Grey Ct. *Newc T* —4F **67**
Greyfriars La. *Newc T* —1A **56**
Grey Gables. *B'don* —5E **157**
Greyhound Stadium. —3D **68**
Greylingstadt Ter. *S'ley* —6E **121**
Grey Ridges. *B'don* —5E **157**
Grey's Ct. *Newc T* —5D **4**
Grey's Monument. —3F **67** (3D **4**)
Greystead Clo. *Newc T* —4B **52**
Greystead Rd. *S Well* —6F **33**
Greystoke Av. *Newc T* —2A **68**
Greystoke Av. *Sund* —5C **116**
Greystoke Av. *Whi* —5F **79**
Greystoke Gdns. *Gate* —3B **96**
Greystoke Gdns. *Newc T* —1A **68**
Greystoke Gdns. *Sund* —4C **116**
Greystoke Gdns. *Whi* —6F **79**
Greystoke Pk. *Newc T* —5E **41**
Greystoke Pl. *Cra* —6A **20**
(in three parts)
Greystoke Wlk. *Whi* —6E **79**
Greystone Pl. *Sund* —3A **102**
Grey St. *Bru V* —5C **28**
Grey St. *Hou S* —2H **135**
Grey St. *Newc T* —4F **67** (4D **4**)
Grey St. *N Shi* —1D **60**
Grey St. *W'snd* —5A **58**
Grey Ter. *Sund* —3F **131**
Greywood Av. *Newc T* —2A **66**

Grieves Bldgs. *N Her* —3G **127**
Grieves' Row. *Dud* —2A **30**
Grieve St. *Bly* —4B **10**
Griffith Ter. *W All* —4B **44**
Grimsby St. *Bly* —1C **16**
Grindleford Ct. *S Shi* —4G **73**
Grindon. —4D 114
Grindon Av. *Sund* —2D **114**
Grindon Clo. *Cra* —6A **20**
Grindon Clo. *Whit B* —3A **46**
Grindon Ct. *Sund* —4E **115**
Grindon Gdns. *Sund* —4E **115**
Grindon La. *Sund* —4E **115**
(nr. Broadway, The)
Grindon La. *Sund* —2D **114**
(nr. Hylton Rd.)
Grindon Museum. —4E **115**
Grindon Pk. *Sund* —4E **115**
Grindon Ter. *Sund* —2A **116**
Grinstead Clo. *S Shi* —2H **73**
Grinstead Way. *Dur* —2B **154**
Grisedale Gdns. *Gate* —1A **96**
Grisedale Rd. *Pet* —1E **163**
Grizedale. *Wash* —1H **111**
Grizedale Ct. *Sund* —5C **88**
Groat Mkt. *Newc T* —4F **67** (5D **4**)
Grosmont. *Gt Lum* —3G **133**
Grosvenor Av. *Newc T* —6H **55**
Grosvenor Av. *Swa* —3F **79**
Grosvenor Clo. *Cra* —6A **20**
Grosvenor Ct. *Newc T* —4B **52**
Grosvenor Cres. *Heb* —5D **70**
Grosvenor Dri. *S Shi* —1H **73**
Grosvenor Dri. *Sund* —2G **87**
Grosvenor Dri. *Whit B* —1C **46**
Grosvenor Gdns. *Newc T* —1A **68**
Grosvenor Gdns. *S Shi* —3H **73**
Grosvenor Gdns. *W'snd* —4E **59**
Grosvenor M. *N Shi* —1C **60**
Grosvenor Pl. *Newc T* —6G **55**
Grosvenor Pl. *N Shi* —1C **60**
Grosvenor Rd. *Newc T* —6H **55**
Grosvenor Rd. *S Shi* —1G **73**
Grosvenor St. *Sund* —3H **101**
Grosvenor Vs. *Newc T* —6H **55**
Grosvenor Way. *Newc T* —5B **52**
Grotto Gdns. *S Shi* —2D **74**
Grotto Rd. *S Shi* —3D **74**
Grousemoor. *Wash* —6G **97**
Grove Av. *Newc T* —3F **55**
Grove Cotts. *Bir* —3C **110**
Grove Cotts. *Ryton* —5A **62**
Grove Ho. Dri. *Gil* —5E **153**
Grove Rd. *B'don* —6C **156**
Grove Rd. *Gate* —5A **82**
Grove Rd. *Newc T* —6F **51**
Grove Rd. Shop. Units. *B'don*
—6D **156**
Grove St. *Dur* —6B **152**
Grove Ter. *Burn* —1H **105**
Grove Ter. *Lang M* —3G **157**
Grove, The. *C'twn* —4D **100**
Grove, The. *Dur* —4A **152**
Grove, The. *For H* —1D **56**
Grove, The. *Gos* —3E **55**
Grove, The. *Hou S* —5H **135**
Grove, The. *Jar* —2F **85**
Grove, The. *Jes* —5H **55**
(in two parts)
Grove, The. *Pet* —1A **160**
Grove, The. *Pon* —6D **24**
Grove, The. *Row G* —4F **91**
Grove, The. *Ryh* —3F **131**
Grove, The. *Sund* —3D **116**
Grove, The. *W Den* —6B **52**
Grove, The. *Whi* —5G **79**

Grove, The. *Whit B* —1B **46**
Guardians Ct. *Pon* —4F **25**
Guelder Rd. *Newc T* —4C **56**
Guernsey Rd. *Sund* —5D **114**
Guernsey Sq. *Sund* —5D **114**
Guildford Pl. *Newc T* —2B **68**
Guildford St. *Sund* —3E **117**
Guillemot Clo. *Bly* —2C **16**
Guillemot Row. *Kil* —1C **42**
Guisborough Dri. *N Shi* —5F **45**
Guisborough St. *Sund* —2H **115**
Gullane. *Wash* —2B **98**
Gullane Clo. *Gate* —1A **84**
Gullane Clo. *S'ley* —3F **121**
Gunnerston Gro. *Newc T* —2H **53**
Gunnerton Clo. *Cra* —5B **20**
Gunnerton Pl. *N Shi* —1H **59**
Gunn St. *Gate* —3B **80**
Gut Rd. *W'snd* —5D **58**
Guyzance Av. *Newc T* —1C **54**

Habgood Dri. *Dur* —6G **153**
Hackworth Rd. *N West* —4A **160**
Hackworth Way. *N Shi* —4B **60**
Haddington Rd. *Whit B* —4G **33**
Haddock St. *S Shi* —1D **72**
Haddon Clo. *Whit B* —6F **33**
Haddon Grn. *Whit B* —6F **33**
Haddon Rd. *Sund* —5F **117**
Haddricksmill Ct. *Newc T* —3G **55**
Haddricksmill Rd. *Newc T* —3G **55**
Hadleigh Rd. *Sund* —2F **115**
Hadrian Av. *Ches S* —4D **124**
Hadrian Ct. *Newc T* —1C **64**
Hadrian Ct. *Pon* —4B **36**
Hadrian Gdns. *Bla T* —2B **78**
Hadrian Pl. *Gate* —4A **82**
Hadrian Pl. *Newc T* —5D **50**
Hadrian Rd. *Bly* —4A **16**
Hadrian Rd. *Jar* —6H **71**
(in three parts)
Hadrian Rd. *Newc T* —2H **65**
Hadrian Rd. *W'snd* —6A **58**
Hadrians Ct. *Team T* —1F **95**
Hadrian St. *Sund* —6A **102**
Hadstone Pl. *Newc T* —6G **53**
Hagan Hall. *Jar* —2G **85**
Haggerston Clo. *Newc T* —3F **53**
Haggerston Ct. *Newc T* —3F **53**
Haggerston Cres. *Newc T* —3F **53**
Haggerstone Dri. *Sund* —4C **100**
Haggerston Ter. *Jar* —5A **72**
Haggie Av. *W'snd* —4B **58**
Haggs La. *Gate* —5C **94**
Hahnemann Ct. *Sund* —3B **102**
Haig Av. *Whit B* —1B **46**
Haig Cres. *Dur* —6G **153**
Haig Cres. *Newc T* —4E **65**
Haigh Ter. *Gate* —4C **96**
Haig Rd. *Bed* —5B **8**
Haig St. *Gate* —3B **80**
Hailsham Av. *Newc T* —6C **42**
Hailsham Pl. *Pet* —1D **162**
Haining. —6D 128
Haining Cres. *Newc T* —3H **65**
Haininghead. *Wash* —5C **112**
Hainingwood Ter. *Gate* —1H **83**
Haldane Ct. *Newc T* —1G **67**
Haldane Ter. *Newc T* —1G **67**
Haldon Pl. *Pet* —2B **162**
Hale Ri. *Pet* —1E **163**
Halewood Av. *Newc T* —2A **54**
Half Fields Rd. *Bla T* —2H **77**
Half Moon La. *Gate* —6G **67**
(in two parts)

Half Moon La. *N Shi* —6F **47**
(off Front St.)
Half Moon Yd. *Newc T*
—4F **67** (5D **4**)
Halfway Ho. La. *Sund* —4G **117**
Halidon Rd. *Sund* —6D **116**
Halidon Sq. *Sund* —6D **116**
Halifax Pl. *Gate* —2A **80**
Halifax Pl. *Ryh* —3F **131**
Halifax Rd. *Dun* —2A **80**
Halkirk Way. *Cra* —6A **14**
Hallam Rd. *Pet* —6D **160**
Hall Av. *Newc T* —3A **66**
Hall Av. *Ush M* —5B **150**
Hall Clo. *S'hm* —2D **138**
Hall Clo. *W Rai* —3E **145**
Hall Cres. *Pet* —4E **161**
Hall Dri. *Camp* —6C **30**
Halleypike Clo. *Newc T* —4D **56**
Hall Farm. *Shin* —3F **159**
Hall Farm Rd. *Sund* —4H **129**
Hallfield Clo. *Sund* —4A **130**
Hallfield Dri. *Pet* —2A **160**
Hall Gdns. *Gate* —4D **82**
Hall Gdns. *Sher* —6E **155**
Hall Gdns. *W Bol* —4C **86**
Hallgarth. —3F 155
Hallgarth. *Gate* —4G **83**
(in three parts)
Hall Gth. *Newc T* —5E **41**
Hallgarth Bungalows. *Hett H*
—3C **146**
Hallgarth Ct. *Sund* —4F **103**
Hallgarth Ho. *S Shi* —1E **73**
Hallgarth La. *H Pitt* —3F **155**
Hallgarth Rd. *Bla T* —1H **77**
Hallgarth St. *Dur* —6D **152**
Hallgarth St. *Sher* —6D **154**
Hallgarth, The. *Dur* —1D **158**
Hallgarth Vw. *Dur* —1D **158**
Hallgarth Vw. *H Pitt* —2G **155**
Hallgarth Vs. *Sher* —6E **155**
Hall Grn. *Bly* —6H **9**
Hall Grn. *Whit B* —6D **34**
Halliday Gro. *Lang M* —4F **157**
Halling Clo. *Newc T* —5G **69**
Hallington Dri. *Sea D* —6B **22**
Hallington M. *Newc T* —2C **42**
Halliwell St. *Hou S* —2H **135**
Hall La. *Hou S* —3A **136**
Hall La. *Shin* —4F **159**
Hall La. *W Rai* —3E **145**
Hallow Dri. *Newc T* —6C **50**
Hall Pk. *Bla T* —5G **63**
Hall Rd. *Heb* —4C **70**
Hall Rd. *Wash* —5C **98**
Hallside Rd. *Bly* —1H **15**
Hall St. *S Het* —6H **147**
Hall Ter. *Bly* —5C **10**
Hall Ter. *Gate* —1H **83**
Hall Vw. *Sund* —3F **89**
Hall Walks. *Pet* —1A **160**
Hallwood Clo. *Ned V* —5C **6**
Halstead Pl. *S Shi* —5F **61**
(in two parts)
Halstead Sq. *Sund* —2F **115**
Halterburn Clo. *Newc T* —3C **54**
Halton Dri. *Back* —2B **44**
Halton Dri. *Wide* —5D **28**
Halton Rd. *Dur* —2D **152**
Hamar Clo. *Tyn T* —3G **59**
Hambard Way. *Wash* —3B **112**
Hambledon Av. *Ches S* —1B **132**
(in two parts)
Hambledon Av. *N Shi* —2C **46**
Hambledon Clo. *Bol C* —3A **86**

Hambledon Gdns. *Newc T* —4A **56**
Hambledon Pl. *Pet* —2A **162**
Hambledon St. *Bly* —5B **10**
Hambleton Dri. *S'hm* —3H **139**
Hambleton Grn. *Gate* —4B **96**
Hambleton Rd. *Wash* —4H **111**
Hamilton Ct. *Gate* —3A **82**
Hamilton Ct. *Sund* —3F **103**
Hamilton Cres. *Newc T* —3D **66**
Hamilton Cres. *N Shi* —5G **45**
Hamilton Dri. *Whit B* —3B **34**
Hamilton Pl. *Newc T* —3D **66**
Hamilton St. *Pet* —6F **161**
Hamilton Ter. *W Bol* —4C **86**
(off Dipe La.)
Hamilton Way. *Whit B* —3B **34**
Hammer Sq. Bank. *Beam* —1A **122**
Hampden Rd. *Sund* —3E **103**
Hampden St. *S Shi* —1E **73**
Hampshire Ct. *Newc B* —1C **80**
Hampshire Gdns. *W'snd* —3C **58**
Hampshire Pl. *Pet* —6B **160**
Hampshire Pl. *Wash* —4B **98**
Hampshire Rd. *Dur* —4A **154**
Hampshire Way. *S Shi* —2C **74**
Hampstead Clo. *Bly* —4A **16**
Hampstead Gdns. *Jar* —1H **85**
Hampstead Rd. *Newc T* —4A **66**
Hampstead Rd. *Sund* —3F **115**
Hampstead Sq. *Sund* —3E **115**
Hampton Clo. *Cra* —2D **20**
Hampton Ct. *Ches S* —2D **124**
Hampton Ct. *Swa* —2F **79**
Hampton Dri. *Gate* —3C **82**
Hampton Rd. *N Shi* —3B **46**
Hamsterley Clo. *Gt Lum* —4H **133**
Hamsterley Ct. *Sund* —3A **130**
Hamsterley Cres. *Dur* —1D **152**
Hamsterley Cres. *Gate* —2C **96**
Hamsterley Cres. *Newc T* —2H **63**
Hamsterley Dri. *Newc T* —1C **42**
Hamsterley Gdns. *S'ley* —5E **119**
Hamsterley Mill. —2A 104
Hanby Gdns. *Sund* —4A **116**
Hancock Museum. —2F **67** (1D **4**)
Hancock St. *Newc T* —2F **67** (1D **4**)
Handel St. *S Shi* —5F **61**
Handel St. *Sund* —1A **116**
Handley Cres. *E Rai* —1G **145**
Handley St. *Pet* —6F **161**
Handy Dri. *Dun* —1H **79**
Hangingstone La. *S'ley* —6B **118**
Hangmans La. *Hou S & Sund*
—1G **137**
Hanlon Ct. *Jar* —1D **70**
Hanmore Rd. *Gate* —1H **83**
Hannington Pl. *Byker* —3A **68**
Hannington St. *Newc T* —3A **68**
Hann Ter. *Wash* —5D **98**
Hanover Clo. *Newc T* —5A **52**
Hanover Ct. *Ann* —2B **30**
Hanover Ct. *Dur* —6B **152**
Hanover Ct. *Gate* —3A **96**
Hanover Dri. *Bla T* —2G **77**
Hanover Gdns. *W'snd* —6E **59**
(off Station Rd.)
Hanover Pl. *Cra* —5A **14**
Hanover Pl. *Sund* —5B **102**
Hanover Sq. *Bla T* —2G **77**
(off Waterloo St.)
Hanover Sq. *Newc T* —5F **67** (6D **4**)
Hanover St. *Newc T* —5F **67** (6D **4**)
Hanover Wlk. *Bla T* —3G **77**
Hanover Wlk. *Newc T* —5A **52**
Harbord Ter. *Sea S* —4D **22**
Harbottle Av. *Newc T* —1C **54**

Harbottle Av. *Shir* —3D **44**
Harbottle Ct. *Newc T* —5C **68**
Harbottle Cres. *Jar* —1F **85**
Harbour Dri. *S Shi* —3F **61**
Harbour, The. *Hou S* —3F **127**
Harbour Vw. *E Sle* —2H **9**
Harbour Vw. *S Shi* —2E **61**
Harbour Vw. *Sund* —3F **103**
Harbour Wlk. *S'hm* —3A **140**
Harcourt Pk. *Gate* —6A **82**
Harcourt Rd. *Sund* —6D **116**
Harcourt St. *Gate* —6A **82**
Hardgate Rd. *Sund* —6D **116**
Hardie Av. *Whi* —3E **79**
Hardie Ct. *Heb* —2D **70**
Hardie Dri. *W Bol* —4C **86**
Hardman Clo. *Ryton* —4D **62**
Hardman Gdns. *Ryton* —4D **62**
Hardwick Ct. *Gate* —2A **82**
Hardwick Pl. *Newc T* —4C **54**
Hardwick Ri. *Sund* —5E **103**
Hardwick St. *Pet* —1G **163**
Hardyards Ct. *S Shi* —4E **73**
Hardy Av. *S Shi* —6D **72**
Hardy Gro. *W'snd* —2G **57**
Hardy Sq. *Sund* —3A **102**
Hardy St. *S'hm* —4B **140**
Hardy Ter. *S'ley* —5A **120**
Harebell Rd. *Gate* —1D **96**
Harehills Av. *Newc T* —4H **53**
Harehills Tower. *Newc T* —4A **54**
Harelaw. —3E 119
Harelaw Clo. *Pelt* —3F **123**
Harelaw Gdns. *Dip* —3E **119**
Harelaw Gro. *Newc T* —6B **52**
Harelaw Ind. Est. *Dip* —2E **119**
Hareshaw Rd. *S Well* —6F **83**
Hareshaw Ter. *Newc T* —5C **68**
(off St Peter's Rd.)
Hareside. *Cra* —4A **20**
Hareside Clo. *Newc T* —1F **63**
Hareside Ct. *Newc T* —1F **63**
Hareside Path. *Newc T* —2F **63**
Hareside Wlk. *Newc T* —1F **63**
Harewood Clo. *Whi* —1E **93**
Harewood Clo. *Whit B* —1F **45**
Harewood Ct. *Whit B* —1F **45**
Harewood Cres. *Whit B* —1F **45**
Harewood Dri. *Bed* —3C **8**
Harewood Gdns. *Sund* —4A **116**
Harewood Grn. *Gate* —3B **96**
Harewood Rd. *Newc T* —1E **55**
Hareydene. *Newc T* —1D **52**
Hargill Dri. *Wash* —6G **111**
Hargrave Ct. *Bly* —1A **16**
Harland Way. *Wash* —2B **112**
Harle Clo. *Newc T* —6C **52**
Harlequin Lodge. *Gate* —3D **82**
Harle Rd. *Back* —2B **44**
Harleston Way. *Gate* —5E **83**
Harle St. *Brow* —6F **157**
Harle St. *W'snd* —5H **57**
Harley Ter. *Newc T* —2F **55**
Harley Ter. *Sher* —5D **154**
Harleyville. *Hett H* —2D **146**
Harlow Av. *Back* —2B **44**
Harlow Av. *Newc T* —6B **40**
Harlow Clo. *Cra* —6A **14**
Harlow Green. —3B 96
Harlow Grn. La. *Gate* —3A **96**
Harlow Pl. *Newc T* —4B **56**
Harlow St. *Sund* —1B **116**
Harnham Av. *N Shi* —2H **59**
Harnham Gdns. *Newc T* —1G **65**
Harnham Gro. *Cra* —4A **20**
Harold Sq. *Sund* —2E **117**

Harold St. *Jar* —2G **71**
Harold Wilson Dri. *Hes* —6F **163**
Harperley. —3G 119
Harperley Dri. *Sund* —5B **116**
Harperley Gdns. *S'ley* —4E **119**
Harperley La. *Tant* —6H **105**
Harperley Rd. *S'ley* —4F **119**
Harper St. *Bly* —6B **10**
Harraby Gdns. *Gate* —2A **96**
Harras Bank. *Bir* —4C **110**
Harraton. —6H 111
Harraton Ter. *Lam P* —3C **110**
Harriet Pl. *Newc T* —3C **68**
Harriet St. *Bla T* —1A **78**
Harriet St. *Newc T* —3D **68**
Harrington St. W'snd —5H **57**
(off Blenkinsop St.)
Harriot Dri. *Newc T* —3A **42**
Harrison Clo. *Pet* —2E **163**
Harrison Ct. *Ann* —3B **30**
Harrison Ct. *Bir* —4C **110**
Harrison Gdns. *Gate* —4F **81**
Harrison Gth. *Sher* —5D **154**
Harrison Pl. *Newc T* —2G **67** (1F **5**)
Harrison Rd. *W'snd* —4E **59**
Harrison Ter. *Pet* —1D **160**
Harrison Vs. *Newc T* —3F **53**
Harrogate St. *Sund* —2E **117**
Harrogate Ter. *Mur* —2C **148**
Harrow Cres. *Hou S* —3E **127**
Harrow Gdns. *Wide* —6E **29**
Harrow Sq. *Sund* —2F **115**
Harrow St. *Shir* —1C **44**
Hartburn. *Gate* —6G **83**
Hartburn Dri. *Newc T* —4B **52**
Hartburn Pl. *Newc T* —2B **66**
Hartburn Rd. *N Shi* —4B **46**
Hartburn Ter. *Sea D* —6B **22**
Hartburn Wlk. *Newc T* —2H **53**
(in two parts)
Hartford. *Kil* —6D **30**
Hartford Bank. *H Bri* —3E **13**
Hartford Bridge. —2E 13
Hartford Bri. Farm. *H Bri* —2E **13**
Hartford Cvn. Site. *H Bri* —1D **12**
Hartford Ct. *Bed* —5G **7**
Hartford Cres. *Bed* —5G **7**
Hartford Dri. *H Bri* —2E **13**
Hartford Rd. *Bed* —2E **13**
Hartford Rd. *Newc T* —6F **41**
Hartford Rd. *S Shi* —4C **72**
Hartford Rd. *Sund* —2F **115**
Hartford Rd. E. *Bed* —5H **7**
Hartford Rd. W. *Bed* —5H **7**
Hartford St. *Newc T* —1C **68**
Hartforth Cres. *Gate* —1A **84**
Harthope Av. *Sund* —2E **101**
Harthope Clo. *Wash* —1F **125**
Harthope Dri. *N Shi* —4A **60**
Hartington Rd. *N Shi* —4C **46**
Hartington St. *Gate* —2H **81**
Hartington St. *Newc T* —4C **66**
Hartington St. *Sund* —3E **103**
Hartington Ter. *S Shi* —1F **73**
Hartland Dri. *Bir* —4D **110**
Hartlands. *Bed* —5G **7**
(in two parts)
Hartleigh Pl. *Bly* —6H **9**
Hartlepool Av. *Pet* —5F **161**
Hartley. —5H 23
Hartley Av. *Whit B* —6A **34**
Hartleyburn Estate. —6B 70
Hartley Gdns. *Sea D* —6A **22**
Hartley Gdns. *Sund* —2C **102**
Hartley La. *Whit B* —5E **33**

Hartley Sq. *Sea S* —5H **23**
Hartley St. *Sea D* —6A **22**
Hartley St. *Sund* —6F **103**
Hartley St. N. *Sea D* —6A **22**
Hartley Ter. *Bly* —3A **16**
Hartoft Clo. *Hou S* —6H **127**
Harton. —3H 73
Harton Gro. *S Shi* —2G **73**
Harton Ho. Rd. *S Shi* —2G **73**
Harton Ho. Rd. E. *S Shi* —2A **74**
Harton La. *S Shi* —4E **73**
Harton Nook. —4H 73
Harton Ri. *S Shi* —2H **73**
Harton Vw. *W Bol* —4C **86**
Hartside. *Bir* —6D **110**
Hartside. *Newc T* —2A **64**
Hartside Cotts. *S'ley* —5F **119**
Hartside Cres. *Back* —1B **44**
Hartside Cres. *Bla T* —3G **77**
Hartside Cres. *Cra* —5A **14**
Hartside Gdns. *Eas L* —4E **147**
Hartside Gdns. *Newc T* —6H **55**
Hartside Pl. *Newc T* —4E **41**
Hartside Rd. *Sund* —3F **115**
Hartside Sq. *Sund* —3F **115**
Hartside Vw. *Bear* —3C **150**
Hartside Vw. *Dur* —6A **142**
Hart Sq. *Sund* —2G **115**
Hartswood. *Gate* —4A **96**
Hart Ter. *Sund* —5F **89**
Harvard Rd. *Newc T* —2A **54**
Harvest Clo. *Sund* —4H **129**
Harvey Clo. *Cwthr* —2F **111**
Harvey Clo. *Pet* —6D **160**
Harvey Combe. *Newc T* —2B **42**
Harvey Cres. *Gate* —3H **83**
Harwood Clo. *Cra* —4A **20**
Harwood Clo. *Wash* —6G **111**
Harwood Ct. *Cra* —4A **20**
Harwood Dri. *Kil* —2F **43**
Harwood Grn. *Newc T* —1A **54**
Hascombe Clo. *Whit B* —5H **33**
Haslemere Dri. *Sund* —4A **116**
Hassop Way. *Bed* —3H **7**
Hastings Av. *Dur* —2A **158**
Hastings Av. *King P* —6H **39**
Hastings Av. *Longb* —6D **42**
Hastings Av. *Sea S* —2F **23**
Hastings Av. *Whit B* —3A **34**
Hastings Ct. *Bed* —3C **8**
Hastings Ct. *N Har* —3B **22**
Hastings Ct. *Wash* —5C **98**
Hastings Dri. *N Shi* —5E **47**
Hastings Gdns. *N Har* —3B **22**
Hastings Hill. —5C 114
Hastings Ho. *W'snd* —5H **59**
Hastings Pde. *Heb* —6E **71**
Hastings St. *Cra* —4C **20**
Hastings St. *Sund* —3E **117**
Hastings Ter. *N Har* —2B **22**
Hastings Ter. *Shan* —6D **14**
Hastings Ter. *Sund* —4F **117**
Hastings Wlk. Sund —5C **98**
(off Hastings Ct.)
Haswell Clo. *Gate* —4B **84**
Haswell Ho. *N Shi* —6F **47**
Hatfield Av. *Heb* —3D **70**
Hatfield Clo. *Fram M* —1A **152**
Hatfield Dri. *Seg* —1F **31**
Hatfield Gdns. *Sund* —4A **116**
Hatfield Gdns. *Whit B* —6F **33**
Hatfield Pl. *Pet* —2E **163**
Hatfield Sq. *S Shi* —4F **61**
Hatfield Vw. *Dur* —6D **152**
Hathaway Gdns. *Sund* —4A **116**
Hathersage Gdns. *S Shi* —4F **73**

Hatherton Av. *N Shi* —2D **46**
Hathery La. *Bly* —6D **8**
Hathery Rd. *Bly* —4D **14**
Haugh La. *Bla T* —3E **63**
(in three parts)
Haughton Cres. *Jar* —1F **85**
Haughton Cres. *Newc T* —6C **52**
Haughton Ter. *Bly* —6C **10**
Haur Laur Pl. *Hett H* —2C **146**
Hautmont Rd. *Heb* —5D **70**
Hauxley. *Kil* —6D **30**
Hauxley Dri. *Ches S* —3A **132**
Hauxley Dri. *Cra* —5H **13**
Hauxley Dri. *Newc T* —6A **40**
Hauxley Gdns. *Newc T* —5H **53**
Havanna. *Kil* —6D **30**
Havannah Cres. *Din* —4F **27**
Havannah Nature Reserve. —1B **40**
Havannah Rd. *Wash* —6H **97**
Havant Gdns. *Wide* —4D **28**
Havelock Clo. *Gate* —1G **81**
Havelock Ct. *Sund* —1F **115**
Havelock Cres. *E Sle* —2F **9**
Havelock M. *E Sle* —2F **9**
Havelock Pl. *Newc T* —4D **66**
Havelock Rd. *Back* —2B **44**
Havelock St. *Bly* —5C **10**
Havelock St. *S Shi* —6D **60**
Havelock St. *Sund* —6F **103**
Havelock Ter. *Gate* —1G **81**
Havelock Ter. *Jar* —4F **71**
Havelock Ter. S'ley —2D **120**
(off High St. Stanley,)
Havelock Ter. *Sund* —2B **116**
Havelock Ter. *Tant* —5H **105**
Havelock Vs. *E Sle* —2F **9**
Haven Ct. *Bly* —1A **16**
Haven Ct. *Dur* —5C **142**
Haven Ct. *Sund* —4F **103**
Haven, The. *Hou S* —3F **127**
Haven, The. *N Shi* —4C **60**
Havercroft. *Gate* —4H **83**
Haverley Dri. *S'hm* —2E **139**
Haversham Clo. *Newc T* —2A **56**
Haversham Pk. *Sund* —6C **88**
Havlock St. *S Shi* —6E **61**
Hawarden Cres. *Sund* —2A **116**
Hawes Av. *Ches S* —2A **132**
Hawes Ct. *Sund* —6C **88**
Hawesdale Cres. *Bla T* —3H **77**
Hawes Rd. *Pet* —6D **160**
Haweswater Clo. *S Shi* —3F **73**
Hawick Ct. *S'ley* —3F **121**
Hawick Cres. *Newc T* —5B **68**
Hawick Cres. Ind. Est. *Newc T* —5B **68**
Hawkesley Rd. *Sund* —2F **115**
Hawkey's La. *N Shi* —1B **60**
Hawkhill Clo. *Ches S* —3A **132**
Hawkhills Ter. *Bir* —2C **110**
Hawkhurst. *Wash* —5C **112**
Hawkins Ct. *Sund* —3H **129**
Hawkins Rd. *Mur* —4E **149**
Hawksbury. *Whi* —4E **79**
Hawksfeld. *Gate* —1E **97**
Hawkshead Ct. *Newc T* —6H **39**
Hawkshead Pl. *Gate* —6B **82**
Hawksley. *Newc T* —5D **52**
Hawks Rd. *Gate* —5H **67** (6H **5**)
Hawks St. *Gate* —5A **68**
Hawk Ter. *Bir* —4E **111**
Hawkwell Ri. *Newc T* —6D **50**
Hawsker Clo. *Sund* —2C **130**
Hawthorn. —6H 149
Hawthorn Av. *Bru V* —6C **28**
Hawthorn Av. *S Shi* —5H **73**

Hawthorn Av. *Sund* —1B **130**
Hawthorn Clo. *Kim* —2A **142**
Hawthorn Clo. *S'hm* —3D **148**
Hawthorn Clo. *Whi* —6F **79**
Hawthorn Cotts. *S Het* —6B **148**
Hawthorn Cres. *Dur* —4G **153**
Hawthorn Cres. *Pet* —1G **163**
Hawthorn Cres. *Wash* —6H **111**
Hawthorn Dri. *Gate* —3B **80**
Hawthorne Av. *Heb* —3D **70**
Hawthorne Dri. *Jar* —1H **85**
Hawthorne Rd. *Bly* —1D **16**
Hawthorne Ter. *Tan* —4B **106**
Hawthorn Gdns. *Fel* —2D **82**
Hawthorn Gdns. *Low F* —5H **81**
Hawthorn Gdns. *N Shi* —6B **46**
Hawthorn Gdns. *Ryton* —5E **63**
Hawthorn Gdns. *Whit B* —6B **34**
Hawthorn Gro. *W'snd* —5H **57**
Hawthorn M. *Newc T* —3E **55**
Hawthorn Pk. *B'don* —5D **156**
Hawthorn Pl. *Dur* —5B **142**
Hawthorn Pl. *Kil* —1C **42**
Hawthorn Pl. *Newc T* —5D **66**
Hawthorn Rd. *Bla T* —1A **78**
Hawthorn Rd. *Dur* —2B **154**
Hawthorn Rd. *Newc T* —3E **55**
Hawthorn Rd. *S Het* —6C **148**
Hawthorn Rd. W. *Newc T* —3E **55**
Hawthorn Sq. *S'hm* —3B **140**
Hawthorns, The. *E Bol* —4F **87**
Hawthorns, The. *Gate* —4D **96**
Hawthorns, The. *Newc T* —6C **66**
Hawthorn St. *Hou S* —1G **135**
Hawthorn St. *Jar* —2E **71**
Hawthorn St. *Newc T* —5F **51**
Hawthorn St. *Pet* —1D **160**
Hawthorn St. *Sund* —1A **116**
Hawthorn Ter. *Ches S* —1D **132**
Hawthorn Ter. *Dur* —6B **152**
Hawthorn Ter. *Gate* —4D **96**
Hawthorn Ter. *New B* —1A **156**
Hawthorn Ter. *Newc T* —5C **66**
Hawthorn Ter. *Pelt F* —4G **123**
Hawthorn Ter. *S'ley* —5H **119**
Hawthorn Ter. *Sund* —5B **98**
Hawthorn Ter. *Walb* —5F **51**
Hawthorn Vs. *Cra* —3C **20**
Hawthorn Vs. *W'snd* —5H **57**
Hawthorn Wlk. *Newc T* —5D **66**
Hawthorn Way. *Pon* —2D **36**
Haydn St. *Gate* —3H **81**
Haydock Dri. *Gate* —4A **84**
Haydon. *Wash* —6C **112**
Haydon Clo. *Newc T* —5B **40**
Haydon Dri. *Whit B* —2B **46**
Haydon Gdns. *Back* —2B **44**
Haydon Pl. *Newc T* —1E **65**
Haydon Sq. *Sund* —2F **115**
Hayes Wlk. *Wide* —5D **28**
Hayfield La. *Whi* —5F **79**
Hayhole Rd. *N Shi* —5A **60**
Haylands Sq. *S Shi* —4G **73**
Hayleazes Rd. *Newc T* —2D **64**
Haymarket. *Newc T* —3F **67** (3D **4**)
Haymarket La. *Newc T*
 —3F **67** (2C **4**)
Haynyng, The. *Gate* —4E **83**
Hayricks, The. *Tan* —3B **106**
Hay St. *Sund* —5C **102**
Hayton Av. *S Shi* —4A **74**
Hayton Clo. *Cra* —2C **20**
Hayton Rd. *N Shi* —4B **46**
Hayward Av. *Sea D* —6B **22**
Hayward Pl. *Newc T* —5F **53**

Hazard La. *E Rai* —2H **145**
Hazel Av. *B'don* —6C **156**
Hazel Av. *Hou S* —3G **135**
Hazel Av. *N Shi* —6B **46**
Hazel Av. *Sund* —1B **130**
Hazel Cres. *Pet* —2D **160**
Hazeldene. *Jar* —3G **85**
Hazeldene. *Whit B* —6H **33**
Hazeldene Av. *Newc T* —3G **53**
Hazeldene Ct. *N Shi* —6E **47**
Hazel Dri. *Hes* —6F **163**
Hazeley Gro. *Newc T* —2H **53**
Hazeley Way. *Newc T* —2H **53**
Hazel Gro. *Burn* —2A **106**
Hazel Gro. *Ches S* —4A **124**
Hazelgrove. *Gate* —4H **83**
Hazel Gro. *Newc T* —3B **42**
Hazel Gro. *S Shi* —5H **73**
Hazel Leigh. *Gt Lum* —4G **133**
Hazelmere Av. *Bed* —4G **7**
Hazelmere Av. *Newc T* —4F **41**
Hazelmere Cres. *Cra* —1C **20**
Hazelmere Dene. *Seg* —2E **31**
Hazelmoor. *Heb* —2B **70**
Hazelrigg. —1C 40
Hazel Rd. *Bla T* —1B **78**
Hazel Rd. *Gate* —3E **81**
Hazel St. *Jar* —2E **71**
Hazel Ter. *Hou S* —1G **135**
Hazel Ter. *S'ley* —6F **121**
Hazelwood. *Jar* —3H **71**
Hazelwood. *Kil* —2F **43**
Hazelwood Av. *Newc T* —5G **55**
Hazelwood Av. *Sund* —3H **101**
Hazelwood Clo. *Gate* —3D **96**
Hazelwood Gdns. *Wash* —6H **111**
Hazelwood Ter. *W'snd* —4E **59**
Hazledene Ter. *Sund* —1H **115**
Hazlitt Av. *S Shi* —6D **72**
Hazlitt Pl. *Seg* —2G **31**
Headlam Gdns. *Newc T* —3D **68**
 (off Grace St.)
Headlam Grn. *Newc T* —3C **68**
 (off Headlam St.)
Headlam St. *Newc T* —3C **68**
 (in two parts)
Headlam Vw. *W'snd* —5E **59**
Healey Dri. *Sund* —5B **116**
Hearn Sq. *Gate* —2D **96**
Heartsbourne Dri. *S Shi* —6H **73**
Heath Clo. *Gate* —4D **80**
Heath Clo. *Pet* —2E **163**
 (in two parts)
Heathcote Grn. *Newc T* —4F **53**
Heath Ct. *Newc T* —4G **67** (5E **5**)
Heath Cres. *Newc T* —5E **65**
Heathdale Gdns. *Newc T* —4B **56**
Heather Clo. *Sund* —1A **88**
Heatherdale Cres. *Dur* —3B **154**
Heatherdale Ter. *Gate* —2B **96**
Heather Dri. *Hett H* —6C **136**
Heather Gro. *Gate* —1B **82**
Heather Hill. *Gate* —4F **97**
Heatherlaw. *Gate* —6C **82**
Heatherlaw. *Wash* —1F **111**
Heather Lea. *Dip* —5E **105**
Heatherlea Gdns. *Sund* —4B **116**
Heather Pl. *Newc T* —1A **66**
Heather Pl. *Ryton* —5A **62**
Heatherslaw Rd. *Newc T* —1G **65**
Heather Ter. *Burn* —1H **105**
Heather Way. *S'ley* —3B **120**
Heatherwell Grn. *Gate* —4C **82**
Heathery La. *Newc T* —6G **41**
Heathfield. *Sund* —5C **116**
Heathfield Cres. *Newc T* —4H **53**

Heathfield Farm. *G'sde* —2A **76**
Heathfield Gdns. *Cat* —4F **119**
Heathfield Gdns. *G'sde* —2A **76**
Heathfield M. *Ryton* —4C **62**
Heathfield Pl. *Newc T* —4F **41**
Heathfield Rd. *Gate* —5H **81**
Heath Grange. *Hou S* —2A **136**
Heathmeads. *Pelt* —3E **123**
Heath Sq. *Sund* —2G **115**
Heathway. *Jar* —1G **85**
Heathway. *S'hm* —4A **140**
Heathways. *H Shin* —4H **159**
Heathwell Gdns. *Swa* —3F **79**
Heathwell Rd. *Newc T* —2D **64**
Heathwood Av. *Whi* —4E **79**
Heaton. —1C 68
Heaton Clo. *Newc T* —2B **68**
Heaton Gdns. *S Shi* —1E **87**
Heaton Gro. *Newc T* —2B **68**
Heaton Hall Rd. *Newc T* —2B **68**
Heaton Pk. Ct. *Newc T* —2B **68**
Heaton Pk. Rd. *Newc T* —2B **68**
Heaton Pk. Vw. *Newc T* —2B **68**
Heaton Pl. *Newc T* —2B **68**
Heaton Rd. *Newc T* —6B **56**
Heaton Ter. *Newc T* —3A **68**
Heaton Ter. *N Shi* —1A **60**
Heaton Wlk. *Newc T* —3B **68**
Heaviside Pl. *Dur* —5E **153**
Hebburn. —4C 70
Hebburn Colliery. —2D 70
Hebburn New Town. —4B **70**
Hebburn St. *Pet* —1C **160**
Heber St. *Newc T* —4E **67** (4A **4**)
Hebron Way. *Cra* —3A **20**
Hector St. *Shir* —1D **44**
Heddon Av. *Haz* —1C **40**
Heddon Banks. *Hed W* —6F **49**
 (in two parts)
Heddon Clo. *Newc T* —1C **54**
Heddon Clo. *Ryton* —4D **62**
Heddon-on-the-Wall. —5G 49
Heddon Vw. *Bla T* —1H **77**
Heddon Vw. *Ryton* —4D **62**
Heddon Way. *Mid I* —3D **72**
Hedge Clo. *Gate* —4D **80**
Hedgefield. —4F 63
Hedgefield Av. *Bla T* —4F **63**
Hedgefield Cotts. *Bla T* —4F **63**
Hedgefield Ct. *Bla T* —4F **63**
Hedgefield Gro. *Bly* —4A **16**
Hedgefield Vw. *Dud* —2A **30**
Hedgehope. *Wash* —1G **111**
Hedgehope Rd. *Newc T* —3E **53**
Hedgelea. *Ryton* —4B **62**
Hedgelea Rd. *E Rai* —2G **145**
Hedgeley Rd. *Heb* —3B **70**
Hedgeley Rd. *Newc T* —1C **64**
Hedgeley Rd. *N Shi* —6H **45**
Hedgeley Ter. *Newc T* —3F **69**
Hedley Av. *Bly* —1C **16**
Hedley Clo. *S Shi* —3E **61**
Hedley Ct. *Bly* —1D **16**
Hedley La. *Mar H* —1F **107**
Hedley Pl. *W'snd* —6H **57**
Hedley Rd. *H'wll* —1C **32**
Hedley Rd. *N Shi* —4B **60**
Hedley St. *Gate* —3F **81**
Hedley St. *Gos* —2E **55**
Hedley St. *S Shi* —3E **61**
Hedley Ter. *Dip* —3A **118**
Hedley Ter. *Newc T* —2E **55**
Hedley Ter. *S Het* —6H **147**
Hedley Ter. *Sund* —3G **131**
Hedworth. —1H 85
Hedworth Av. *S Shi* —5C **72**

Hedworth Ct. *Sund* —1E **117**
Hedworth La. *Jar & Bol C* —6G **71**
Hedworth Pl. *Gate* —2C **96**
Hedworth Sq. *Sund* —1E **117**
Hedworth St. *Ches S* —6C **124**
Hedworth Ter. *Hou S* —3F **127**
Hedworth Ter. Sund —3F **89**
(off North Guards)
Hedworth Ter. *Sund* —1E **117**
(SR1)
Hedworth Vw. *Jar* —6H **71**
Hedworth Vw. *Newc T* —6F **69**
Heighley St. *Newc T* —4D **64**
Helena Av. *Whit B* —6D **34**
Helen St. *Bla T* —1G **77**
Helen St. *Cra* —4F **21**
Helen St. *Sund* —1E **103**
Helford Rd. *Pet* —3C **162**
Hellvellyn Ct. *S'ley* —6F **119**
Helmdon. *Wash* —5C **98**
Helmsdale Av. *Gate* —2D **82**
Helmsdale Rd. *Sund* —2F **115**
Helmsley Clo. *Shin R* —3E **127**
Helmsley Ct. *Sund* —2G **101**
Helmsley Dri. *W'snd* —5D **58**
Helmsley Grn. *Gate* —3B **96**
Helmsley Rd. *Dur* —6C **142**
Helmsley Rd. *Newc T* —2H **67** (1G **5**)
Helston Ct. *Newc T* —2H **63**
Helvellyn Av. *Wash* —4G **111**
Helvellyn Rd. *Sund* —6D **116**
Hemel St. *Ches S* —1C **132**
Hemlington Clo. *Ryh* —4F **131**
Hemmel Courts. *B'don* —4E **157**
Hemming St. *Sund* —5F **117**
Hemsley Rd. *S Shi* —6H **61**
Henderson Av. *Whi* —3E **79**
Henderson Gdns. *Gate* —3H **83**
Henderson Rd. *S Shi* —5B **72**
Henderson Rd. *Sund* —1H **115**
Henderson Rd. *W'snd* —3H **57**
Hendersyde Clo. *Newc T* —4F **53**
Hendon. —3E 117
Hendon Burn Av. *Sund* —2E **117**
Hendon Burn Av. W. *Sund* —3E **117**
Hendon Clo. *N Shi* —4C **60**
Hendon Clo. *Sund* —1E **117**
Hendon Gdns. *Jar* —1H **85**
Hendon Rd. *Gate* —3B **82**
Hendon Rd. *Sund* —6E **103**
(in two parts)
Hendon St. *Sund* —1F **117**
Hendon Valley Ct. *Sund* —3E **117**
Hendon Valley Rd. *Sund* —2E **117**
Henley Av. *Pelt F* —6G **123**
Henley Clo. *Cra* —2D **20**
Henley Gdns. *W'snd* —3F **59**
Henley Rd. *N Shi* —4E **47**
Henley Rd. *Sund* —2F **115**
Henley St. *Newc T* —2C **68**
Henley Way. *Bol C* —3A **86**
Henlow Rd. *Newc T* —2A **64**
Henry Nelson St. *S Shi* —3F **61**
Henry Robson Way. *S Shi* —5E **61**
Henry Sq. *Newc T* —3H **67** (3G **5**)
Henry St. *Hett H* —5C **136**
Henry St. *Hou S* —2A **136**
Henry St. *Newc T* —2E **55**
Henry St. *N Shi* —2C **60**
Henry St. *S'hm* —3B **140**
Henry St. *Shin R* —3F **127**
Henry St. *S Shi* —3F **61**
Henry St. *Walb* —5G **51**
Henry St. E. *Sund* —1F **117**
Henry St. N. Mur —2D **148**
(off Henry St. S.)

Henry St. S. *Mur* —2D **148**
Henry Ter. *Fenc* —1D **134**
Hensby Ct. *Newc T* —3F **53**
Henshaw Gro. *H'wll* —1D **32**
Henshaw Pl. *Newc T* —2F **65**
Henshelwood Ter. *Newc T* —6G **55**
Henson Clo. *Wash* —3B **112**
Hepburn Gdns. *Gate* —2C **82**
Hepburn Gro. *Sund* —4B **100**
Hepple Ct. *Bly* —1A **16**
Hepple Way. *Newc T* —1C **54**
Hepscott. —1A 6
Hepscott Dri. *Whit B* —5H **33**
Hepscott Park. —4A 6
Hepscott Ter. *S Shi* —2F **73**
Herbert St. *Gate* —2A **82**
Herbert Ter. *S'hm* —4B **140**
Herbert Ter. *Sund* —6B **88**
Herd Clo. *Bla T* —2G **77**
Herd Ho. La. *Bla T* —1F **77**
Herdinghill. *Wash* —1F **111**
Herdlaw. *Cra* —3A **20**
Hereford Ct. *Newc T* —5H **39**
Hereford Ct. *Sund* —6D **116**
Hereford Rd. *Sund* —6D **116**
Herefordshire Dri. *Dur* —4A **154**
Hereford Sq. *Sund* —6D **116**
Hereford Way. *Jar* —2F **85**
(in two parts)
Hermiston. *Whit B* —6A **34**
Hermitage Pk. *Ches S* —2C **132**
Heron Clo. *Bly* —3C **16**
Heron Clo. *Wash* —5G **111**
Heron Dri. *S Shi* —3E **61**
Heron Pl. *Newc T* —6A **42**
Heron Vs. *S Shi* —5D **72**
Herrick St. *Newc T* —4E **53**
Herring Gull Clo. *Bly* —4C **16**
Herrington M. *Hou S* —3A **128**
Herrington Rd. *Hou S* —3B **128**
Herrington Rd. *Sund* —2D **128**
Herschel Building. *Newc T* —2C **4**
Hersham Clo. *Newc T* —6H **39**
Hertburn Gdns. *Wash* —6B **98**
Hertburn Ind. Est. *Hert* —6C **98**
Hertford. *Gate* —3H **95**
Hertford Av. *S Shi* —2C **74**
Hertford Clo. *Whit B* —5G **33**
Hertford Cres. *Hett H* —1B **146**
Hertford Gro. *Cra* —2C **20**
Hertford Pl. *Pet* —5C **160**
Herton Clo. *Pet* —6C **160**
(in two parts)
Hesket Ct. *Newc T* —6A **40**
Hesleden. —6G 163
Hesleden Rd. *Hes & B Col* —5G **163**
Hesleden La. *Haw* —4H **149**
Hesledon Wlk. *Mur* —1E **149**
Hesleyside Dri. *Newc T* —1F **65**
Hesleyside Rd. *S Well* —6F **33**
Hester Av. *N Har* —3B **22**
Hester Bungalows. N Har —3B **22**
(off Hester Av.)
Hester Gdns. *N Har* —3C **22**
Heswall Rd. *Cra* —5A **14**
Hetton Downs. —6D 136
Hetton-le-Hole. —2C 146
Hetton Lyons Country Park. —1E **147**
Hetton Lyons Ind. Est. *Hett H*
—2D **146**
Hetton Rd. *Hou S* —4A **136**
Heugh Hill. *Gate* —3G **97**
Hewitson Ter. *Gate* —4C **82**
Hewitt Av. *Sund* —1E **131**
Hewley Cres. *Newc T* —6D **50**
Heworth. —3E 83

Heworth Av. *Gate* —2G **83**
Heworth Burn Cres. *Gate* —3E **83**
Heworth Ct. *S Shi* —4D **72**
Heworth Cres. *Wash* —5B **98**
Heworth Dene Gdns. *Gate* —2E **83**
(in two parts)
Heworth Gro. *Wash* —5A **98**
Heworth Rd. *Wash* —3B **98**
Heworth Way. *Gate* —3G **83**
Hewson Pl. *Gate* —5B **82**
Hexham. *Wash* —3F **111**
Hexham Av. *Cra* —2C **20**
Hexham Av. *Heb* —1C **84**
Hexham Av. *Newc T* —4F **69**
Hexham Av. *S'hm* —5H **139**
(in two parts)
Hexham Clo. *N Shi* —6G **45**
Hexham Ct. *Gate* —5B **80**
Hexham Ct. *Newc T* —3G **69**
Hexham Dri. *S'ley* —4F **119**
Hexham Ho. *Newc T* —3G **69**
Hexham Old Rd. *Ryton* —4C **62**
Hexham Rd. *Hed W* —5G **49**
Hexham Rd. *Sund* —2F **115**
Hexham Rd. *Swa* —2D **78**
Hextol Gdns. *Newc T* —2D **64**
Heybrook Av. *N Shi* —5B **46**
Heyburn Gdns. *Newc T* —4H **65**
Heywood's Ct. *Newc T* —4F **67**
Heywoods's Ct. *Newc T* —5D **4**
Hibernian Rd. *Jar* —2F **71**
Hibernia Rd. *Newc T* —5G **69**
Hickling Ct. *Newc T* —3G **53**
Hickstead Clo. *W'snd* —6C **44**
Hickstead Gro. *Cra* —2D **20**
Hiddleston Av. *Newc T* —2B **56**
Higgins Ter. *Sund* —2B **130**
Higham Pl. *Newc T* —3G **67** (3E **5**)
High Axwell. *Bla T* —1B **78**
High Back Clo. *Jar* —5E **71**
High Barnes. —2G 115
High Barnes. *Gt Lum* —4G **133**
High Barnes Ter. *Sund* —2A **116**
High Bri. *Newc T* —4F **67** (5D **4**)
Highburn. *Cra* —4A **20**
High Burn Ter. *Gate* —4E **83**
Highbury. *Gate* —3E **83**
Highbury. *Newc T* —6F **55**
Highbury. *Whit B* —6A **34**
Highbury Av. *Gate* —3G **97**
Highbury Clo. *Gate* —3G **97**
Highbury Pl. *N Shi* —2A **60**
High Callerton. —3E 37
High Carr Clo. *Fram M* —2B **152**
Highcarr Rd. *Dur* —2A **152**
High Chare. *Ches S* —6C **124**
Highcliffe Gdns. *Gate* —3A **82**
High Croft. *Wash* —4H **97**
High Cft. Clo. *Heb* —5B **70**
Highcroft Dri. *Whit* —2E **89**
Highcroft Pk. *Sund* —2F **89**
(in two parts)
Highcross Rd. *N Shi* —2C **46**
High Dene. *Newc T* —6A **56**
High Dene. *S Shi* —4D **72**
High Downs Sq. *Hett H* —6C **136**
High Dubmire. —3F 135
High Fell. —5B 82
Highfield. —3C 90
Highfield. *Bir* —1C **110**
Highfield. *Sun* —2F **93**
Highfield Av. *Newc T* —5D **42**
Highfield Clo. *Newc T* —4D **52**
Highfield Ct. *Gate* —4E **83**
Highfield Cres. *Ches S* —4C **124**
Highfield Dri. *Hou S* —3F **135**

Highfield Dri. *S Shi* —1H **73**
Highfield Gdns. *Ches S* —4C **124**
Highfield Grange. *Hou S* —4F **135**
Highfield Pl. *Sund* —1H **115**
Highfield Pl. *Wide* —6C **28**
Highfield Ri. *Ches S* —4C **124**
Highfield Rd. *Gate* —2A **82**
Highfield Rd. *Hou S* —3E **127**
Highfield Rd. *Newc T* —5D **52**
Highfield Rd. *Row G* —3C **90**
Highfield Rd. *S Shi* —6H **61**
Highfield Ter. *Newc T* —5F **69**
Highfield Ter. *Ush M* —6B **150**
High Flatworth. *N Shi* —2F **59**
High Friar La. *Newc T* —4F **67** (4D **4**)
High Friars. *Newc T* —4C **4**
High Friarside. —1E 105
High Gth. Sund —6E **103**
(off High St. E.)
Highgate Gdns. *Jar* —1H **85**
Highgate Rd. *Sund* —2F **115**
High Ga., The. *Newc T* —3A **54**
Highgreen Chase. *Whi* —1E **93**
High Grindon Ho. *Sund* —4E **115**
High Gro. *Newc T* —5C **66**
High Gro. *Ryton* —5D **62**
Highgrove. *W Den* —5B **52**
High Hamsterley Rd. *Ham M*
—2A **104**
High Handenhold. —2D 122
Highheath. *Wash* —1F **111**
High Heaton. —4B 56
High Hedgefield Ter. *Bla T* —4E **63**
High Heworth. —5E 83
High Heworth La. *Gate* —4E **83**
High Horse Clo. *Row G* —1G **91**
High Horse Clo. Wood. *Row G*
—1G **91**
High Ho. Gdns. *Gate* —3E **83**
(in two parts)
Highland Rd. *Newc T* —4H **53**
High La. *Nbtle* —5A **128**
High La. Row. *Heb* —1D **70**
High Lanes. *Gate* —4F **83**
High Laws. *S Gos* —3H **55**
Highlaws Gdns. *Gate* —3B **96**
High Level Rd. *Gate* —6G **67**
High Mdw. *S Shi* —1H **73**
High Meadows. *B'don* —4C **156**
High Meadows. *Newc T* —4A **54**
High Mill Rd. *Ham M* —2A **104**
High Moor Ct. *Newc T* —5A **54**
High Moor Pl. *S Shi* —4E **73**
High Moorsley. —5H 145
High Newport. —1A 130
High Pk. *Newc T* —1A **68**
High Pasture. *Wash* —6C **112**
High Pit Rd. *Cra* —4D **20**
High Pittington. —2F 155
High Primrose Hill. *Hou S* —6B **126**
High Quay. *Bly* —5D **10**
High Ridge. *Bed* —4G **7**
Highridge. *Bir* —2C **110**
High Ridge. *Haz* —1D **40**
High Rd., The. *S Shi* —3H **73**
High Row. *Hou S* —2C **134**
High Row. *Newc T* —5E **43**
High Row. *Ryton* —5E **63**
High Row. *Wash* —4B **98**
High Sandgrove. *Sund* —2A **88**
High Shaws. *B'don* —4E **157**
High Shields. —6E 61
High Shincliffe. —4H 159
Highside Dri. *Sund* —4A **116**
High Southwick. —2A 102
High Spen. —1A 90

High Spen Ct. *H Spen* —1A **90**
Highstead Av. *Cra* —6A **14**
High St. Blyth, *Bly* —6B **10**
(in two parts)
High St. Brandon, *Lang M* —4G **157**
High St. Carrville, *Carr* —3A **154**
High St. Easington Lane, *Eas L*
—4E **147**
High St. Felling, *Fel* —3D **82**
High St. Gateshead, *Gate* —5G **67**
(in two parts)
High St. Gosforth, *Gos* —2E **55**
High St. High Shincliffe, *H Shin*
—4H **159**
High St. Jarrow, *Jar* —2G **71**
High St. Low Pittington, *L Pit*
—1F **155**
High St. Newburn, *Newc T* —2F **63**
High St. Shincliffe, *Shin* —3F **159**
High St. South Hylton, *Sund*
—1C **114**
High St. Stanley, *S'ley* —2D **120**
High St. Wrekenton, *Gate* —2C **96**
High St. E. *Gate* —6E **103**
High St. E. *W'snd* —6A **58**
High St. N. *Lang M* —4F **157**
High St. N. *Shin* —3G **159**
High St. S. *Lang M* —4G **157**
High St. S. *Shin* —3G **159**
High St. S. Bk. *Lang M* —4G **157**
High St. W. *Sund* —1C **116**
(in two parts)
High St. W. *W'snd* —6G **57**
High Swinburne Pl. *Newc T*
—4E **67** (5A **4**)
Hightree Clo. *Sund* —4H **129**
High Urpeth. —1D 122
High Vw. *Pon* —3D **36**
High Vw. *Ush M* —5B **150**
High Vw. *W'snd* —4H **57**
High Vw. N. *W'snd* —3G **57**
High Villa Pl. *Newc T* —4E **67** (5A **4**)
High Wlk. *Ches S* —3A **126**
High Well Gdns. *Gate* —2E **83**
Highwell La. *Newc T* —6C **52**
High W. Av. *Row G* —4D **90**
High W. La. *Haw* —6G **149**
High W. St. *Gate* —1H **81**
Highwood Rd. *Newc T* —2D **64**
High Wood Ter. Dur —1D 158
(off Stockton Rd.)
High Wood Vw. *Dur* —1D **158**
Highworth Dri. *Gate* —4F **97**
Highworth Dri. *Newc T* —4D **56**
Hilda Av. *Dur* —6G **153**
Hilda Clo. *Dur* —6H **153**
Hilda Pk. *Ches S* —4A **124**
Hilda St. *Gate* —2F **81**
Hilda St. *S'ley* —4E **119**
Hilda St. *Sund* —2D **102**
(in two parts)
Hilda Ter. *Ches S* —4B **124**
(in two parts)
Hilda Ter. *Newc T* —5D **50**
Hilden Bldgs. *Newc T* —5C **56**
Hilden Gdns. *Newc T* —5C **56**
Hillary Av. *Newc T* —5E **43**
Hillary Pl. *Newc T* —4E **53**
Hill Av. *Seg* —1G **31**
Hill Brow. *Sund* —3B **130**
Hill Cres. *Mur* —2B **148**
(in two parts)
Hill Crest. *Burn* —1H **105**
Hillcrest. *Dur* —5D **152**
Hillcrest. *Gate* —5E **83**
Hillcrest. *H Shin* —4H **159**

Hillcrest. *Jar* —1H **85**
Hillcrest. *S Shi* —4B **74**
Hillcrest. *Sund* —2D **128**
Hillcrest. *Whit B* —6A **34**
Hillcrest Dri. *Gate* —4A **80**
Hill Crest Gdns. *Newc T* —3G **55**
Hillcrest M. *Dur* —5D **152**
Hillcrest Pl. *Hes* —6F **163**
Hillcroft. *Bir* —2C **110**
Hillcroft. *Gate* —5A **82**
Hillcroft. *Row G* —3C **90**
Hill Dyke. *Gate* —3C **96**
Hillfield. *Whit B* —6H **33**
Hillfield Gdns. *Sund* —4B **116**
Hillfield St. *Gate* —1G **81**
Hillgate. *Gate* —5G **67** (6F **5**)
Hill Head Dri. *Newc T* —6B **52**
Hillhead Gdns. *Gate* —5C **80**
Hillhead La. *Burn* —4B **92**
Hillhead Parkway. *Newc T* —5A **52**
Hillhead Rd. *Newc T* —6B **52**
Hillheads Rd. *Whit B* —2B **46**
Hillhead Way. *Newc T* —4C **52**
Hill Ho. Rd. *Newc T* —5C **50**
Hillingdon Gro. *Sund* —5C **114**
Hill La. *Hou S* —6G **113**
Hill Meadows. *H Shin* —4G **159**
Hill Pk. *Pon* —3D **36**
Hill Park Estate. —4G 71
Hill Pk. Rd. *Jar* —4G **71**
Hill Ri. *Ryton* —6A **62**
Hill Ri. *Wash* —1B **112**
Hillrise Cres. *S'hm* —3D **138**
Hills Ct. *Bla T* —5C **64**
Hillsden Rd. *Whit B* —4H **33**
Hillside. *Bir* —3D **110**
Hillside. *Bla T* —1H **77**
Hillside. *Ches S* —5C **124**
Hillside. *Gate* —4A **80**
Hillside. *Newc T* —3E **43**
Hillside. *Pon* —4C **36**
Hillside. *S Shi* —5B **74**
Hillside. *Sund* —4C **116**
Hillside. *W Bol* —4C **86**
Hillside Av. *Newc T* —2C **64**
Hillside Clo. *Row G* —2E **91**
Hillside Cres. *Newc T* —5E **65**
Hillside Dri. *Sund* —2E **89**
Hillside Gdns. *S'ley* —1E **121**
(in two parts)
Hillside Gdns. *Sund* —4C **116**
Hillside Gro. *H Pitt* —2F **155**
Hillside Pl. *Gate* —5A **82**
Hillside Vw. *Sher* —5D **154**
Hillside Vs. *Pet* —6F **161**
Hillside Way. *Hou S* —2A **136**
Hillsleigh Rd. *Newc T* —4H **53**
Hills St. *Gate* —6G **67**
Hill St. *Jar* —2E **71**
Hill St. *S'hm* —5B **140**
Hill St. *S Shi* —6D **60**
Hill St. *Sund* —2A **130**
Hillsview Av. *Newc T* —2A **54**
Hill Ter. *Hou S* —3A **128**
Hillthorne Clo. *Wash* —3C **112**
Hill Top. *Bla T* —2H **77**
Hilltop. *S'ley* —2F **121**
Hill Top Av. *Gate* —6A **82**
Hill Top Gdns. *Gate* —6A **82**
Hilltop Gdns. *New S* —2C **130**
Hilltop Ho. *Newc T* —5E **53**
Hilltop Rd. *Bear* —3C **150**
Hilltop Vw. *Sund* —1E **89**
Hill Vw. *Beam* —2H **121**
Hill Vw. *B'pk* —1E **157**
Hillview. *Sund* —2D **128**

Hillview Cres.—Hope St.

Hillview Cres. *Hou S* —6H **127**
Hill View Gdns. *Sund* —4B **116**
Hillview Gro. *Hou S* —6H **127**
Hillview Rd. *Hou S* —6H **127**
Hill View Rd. *Sund* —5D **116**
Hill View Sq. *Sund* —5D **116**
Hilton Av. *Newc T* —5F **53**
Hilton Clo. *Cra* —5A **14**
Hilton Dri. *Pet* —2D **162**
Hindley Gdns. *Newc T* —2H **65**
Hindmarch Dri. *W Bol & Bol C*
　　　　　　　　　　—4C **86**
Hindson's Cres. N. *Hou S* —4E **127**
Hindson's Cres. S. *Hou S* —4E **127**
Hind St. *Sund* —1C **116**
Hinkley Clo. *Sund* —3B **130**
Hipsburn Dri. *Sund* —4A **116**
Hiram Dri. *E Bol* —4F **87**
Hirst Head. *Bed* —4A **8**
Hirst Ter. N. *Bed* —4A **8**
Hirst Vs. *Bed* —4A **8**
Histon Ct. *Newc T* —4F **53**
Histon Way. *Newc T* —4F **53**
Hither Grn. *Jar* —1H **85**
Hobart. *Whit B* —4B **34**
Hobart Av. *S Shi* —6B **72**
Hobart Gdns. *Newc T* —2B **56**
Hobson. —2G 105
Hobson Ind. Est. *Hob* —2G **105**
Hodgkin Gdns. *Gate* —5B **82**
Hodgkin Pk. Cres. *Newc T* —4G **65**
Hodgkin Pk. Rd. *Newc T* —4G **65**
Hodgson's Rd. *Bly* —5B **10**
Hodgson Ter. *Wash* —5D **98**
Hogarth Cotts. *Bec* —5A **8**
Hogarth Dri. *Wash* —4C **112**
Hogarth Rd. *S Shi* —1E **87**
Holbein Rd. *S Shi* —6E **73**
Holborn Ct. *Ush M* —6D **150**
Holborn Pl. *Newc T* —6C **52**
Holborn Rd. *Sund* —3F **115**
Holborn Sq. *Sund* —3F **115**
Holburn Clo. *Ryton* —4D **62**
Holburn Cres. *Ryton* —4E **63**
Holburn Gdns. *Ryton* —4E **63**
Holburn La. *Ryton* —3D **62**
Holburn La. Ct. *Ryton* —4D **62**
Holburn Ter. *Ryton* —4E **63**
Holburn Wlk. *Ryton* —4E **63**
Holburn Way. *Ryton* —4D **62**
Holden Pl. *Newc T* —5H **53**
Holder Ho. Way. *S Shi* —6G **73**
Holderness Rd. *Newc T* —6B **56**
Holderness Rd. *W'snd* —4E **59**
Hole La. *Sun* —1D **92**
(in three parts)
Holeyn Hall Rd. *Wylam* —6B **48**
Holeyn Rd. *Newc T* —6C **50**
Holland Dri. *Newc T* —2D **66**
Holland Pk. *Newc T* —2D **66**
Holland Pk. *W'snd* —4E **57**
Holland Pk. Dri. *Jar* —1H **85**
Hollinghill Rd. *H'wll* —1C **32**
Hollings Cres. *W'snd* —3H **57**
Hollingside La. *Dur* —2C **158**
Hollingside Way. *S Shi* —4F **73**
Hollington Av. *Newc T* —1B **56**
Hollington Clo. *Newc T* —1B **56**
Hollinhill. *Row G* —1G **91**
Hollinhill La. *Row G* —6F **77**
Hollin Hill Rd. *Wash* —6C **98**
Hollinside Clo. *Whi* —6E **79**
Hollinside Gdns. *Newc T* —3F **65**
Hollinside Rd. *Gate* —1F **79**
Hollinside Rd. *Sund* —2F **115**
Hollinside Sq. *Sund* —2E **115**

Hollinside Ter. *Row G* —3D **90**
Hollowdene. *Hett H* —2C **146**
Hollow, The. *Jar* —2F **85**
Holly Av. *Faw* —1B **54**
Holly Av. *For H* —4D **42**
Holly Av. *Gate* —4B **80**
Holly Av. *Hou S* —3A **136**
Holly Av. *Jes* —6G **55**
Holly Av. *New S* —1B **130**
Holly Av. *Ryton* —3C **62**
Holly Av. *S Shi* —4A **74**
Holly Av. *W'snd* —6A **58**
Holly Av. *Well* —6F **33**
Holly Av. *Whi* —2F **89**
Holly Av. *Whit B* —6C **34**
Holly Av. *Winl M* —5A **78**
Holly Av. W. *Newc T* —6G **55**
Holly Bush Gdns. *Ryton* —5E **63**
Hollybush Rd. *Gate* —3C **82**
Hollybush Vs. *Ryton* —4E **63**
Hollycarrside Rd. *Sund* —1E **131**
Holly Clo. *Kil* —1B **42**
Holly Ct. *Sund* —1A **116**
Holly Ct. *Whit B* —6B **34**
Holly Cres. *Wash* —6A **112**
Hollycrest. *Ches S* —4B **124**
Hollydene. *Kib* —1F **109**
Hollydene. *Row G* —3F **91**
Holly Gdns. *Gate* —5H **81**
Holly Haven. *E Rai* —1H **145**
Holly Hill. *Gate* —3D **82**
Holly Hill Gdns. *S'ley* —4D **120**
Holly Hill Gdns. E. *S'ley* —4E **121**
Holly Hill Gdns. W. *S'ley* —5D **120**
(in two parts)
Hollyhock Gdns. *Heb* —6C **70**
Hollymount Av. *Bed* —5A **8**
Hollymount Sq. *Bed* —5A **8**
Hollymount Ter. *Bed* —5A **8**
Holly Pk. *B'don* —5D **156**
Holly Pk. *Ush M* —5C **150**
Holly Pk. Vw. *Gate* —3D **82**
Holly Rd. *N Shi* —6B **46**
Hollyside Clo. *Bear* —3C **150**
Hollys, The. *Bir* —6B **96**
Holly St. *Dur* —6B **152**
Holly St. *Jar* —2E **71**
Holly Ter. *Burn* —1A **106**
Holly Ter. *Cat* —4E **119**
Holly Ter. *S Moor* —4B **120**
Holly Vw. *Gate* —3C **82**
Hollywell Ct. *Ush M* —6D **150**
Hollywell Gro. *Wool* —5D **38**
Hollywell Rd. *N Shi* —1H **59**
Hollywood Av. *Gos* —1F **55**
Hollywood Av. *Sund* —3H **101**
Hollywood Av. *Walkv* —6G **57**
Hollywood Cres. *Newc T* —1F **55**
Hollywood Gdns. *Gate* —6D **80**
Holman Ct. *S Shi* —5E **61**
Holme Av. *Newc T* —6F **57**
Holme Av. *Whi* —4E **79**
Holme Gdns. *Sund* —4B **116**
Holme Gdns. *W'snd* —5E **59**
Holme Ri. *Whi* —4F **79**
Holmesdale Rd. *Newc T* —6H **53**
Holmeside. *Sund* —1D **116**
Holmeside Ter. *Sun* —3G **93**
Holmewood Dri. *Row G* —5D **90**
Holmfield Av. *S Shi* —2G **73**
Holm Grn. *Whit B* —1G **45**
Holmhill La. *Ches S & Plaw* —4C **132**
Holmland. *Newc T* —5G **55**
Holmlands. *Whit B* —6A **34**
Holmlands Clo. *Whit B* —6A **34**
Holmlands Cres. *Dur* —2A **152**

Holmlands Pk. *Ches S* —1D **132**
Holmlands Pk. N. *Sund* —3C **116**
Holmlands Pk. S. *Sund* —3C **116**
Holmside Av. *Gate* —3C **80**
Holmside Pl. *Newc T* —2B **68**
Holmwood Av. *Whit B* —1H **45**
Holmwood Gro. *Newc T* —5F **55**
Holwick Clo. *Wash* —5G **111**
Holy Cross. —4B 58
Holyfields. *W All* —3B **44**
Holy Jesus Bungalows. *Spi T* —1D **66**
Holylake Sq. *Sund* —2F **115**
Holyoake Gdns. *Bir* —3C **110**
Holyoake Gdns. *Gate* —3H **81**
Holyoake St. *Pelt* —3E **123**
Holyoake Ter. *S'ley* —5C **120**
Holyoake Ter. *Sund* —2E **103**
Holyoake Ter. *Wash* —5B **98**
Holyrood. *Gt Lum* —3G **133**
Holyrood Rd. *Sund* —5F **117**
Holystone. —4A 44
Holystone Av. *Bly* —2A **16**
Holystone Av. *Newc T* —1D **54**
Holystone Av. *Whit B* —1D **46**
Holystone Clo. *Bly* —2H **15**
Holystone Clo. *Hou S* —1F **135**
Holystone Ct. *Gate* —2F **81**
Holystone Cres. *Newc T* —4B **56**
Holystone Dri. *Hol* —3A **44**
Holystone Gdns. *N Shi* —5H **45**
Holystone St. *Heb* —3B **70**
Holystone Trad. Est. *Heb* —3B **70**
Holywell. —1D 32
Holywell Av. *H'will* —1D **32**
Holywell Av. *Newc T* —6E **69**
Holywell Av. *Whit B* —5A **34**
Holywell Clo. *Bla T* —2B **78**
Holywell Clo. *H'will* —1D **32**
Holywell Clo. *Newc T* —3D **66**
Holywell Dene Rd. *H'will* —2D **32**
Holywell La. *Sun* —2F **93**
Holywell Ter. *W All* —4B **44**
Home Av. *Gate* —1H **95**
Homedowne Ho. *Newc T* —2E **55**
Homeforth Ho. *Newc T* —2E **55**
Homelea. *Hou S* —5C **126**
Home Pk. *W'snd* —4E **57**
Homeprior Ho. *Whit B* —1A **46**
Homer Ter. *Dur* —1A **158**
Homestall Clo. *S Shi* —4F **73**
Home Vw. *Wash* —2C **112**
Honeycomb Clo. *Sund* —4H **129**
Honeysuckle Av. *S Shi* —5D **72**
Honeysuckle Clo. *Sund* —4A **130**
Honister Av. *Newc T* —4G **55**
Honister Clo. *Newc T* —2B **64**
Honister Dri. *Sund* —2C **102**
Honister Pl. *Newc T* —2B **64**
Honister Rd. *N Shi* —3D **46**
Honister Way. *Bly* —4A **16**
Honiton Clo. *Hou S* —5G **127**
Honiton Ct. *Newc T* —1F **53**
Honiton Way. *N Shi* —5F **45**
Hood Clo. *Sund* —4C **102**
Hood Sq. *Bla T* —2G **77**
Hood St. *Newc T* —4F **67** (4D **4**)
Hood St. *Swa* —2E **79**
Hooker Gate. —3A 90
Hookergate La. *H Spen* —1A **90**
(in two parts)
Hope Av. *Pet* —1G **163**
Hopedene. *Gate* —6G **83**
Hope Shield. *Wash* —6F **111**
Hope St. *Jar* —2G **71**
(in two parts)
Hope St. *Sher* —6D **154**

Hope St.—Hyde Pk. St.

Hope St. *Sund* —6C **102**
(SR1)
Hope St. *Sund* —5F **117**
(SR2)
Hope Vw. *Sund* —2F **131**
Hopgarth Ct. *Ches S* —5D **124**
Hopgarth Gdns. *Ches S* —5D **124**
Hopkins Ct. *Sund* —6H **101**
Hopkins Wlk. *Bol C & S Shi* —1C **86**
Hopper Pl. *Dur* —2C **152**
Hopper Pl. *Gate* —6H **67**
Hopper Rd. *Gate* —4C **82**
Hopper St. *N Shi* —2C **60**
Hopper St. *Pet* —1B **160**
Hopper St. *W'snd* —5G **57**
Hopper St. W. *N Shi* —2B **60**
Horatio Ho. *N Shi* —6F **47**
Horatio St. *Newc T* —4A **68**
Horatio St. *Sund* —4E **103**
Horden. —5F 161
Hornbeam Pl. *Newc T* —6D **66**
Horncliffe Gdns. *Swa* —3G **79**
Horncliffe Pl. *Newc T* —5B **50**
Horncliffe Wlk. *Newc T* —2G **63**
Horning Ct. *Newc T* —3F **53**
Hornsea Clo. *Wide* —6D **28**
Hornsey Cres. *Eas L* —4D **146**
Hornsey Ter. *Eas L* —4D **146**
Horse Crofts. *Bla T* —6A **64**
Horsham Gdns. *Sund* —4A **116**
Horsham Gro. *N Shi* —3A **60**
Horsham Ho. *N Shi* —3A **60**
Horsley Av. *Shir* —3D **44**
Horsley Ct. *Newc T* —1A **54**
Horsley Gdns. *Gate* —3C **80**
Horsley Gdns. *H'wll* —1D **32**
Horsley Gdns. *Sund* —4A **116**
Horsley Heddon By-Pass. *Newc T*
—4D **50**

Horsley Hill. —1A 74
Horsley Hill Rd. *S Shi* —6G **61**
Horsley Hill Sq. *S Shi* —2B **74**
(in two parts)
Horsley Ho. *Newc T* —1E **55**
Horsley Rd. *Newc T* —6B **56**
Horsley Rd. *Wash* —1E **113**
Horsley Ter. *Newc T* —4F **69**
Horsley Ter. *N Shi* —6F **47**
Horsley Va. *S Shi* —2H **73**
Horton Av. *Bed* —5H **7**
Horton Av. *Shir* —3D **44**
Horton Av. *S Shi* —6F **73**
Horton Cres. *Din* —4F **27**
Hortondale Gro. *Bly* —6H **9**
Horton Dri. *Cra* —6A **14**
Horton Pl. *Bly* —3H **15**
Horton Rd. *Bly* —1C **14**
Horton St. *Bly* —6D **10**
Horwood Av. *Newc T* —5C **52**
Hospital Dri. *Heb* —5B **70**
Hospital La. *Newc T* —2G **63**
Hotch Pudding Pl. *Newc T* —1D **64**
Hotspur Av. *Bed* —5H **7**
Hotspur Av. *S Shi* —2G **73**
Hotspur Av. *Whit B* —1C **46**
Hotspur Rd. *W'snd* —2G **57**
Hotspur St. *Newc T* —2A **68**
Hotspur St. *N Shi* —5F **47**
Hotspur Way. *Newc T* —3F **67** (3D **4**)
Houghall. —4D 158
Houghton. —5F 49
Houghton Av. *Newc T* —4A **54**
Houghton Av. *N Shi* —2D **46**
Houghton Cut. *Hou S* —2A **136**
Houghton Ga. *Ches S* —6H **125**

Houghton-le-Spring. —2H 135
Houghton Rd. *Hett H* —5B **136**
Houghton Rd. *Nbtle* —6H **127**
Houghton Rd. W. *Hett H* —1C **146**
Houghtonside. *Hou S* —2A **136**
Houghton St. *Sund* —1A **116**
Houghwell Gdns. *Tan L* —1B **120**
Houlet Gth. *Newc T* —4C **68**
Houlskye Clo. *Sund* —2C **130**
Houndelee Pl. *Newc T* —6G **53**
Hounslow Gdns. *Jar* —1H **85**
House Ter. *Wash* —5B **98**
Houston Ct. *Newc T* —5D **66**
Houston St. *Newc T* —5D **66**
Houxty Rd. *S Well* —6F **33**
Hovingham Clo. *Pet* —2E **163**
Hovingham Gdns. *Sund* —4A **116**
Howard Ct. *N Shi* —2D **60**
Howardian Clo. *Wash* —4H **111**
Howard Pl. *Newc T* —2E **55**
Howard St. *Gate* —2B **82**
(NE8)
Howard St. *Gate* —5C **82**
(NE10)
Howard St. *Jar* —3G **71**
Howard St. *Newc T* —4H **67** (4H **5**)
Howard St. *N Shi* —2D **60**
Howard St. *Sund* —4D **102**
Howard Ter. *H Spen* —1A **90**
Howarth St. *Sund* —1A **116**
Howat Av. *Newc T* —6A **54**
Howdene Rd. *Newc T* —3D **64**
Howden Grn. Ind. Est. *W'snd* —5F **59**
Howden Rd. *W'snd* —6G **59**
Howdon. —5E 59
Howdon La. *W'snd* —4E **59**
Howdon Pans. —6G 59
Howdon Rd. *W'snd & N Shi* —5G **59**
Howe Sq. *Sund* —2E **115**
Howe St. *Gate* —2B **82**
Howe St. *Heb* —3E **71**
Howick Av. *Newc T* —6C **40**
Howick Pk. *Sund* —5D **102**
Howick Rd. *Sund* —5D **102**
Howlcroft Vs. *Dur* —6B **152**
Howletch La. *Pet* —1C **162**
Howlett Hall Rd. *Newc T* —2D **64**
Howley Av. *Sund* —3E **101**
Howlings La. *Dur* —3C **158**
Hownam Clo. *Newc T* —3C **54**
Hoy Cres. *S'hm* —2F **139**
Hoylake Av. *Newc T* —2C **56**
Hoyle Av. *Newc T* —3A **66**
Hoyle Fold. *Sund* —5A **130**
Hoyson Vs. *Gate* —1H **83**
Hubert St. *Bol C* —3B **86**
Hubert St. *Gate* —2F **81**
Hucklow Gdns. *S Shi* —4F **73**
Huddart Ter. *Bir* —2C **110**
Huddlestone Ri. *Sund* —5E **103**
Huddleston Rd. *Newc T* —2D **68**
Hudleston. *N Shi* —1E **47**
Hudson Av. *Ann* —3B **30**
Hudson Av. *Bed* —4B **8**
Hudson Av. *Pet* —6F **161**
Hudson Rd. *Sund* —1E **117**
Hudson St. *Gate* —6G **67**
Hudson St. *N Shi* —1D **60**
Hudson St. *S Shi* —3D **72**
(in two parts)
Hudspeth Cres. *Dur* —6A **142**
Hugar Rd. *H Spen* —2A **90**
Hugh Av. *Shir* —1D **44**
Hugh Gdns. *Newc T* —5A **66**
Hugh St. *Sund* —1E **103**
Hugh St. *W'snd* —6H **57**

Hugh St. *Wash* —3D **112**
Hull St. *Newc T* —4B **66**
Hulme Ct. *Pet* —2C **162**
Hulne Av. *N Shi* —6F **47**
Hulne Ter. *Newc T* —3A **64**
Humber Ct. *Sund* —3H **129**
Humber Gdns. *Gate* —2B **82**
Humber Hill. *S'ley* —4E **121**
Humbert St. *Jar* —3F **71**
Humbledon Pk. *Sund* —4A **116**
Humbledon Vw. *Sund* —3C **116**
Hume St. *Newc T* —4A **68**
Hume St. *Sund* —1A **116**
(in two parts)
Humford Grn. *Bly* —6F **9**
Humford Way. *Bed* —6A **8**
Humsford Gro. *Cra* —1C **20**
Humshaugh Rd. *N Shi* —1G **59**
Hunstanton Ct. *Gate* —2G **95**
Huntcliffe Av. *Sund* —5E **89**
Huntcliffe Gdns. *Newc T* —6C **56**
Hunter Av. *Bly* —1C **16**
Hunter Av. *Ush M* —5B **150**
Hunter Clo. *E Bol* —5F **87**
Hunter Ho. *Newc T* —5G **69**
Hunter Pl. *Pet* —1D **160**
Hunter Rd. *S West* —2A **162**
Hunters Clo. *N Shi* —3H **59**
Hunter's Ct. *Newc T* —2G **55**
Hunters Ct. *W'snd* —5A **58**
Hunters Hall Rd. *Sund* —2B **116**
Hunters Lodge. *W'snd* —5A **58**
Hunters Moor Clo. *Newc T* —2D **66**
Hunters Pl. *Newc T* —1D **66**
Hunter's Rd. *Gos* —2H **55**
Hunter's Rd. *Spi T* —2C **66**
Hunter's Ter. *Gate* —4F **97**
(off Peareth Hall Rd.)
Hunter St. *Hou S* —4E **127**
Hunter St. *S Shi* —6F **61**
Hunter St. *W'snd* —6A **58**
Hunter Ter. *Sund* —3E **117**
Huntingdon Clo. *Newc T* —5G **39**
Huntingdon Dri. *Cra* —2C **20**
Huntingdon Gdns. *Sund* —4A **116**
Huntingdon Pl. *N Shi* —6F **47**
Huntingdon Rd. *Pet* —5C **160**
Huntingdonshire Dri. *Dur* —4B **154**
Hunt Lea. *Whi* —6C **78**
Huntley Av. *Mur* —2B **148**
Huntley Cres. *Bla T* —3G **77**
Huntley Sq. *Sund* —2F **115**
Huntley Ter. *Sund* —3F **131**
Huntly Rd. *Whit B* —4G **33**
Huntscliffe Ho. *S Shi* —6E **73**
Hurst Ter. *Newc T* —3E **69**
Hurstwood Rd. *Sund* —3A **116**
Hurworth Av. *S Shi* —3A **74**
Hurworth Pl. *Jar* —3F **71**
Hustledown Gdns. *S'ley* —5D **120**
Hustledown Ho. *S'ley* —3D **120**
Hustledown Rd. *S'ley* —5C **120**
Hutton Clo. *Ches S* —2E **133**
Hutton Clo. *Cwthr* —2F **111**
Hutton Clo. *Hou S* —3G **135**
Hutton Ho. *N Shi* —4A **60**
Hutton St. *Bol C* —2B **86**
Hutton St. *Newc T* —2C **54**
Hutton St. *Sund* —2B **116**
Hutton Ter. *Gate* —1H **95**
Hutton Ter. *Newc T* —2H **67** (1G **5**)
Huxley Clo. *S Shi* —1D **86**
Huxley Cres. *Gate* —4F **81**
Hyacinth Ct. *Sund* —6B **102**
Hyde Pk. *W'snd* —4F **57**
Hyde Pk. St. *Gate* —3F **81**

Hyde St. *S Shi* —5F **61**
Hyde St. *Sund* —3F **117**
Hyde Ter. *Newc T* —2F **55**
Hylton Av. *S Shi* —3B **74**
Hylton Bank. *Sund* —1D **114**
Hylton Castle. —3C 100
Hylton Castle. —3D **100**
Hylton Castle Rd. *Sund* —4D **100**
Hylton Clo. *Bed* —4F **7**
Hylton Ct. *Wash* —2H **111**
Hylton La. *W Bol & Sund* —5C **86**
Hylton Pk. *Sund* —4F **101**
Hylton Pk. Rd. *Sund E* —4F **101**
Hylton Red House. —3E 101
Hylton Riverside Retail Pk. *Sund*
—4F **101**
Hylton Rd. *Dur* —1C **152**
Hylton Rd. *Jar* —5F **71**
Hylton Rd. *Sund* —3C **114**
Hylton St. *Gate* —2B **82**
Hylton St. *Hou S* —1H **135**
Hylton St. *N Shi* —3C **60**
Hylton St. *Sund* —1A **116**
Hylton Ter. *Gate* —1H **83**
Hylton Ter. *N Shi* —2C **60**
Hylton Ter. *Pelt* —2G **123**
Hylton Ter. *Sund* —3E **131**
Hylton Wlk. *Sund* —2C **114**
(in two parts)
Hymers Av. *S Shi* —5B **72**
Hymers Ct. *Gate* —5H **67**
Hyperion Av. *S Shi* —4C **72**

Ilchester St. *S'hm* —5B **140**
Ilderton Pl. *Newc T* —1C **64**
Ilford Av. *Cra* —6A **14**
Ilford Pl. *Gate* —3A **82**
Ilford Rd. *Newc T* —4F **55**
Ilford Rd. *W'snd* —4D **58**
Ilfracombe Av. *Newc T* —4A **66**
Ilfracombe Gdns. *Gate* —2H **95**
Ilfracombe Gdns. *Whit B* —5B **34**
Illingworth Ho. *N Shi* —4A **60**
Ilminster Ct. *Newc T* —1G **53**
Imeary Gro. *S Shi* —6F **61**
Imeary St. *S Shi* —6F **61**
Imperial Bldgs. *Hou S* —3A **136**
Inchberry Clo. *Newc T* —5A **66**
Inchcape Ter. *Pet* —2F **161**
Inchcliffe Cres. *Newc T* —5G **53**
Independence Sq. *Wash* —2A **112**
Industrial Est. *Hert* —5C **98**
(in two parts)
Industrial Est. *Pelt* —3E **123**
Industry Rd. *Newc T* —5D **56**
Ingham Grange. *S Shi* —6F **61**
Ingham Gro. *Cra* —6A **14**
Ingham Pl. *Newc T* —3H **67** (3H **5**)
Ingleborough Clo. *Wash* —1G **111**
Ingleborough Dri. *Ryton* —5D **62**
Ingleby Ter. *Sund* —2A **116**
Ingleby Way. *Bly* —4A **16**
Inglemere Pl. *Newc T* —3E **65**
Ingleside. *S Shi* —3B **74**
Ingleside. *Whi* —5D **78**
Ingleside Rd. *N Shi* —6B **46**
Ingleton Ct. *Sund* —2B **116**
Ingleton Dri. *Newc T* —5B **50**
Ingleton Gdns. *Bly* —4A **16**
Inglewood Clo. *Bly* —6F **9**
Inglewood Pl. *Newc T* —4E **41**
Ingoe Av. *Newc T* —6B **40**
Ingoe Clo. *Bly* —6A **10**
Ingoe St. *Newc T* —3A **64**
Ingoe St. *W'snd* —5G **59**

Ingoldsby Ct. *Sund* —3G **115**
Ingram Av. *Newc T* —5B **40**
Ingram Clo. *Ches S* —2A **132**
Ingram Clo. *W'snd* —2D **58**
Ingram Dri. *Bly* —6H **9**
Ingram Dri. *Newc T* —3B **52**
Ingram Ter. *Newc T* —3G **69**
Inkerman Rd. *Wash* —4B **98**
Inkerman St. *Sund* —4A **102**
Innesmoor. *Heb* —2B **70**
Inskip Ho. *S Shi* —4E **73**
Inskip Ter. *Gate* —3H **81**
Institute Ter. *Bear* —4E **151**
Institute Ter. E. *Pelt* —1H **123**
Institute Ter. W. *Pelt* —1H **123**
International Centre for Life, The.
—5E **67** (6B **4**)
Inverness Rd. *Jar* —6A **72**
Inverness St. *Sund* —3D **102**
Invincible Dri. *Newc T* —6C **66**
Iolanthe Cres. *Newc T* —2E **69**
Iolanthe Ter. *S Shi* —5G **61**
Iona Ct. *W'snd* —3D **58**
Iona Pl. *Newc T* —3G **69**
Iona Rd. *Gate* —4B **82**
Iona Rd. *Jar* —6A **72**
Irene Av. *Sund* —6F **117**
Iris Clo. *Bla T* —1G **77**
Iris Cres. *Ous* —5H **109**
Iris Pl. *Newc T* —2H **65**
Iris Ter. *Hou S* —6C **126**
Ironside St. *Hou S* —2A **136**
Irthing Av. *Newc T* —5D **68**
Irton St. *Newc T* —2E **55**
Irwin Av. *W'snd* —4A **58**
Isabella Clo. *Newc T* —6A **66**
Isabella Colliery Rd. *Bly* —1A **16**
Isabella Pit. —1A 16
Isabella Rd. *Bly* —1A **16**
Isabella Wlk. *Thro* —6D **50**
Isis Rd. *Pet* —2C **162**
Islay Ho. *Sund* —3A **130**
Ivanhoe. *Whit B* —6A **34**
Ivanhoe Cres. *Sund* —3B **116**
Ivanhoe Ter. *Ches S* —1D **132**
Ivanhoe Vw. *Gate* —3B **96**
Iveagh Clo. *Newc T* —5H **65**
Iveston Ter. *S'ley* —2D **120**
Ivor St. *Sund* —5G **117**
Ivy Av. *Ryton* —3C **62**
Ivy Av. *S'hm* —5H **139**
(in two parts)
Ivy Clo. *Newc T* —6D **66**
Ivy Clo. *Ryton* —3C **62**
Ivy La. *Gate* —2A **96**
Ivymount Rd. *Newc T* —6B **56**
Ivy Pl. *Tant* —4A **106**
Ivy Rd. *For H* —5E **43**
Ivy Rd. *Gos* —2E **55**
Ivy Rd. *Walkv* —1F **69**
Ivy St. *Sea B* —3E **29**
Ivy Ter. *Crag* —6F **121**
Ivy Ter. *Hou S* —3F **127**
Ivy Ter. *S Moor* —5B **120**
Ivyway. *Pelt* —2G **123**

Jackson Av. *Pon* —4F **25**
Jackson St. *Gate* —6H **67**
Jackson St. *Newc T* —3F **69**
Jackson St. *N Shi* —1D **60**
Jackson St. *Sund* —2A **116**
Jackson St. W. *N Shi* —1D **60**
Jackson Ter. *Pet* —1A **160**
Jack's Ter. *S Shi* —4E **73**

Jacobins Chare. *Newc T*
—4E **67** (4B **4**)
Jacques St. *Sund* —6H **101**
Jacques Ter. *Ches S* —5B **124**
Jade Clo. *Newc T* —1A **64**
James Armitage St. *Sund* —3B **102**
James Av. *Shir* —1D **44**
James Bowman Ho. *Newc T* —2E **43**
James Clydesdale Ho. *Newc T*
—2E **65**
James Mather St. *S Shi* —4F **61**
James St. *Ann P* —5G **119**
James St. *Dip* —2B **118**
James St. *Els* —5B **66**
James St. *Pet* —1D **160**
James St. *S'hm* —5B **140**
James St. *S Row* —6D **106**
James St. *Sund* —3A **102**
James St. *W'hpe* —5D **52**
James St. *Whi* —4E **79**
James St. N. *Mur* —2D **148**
James St. S. *Mur* —2D **148**
(off N. Coronation St.)
James Ter. *Eas L* —5D **146**
James Ter. *Fenc* —3E **135**
James Ter. *Sund* —2B **130**
James Ter. *W'snd* —6H **57**
James Williams St. *Sund* —6E **103**
Jamieson Ter. *S Het* —6B **148**
Jane Eyre Ter. *Gate* —2B **82**
Jane St. *Hett H* —5C **136**
Jane St. *Newc T* —3C **68**
Jane St. *S'ley* —5B **120**
Jane Ter. *Newc T* —4G **69**
Janet Sq. *Newc T* —4C **68**
Janet St. *Newc T* —5C **68**
(in three parts)
Janus Clo. *Newc T* —3A **52**
Jarrow. —2F 71
Jarrow Riverside Pk. *Jar* —1G **71**
Jarrow Rd. *S Shi* —3B **72**
Jarvis Rd. *Pet* —5D **160**
Jasmin Av. *Newc T* —3A **52**
Jasmine Clo. *Newc T* —6E **57**
Jasmine Ct. *Sund* —6B **102**
Jasmine Cres. *S'hm* —6A **140**
Jasmine Ter. *Bir* —3D **110**
Jasmine Vs. *Whi* —4E **79**
(off Front St.)
Jasper Av. *G'sde* —2B **76**
Jasper Av. *S'hm* —5H **139**
(in two parts)
Jedburgh Clo. *Gate* —2H **81**
Jedburgh Clo. *Mur* —3A **148**
Jedburgh Clo. *Newc T* —3A **52**
Jedburgh Clo. *N Shi* —5A **46**
Jedburgh Ct. *Team T* —3G **95**
Jedburgh Gdns. *Newc T* —3F **65**
Jedburgh Rd. *Hou S* —3F **127**
Jedmoor. *Heb* —2B **70**
Jefferson Clo. *Sund* —1C **102**
Jefferson Pl. *Newc T* —3D **66**
Jellicoe Rd. *Newc T* —6E **69**
Jellico Ter. *Leam* —2B **144**
Jenifer Gro. *Newc T* —4A **56**
Jenison Av. *Newc T* —4G **65**
Jennifer Av. *Sund* —4D **100**
Jervis St. *Heb* —3D **70**
Jesmond. —1G 67
Jesmond Dene Rd. *Newc T* —5F **55**
Jesmond Dene Ter. *Newc T* —6A **56**
Jesmond Gdns. *Newc T* —6H **55**
Jesmond Gdns. *S Shi* —6E **73**
Jesmond Pk. Ct. *Newc T* —6B **56**
Jesmond Pk. E. *Newc T* —5B **56**
Jesmond Pk. W. *Newc T* —5A **56**

Jesmond Pl. *Newc T* —6G **55**
Jesmond Rd. *Newc T* —2G **67**
Jesmond Rd. W. *Newc T*
    —2F **67** (1D **4**)
Jesmond Ter. *Whit B* —1D **46**
Jesmond Va. *Newc T* —2A **68**
(in two parts)
Jesmond Vale. —1A 68
Jesmond Va. La. *Newc T* —1B **68**
(in two parts)
Jesmond Va. Ter. *Newc T* —1B **68**
(in two parts)
Jessel St. *Gate* —1H **95**
Joan Av. *Sund* —6F **117**
Joannah St. *Sund* —2C **102**
Joanna Wlk. *Newc T* —2D **64**
Joan St. *Newc T* —5H **65**
(in two parts)
Jobling Av. *Bla T* —1G **77**
Joel Ter. *Gate* —1H **83**
Joe's Pond Nature Reserve. —5F **135**
John Av. *G'sde* —2B **76**
John Brown Ct. *Bed* —4H **7**
John Candlish Rd. *Sund* —6A **102**
John Clay St. *S Shi* —6F **61**
John Dobson St. *Newc T*
    —3F **67** (2D **4**)
John F. Kennedy Est. *Wash* —2C **112**
(in two parts)
John Reid Rd. *S Shi* —5A **72**
(in two parts)
Johnson Clo. *Pet* —5D **160**
Johnson St. *Dun* —2B **80**
Johnson St. *Gate* —2D **80**
Johnson St. *Newc T* —3A **64**
Johnson St. *S Shi* —2E **73**
Johnson St. *Sund* —6B **102**
Johnson Ter. *H Spen* —1A **90**
Johnson Ter. *S'ley* —6G **119**
Johnson Ter. *Wash* —5D **98**
Johnston Av. *Heb* —6B **70**
John St. *Beam* —2H **121**
John St. *Bly* —5H **9**
John St. *Bol C* —3B **86**
John St. *Cox* —2C **54**
John St. *Crag* —6G **121**
John St. *Cul* —1E **47**
John St. *Dur* —6B **152**
John St. *Ear* —6E **33**
John St. *Fenc* —3E **135**
John St. *Gate* —2B **82**
(NE8)
John St. *Gate* —2F **83**
(NE10)
John St. *Hett H* —1C **146**
John St. *Hou S* —3B **136**
John St. *New S* —2A **130**
John St. *Pet* —1E **161**
John St. *Ryh* —3G **131**
John St. *S Gos* —2G **55**
John St. *S Hyl* —6C **100**
John St. *S Moor* —5B **120**
John St. *Sund* —6D **102**
John St. *W'snd* —5H **57**
John St. N. *Mead* —5F **157**
John St. S. *Mead* —5F **157**
John Taylor Ct. *Sund* —2A **102**
John Williamson St. *S Shi* —2D **72**
John Wilson Ct. *Pet* —6G **161**
Joicey Gdns. *S'ley* —2D **120**
Joicey Pl. *Gate* —5A **82**
Joicey Rd. *Gate* —5H **81**
Joicey Sq. *S'ley* —2D **120**
Joicey St. *Gate* —2G **83**
Joicey Ter. *Tan L* —1B **120**
Jolliffe St. *Ches S* —2D **132**

Jonadab Rd. *Gate* —1G **83**
Jonadab St. *Gate* —2G **83**
Jones St. *Bir* —3C **110**
Jonquil Clo. *Newc T* —3A **52**
Joseph Clo. *Newc T* —5A **66**
Joseph St. *S'ley* —4C **120**
Jowett Sq. *Sund* —3A **102**
Joyce Clo. *Gate* —3B **84**
Joyce Ter. *Sund* —4D **100**
Jubilee Av. *Dal D* —5F **139**
Jubilee Av. *Gate* —4C **96**
Jubilee Clo. *New B* —2B **156**
Jubilee Cotts. *Hou S* —3H **135**
Jubilee Ct. *Ann* —2B **30**
Jubilee Ct. *Bly* —1B **16**
Jubilee Ct. *Heb* —3E **71**
Jubilee Cres. *Newc T* —2C **54**
Jubilee Cres. *S Hill* —6H **155**
(in two parts)
Jubilee Ho. *Eas L* —4E **147**
Jubilee M. *Newc T* —2D **54**
Jubilee Pl. *Dur* —3F **159**
Jubilee Rd. *Bly* —1C **16**
Jubilee Rd. *Gos* —1C **54**
Jubilee Rd. *Newc T* —4H **67** (4G **5**)
Jubilee Sq. *Eas L* —5E **147**
Jubilee Sq. *S Het* —6H **147**
Jubilee Sq. *Wash* —2A **112**
Jubilee St. *W'snd* —5H **57**
Jubilee Ter. *Bed* —3D **8**
Jubilee Ter. *Newc T* —3D **68**
(in two parts)
Jubilee Ter. *Sea B* —3D **28**
Jubilee Ter. *S'ley* —5H **119**
Jubilee Ter. *Swa* —2E **79**
Jubilee Ter. *Tant* —5G **105**
Jubilee Ter. *Wash* —6E **113**
Jude Pl. *Pet* —5C **160**
Jude St. *Pet* —1C **160**
Judson Rd. *N Mead* —6A **160**
Julian Av. *Newc T* —2E **69**
Julian Av. *S Shi* —3F **61**
Julian Rd. *Gate* —3B **84**
Julian St. *S Shi* —3F **61**
Juliet Av. *N Shi* —1H **59**
Julius Caesar St. *Sund* —3A **102**
June Av. *Winl M* —5A **78**
Juniper Clo. *Newc T* —4F **41**
Juniper Clo. *Sund* —3E **117**
Juniper Ct. *Bla T* —6A **64**
Juniper Wlk. *Newc T* —3B **52**
Jupiter Ct. *Eas* —1C **160**
Jutland Av. *Heb* —4C **70**
Jutland Ter. *Tan L* —1B **120**

Kalmia St. *Team T* —6E **81**
Kane Gdns. *Gate* —5C **82**
Karen Av. *Sund* —4B **116**
Kateregina. *Bir* —3D **110**
Katrine Clo. *Ches S* —1B **132**
Katrine Ct. *Sund* —4A **130**
Kayll Rd. *Sund* —1H **115**
Kay's Cotts. *Gate* —4B **82**
Kay St. *S'ley* —2D **120**
Kearsley Clo. *Sea D* —6B **22**
Kearton Av. *Newc T* —4A **52**
Keats Av. *Bly* —2A **16**
Keats Av. *Bol C* —3D **86**
Keats Av. *Sund* —3A **102**
Keats Clo. *S'ley* —3E **121**
Keats Rd. *Newc T* —3G **63**
Keats Wlk. *Gate* —1A **82**
Keats Wlk. *S Shi* —6C **72**
Keebledale Av. *Newc T* —2F **69**
Keele Dri. *Cra* —3F **19**

Keelman's Ho. *Bly* —5C **10**
(off Summers St.)
Keelmans La. *Sund* —6E **101**
Keelman Sq. *Newc T* —5G **5**
Keelman's Rd. *Sund* —6D **100**
Keelmans Ter. *Bly* —5C **10**
Keel Row. *Bly* —5C **10**
Keighley Av. *Sund* —1D **100**
Keighley Sq. *Sund* —1C **100**
Keir Hardie Av. *Gate* —3G **83**
Keir Hardie Av. *S'ley* —4D **120**
Keir Hardie St. *Hou S* —3F **135**
Keir Hardie Ter. *Bir* —1B **110**
Keith Clo. *Newc T* —5A **66**
Keith Sq. *Sund* —1D **100**
Keldane Gdns. *Newc T* —4A **66**
Kelham Sq. *Sund* —1C **100**
Kell Cres. *S Hill* —6G **155**
Kellfield Av. *Gate* —5A **82**
Kellfield Rd. *Gate* —6A **82**
Kell Rd. *Pet* —1F **163**
Kells Bldgs. *Dur* —1H **157**
Kells Gdns. *Gate* —6A **82**
Kells La. *Gate* —1H **95**
Kellsway. *Gate* —6F **83**
Kell's Way. *Row G* —4E **91**
Kellsway Ct. *Gate* —6F **83**
Kelly Rd. *Heb* —6C **70**
Kelso Clo. *Newc T* —3A **52**
Kelso Dri. *N Shi* —5A **46**
Kelso Gdns. *Bed* —4C **8**
Kelso Gdns. *Newc T* —3F **65**
Kelso Gdns. *W'snd* —3E **59**
Kelso Gro. *Hou S* —3E **127**
Kelson Way. *Cha P* —3A **52**
Kelso Pl. *Gate* —2D **80**
Kelston Way. *Blak* —5G **53**
Kelvin Gdns. *Gate* —2B **80**
Kelvin Gro. *Cle* —2G **87**
Kelvin Gro. *Gate* —3F **81**
Kelvin Gro. *Newc T* —2H **67**
Kelvin Gro. *N Shi* —5C **46**
Kelvin Gro. *S Shi* —6H **61**
Kelvin Gro. *Sund* —3E **103**
Kelvin Pl. *Newc T* —4G **43**
Kemble Sq. *Sund* —1D **100**
Kemp Rd. *Pet* —6C **160**
Kempton Gdns. *Gate* —4E **81**
Kendal. *Bir* —5E **111**
(in two parts)
Kendal Av. *Bly* —1B **16**
Kendal Av. *N Shi* —3D **46**
Kendal Clo. *Pet* —4A **162**
Kendal Cres. *Gate* —1B **96**
Kendal Dri. *Cra* —1C **20**
Kendal Dri. *E Bol* —4E **87**
Kendale Wlk. *Newc T* —4C **52**
Kendal Gdns. *W'snd* —2E **59**
Kendal Pl. *Newc T* —4B **68**
Kendal St. *Newc T* —4B **68**
Kenilworth. *Gt Lum* —3G **133**
Kenilworth. *Newc T* —1D **42**
Kenilworth Ct. *Newc T* —5C **66**
Kenilworth Ct. *Wash* —5D **98**
Kenilworth Rd. *Newc T* —5C **66**
Kenilworth Rd. *Whit B* —6B **34**
Kenilworth Sq. *Sund* —1E **101**
Kenilworth Vw. *Gate* —3B **96**
Kenley Rd. *Newc T* —1E **65**
Kenley Rd. *Sund* —1D **100**
Kenmoor Way. *Newc T* —4A **52**
Kenmore Cres. *G'sde* —1B **76**
Kennersdene. *N Shi* —4E **47**
Kennet Av. *Jar* —6G **71**
Kennet Sq. *Sund* —1D **100**
Kennford. *Gate* —3A **96**

Kennington Gro. *Newc T* —4E **69**
Kenny Pl. *Dur* —4F **153**
Kensington Av. *Newc T* —6E **41**
Kensington Clo. *Whit B* —6B **34**
Kensington Ct. *Fel* —3C **82**
Kensington Ct. *Heb* —4B **70**
Kensington Ct. *S Shi* —1G **73**
Kensington Gdns. *N Shi* —1D **60**
Kensington Gdns. *W'snd* —4E **57**
Kensington Gdns. *Whit B* —6B **34**
Kensington Gro. *N Shi* —6D **46**
Kensington Ter. *Gate* —3B **80**
Kensington Ter. *Newc T*
—2F **67** (1D **4**)
Kensington Vs. *Newc T* —4C **52**
Kent Av. *Gate* —3C **80**
Kent Av. *Heb* —4B **70**
Kent Av. *W'snd* —5D **58**
Kentchester Rd. *Sund* —1E **101**
Kent Ct. *Newc T* —5H **39**
Kent Gdns. *Hett H* —1B **146**
Kentmere. *Bir* —6D **110**
Kentmere Av. *Newc T* —3F **69**
Kentmere Av. *Sund* —6C **88**
Kentmere Clo. *Seg* —1G **31**
Kentmere Ho. *Hou S* —1G **135**
Kentmere Pl. *Pet* —1E **163**
Kenton. —3A 54
Kenton Av. *Newc T* —4C **54**
Kenton Bankfoot. —6G 39
Kenton Bar. —3H 53
Kenton Ct. *S Shi* —6F **61**
Kenton Cres. *Newc T* —3B **54**
Kenton La. *Newc T* —3H **53**
Kenton Pk. Shop. Cen. *Newc T*
—4C **54**
Kenton Rd. *Newc T* —2C **54**
Kenton Rd. *N Shi* —6G **45**
Kent Pl. *S Shi* —3A **74**
Kent St. *Jar* —3E **71**
Kentucky Rd. *Sund* —1C **100**
Kent Vs. *Jar* —3E **71**
Kent Wlk. *Pet* —5C **160**
Kenwood Gdns. *Gate* —3A **96**
(in two parts)
Kenya Rd. *Sund* —1E **101**
Kepier Ct. *Dur* —5D **152**
Kepier Chare. *Ryton* —5A **62**
Kepier Cres. *Dur* —4G **153**
(in two parts)
Kepier Gdns. *Sund* —1C **114**
Kepier Heights. *Dur* —5D **152**
Kepier La. *Dur* —4E **153**
Kepier Ter. *Dur* —5D **152**
Kepier Vs. *Dur* —5D **152**
Keppel St. *Gate* —2B **80**
Keppel St. *S Shi* —4E **61**
Kerry Clo. *Bly* —5C **10**
Kerryhill Dri. *Pity Me* —5C **142**
Kerry Sq. *Sund* —1D **100**
Kestel Clo. *Ryton* —5A **62**
Kesteven Sq. *Sund* —1D **100**
Kestrel Clo. *Wash* —5G **111**
Kestrel Ct. *Bir* —3C **110**
Kestrel Lodge Flats. *S Shi* —4F **61**
Kestrel M. *Whi* —4E **79**
Kestrel Pl. *Newc T* —6A **42**
Kestrel Sq. *Sund* —1D **100**
Kestrel St. *Team T* —6E **81**
Kestrel Way. *N Shi* —4C **60**
Kestrel Way. *S Shi* —5D **72**
Keswick Av. *Sund* —1C **102**
Keswick Dri. *N Shi* —3D **46**
Keswick Gdns. *W'snd* —4E **59**
Keswick Gro. *Newc T* —1E **65**

Keswick Rd. *Pet* —6E **161**
Keswick Rd. *S'ley* —5B **120**
Keswick St. *Gate* —2G **81**
Keswick Ter. *S Het* —5G **147**
Kettering Pl. *Cra* —1C **20**
Kettering Sq. *Sund* —1D **100**
Kettlewell Ter. *N Shi* —1D **60**
Ketton Clo. *Newc T* —1B **56**
Kew Gdns. *Whit B* —5B **34**
Kew Sq. *Sund* —1C **100**
Keyes Gdns. *Newc T* —4G **55**
Kibblesworth. —1E 109
Kibblesworth Bank. *Gate* —2C **108**
Kidd Av. *Sher* —6D **154**
Kidderminster Dri. *Newc T* —4A **52**
Kidderminster Rd. *Sund* —2D **100**
Kidderminster Sq. *Sund* —2D **100**
Kidd Sq. *Sund* —1D **100**
Kidlandlee Grn. *Newc T* —3E **53**
Kidlandlee Pl. *Newc T* —3E **53**
Kidsgrove Sq. *Sund* —2D **100**
Kielder. *Wash* —3F **111**
Kielder Av. *Cra* —3F **19**
Kielder Clo. *Bly* —2H **15**
Kielder Clo. *Kil* —1C **42**
Kielder Clo. *Newc T* —4E **53**
Kielder Gdns. *Jar* —6F **71**
Kielder Ho. *Sund* —3A **130**
Kielder Pl. *S Well* —6F **33**
Kielder Rd. *Newc T* —2A **64**
Kielder Rd. *S Well* —6F **33**
Kielder Ter. *N Shi* —1D **60**
Kielder Way. *Newc T* —1D **54**
Kier Hardie St. *Row G* —3B **90**
Kier Hardie Way. *Sund* —4B **102**
Kilburn Dri. *Pet* —4F **161**
Kilburn Clo. *Ryh* —3G **131**
Kilburne Clo. *Newc T* —4E **57**
Kilburn Gdns. *Per M* —4H **59**
Kilburn Grn. *Gate* —4B **96**
(in two parts)
Kildale. *Hou S* —1C **126**
Kildare Sq. *Sund* —1D **100**
Killarney Av. *Sund* —1D **100**
Killarney Sq. *Sund* —1D **100**
Killiebrigs. *Hed W* —5F **49**
Killin Clo. *Newc T* —3A **52**
Killingworth. —2D 42
Killingworth Av. *Back* —1G **43**
Killingworth Dri. *Newc T* —3B **42**
Killingworth Dri. *Sund* —3F **115**
Killingworth Ind. Area. *Newc T*
—2B **42**
Killingworth La. *Newc T* —3F **43**
Killingworth Pl. *Newc T*
—3F **67** (3C **4**)
Killingworth Rd. *Kil* —4E **43**
Killingworth Rd. *S Gos* —2H **55**
Killingworth Shop. Cen. *Newc T*
—2D **42**
Killingworth Village. —3E 43
Killingworth Way. *Newc T* —1A **42**
Killowen St. *Gate* —1G **95**
Kilnhill Wlk. *Pet* —1E **163**
Kiln Ri. *Whi* —1E **93**
Kilnshaw Pl. *Newc T* —4F **41**
Kilsyth Av. *N Shi* —3A **46**
Kilsyth Sq. *Sund* —2D **100**
Kimberley. *Wash* —2E **113**
Kimberley Av. *N Shi* —1A **60**
Kimberley Gdns. *Newc T* —1A **68**
Kimberley Gdns. *S'ley* —6G **121**
Kimberley St. *Bly* —5B **10**
Kimberley St. *Sund* —1H **115**
Kimberley Ter. *Bly* —5C **10**
Kimblesworth. —2A 142

Kinfauns Ter. *Gate* —6A **82**
Kingarth Av. *Sund* —6E **89**
King Charles Tower. *Newc T*
—3H **67** (2G **5**)
Kingdom Pl. *N Shi* —4C **60**
King Edward VIII Ter. *S'ley* —1E **121**
King Edward Pl. *Gate* —2B **82**
King Edward Rd. *Newc T* —6B **56**
King Edward Rd. *N Shi* —6E **47**
King Edward Rd. *Ryton* —5E **63**
King Edward Rd. *S'hm* —5B **140**
King Edward Rd. *Sund* —1D **114**
King Edward St. *Gate* —2B **82**
King Edward St. *Tan L* —6A **106**
Kingfisher Ind. Est. *S'hm* —3G **139**
Kingfisher Lodge. *Jar* —3E **71**
Kingfisher Rd. *Newc T* —6A **42**
Kingfisher Way. *Bly* —3D **16**
Kingfisher Way. *W'snd* —1E **59**
King George Av. *Gate* —4B **80**
King George Rd. *Newc T* —1A **54**
King George Rd. *S Shi* —2G **73**
King George VI Building. *Newc T*
—2C **4**
Kingham Ct. *Newc T* —3H **55**
King Henry Ct. *Sund* —1C **100**
Kinghorn Sq. *Sund* —1D **100**
King James Ct. *Sund* —1C **100**
King James St. *Gate* —2H **81**
King John's Ct. *Pon* —1A **36**
King John St. *Newc T* —1B **68**
King John Ter. *Newc T* —1B **68**
Kings Av. *Heb* —4D **70**
King's Av. *Sund* —6E **89**
Kingsbridge. *Newc T* —6H **41**
Kingsbury Clo. *Sund* —1D **100**
Kingsclere Av. *Sund* —1D **100**
Kingsclere Sq. *Sund* —2D **100**
Kings Clo. *Gate* —2B **82**
Kings Ct. *Jar* —2E **71**
King's Ct. *N Shi* —1D **60**
Kings Ct. *Team T* —2F **95**
Kingsdale Av. *Bly* —6G **9**
Kingsdale Av. *Wash* —5H **97**
Kingsdale Rd. *Newc T* —6H **41**
Kings Dri. *G'sde* —2B **76**
King's Dri. *Whit B* —6C **34**
King's Gdns. *Bly* —5A **10**
Kings Gro. *Dur* —2A **158**
Kingsland. *Newc T* —1G **67**
Kingsland Sq. *Sund* —2D **100**
King's La. *Pelt* —2F **123**
(in two parts)
Kingsley Av. *Newc T* —4E **41**
Kingsley Av. *S Shi* —6C **72**
Kingsley Av. *Whit B* —1B **46**
Kingsley Clo. *S'ley* —2F **121**
Kingsley Clo. *Sund* —4A **102**
Kingsley Pl. *Gate* —2B **80**
Kingsley Pl. *Newc T* —3B **68**
Kingsley Pl. *W'snd* —4D **58**
Kingsley Ter. *Whi* —3F **79**
Kingsley Ter. *Newc T* —4C **66**
King's Mnr. *Newc T* —4G **67** (4F **5**)
Kings Mdw. *Jar* —2G **85**
Kings Meadows. *Newc T* —6C **66**
Kingsmere. *Ches S* —2C **124**
Kingsmere Gdns. *Newc T* —5G **69**
Kings Pk. *Sco G* —1G **7**
King's Pl. *Sund* —6A **102**
King's Rd. *Bed* —3D **8**
King's Rd. *Newc T* —3F **67** (2C **4**)
(NE1)
Kings Rd. *Newc T* —4C **42**
(NE12)
Kings Rd. *W'snd* —3H **57**

King's Rd. *Whit B* —5B **34**
King's Rd., The. *Sund* —3A **102**
Kings Ter. *Gate* —4F **97**
King's Ter. *Sund* —6H **101**
Kingston Av. *Bear* —4C **150**
Kingston Av. *S'hm* —5H **139**
Kingston Clo. *Whit B* —3B **34**
Kingston Ct. *Whit B* —3B **34**
(off Kingston Dri.)
Kingston Dri. *Whit B* —3B **34**
Kingston Grn. *Newc T* —4D **68**
Kingston Park. —1G 53
Kingston Park. —6G **39**
Kingston Pk. Av. *Newc T* —1G **53**
Kingston Pk. Rd. *Newc T* —5H **39**
Kingston Pk. Shop. Cen. *Newc T*
—1G **53**
Kingston Pl. *Gate* —3A **82**
Kingston Rd. *Gate* —3A **82**
Kingston Ter. *Sund* —3D **102**
Kingston Way. *Whit B* —3B **34**
King St. *Bir* —3B **110**
King St. *Bly* —5C **10**
King St. *Gate* —3E **81**
King St. *Newc T* —5G **67** (6F **5**)
King St. *N Shi* —1D **60**
King St. *Pel* —2G **83**
King St. *Sher* —6D **154**
King St. *S Shi* —4E **61**
King St. *S'ley* —4F **119**
King St. *Sund* —6D **102**
(SR1)
King St. *Sund* —1D **102**
(SR6)
King's Wlk. *Newc T* —2F **67** (1D **4**)
(NE1)
Kings Wlk. *Newc T* —3H **51**
(NE5)
Kingsway. *Bly* —1C **16**
Kingsway. *Hou S* —3B **136**
Kingsway. *Newc T* —1A **66**
Kingsway. *N Shi* —5E **47**
Kingsway. *Pon* —5E **25**
Kingsway. *S Shi* —6H **61**
Kingsway. *Sun* —2E **93**
Kingsway Av. *Newc T* —6E **41**
Kingsway N. *Team T* —5E **81**
Kingsway Rd. *Sund* —1C **100**
Kingsway S. *Team T* —1F **95**
Kingsway Sq. *Sund* —1D **100**
Kingsway Vs. *Pelt* —2F **123**
Kingswood Av. *Newc T* —4F **55**
Kingswood Clo. *Bol C* —2A **86**
Kingswood Dri. *Pon* —1C **36**
Kingswood Gro. *Sund* —5B **114**
Kingswood Rd. *Cra* —1C **20**
Kingswood Sq. *Sund* —2D **100**
King Ter. *S'ley* —4B **120**
Kinlet. *Wash* —2E **113**
Kinley Rd. *Dur* —2B **154**
Kinloch Ct. *Ches S* —2B **132**
Kinloss Sq. *Cra* —1C **20**
Kinnaird Av. *Newc T* —3E **65**
Kinnock Clo. *Wash* —6E **155**
Kinross Clo. *Bir* —5D **110**
Kinross Ct. *Gate* —1H **83**
Kinross Dri. *Newc T* —2A **54**
Kinross Dri. *S'ley* —3F **121**
Kinsale Sq. *Sund* —2D **100**
Kinver Dri. *Newc T* —4A **52**
Kip Hill. —1D 120
Kip Hill Ct. *S'ley* —1E **121**
Kipling Av. *Bol C* —3D **86**
Kipling Av. *Heb* —3D **70**
Kipling Av. *Swa* —3F **79**

Kipling Clo. *S'ley* —3E **121**
Kipling Ct. *Swa* —3F **79**
Kiplings Ter. *Dur* —2H **157**
Kipling St. *Sund* —4A **102**
Kipling Wlk. *Gate* —1A **82**
Kira Dri. *Dur* —5C **142**
Kirby Av. *Dur* —2A **152**
Kirby Clo. *S Shi* —5B **72**
Kirkbride Pl. *Cra* —1C **20**
(in two parts)
Kirkdale Ct. *Burr* —6C **30**
Kirkdale Ct. *S Shi* —5C **72**
Kirkdale Grn. *Newc T* —5D **66**
Kirkdale Sq. *Sund* —2D **100**
Kirkdale St. *Hett H* —3B **146**
Kirkfield Gdns. *S'ley* —4E **119**
Kirkham. *Wash* —3B **112**
Kirkham Av. *Newc T* —6G **39**
Kirkham Rd. *Dur* —1D **152**
Kirkheaton Pl. *Newc T* —1G **65**
Kirkland Hill. *Pet* —6E **161**
Kirklands. *Burr* —6C **30**
Kirkland Wlk. *Shir* —2C **44**
Kirklea Rd. *Hou S* —3B **136**
Kirkleatham Gdns. *Newc T* —5D **56**
Kirkley Av. *S Shi* —3A **74**
Kirkley Clo. *Newc T* —1D **54**
Kirkley Clo. Flats. *Newc T* —1D **54**
Kirkley Dri. *Pon* —4E **25**
Kirkley Rd. *Shir* —3D **44**
Kirklinton Rd. *N Shi* —3C **46**
Kirknewton Clo. *Hou S* —3B **136**
Kirkside. *N Her* —3A **128**
Kirkston Av. *Jar* —6H **71**
Kirkstone. *Bir* —5D **110**
Kirkstone Av. *Jar* —6H **71**
Kirkstone Av. *N Shi* —3C **46**
Kirkstone Av. *Pet* —1E **163**
Kirkstone Av. *Sund* —2C **102**
Kirkstone Clo. *Hou S* —3B **136**
Kirkstone Dri. *Dur* —2A **154**
Kirkstone Gdns. *Newc T* —4A **56**
Kirkstone Rd. *Gate* —2F **83**
Kirk St. *Newc T* —4D **68**
Kirk Vw. *Nbtle* —6H **127**
Kirkwall Clo. *Sund* —4C **100**
Kirkwood. *Burr* —6C **30**
Kirkwood Av. *Sund* —5C **114**
Kirkwood Dri. *Newc T* —2A **54**
Kirkwood Gdns. *Gate* —3H **83**
Kirkwood Pl. *Newc T* —4D **40**
Kirton Av. *Newc T* —3A **66**
Kirton Way. *Cra* —1C **20**
Kismet St. *Sund* —3A **102**
Kitchener Rd. *Whit* —5E **75**
Kitchener St. *Gate* —3A **82**
Kitchener St. *Sund* —3H **115**
Kitchener Ter. *Hou S* —3H **127**
Kitchener Ter. *Jar* —4F **71**
Kitchener Ter. *N Shi* —6E **47**
Kitchener Ter. *Sund* —6F **117**
Kitching Rd. *N West* —4A **160**
Kittiwake Clo. *Bed* —4F **7**
Kittiwake Clo. *W'snd* —6E **45**
Kittiwake Dri. *Wash* —4F **111**
Kittiwake Ho. *Whit B* —6D **34**
Kittiwake St. *Team T* —6E **81**
Kitty Brewster Ind. Est. *Bly* —4F **9**
Kitty Brewster Rd. *Bly* —5F **9**
Kiwi St. *Team T* —6E **81**
Knaresborough Clo. *Bed* —4F **7**
Knaresborough Rd. *Mur* —2C **148**
Knaresborough Sq. *Sund* —1E **101**
Knaresdale. *Bir* —6D **110**
Knarsdale Av. *N Shi* —1H **59**
Knarsdale Pl. *Newc T* —6C **52**

Kneller Clo. *S'ley* —3D **120**
Knightsbridge. *Newc T* —1E **55**
Knightsbridge. *Sund* —1G **129**
Knightside Gdns. *Gate* —5B **80**
Knightside Wlk. *Newc T* —4A **52**
Knivestone Ct. *Newc T* —1E **43**
Knoll Ri. *Gate* —4B **80**
Knollside Clo. *Sund* —4H **129**
Knoll, The. *Sund* —2B **116**
Knott Flats. *N Shi* —6F **47**
Knott Pl. *Newc T* —4F **65**
Knoulberry. *Wash* —1G **111**
(in four parts)
Knoulberry Rd. *Wash* —1F **111**
(in two parts)
Knowledge Hill. *Bla T* —2H **77**
Knowle Pl. *Newc T* —2B **56**
Knowles, The. *Whi* —4G **79**
Knowsley Ct. *Newc T* —2F **53**
Knox Clo. *Bed* —3D **8**
Knox Rd. *Bed* —5B **8**
Knox Sq. *Sund* —3A **102**
Knutsford Wlk. *Cra* —1C **20**
Kristin Av. *Jar* —5G **71**
Kyffin Vw. *S Shi* —4B **74**
Kyle Clo. *Newc T* —5D **66**
Kyle Rd. *Gate* —3E **81**
Kyloe Av. *Sea D* —1B **32**
Kyloe Clo. *Newc T* —6A **40**
Kyloe Pl. *Newc T* —4E **53**
(in two parts)
Kyloe Vs. *Newc T* —4E **53**
Kyo Heugh Rd. *S'ley* —3G **119**
Kyo La. *S'ley* —3H **119**
Kyo Rd. *W Kyo* —4F **119**

Laburnum Av. *Bly* —5B **10**
Laburnum Av. *Dur* —6B **152**
Laburnum Av. *Gate* —4G **83**
Laburnum Av. *Newc T* —1F **69**
Laburnum Av. *W'snd* —5H **57**
Laburnum Av. *Wash* —6G **111**
Laburnum Av. *Whit B* —6C **34**
Laburnum Clo. *Sund* —1C **114**
Laburnum Ct. *Newc T* —1C **42**
Laburnum Ct. *Ush M* —5D **150**
Laburnum Cres. *Gate* —1E **109**
Laburnum Cres. *Pet* —1C **160**
Laburnum Cres. *S'hm* —6A **140**
Laburnum Gdns. *Fel* —2D **82**
Laburnum Gdns. *Jar* —5E **71**
Laburnum Gdns. *Low F* —5H **81**
Laburnum Gro. *C'twn* —5C **100**
Laburnum Gro. *Cle* —2A **88**
Laburnum Gro. *Heb* —6C **70**
Laburnum Gro. *S Shi* —4H **73**
Laburnum Gro. *Sun* —2F **93**
Laburnum Gro. *Whi* —4E **79**
Laburnum Ho. *W'snd* —6A **58**
Laburnum Pk. *B'don* —6B **156**
Laburnum Rd. *Bla T* —1A **78**
Laburnum Rd. *Sund* —2D **102**
Laburnum St. *Sund* —1C **114**
Laburnum Ter. *S'ley* —4E **119**
Lacebark. *Sund* —5G **129**
Ladock Clo. *Sund* —1G **131**
Lady Anne Rd. *Sher* —5D **154**
Ladybank. *Newc T* —4H **51**
Lady Beatrice Ter. *Hou S* —2A **128**
Lady Durham Clo. *Sher* —6C **154**
Ladyhaugh Dri. *Whi* —1E **93**
Ladykirk Rd. *Newc T* —4A **66**
Ladykirk Way. *Cra* —3G **19**
Lady Park. —3E 95
Ladyrigg. *Pon* —1D **36**

Ladysmith Ct. *S'ley* —4E **121**
(in two parts)
Ladysmith St. *S Shi* —5F **61**
Ladysmith Ter. *Ush M* —5B **150**
Lady's Piece La. *L Pit* —1E **155**
Lady St. *Hett H* —6C **136**
Lady's Wlk. *S Shi* —3B **61**
Ladywell Rd. *Bla T* —1A **78**
Ladywell Way. *Pon* —4D **24**
Ladywood Pk. *Hou S* —1D **126**
Laet St. *N Shi* —2D **60**
Laindon Av. *Sund* —1D **102**
Laing Art Gallery. —3G **67** (3E **5**)
Laing Gro. *W'snd* —4F **59**
Laith Rd. *Newc T* —2A **54**
Lake App. *Bla T* —2C **78**
Lake Av. *S Shi* —3C **74**
Lake Ct. *Sund* —3A **130**
Lakeland Dri. *Pet* —6E **161**
Lakemore. *Pet* —2C **162**
Lake Rd. *Hou S* —3A **136**
Lakeside. *Bla T* —2D **78**
Lakeside. *S Shi* —3D **74**
Lake Vw. *Heb* —5B **70**
Laleham Ct. *Newc T* —6H **39**
Lamara Dri. *Sund* —2C **102**
Lambden Clo. *N Shi* —4A **60**
Lambert Rd. *Wash* —6F **97**
Lambert Sq. *Newc T* —2C **54**
Lambeth Pl. *Gate* —3A **82**
Lamb Farm Clo. *For H* —4E **43**
Lambley Av. *N Shi* —3D **46**
Lambley Clo. *Sun* —3E **93**
Lambley Cres. *Heb* —6B **70**
Lambourn Av. *N Shi* —3H **59**
Lambourne Av. *Newc T* —6C **42**
Lambourne Clo. *Hou S* —6C **126**
Lambourne Rd. *Sund* —4C **116**
Lamb St. *Cra* —4E **23**
Lamb St. *Newc T* —4G **69**
Lamb Ter. *W All* —4B **44**
Lambton. —4H 111
Lambton Av. *Whi* —3G **79**
Lambton Cen. *Wash* —4H **111**
Lambton Clo. *Ryton* —6A **62**
Lambton Ct. *H Ric* —1E **125**
Lambton Ct. *Pet* —4C **162**
Lambton Ct. *Sund* —2E **129**
Lambton Dri. *Hett H* —3C **146**
Lambton Gdns. *Burn* —2E **105**
(in two parts)
Lambton La. *Hou S* —1D **134**
Lambton Lea. *Hou S* —5E **127**
Lambton Pl. *O Pen* —1F **127**
Lambton Rd. *Heb* —2D **70**
Lambton Rd. *Newc T* —1G **67**
Lambton St. *Ches S* —1D **132**
Lambton St. *Dur* —5B **152**
Lambton St. *Gate* —6G **67**
Lambton St. *Sund* —6D **102**
Lambton Ter. *Hou S* —1D **126**
Lambton Ter. *Jar* —5F **71**
Lambton Ter. *S'ley* —6H **121**
Lambton Tower. Sund —6E 103
(off High St. E.)
Lambton Wlk. Dur —6C 152
(off Silver St.)
Lamesley. —5G 95
Lamesley Rd. *Lam* —4G **95**
Lampeter Clo. *Newc T* —4F **53**
Lamport St. *Heb* —2A **70**
Lampton Ct. *Bed* —3C **8**
Lanark Clo. *N Shi* —5G **45**
Lanark Dri. *Jar* —6A **72**
Lancashire Dri. *Dur* —4B **154**
Lancaster Ct. *Newc T* —6H **39**

Lancaster Dri. *W'snd* —6B **44**
Lancaster Hill. *Pet* —5B **160**
(in two parts)
Lancaster Ho. *Cra* —4D **20**
Lancaster Ho. *Newc T* —6C **66**
Lancaster Pl. *Gate* —2A **80**
Lancaster Rd. *Gate* —2A **80**
Lancaster St. *Newc T* —4D **66**
Lancaster Ter. *Ches S* —1D **132**
Lancaster Way. *Jar* —2E **85**
(in two parts)
Lancastrian Rd. *Cra* —4H **19**
Lancefield Av. *Newc T* —5F **69**
Lancet Ct. *Gate* —1H **81**
Lanchester. *Wash* —5C **112**
Lanchester Av. *Gate* —2D **96**
Lanchester Clo. *Gate* —5A **84**
Lanchester Grn. *Bed* —3H **7**
Lanchester Rd. *Dur* —1F **151**
Lancing Ct. *Newc T* —6G **39**
Land of Grn. Ginger. N Shi —6F 47
(off Front St.)
Landsale Cotts. *G'sde* —2A **76**
Landscape Ter. *G'sde* —2B **76**
Landseer Clo. *S'ley* —3D **120**
Landseer Gdns. *Gate* —3B **82**
Landseer Gdns. *S Shi* —1F **87**
Landswood Ter. *Winl M* —4B **78**
Lane Corner. *S Shi* —4E **73**
Lane Head. *Ryton* —4C **62**
Lanercost. *Wash* —2B **112**
Lanercost Av. *Bla T* —1H **77**
Lanercost Dri. *Newc T* —1F **65**
Lanercost Gdns. *Gate* —5C **82**
Lanercost Gdns. *Newc T* —5D **50**
Lanercost Pk. *Cra* —4D **20**
Lanercost Rd. *N Shi* —2A **60**
Langdale. *Bir* —6E **111**
Langdale. *Wash* —6A **98**
Langdale. *Whit B* —6A **34**
Langdale Clo. *Newc T* —1A **56**
Langdale Cres. *Bla T* —3H **77**
Langdale Cres. *Dur* —2A **154**
Langdale Dri. *Cra* —2G **19**
Langdale Gdns. *Newc T* —3G **69**
Langdale Gdns. *W'snd* —2E **59**
Langdale Pl. *Newc T* —2A **56**
Langdale Pl. *Pet* —1E **163**
Langdale Rd. *Gate* —6A **82**
Langdale Rd. *Pen* —1E **127**
Langdale St. *Hett H* —3B **146**
Langdale Way. *E Bol* —3E **87**
Langdon Clo. *N Shi* —4B **46**
Langdon Gdns. *S'ley* —4E **119**
Langdon Rd. *Newc T* —2B **52**
Langford Dri. *Bol C* —1B **86**
Langham Rd. *Newc T* —4D **64**
Langholm Av. *N Shi* —5G **45**
Langholm Ct. E Bol —4G 87
(off Station Rd.)
Langholm Rd. *E Bol* —3F **87**
Langholm Rd. *Newc T* —6E **41**
Langhorn Clo. *Newc T* —2B **68**
Langhurst. *Sund* —1E **131**
Langleeford Rd. *Newc T* —3E **53**
Langley Av. *Bly* —5H **9**
Langley Av. *Gate* —5H **83**
Langley Av. *Shir* —3E **45**
Langley Av. *Whit B* —2H **45**
Langley Clo. *Wash* —3H **111**
Langley Cres. *Lang M* —4F **157**
Langley Mere. *For H* —5D **42**
Langley Moor. —3G 157
Langley Moor Ind. Est. *Lang M*
(in two parts)   —4G **157**
Langley Rd. *Dur* —1C **152**

Langley Rd. *E Den* —1D **64**
Langley Rd. *N Shi* —1G **59**
Langley Rd. *Sund* —5B **116**
Langley Rd. *Walk* —3F **69**
Langley St. *Hou S* —3H **127**
Langley Tarn. *N Shi* —3C **60**
Langley Ter. *Jar* —6F **71**
Langley Ter. *S'ley* —5G **119**
Langley Vw. *S'ley* —6A **120**
Langport Rd. *Sund* —4D **116**
Langthorne Av. *Pet* —1H **163**
Langton Clo. *Sund* —1B **116**
Langton Ct. *Pon* —1B **36**
Langton Lea. *H Shin* —4H **159**
Langton St. *Gate* —1H **81**
(in two parts)
Langton Ter. *Hou S* —1C **134**
Langton Ter. *Newc T* —5B **56**
Lanivet Clo. *Sund* —1F **131**
Lannerwood. N Shi —3C 60
(off Coach La.)
Lansbury Clo. *Bir* —1B **110**
Lansbury Ct. *Heb* —2D **70**
Lansbury Dri. *Bir* —1B **110**
Lansbury Dri. *Mur* —2C **148**
Lansbury Gdns. *Gate* —3G **83**
Lansbury Rd. *Whi* —5G **79**
Lansbury Way. *Sund* —4D **100**
Lansdowne. *Sund* —2E **131**
Lansdowne Cres. *Newc T* —2E **55**
Lansdowne Gdns. *Newc T* —1A **68**
Lansdowne Pl. *Newc T* —2E **55**
Lansdowne Rd. *Newc T* —5D **42**
Lansdowne St. *Sund* —6B **102**
Lansdowne Ter. *Newc T* —2E **55**
Lansdowne Ter. *N Shi* —1B **60**
Lansdowne Ter. E. *Newc T* —2E **55**
Lansdowne Ter. W. *N Shi* —1A **60**
Lanthwaite Rd. *Gate* —6A **82**
Lanton St. *Hou S* —3H **127**
Lapwing Clo. *Bly* —3C **16**
Lapwing Clo. *Wash* —4F **111**
Lapwing Ct. *Burn* —2A **106**
L'Arbre Cres. *Whi* —4D **78**
Larch Av. *Hou S* —2G **135**
Larch Av. *S Shi* —4A **74**
Larch Av. *Sund* —2G **89**
Larch Clo. *Gate* —3D **96**
Larches Rd. *Dur* —4A **152**
Larches, The. *Burn* —6H **91**
Larches, The. *Newc T* —6C **66**
Larchlea. *Pon* —3C **36**
Larchlea S. *Pon* —3C **36**
Larch Rd. *Bla T* —6B **64**
Larch St. *Sun* —3F **93**
Larch Ter. *S'ley* —6F **121**
Larch Ter. *Tant* —6G **105**
Larchwood. *Wash* —6H **111**
Larchwood Av. *Faw* —6B **40**
(in two parts)
Larchwood Av. *N Gos* —6E **29**
Larchwood Av. *Walk* —1E **69**
Larchwood Gdns. *Gate* —6D **80**
Larchwood Gro. *Sund* —5C **116**
Larkfield Cres. *Hou S* —4E **127**
Larkfield Rd. *Sund* —4C **116**
Larkhill. *Sund* —2F **131**
Larkrise Clo. *Newc T* —4D **56**
Larkspur. *Gate* —6C **82**
Larkspur Clo. *Tan L* —1B **120**
Larkspur Rd. *Whi* —5E **79**
Larkspur Ter. *Newc T* —6G **55**
Larkswood. *S Shi* —2B **74**
Larne Cres. *Gate* —6A **82**
Larriston Pl. *Cra* —3H **19**
Lartington Ct. *Gt Lum* —5H **133**

Lartington Gdns. *Newc T* —2H **55**
Larwood Ct. *Ches S* —2E **133**
Larwood Ct. *G'cft* —6E **119**
Lascelles Av. *S Shi* —4G **73**
Laski Gdns. *Gate* —3H **83**
Latimer St. *N Shi* —5F **47**
Latrigg Ct. *Sund* —3H **129**
Lauderdale Av. *W'snd* —3A **58**
Launceston Clo. *Newc T* —5H **39**
Launceston Ct. *Sund* —2E **129**
Launceston Dri. *Sund* —2E **129**
Laura St. *S'hm* —5B **140**
Laura St. *Sund* —1D **116**
Laurel Av. *Dur* —6G **153**
Laurel Av. *Faw* —1C **54**
Laurel Av. *Newc T* —4G **43**
Laurel Av. *S'hm* —4H **139**
Laurel Ct. *Ches S* —4B **124**
Laurel Ct. *N Shi* —2D **60**
Laurel Cres. *Hou S* —1G **135**
Laurel Cres. *Newc T* —6F **57**
Laurel Cres. *Pelt* —2D **122**
Laurel End. *Newc T* —4G **43**
Laurel Gro. *Sund* —5C **116**
Laurel Pl. *Cra* —2B **20**
Laurel Pl. *Newc T* —4F **43**
Laurel Rd. *Bla T* —1B **78**
Laurels, The. Sund —1A **130**
(off Chelmsford St.)
Laurel St. *Thro* —4D **50**
Laurel St. *W'snd* —6A **58**
Laurel Ter. *Burn* —1F **105**
Laurel Ter. *H'wll* —1C **32**
Laurel Wlk. *Newc T* —2E **55**
Laurel Way. *Ryton* —6A **62**
Laurelwood Gdns. *Gate* —6D **80**
Lauren Ct. *Eas* —1C **160**
Laurens Ct. *Wash* —5B **98**
Lavender Gdns. *Gate* —5H **81**
Lavender Gdns. *Newc T* —6F **55**
Lavender Gro. *Sund* —4C **100**
Lavender La. *S Shi* —4D **72**
Lavender Rd. *Whi* —5E **79**
Lavender St. *Sund* —1C **114**
Lavender Wlk. *Heb* —6C **70**
Laverick. *Gate* —5F **83**
Laverick Ter. *S'ley* —6G **119**
Laverock Ct. *Newc T* —4C **68**
Laverock Hall Rd. *Bly* —5E **15**
Laverock Pl. *Bly* —4H **15**
Laverock Pl. *Newc T* —2H **53**
Lavers Rd. *Bir* —2C **110**
Lavington Rd. *S Shi* —1G **73**
Lawe, The. —2F 61
Lawn Cotts. *Silk* —3H **129**
Lawn Dri. *W Bol* —5B **86**
Lawnhead Sq. *Sund* —3B **130**
Lawnside. *S'hm* —5G **139**
Lawns, The. *Eas L* —4E **147**
Lawns, The. *S'hm* —5G **139**
Lawns, The. *Silk* —3H **129**
Lawns, The. *Whit* —3F **89**
Lawnsway. *Jar* —2G **85**
Lawnswood. *Hou S* —4B **136**
Lawn, The. *Ryton* —3C **62**
Lawrence Av. *Bla T* —6A **64**
Lawrence Av. *S Shi* —6F **73**
Lawrence Ct. *Bla T* —6A **64**
Lawrence Gdns. *Gate* —3A **84**
Lawrence Hill Ct. *Gate* —3H **83**
Lawrence St. *Sund* —1E **117**
Lawson Av. *Jar* —6G **71**
Lawson Ct. *Ches S* —1C **132**
Lawson Cres. *Sund* —1D **102**
Lawson St. *N Shi* —3C **60**
Lawson St. *W'snd* —6A **58**

Lawson St. W. *N Shi* —3C **60**
Lawson Ter. *Dur* —6B **152**
Lawson Ter. *Eas L* —4D **146**
Laws St. *Sund* —1D **102**
Laxey St. *S'ley* —3C **120**
Laxford. *Bir* —5D **110**
Laxford Ct. *Sund* —4A **130**
Laybourn Gdns. *S Shi* —5C **72**
(in three parts)
Layburn Gdns. *Newc T* —1C **64**
Layburn Pl. *Pet* —6C **160**
Laycock Gdns. *Seg* —2E **31**
Layfield Rd. *Newc T* —4E **41**
Laygate. *S Shi* —6D **60**
(in two parts)
Laygate Pl. *S Shi* —6E **61**
Laygate St. *S Shi* —6D **60**
Lea Av. *Jar* —1G **85**
Leabank. *Newc T* —1B **64**
Lead Rd. *G'sde & Bla T* —2A **76**
Leafield Cres. *S Shi* —1A **74**
Lea Grn. *Bir* —6E **111**
Leagreen Ct. *Newc T* —2C **54**
Leaholme Dene. *Bly* —1A **16**
Lealholm Rd. *Newc T* —2A **56**
Leam Gdns. *Gate* —3A **84**
Leamington St. *Sund* —1B **116**
Leam La. *Gate* —2E **97**
(in two parts)
Leam La. *Jar* —4A **72**
Leam Lane Estate. —6G 83
Leamside. —3C 144
Leamside. *Gate* —5F **83**
Leamside. *Jar* —5G **71**
Leander Av. *Ches S* —1D **124**
Leander Dri. *Bol C* —3A **86**
Leaplish. *Wash* —5D **112**
Leap Mill Farm Mill. —6H **91**
Lea Rigg. *W Rai* —3E **145**
(in two parts)
Leas, The. —3D **74**
Leas, The. *Hou S* —6H **127**
Leasyde Wlk. *Whi* —6C **78**
(in two parts)
Leatham. *Sund* —1E **131**
Lea Vw. *S Shi* —1B **74**
Leazes. —1F 105
Leazes Ct. *Dur* —5D **152**
Leazes Ct. *Newc T* —3D **66**
Leazes Cres. *Newc T* —3E **67** (3B **4**)
Leazes La. *Dur* —5E **153**
Leazes La. *Newc T* —3F **67** (3C **4**)
Leazes Pde. *Newc T* —3D **66**
Leazes Pk. Rd. *Newc T*
                       —3E **67** (3B **4**)
Leazes Parkway. *Newc T* —6C **50**
Leazes Pl. *Dur* —5D **152**
Leazes Ri. *Pet* —1F **163**
Leazes Rd. *Dur* —5C **152**
Leazes Sq. *Newc T* —3F **67** (3C **4**)
Leazes Ter. *Newc T* —3E **67** (2B **4**)
Leazes, The. *Burn* —1F **105**
Leazes, The. *Newc T* —6C **50**
Leazes, The. *S Shi* —3H **73**
Leazes, The. *Sund* —1B **116**
Leazes Vw. *Row G* —3D **90**
Leazes Vs. *Burn* —1G **105**
Lecondale. *Gate* —1F **97**
Lecondale Ct. *Gate* —1F **97**
Ledbury Rd. *Sund* —4D **116**
Leechmere Cres. *S'hm* —2E **139**
Leechmere Ind. Est. *Sund* —6E **117**
Leechmere Rd. *Sund* —5C **116**
Leechmere Vw. *Sund* —1F **131**
Leechmere Way. *Sund* —1E **131**
(in two parts)

Lee Clo. *Wash* —2F **113**
Leeds St. *Sund* —3D **102**
Leeholme. *Hou S* —4B **136**
Leeholme Ct. *S'ley* —6G **119**
Leeming Gdns. *Gate* —5B **82**
Leesfield Dri. *Mead* —6E **157**
Leesfield Gdns. *Mead* —6E **157**
Leesfield Rd. *Mead* —6E **157**
Lees St. *S'ley* —2D **120**
Lee St. *Sund* —4B **102**
(SR5)
Lee St. *Sund* —1D **102**
(SR6)
Lee Ter. *Hett H* —3C **146**
Lee Ter. *Pet* —1C **160**
Legg Av. *Bed* —2E **9**
Legges Dri. *Sea B* —3A **18**
Legion Gro. *Newc T* —2D **64**
Legion Rd. *Newc T* —2D **64**
Leicester Clo. *W'snd* —2G **57**
Leicestershire Dri. *Dur* —5B **154**
Leicester St. *Newc T* —4E **69**
Leicester Wlk. *Pet* —5C **160**
Leicester Way. *Jar* —2E **85**
Leighton Rd. *Sund* —5D **116**
Leighton St. *Newc T* —3A **68**
Leighton St. *S Shi* —5G **61**
Leighton Ter. *Bir* —1B **110**
Leith Ct. *S Shi* —4E **73**
Leith Gdns. *Tan L* —6B **106**
Lemington Gdns. *Newc T* —2G **65**
Lemington Rd. *Newc T* —2G **63**
Lemon St. *S Shi* —3D **72**
Lena Av. *Whit B* —1A **46**
Lenin Ter. *S'ley* —5D **120**
Lenore Ter. *G'sde* —1B **76**
Leominster Rd. *Sund* —5D **116**
Leopold St. *Jar* —3F **71**
Leopold St. *Sund* —6A **102**
Lesbury Av. *Shir* —2C **44**
Lesbury Av. *W'snd* —4D **58**
Lesbury Chase. *Newc T* —6D **40**
Lesbury Clo. *Ches S* —2A **132**
Lesbury Gdns. *Wide* —5E **29**
Lesbury Rd. *Newc T* —6B **56**
Lesbury St. *Newc T* —3A **64**
Lesbury St. *W'snd* —6G **59**
Leslie Av. *Heb* —4C **70**
Leslie Clo. *Ryton* —5E **63**
Leslie Cres. *Newc T* —4E **55**
Leslie Ter. *Newc T* —5F **67**
Letch Av. *S'hm* —5H **149**
Letch Path. *Newc T* —2H **63**
Letch, The. *Newc T* —4D **42**
Letch Way. *Newc T* —2A **64**
Letchwell Vs. *Newc T* —4E **43**
Leuchars Ct. *Bir* —4C **110**
Leven Av. *Ches S* —2B **132**
Leven Ho. *Sund* —3A **130**
Levens Wlk. *Cra* —2G **19**
Leven Wlk. *Pet* —3C **162**
Levisham Clo. *Sund* —2C **130**
Lewis Cres. *Sund* —2F **117**
Lewis Dri. *Newc T* —3B **66**
Lewis Gdns. *S Shi* —6E **73**
Lexington Ct. *B'don* —6C **156**
Leybourne Av. *Newc T* —4D **42**
Leybourne Dene. *Newc T* —3D **42**
Leybourne Hold. *Bir* —1C **110**
Leyburn Clo. *Hou S* —2H **135**
Leyburn Clo. *Ous* —6F **109**
Leyburn Dri. *Newc T* —4A **56**
Leyburn Gro. *Hou S* —2G **135**
Leyburn Pl. *Bir* —1B **110**
Leyfield Clo. *Sund* —4B **130**
Leyton Pl. *Gate* —3A **82**

Liberty Ter. *Tant* —5H **105**
Liberty Way. *Sund* —5E **103**
Library Ter. *S'ley* —5F **119**
Library Wlk. *S'ley* —4F **119**
Lichfield Av. *Newc T* —5E **69**
Lichfield Clo. *Gt Lum* —5G **133**
Lichfield Clo. *Newc T* —6A **40**
Lichfield Rd. *Dur* —5D **142**
(in two parts)
Lichfield Rd. *Sund* —2A **102**
Lichfield Way. *Jar* —2E **85**
(in two parts)
Lidcombe Clo. *Sund* —2B **130**
Liddell Ct. *Sund* —3F **103**
Liddells Fell Rd. *Bla T* —2B **76**
Liddell St. *N Shi* —2D **60**
Liddell St. *Sund* —5D **102**
Liddell Ter. *Gate* —2F **81**
Liddell Ter. *Kib* —1E **109**
Liddle Av. *Sher* —6D **154**
Liddle Clo. *Pet* —5B **160**
Liddle Ct. *Newc T* —4C **66**
Liddle Rd. *Newc T* —4C **66**
Liddles St. *Bed* —2D **8**
Lieven St. *Haz* —1C **40**
Liffey Rd. *Heb* —6D **70**
Lightbourne Rd. *Newc T* —3G **69**
Lightwood Av. *Newc T* —5E **65**
Lilac Av. *Bly* —5B **10**
Lilac Av. *Dur* —2B **152**
Lilac Av. *Hou S* —3B **136**
Lilac Av. *Newc T* —5F **43**
Lilac Av. *New S* —1B **130**
Lilac Av. *S Shi* —4H **73**
Lilac Av. *Whit* —6F **75**
Lilac Clo. *Newc T* —3H **51**
Lilac Cres. *Burn* —1G **105**
Lilac Gdns. *Gate* —5H **81**
Lilac Gdns. *Pelt* —2D **122**
Lilac Gdns. *Sund* —1A **88**
Lilac Gdns. *Wash* —6A **112**
Lilac Gdns. *Whi* —4E **79**
Lilac Gro. *Ches S* —4A **124**
Lilac Gro. *Sund* —2D **102**
Lilac Pk. *Ush M* —6C **150**
Lilac Rd. *W'snd & Newc T* —6G **57**
Lilac Sq. *Hou S* —6C **126**
Lilac St. *Sund* —1C **114**
Lilac Ter. *S'ley* —4E **119**
Lilac Wlk. *Heb* —6C **70**
Lilburn Clo. *Byker* —5C **68**
Lilburn Clo. *Ches S* —3A **132**
Lilburn Clo. *E Bol* —3E **87**
Lilburne Clo. *Sund* —6E **103**
Lilburn Gdns. *Newc T* —3H **55**
Lilburn Pl. *S'wck* —4A **102**
Lilburn Rd. *Shir* —3C **44**
Lilburn St. *N Shi* —2B **60**
Lilian Av. *Sund* —1E **131**
Lilian Av. *W'snd* —6G **57**
Lilleycroft. *Row G* —3F **91**
Lilley Gro. *Sund* —4D **100**
Lilley Ter. *Row G* —2F **91**
Lily Av. *Bed* —5B **8**
Lily Av. *Newc T* —6G **55**
Lily Bank. *W'snd* —5A **58**
Lily Clo. *Bla T* —1G **77**
Lily Cres. *Newc T* —6G **55**
Lily Cres. *Sund* —6F **75**
Lily Gdns. *Dip* —1E **119**
Lily St. *Sund* —6B **102**
Lily Ter. *Hou S* —5H **127**
Lily Ter. *Newc T* —4E **53**
Lilywhite Ter. *Eas L* —3D **146**
Lime Av. *Hou S* —2G **135**
Limecrag Av. *Dur* —4H **153**

Limecroft. *Jar* —2G **85**
Lime Gro. *Ryton* —4B **62**
Limekiln Rd. *W'snd* —5B **58**
Lime Pk. *B'don* —5D **156**
Limes Av. *Bly* —4B **10**
Limes, The. *Pen* —1F **127**
Limes, The. *Sund* —3D **116**
Limes, The. *Whit* —3E **89**
(off Front St.)
Limestone La. *Pon* —4B **24**
Lime St. *Bla T* —2B **78**
Lime St. *Newc T* —3A **68**
Lime St. *S'ley* —6B **120**
Lime St. *Sund* —6B **102**
Lime St. *Thro* —4D **50**
Limetree. *Wash* —5C **112**
Limetrees Gdns. *Gate* —4H **81**
Limewood Ct. *Newc T* —1D **66**
Limewood Gro. *N Gos* —6D **28**
Linacre Clo. *Newc T* —1F **53**
Linacre Ct. *Pet* —2B **162**
Linbridge Dri. *Newc T* —6B **52**
Linburn. *Wash* —1H **125**
Lincoln Av. *Sund* —1A **130**
Lincoln Av. *W'snd* —4G **57**
Lincoln Ct. *Heb* —4B **70**
Lincoln Cres. *Hett H* —1B **146**
Lincoln Grn. *Newc T* —4E **41**
Lincoln Rd. *Cra* —5C **14**
Lincoln Rd. *Dur* —6D **142**
Lincoln Rd. *S Shi* —2B **74**
Lincolnshire Clo. *Dur* —4A **154**
Lincoln St. *Gate* —2G **81**
Lincoln St. *Sund* —6H **101**
Lincoln Wlk. *Gt Lum* —4G **133**
Lincoln Wlk. *Pet* —5C **160**
Lincoln Way. *Jar* —2F **85**
(in two parts)
Lindale Av. *Whi* —6E **79**
Lindale Rd. *Newc T* —1A **66**
Lindean Pl. *Cra* —3H **19**
Linden. *Gate* —1D **96**
Linden Av. *Fenh* —2H **65**
Linden Av. *Gos* —3E **55**
Linden Gdns. *Sund* —4C **116**
Linden Gro. *Gate* —3C **80**
Linden Gro. *Hou S* —3H **135**
Linden Pk. *B'don* —5D **156**
Linden Rd. *Bear* —4D **150**
Linden Rd. *Bent* —1D **56**
Linden Rd. *Bla T* —1B **78**
Linden Rd. *Gos* —3E **55**
Linden Rd. *Sea D* —6H **21**
Linden Rd. *Sund* —4C **116**
Linden Ter. *Gate* —4F **97**
Linden Ter. *Newc T* —1D **56**
Linden Ter. *Whit B* —6D **34**
Linden Way. *Gate* —3C **96**
Linden Way. *Pon* —2C **36**
Lindfield Av. *Newc T* —6F **53**
Lindisfarne. *H Shin* —4H **159**
Lindisfarne. *Pet* —3C **162**
Lindisfarne. *Sund* —3E **131**
Lindisfarne. *Wash* —3A **112**
Lindisfarne Av. *Ches S* —6D **124**
Lindisfarne Clo. *Ches S* —2A **132**
Lindisfarne Clo. *E Den* —6D **52**
Lindisfarne Clo. *Hou S* —1G **135**
Lindisfarne Clo. *Jes* —5H **55**
Lindisfarne Ct. *Jar* —3B **72**
Lindisfarne Dri. *W'snd* —4B **58**
Lindisfarne Recess. *Jar* —5H **71**
Lindisfarne Ri. *Dur* —2D **152**
Lindisfarne Rd. *Dur* —2D **152**
Lindisfarne Rd. *Heb* —6C **70**

Lindisfarne Rd. *Jar* —5H **71**
(in two parts)
Lindisfarne Rd. *Newc T* —5H **55**
Lindisfarne Ter. *N Shi* —6C **46**
Lindom Av. *Ches S* —6D **124**
Lindon Mnr. *Kil* —1C **42**
Lindon Rd. *S'ley* —4C **120**
Lindrick Ct. *Gate* —4A **84**
Lindsay Av. *Bly* —5A **10**
Lindsay Clo. *Sund* —2E **117**
Lindsay Ct. *Whit* —1F **89**
Lindsay Rd. *Sund* —1E **117**
Lindsay St. *Hett H* —5D **136**
Lindsey Clo. *Cra* —3G **19**
Lindum Rd. *Gate* —3H **81**
Linfield. *Sund* —2E **131**
Lingcrest. *Gate* —6C **82**
Lingdale. *Dur* —4B **154**
Lingdale Av. *Sund* —5E **89**
Lingey Gdns. *Gate* —3A **84**
Lingey La. *Gate* —4H **83**
Lingholme. *Ches S* —5A **124**
Lingmell. *Wash* —1H **111**
Lingshaw. *Gate* —4H **83**
Lingside. *Jar* —1G **85**
(in two parts)
Linhope Av. *Newc T* —6B **40**
Linhope Rd. *Newc T* —5D **52**
Link Av. *Bed* —4F **7**
Link Rd. *Haz* —1C **40**
Link Rd. *Newc T* —5A **54**
Links Av. *N Shi* —3E **47**
Links Av. *Whit B* —4B **34**
Links Ct. *Whit B* —4C **34**
Links Grn. *Newc T* —1F **55**
Links Grn. Wlk. *Newc T* —1F **55**
Links Ho. Gdns. Cvn. Site. *Bly*
—3D **16**
Links Rd. *Bly* —2D **16**
Links Rd. *N Shi* —2E **47**
Links Rd. *Sea S* —6E **17**
Links, The. *Dur* —3B **154**
Links, The. *Sea S* —3G **23**
Links, The. *Whit B* —2B **34**
Links Vw. *Bly* —3A **16**
Links Wlk. *Newc T* —5D **52**
Linkway. *Jar* —2H **85**
Linley Hill. *Whi* —6C **78**
Linnel Dri. *Newc T* —1C **64**
Linnet Clo. *Wash* —4G **111**
Linnet Gro. *Sund* —4E **101**
Linney Gdns. *S Shi* —5C **72**
Linskell. *Sund* —1E **131**
Linskill Pl. *Newc T* —4B **54**
Linskill Pl. *N Shi* —6D **46**
Linskill St. *N Shi* —2D **60**
Linskill Ter. *N Shi* —1D **60**
Linslade Wlk. *Cra* —3H **19**
Lintfort. *Pick* —2E **125**
Linthorpe Ct. *S Shi* —4C **72**
Linthorpe Rd. *Newc T* —6E **41**
Linthorpe Rd. *N Shi* —4D **46**
Linton. *Kil* —6D **30**
Linton Rd. *Gate* —2H **95**
Linton Rd. *Whit B* —2A **34**
Lintz. —1F **105**
Lintzford. —6C **90**
Lintzford Clo. *Row G* —5D **90**
Lintzford Gdns. *Newc T* —2C **64**
Lintzford Gdns. *Row G* —5D **90**
Lintzford La. *H Spen* —3A **90**
Lintzford Rd. *Ham M* —2A **104**
Lintz Green. —2C **104**
Lintz Grn. La. *L Grn* —1C **104**
Lintz La. *Burn* —2C **104**
Lintz Ter. *Burn* —1F **105**

Lintz Ter. *S'ley* —4A **120**
Linum Pl. *Newc T* —1A **66**
Linwood Pl. *Newc T* —4E **41**
Lion Wlk. *N Shi* —4C **60**
Lipman Building. *Newc T* —1E **5**
Lisa Av. *Sund* —2C **114**
Lisburn Ter. *Sund* —6A **102**
Lish Av. *Whit B* —1E **47**
Lishman Ter. *Ryton* —5A **62**
Lisle Ct. *W'snd* —5H **57**
Lisle Gro. *W'snd* —4E **59**
Lisle Rd. *S Shi* —2H **73**
Lisle St. *Newc T* —3F **67** (3D **4**)
Lisle St. *W'snd* —5H **57**
Lismore Av. *S Shi* —2F **73**
Lismore Pl. *Newc T* —3H **65**
Lismore Ter. *Gate* —4F **97**
Lister Av. *Gate* —2B **80**
Lister Clo. *Hou S* —1H **135**
Lister Rd. *N West* —5A **160**
Listers La. *Gate* —3A **82**
Lister St. *Newc T* —5D **64**
Litchfield Cres. *Bla T* —2H **77**
Litchfield La. *Bla T* —2H **77**
Litchfield St. *Bla T* —2H **77**
Litchfield Ter. *Bla T* —2H **77**
Lit. Bedford St. *N Shi* —2C **60**
Littlebridge Ct. *Fram M* —1A **152**
Littleburn. —4G 157
Littleburn Clo. *Hou S* —1G **135**
Littleburn Ind. Est. *Lang M* —5H **157**
Littleburn La. *Lang M* —4G **157**
Littleburn Rd. *Lang M* —4G **157**
Littledene. *Gate* —4H **81**
Little Dene. *Newc T* —4F **55**
Little Eden. *Pet* —6D **160**
Little Museum of Gilesgate, The.
—5F **153**
Little Thorpe. —3C 160
Littletown. —4H 155
Littletown La. *L'ton* —5H **155**
Lit. Villiers St. *Sund* —6E **103**
Little Way. *Newc T* —5F **65**
Litton Ct. *Sund* —3H **129**
Littondale. *W'snd* —3F **57**
Liverpool St. *Newc T* —3F **67** (3C **4**)
Livingstone Pl. *S Shi* —3E **61**
Livingstone Rd. *Sund* —6C **102**
Livingstone St. *S Shi* —3F **61**
Livingstone Vw. *N Shi* —6E **47**
Lizard La. *S Shi & Sund* —3D **74**
Lizard La. Cvn. & Camping Site. *S Shi*
—3D **74**
Lizard Vw. *Sund* —6E **75**
Lloyd Av. *E Rai* —1G **145**
Lloyd Ct. *Dun* —1A **80**
Lobban Av. *Heb* —6B **70**
Lobelia Av. *Gate* —1B **82**
Lobelia Clo. *Newc T* —4H **51**
Lobley Gdns. *Gate* —5C **80**
Lobley Hill. —6C 80
Lobley Hill. *Mead* —5F **157**
Lobleyhill Rd. *Burn* —6A **92**
Lobley Hill Rd. *Gate* —5C **80**
Local Av. *S Hill* —6G **155**
Lochcraig Pl. *Cra* —3G **19**
Lochfield Gdns. *Gate* —1E **109**
Lochmaben Ter. *Sund* —3D **102**
Lockerbie Gdns. *Newc T* —2C **64**
Lockerbie Rd. *Cra* —3H **19**
Lockhaugh. —1G 91
Lockhaugh Rd. *Row G* —2F **91**
Locksley Clo. *N Shi* —4F **45**
Locomotion Way. *Camp I* —6B **30**
Locomotion Way. *N Shi* —4C **60**
Lodge Clo. *Ham M* —2A **104**

Lodgeside Mdw. *Sund* —4B **130**
Lodges Rd., The. *Gate* —2G **95**
Lodge Ter. *W'snd* —5B **58**
Lodore Ct. *Sund* —3H **129**
Lodore Gro. *Jar* —6H **71**
Lodore Rd. *Newc T* —4F **55**
Loefield. *Gt Lum* —3G **133**
Lofthill. *Sund* —4G **129**
Logan Rd. *Newc T* —6F **57**
Logan St. *Hett H* —2C **146**
Logan Ter. S Het —5G **147**
(off Front St.)
Lola St. *Haz* —1B **40**
Lombard Dri. *Ches S* —2C **124**
Lombard St. *Newc T* —5G **67** (6F **5**)
Lombard St. *Sund* —6E **103**
Lomond Clo. *Wash* —4H **111**
Lomond Ct. *Sund* —3A **130**
Lomond Pl. *Ches S* —2B **132**
London Av. *Wash* —4H **97**
Londonderry Bungalows. *Pet*
—1D **160**
Londonderry Ct. *S'hm* —3B **140**
Londonderry St. *S'hm* —6C **140**
Londonderry St. *Sund* —2A **130**
Londonderry Ter. *Pet* —1D **160**
Londonderry Ter. *Sund* —2B **130**
Londonderry Way. *Hou S* —2E **127**
Longacre. *Hou S* —3G **135**
Longacre. *Wash* —6C **112**
Long Acres. *Dur* —4F **153**
Long Bank. *Bir* —6C **96**
Long Bank. *Gate* —5B **96**
Longbenton. —2C 56
Longborough Ct. *Newc T* —3A **56**
Long Burn Dri. *Ches S* —1A **132**
Long Clo. Rd. *Ham M* —2A **104**
Long Crag. *Wash* —2G **111**
Long Dale. *Ches S* —1A **132**
Longdean Clo. *Heb* —4A **70**
Longdean Pk. *Ches S* —3C **124**
Longfellow St. *Hou S* —4A **136**
Long Fld. Clo. *S Shi* —5F **73**
Longfield Rd. *Sund* —2D **102**
Longfield Ter. *Newc T* —5G **69**
Long Gair. *Bla T* —3G **77**
Long Gth. *Dur* —3H **151**
Long Headlam. *Newc T* —3C **68**
Longhirst. *Gate* —4G **83**
Longhirst. *Kil* —6D **30**
Longhirst. *Newc T* —5D **52**
Longhirst Dri. *Wide* —6D **28**
Longlands Dri. *Hou S* —4A **136**
Longleat Gdns. *S Shi* —4F **61**
Longley St. *Newc T* —3C **66**
Long Mdw. Clo. *Ryton* —6A **62**
Longmeadows. *Pon* —2B **36**
Longmeadows. *Sund* —3E **129**
Longnewton St. *S'hm* —6B **140**
Longniddry. *Wash* —2A **98**
Longniddry Ct. *Gate* —2G **95**
Longridge. *Bla T* —2G **77**
Longridge Av. *Newc T* —4D **56**
Longridge Av. *Wash* —4G **111**
Longridge Dri. *Whit B* —4A **34**
Longridge Rd. *Bla T* —1C **76**
Longridge Sq. *Sund* —5D **116**
Longridge Way. *Bed* —2A **8**
Longridge Way. *Cra* —3H **19**
Longrigg. *Gate* —4F **83**
(NE10)
Long Rigg. *Gate & Swa* —1E **79**
(NE11)
Longrow. *S Shi* —4D **60**
Long Sands. —4F 47
Longshank La. *Bir* —1A **110**

Longstaff Gdns. *S Shi* —5B **72**
Long Stairs. *Newc T* —5G **67** (6E **5**)
Longston Av. *N Shi* —2D **46**
Longstone Ct. *Newc T* —1E **43**
Longstone Sq. *Newc T* —6B **52**
Longwood Clo. *Sun* —2F **93**
Lonnen Av. *Newc T* —1H **65**
Lonnen Dri. *Swa* —3E **79**
Lonnen, The. *Ryton* —4E **63**
Lonnen, The. *S Shi* —4B **74**
Lonsdale. *Bir* —6E **111**
Lonsdale Av. *Bly* —5E **9**
Lonsdale Av. *Sund* —5E **89**
Lonsdale Ct. *Newc T* —5G **55**
Lonsdale Ct. *S Shi* —5C **72**
Lonsdale Gdns. *W'snd* —3E **59**
Lonsdale Rd. *Sund* —3E **103**
Lonsdale Ter. *Newc T* —5G **55**
Loraine Ter. *Newc T* —3A **64**
Lord Byrons Wlk. *S'hm* —2F **139**
Lordenshaw. *Newc T* —5D **52**
Lord Gort Clo. *Sund* —4A **102**
Lord Nelson St. *S Shi* —3D **72**
Lord St. *Newc T* —5E **67** (6A **4**)
Lord St. *S'hm* —4B **140**
Lord St. *S Shi* —6G **61**
Lord St. *Sund* —2B **130**
Lorimers Clo. *Pet* —3B **162**
Lorne St. *Eas L* —6D **146**
Lorne Ter. *Sund* —2C **116**
Lorrain Rd. *S Shi* —1F **87**
Lort Ho. *Newc T* —3H **67** (2G **5**)
Lorton Av. *N Shi* —3C **46**
Lorton Rd. *Gate* —1A **96**
Losh Ter. *Newc T* —4F **69**
Lossiemouth Rd. *N Shi* —2G **59**
Lothian Clo. *Bir* —6D **110**
Lothian Ct. *Newc T* —4G **53**
Lotus Clo. *Newc T* —4H **51**
Lotus Pl. *Newc T* —2H **65**
Loudon St. *S Shi* —4E **73**
Loud Ter. *S'ley* —5D **118**
Loud Vw. Ter. *S'ley* —6E **119**
Loughborough Av. *N Shi* —4E **47**
Loughborough Av. *Sund* —4C **116**
Lough Ct. *Gate* —6B **82**
Loughrigg Av. *Cra* —3G **19**
Louie Ter. *Gate* —6A **82**
Louisa Ter. *S'ley* —3C **120**
Louis Av. *Sund* —2D **102**
Louise Ter. *Ches S* —6C **124**
Loup St. *Bla T* —6A **64**
Loup Ter. *Bla T* —6A **64**
Louvain Ter. *Hett H* —6C **136**
Louvain Ter. W. *Hett H* —6C **136**
Lovaine Av. *N Shi* —2C **60**
Lovaine Av. *Whit B* —1C **46**
Lovaine Hall. *Newc T* —1F **5**
Lovaine Pl. *N Shi* —2C **60**
Lovaine Pl. W. *N Shi* —2B **60**
Lovaine Row. *N Shi* —5F **47**
Lovaine St. *Newc T* —1E **63**
Lovaine St. *Pelt* —3E **123**
Lovaine Ter. *N Shi* —1C **60**
Love Av. *Dud* —4B **30**
Love Av. Cotts. *Dud* —3B **30**
Lovelady Ct. Tyn —6F 47
(off St Oswin's Pl.)
Love La. *Bla T* —2H **77**
Love La. *Newc T* —4H **67** (5G **5**)
Loveless Gdns. *Gate* —3H **83**
Lovett Wlk. *Gate* —1E **81**
Lowbiggin. *Newc T* —2C **52**
Low Bri. *Newc T* —4G **67** (5E **5**)
Low Carrs Cvn. Pk. *Dur* —6B **142**
Low Chare. *Ches S* —6C **124**

Low Chu. St.—McKendrick Vs.

Low Chu. St. *S'ley* —4F **119**
Lowden Ct. *Newc T* —2E **67**
Lowdham Av. *N Shi* —3A **60**
Lowdon Ct. *Newc T* —1A **4**
Low Downs Rd. *Hett H* —5C **136**
Low Downs Sq. *Hett H* —5D **136**
Lower Dundas St. *Sund* —5D **102**
Lower Rudyerd St. *N Shi* —2D **60**
Lowerson Av. *Hou S* —4E **127**
Lowe's Barn. —2H 157
Lowe's Barn Bank. *Dur* —2H **157**
Lowes Ct. *Dur* —1A **158**
Lowes Fall. *Dur* —1A **158**
Lowes Ri. *Dur* —1A **158**
Loweswater Av. *Ches S* —2B **132**
Loweswater Av. *Eas L* —5E **147**
Loweswater Clo. *Bly* —4F **9**
Loweswater Rd. *Gate* —1A **96**
Loweswater Rd. *Newc T* —1F **65**
Loweswood Clo. *Newc T* —6A **56**
Lowes Wynd. *Dur* —1A **158**
Low Fell. —6H 81
Lowfield Ter. *Newc T* —5F **69**
Lowfield Wlk. *Whi* —4E **79**
Low Flatts Rd. *Ches S* —3C **124**
Low Fold. *Newc T* —4B **68**
Low Friar La. *Newc T* —4F **67** (5C **4**)
Low Friarside. —6D 90
Low Friar St. *Newc T* —4F **67** (5C **4**)
Lowgate. *Newc T* —6D **50**
Low Gosforth Ct. *Newc T* —4F **41**
Low Grn. *Shin* —3F **159**
Low Greenside. —1A 76
Low Haugh. *Pon* —4F **25**
Low Heworth La. *Gate* —1F **83**
Lowhills Rd. *Pet* —5B **160**
Lowick Clo. *Bir* —6D **110**
Lowick Ct. *Newc T* —3G **55**
Lowland Clo. *Sund* —4A **130**
Lowland Ho. *B'don* —5D **156**
Lowland Rd. *B'don* —5D **156**
Low La. *S Shi* —4F **73**
Lowleam Ct. *Newc T* —6D **52**
Low Level Bri. *Newc T* —4A **68**
Low Lights. —1E 61
Low Mann Pl. *Cra* —3B **20**
Low Meadows. *Cle* —2A **88**
Low Moor Cotts. *Pity Me* —4D **142**
Low Moorsley. —4A 146
Lownds Ter. *Newc T* —3E **69**
Low Pittington. —1F 155
Low Quay. *Bly* —5D **10**
Lowrey's La. *Gate* —6H **81**
Low Rd. *Dur* —3F **159**
Low Rd. E. *Shin* —3F **159**
Low Rd. W. *Shin* —3F **159**
Low Row. *Pet* —1B **160**
Low Row. *Ryton* —6E **63**
Low Row. *Sund* —1C **116**
Lowry Gdns. *S Shi* —1F **87**
Lowry Rd. *Sund* —6E **89**
Low Southwick. —4B 102
Low Sta. Rd. *Leam* —3C **144**
Low St. *Sund* —6E **103**
Lowther Av. *Ches S* —1B **132**
Lowther Clo. *Pet* —6D **160**
(in two parts)
Lowther Ct. *Pet* —5B **162**
Lowther Sq. *Cra* —3G **19**
Lowthian Cres. *Newc T* —4E **69**
Lowthian Ter. *Wash* —3D **112**
Low Walker. —3H 69
Low Well Gdns. *Gate* —2E **83**
(in two parts)
Low W. Av. *Row G* —4C **90**
Lucas St. *Sund* —1B **130**

Lucknow St. *Sund* —6F **103**
Lucock St. *S Shi* —4D **72**
Lucy St. *Bla T* —6B **64**
Lucy St. *Ches S* —5C **124**
Ludlow Av. *N Shi* —5A **46**
Ludlow Ct. *Newc T* —6A **40**
Ludlow Dri. *Whit B* —1F **45**
Ludlow Rd. *Sund* —5D **116**
Luffness Dri. *S Shi* —6H **73**
Luke Cres. *Mur* —2B **148**
Lukes La. *Heb* —1D **84**
Lulsgate. *Sund* —4C **100**
Lulworth Av. *Jar* —4H **71**
Lulworth Ct. *Sund* —2E **129**
Lulworth Gdns. *Sund* —4C **116**
Lumley Av. *S Shi* —3B **74**
Lumley Av. *Swa* —2F **79**
Lumley Clo. *Ches S* —6B **124**
Lumley Clo. *Wash* —2H **111**
Lumley Ct. *Bed* —3C **8**
Lumley Ct. *Sund* —2E **129**
Lumley Cres. *Hou S* —5G **127**
Lumley Dri. *Pet* —4D **162**
Lumley Gdns. *Burn* —2E **105**
(in two parts)
Lumley Gdns. *Gate* —2B **82**
Lumley New Rd. *Ches S* —1F **133**
Lumley Rd. *Dur* —6C **142**
Lumley St. *Hou S* —1H **135**
Lumley St. *Sund* —1A **116**
Lumley Ter. *Ches S* —1D **132**
Lumley Ter. *Jar* —6F **71**
Lumley Ter. *Sund* —3F **131**
Lumley Thicks. —2A 134
Lumley Tower. *Sund* —6E **103**
Lumley Wlk. *Gate* —2C **80**
Lumsden Sq. *Mur* —2B **148**
Lumsden Ter. *S'ley* —4E **119**
Lund Av. *Dur* —1B **152**
Lunedale Av. *Sund* —6C **88**
Lunedale Clo. *Gt Lum* —5H **133**
Lunedale St. *Hett H* —3C **146**
Lupin Clo. *Newc T* —3A **52**
Luss Av. *Jar* —6E **71**
Luton Cres. *N Shi* —3H **59**
Lutterworth Clo. *Newc T* —2B **56**
Lutterworth Dri. *Newc T* —1A **56**
Lutterworth Pl. *Newc T* —2B **56**
Lutterworth Rd. *Newc T* —2B **56**
Lutterworth Rd. *Sund* —4C **116**
Luxembourg Rd. *Sund* —6F **101**
Lychgate Ct. *Gate* —6H **67**
Lydbury Clo. *Cra* —6C **14**
Lydcott. *Wash* —3F **113**
Lyden Ga. *Gate* —2A **96**
Lydford Ct. *Hou S* —6G **127**
Lydford Ct. *Newc T* —1G **53**
Lydford Way. *Bir* —4D **110**
Lydney Clo. *Newc T* —6C **50**
Lyncroft Rd. *N Shi* —1A **60**
Lyndale. *Cra* —6C **14**
Lynden Gdns. *Newc T* —4E **53**
Lynden Rd. *Sund* —1F **131**
Lyndhurst. —1A 96
Lyndhurst Av. *Ches S* —3C **124**
Lyndhurst Av. *Gate* —1H **95**
Lyndhurst Av. *Newc T* —5G **55**
Lyndhurst Clo. *Bla T* —3G **77**
Lyndhurst Cres. *Gate* —1A **96**
Lyndhurst Dri. *Dur* —6A **152**
Lyndhurst Dri. *Gate* —1A **96**
Lyndhurst Gdns. *Newc T* —5F **55**
Lyndhurst Grn. *Gate* —1H **95**
Lyndhurst Gro. *Gate* —1A **96**
Lyndhurst Rd. *Newc T* —6D **42**

Lyndhurst Rd. *S'ley* —3B **120**
Lyndhurst Rd. *Whit B* —6A **34**
Lyndhurst St. *S Shi* —5F **61**
Lyndhurst Ter. *Sund* —5G **101**
Lyndhurst Ter. *Swa* —2E **79**
Lyndon Clo. *E Bol* —4D **86**
Lyndon Dri. *E Bol* —4D **86**
Lyndon Gro. *E Bol* —4D **86**
Lyndon Wlk. *Bly* —5F **9**
Lyne Clo. *Pelt* —1H **123**
Lyne's Dri. *Lang M* —4F **157**
Lynfield. *Whit B* —4A **34**
Lynfield Ct. *Newc T* —4F **53**
Lynfield Pl. *Newc T* —4F **53**
Lynford Gdns. *Sund* —4C **116**
Lyngrove. *Sund* —1F **131**
Lynholm Gro. *Newc T* —5D **42**
Lynmouth Pl. *Newc T* —4B **56**
Lynmouth Rd. *Gate* —2H **95**
Lynmouth Rd. *N Shi* —2G **59**
Lynndale Av. *Bly* —6G **9**
Lynnholme Gdns. *Gate* —3H **81**
(in two parts)
Lynn Rd. *N Shi* —6H **45**
Lynn Rd. *W'snd* —6G **57**
Lynn St. *Bly* —6B **10**
Lynn St. *Ches S* —1C **132**
Lynnwood Av. *Newc T* —4B **66**
Lynnwood Ter. *Newc T* —4B **66**
Lynthorpe. *Sund* —1F **131**
Lynthorpe Gro. *Sund* —1E **103**
Lynton Av. *Jar* —4A **72**
Lynton Ct. *Hou S* —6G **127**
Lynton Ct. *Newc T* —4F **53**
Lynton Pl. *Newc T* —4F **53**
Lynton Way. *Newc T* —4F **53**
Lynwood Av. *Bla T* —6A **64**
Lynwood Av. *Sund* —5C **114**
Lynwood Clo. *Pon* —3C **36**
Lyons. —3E 147
Lyons Av. *Eas L* —3D **146**
Lyons La. *Eas L* —4E **147**
Lyon St. *Heb* —5D **72**
Lyric Clo. *N Shi* —5G **45**
Lysdon Av. *N Har* —3B **22**
Lyster Clo. *S'hm* —2E **139**
Lytchfeld. *Gate* —4H **83**
(in two parts)
Lytham Clo. *Cra* —3G **19**
Lytham Clo. *W'snd* —6C **44**
Lytham Clo. *Wash* —3A **98**
Lytham Dri. *Whit B* —6H **33**
Lytham Grange. *Shin R* —5E **127**
Lytham Grn. *Gate* —1H **83**
Lytham Pl. *Newc T* —4E **69**
Lythe Way. *Newc T* —1C **56**

Mabel St. *Bla T* —6A **64**
Macadam St. *Gate* —4F **81**
McAnany Av. *S Shi* —4F **73**
Macbeth Wlk. *Pet* —1H **163**
McClaren Way. *Hou S* —2B **128**
McCracken Clo. *Gos* —5E **41**
McCracken Dri. *Wide* —4E **29**
McCutcheon Ct. *Newc T* —6E **69**
McCutcheon St. *S'hm* —2E **139**
MacDonald Rd. *Newc T* —5H **65**
McErlane Sq. *Gate* —2G **83**
McEwan Gdns. *Newc T* —4B **66**
McGuinness Av. *Pet* —4E **161**
(in two parts)
McIlvenna Gdns. *W'snd* —3G **57**
McIntyre Hall. *Heb* —2D **70**
McIntyre Rd. *Heb* —2D **70**
McKendrick Vs. *Newc T* —6H **53**

McLennan Ct. *Wash* —1B **112**
Maclynn Clo. *Sund* —3G **129**
Macmerry Clo. *Sund* —5B **100**
Macmillan Gdns. *Gate* —3G **83**
McNally Pl. *Dur* —5F **153**
McNamara Rd. *W'snd* —4C **58**
Maddison Ct. *Sund* —6F **103**
Maddison Gdns. *Seg* —2E **31**
Maddison St. *Bly* —5C **10**
Maddox Rd. *Newc T* —1D **56**
Madeira Av. *Whit B* —4B **34**
Madeira Clo. *Newc T* —3A **52**
Madeira Ter. *S Shi* —6F **61**
Madras St. *S Shi* —5C **72**
Mafeking Pl. *N Shi* —4F **45**
Mafeking St. *Gate* —3A **82**
Mafeking St. *Newc T* —6F **69**
Mafeking St. *Sund* —6H **101**
Magdalene Av. *Dur* —3A **154**
Magdalene Ct. *Dur* —5E **153**
Magdalene Ct. *Newc T* —2D **66**
Magdalene Ct. *S'hm* —3B **140**
Magdalene Heights. *Gil* —5E **153**
Magdalene Pl. *Sund* —6H **101**
Magdalene St. *Dur* —5E **153**
Magenta Cres. *Newc T* —2A **52**
Maglona St. *S'hm* —5B **140**
Mahogany Row. *Beam* —6H **107**
Maiden La. *W'sde* —1A **76**
Maiden Law. *Hou S* —4E **135**
Maidens St. *Newc T* —6D **66**
Maidstone Clo. *Sund* —3F **129**
Maidstone Ter. *Hou S* —5H **127**
Main Cres. *W'snd* —3F **57**
Main Rd. *Din* —4F **27**
Main Rd. *Ken F* —1F **53**
Main Rd. *Ryton* —4A **62**
Mains Ct. *Dur* —2A **152**
Mainsforth St. *Sund* —2F **117**
Mainsforth Ter. W. *Sund* —3E **117**
Mains Pk. Rd. *Ches S* —6D **124**
Mainstone Clo. *Cra* —3A **20**
Main St. *Craw* —5A **62**
Main St. *Pon* —5E **25**
Main St. N. *Seg* —2F **31**
Main St. S. *Seg* —2F **31**
Makendon St. *Heb* —2C **70**
Makepeace Ter. *Gate* —4F **97**
Malaburn Way. *Sund* —4A **102**
Malaga Clo. *Newc T* —3H **51**
Malaya Dri. *Newc T* —4H **69**
Malcolm Ct. *Whit B* —1H **45**
Malcolm St. *Newc T* —3A **68**
Malcolm St. *S'hm* —5A **140**
Malden Clo. *Cra* —3H **19**
Maling Pk. *Sund* —6D **100**
Malings Clo. *Sund* —1F **117**
Maling St. *Newc T* —4A **68**
Mallard Clo. *Wash* —3F **111**
Mallard Ct. *Kil* —1C **42**
Mallard Lodge. *Gate* —3D **82**
Mallard Way. *Bly* —4D **16**
Mallard Way. *Hou S* —4F **135**
Mallard Way. *W'snd* —1E **59**
Mallowburn Cres. *Newc T* —3G **53**
Malmo Clo. *Tyn T* —2F **59**
Malone Gdns. *Bir* —1D **110**
Malory Pl. *Gate* —1H **81**
Maltby Clo. *Sund* —4G **129**
Maltby Clo. *Wash* —3B **112**
Malt Cres. *Pet* —6F **161**
Malthouse Way. *Newc T* —3F **53**
Maltings, The. *Sund* —2C **130**
Malton Clo. *Bly* —6H **9**
Malton Clo. *Newc T* —3C **64**
Malton Ct. *Jar* —2E **71**

Malton Cres. *N Shi* —3A **60**
Malton Gdns. *W'snd* —3H **57**
Malton Grn. *Gate* —4B **96**
Malvern Av. *Ches S* —1B **132**
(in two parts)
Malvern Clo. *Pet* —2B **162**
Malvern Ct. *Gate* —5C **80**
Malvern Ct. *Newc T* —2H **63**
Malvern Ct. *Sund* —2H **87**
Malvern Cres. *S'hm* —4G **139**
Malvern Gdns. *Gate* —5C **80**
(in two parts)
Malvern Gdns. *Sund* —2E **103**
Malvern Rd. *N Shi* —5A **46**
Malvern Rd. *Sea S* —4H **23**
Malvern Rd. *W'snd* —4D **58**
Malvern Rd. *Wash* —4H **111**
Malvern St. *Newc T* —5C **66**
Malvern St. *S Shi* —2E **73**
Malvern Ter. *S'ley* —4E **121**
Malvern Vs. *Dur* —5F **153**
Malvins Clo. Rd. *Bly* —6A **10**
Malvins Rd. *Bly* —5H **9**
Mandale Cres. *N Shi* —2C **46**
Mandarin Clo. *Newc T* —3H **51**
Mandarin Lodge. Gate —3D **82**
(off Coldwell St.)
Mandarin Way. *Wash* —1G **113**
Mandela Clo. *S'ley* —4B **120**
Mandela Clo. *Sund* —6F **103**
Mandela Way. *Gate* —6H **65**
Manderville Pk. *Hett H* —2D **146**
Mandeville. *Wash* —5D **98**
Manet Gdns. *S Shi* —5F **73**
Mangrove Clo. *Newc T* —3H **51**
Manila St. *Sund* —3E **117**
Manisty Ho. *Newc T* —5A **66**
Manisty Ter. *Pet* —1C **160**
Mann Cres. *Mur* —1D **148**
Manners Gdns. *Sea D* —5A **22**
Manningford Clo. *Cra* —4A **20**
Manningford Dri. *Sund* —4G **129**
Manor Av. *Bent* —2C **56**
Manor Av. *Newb* —1F **63**
Manor Chare. *Newc T* —4G **67** (5F **5**)
Manor Clo. *Newc T* —2F **55**
Manor Clo. *Shin* —3G **159**
Manor Ct. *S Shi* —6H **61**
Manor Dri. *Newc T* —2C **56**
Manor Dri. *S'ley* —4F **119**
Manorfields. *Bent* —1D **56**
Manor Gdns. *Gate* —3H **83**
Manor Gdns. *Newc T* —2C **56**
Manor Gro. *Bent* —2C **56**
Manor Gro. *Hou S* —2B **128**
Manor Gro. *Newb* —2F **63**
Manor Hall Clo. *S'hm* —3E **139**
Manor Ho. Clo. *Newc T* —4C **68**
Manor Ho. Farm Cotts. *Newc T* —3H **53**
Manor Ho. Rd. *Newc T* —6H **55**
Manor Pk. *Wash* —5B **98**
Manor Pl. *Newc T* —2C **56**
Manor Pl. *Sund* —1D **116**
Manor Rd. *Newc T* —3C **56**
Manor Rd. *N Shi* —5F **47**
Manor Rd. *S'ley* —2D **120**
Manor Rd. *Wash* —5B **98**
Manor Ter. *Bla T* —2G **77**
Manor Ter. *Winl M* —4A **78**
Manor Vw. *H Pitt* —3F **155**
Manor Vw. *Wash* —5C **98**
Manor Vw. E. *Wash* —5C **98**
Manor Wlk. *Newc T* —2C **56**
Mnr. Walks Shop. Cen. *Cra* —3A **20**
Manorway. *Jar* —2G **85**

Manorway. *N Shi* —5F **47**
Manor Way. *Pet* —2E **163**
Mansell Cres. *Pet* —6E **161**
Mansell Pl. *Newc T* —4A **54**
Mansel Ter. *Bly* —6E **9**
Mansfield Ct. *W Bol* —4C **86**
Mansfield Cres. *Sund* —2E **103**
Mansfield Pl. *Newc T* —4D **66**
Mansfield St. *Newc T* —4D **66**
Mansion Ho. *E Bol* —4C **86**
Manston Clo. *Sund* —3F **129**
Manx Sq. *Sund* —2B **102**
Maple Av. *Dur* —5G **153**
Maple Av. *Gate* —4C **80**
Maple Av. *Sund* —1B **130**
Maple Av. *Whit B* —2B **46**
Maplebeck Clo. *Sund* —4F **129**
Maple Clo. *Bed* —4H **7**
Maple Clo. *Newc T* —3C **64**
Maple Ct. *B'don* —6B **156**
Maple Ct. *Newc T* —1C **42**
Maple Ct. *N Har* —3B **22**
Maple Cres. *Bly* —5F **9**
Maple Cres. *S'hm* —6A **140**
Mapledene Rd. *Newc T* —1B **54**
Maple Gro. *Fel* —3E **83**
Maple Gro. *Gate* —4G **81**
Maple Gro. *S Shi* —5H **73**
Maple Gro. *S'ley* —5B **120**
Maple Gro. *Sund* —2F **89**
Maple Pk. *Ush M* —6D **150**
Maple Rd. *Bla T* —1A **78**
Maple Row. *Gate* —1F **79**
Maple St. *Jar* —2E **71**
Maple St. *Newc T* —5D **66**
Maple St. *S'ley* —5B **120**
Maple Ter. *Burn* —1F **105**
Maple Ter. *Hou S* —4E **127**
Maple Ter. *Newc T* —5D **66**
Maple Ter. S'ley —4E **119**
(off Pine Ter.)
Maplewood. *Ches S* —4A **124**
Maplewood. *Newc T* —1E **69**
Maplewood Av. *Sund* —2H **101**
Maplewood Cres. *Wash* —6H **111**
Maplewood St. *Hou S* —2C **134**
Mapperley Dri. *Newc T* —2C **64**
Marblet Ct. *Gate* —4D **80**
Marbury Clo. *Sund* —3F **129**
March Rd. *Dud* —3B **30**
March Ter. *Din* —4E **27**
Marcia Av. *Sund* —2D **102**
Marconi Way. *Gate* —1F **79**
Marcross Clo. *Newc T* —5H **51**
Marcross Dri. *Sund* —4F **129**
Mardale. *Wash* —6H **97**
Mardale Gdns. *Gate* —2A **96**
Mardale Rd. *Newc T* —6F **53**
Mardale St. *Hett H* —3C **146**
Marden. —2C 46
Marden Av. *N Shi* —2E **47**
Marden Ct. *Sea S* —2F **23**
Marden Cres. *Whit B* —1E **47**
Marden Farm Dri. *N Shi* —2D **46**
Marden Rd. *Whit B* —6C **34**
(in two parts)
Marden Rd. S. *Whit B* —1D **46**
(in two parts)
Marden Ter. *N Shi* —2E **47**
Mareburn Cres. *Gate* —3E **83**
Maree Clo. *Sund* —4G **129**
Mares Clo. *Seg* —6G **21**
Margaret Alice St. *Sund* —6G **101**
Margaret Cotts. Whit B —3B **46**
(off Zetland Clo.)
Margaret Dri. *Newc T* —5G **43**

Margaret Gro. *S Shi* —4C **72**
Margaret Rd. *Whit B* —1E **47**
Margaret St. *S'hm* —5B **140**
Margaret St. *Sund* —5G **117**
Margaret Ter. *Hou S* —3G **127**
Margaret Ter. *Row G* —4C **90**
Margaret Ter. *Tan L* —6A **106**
Margate St. *Sund* —1A **130**
Margery La. *Dur* —6B **152**
Marguerite Ct. *Sund* —6B **102**
Marian Ct. *Gate* —2F **81**
Marian Dri. *Gate* —1H **83**
Marian Way. *Pon* —3B **36**
Marian Way. *S Shi* —6H **73**
Maria St. *Newc T* —5A **66**
Maria St. *S'hm* —4B **140**
Maria St. *Sund* —2A **130**
Marie Curie Dri. *Newc T* —5B **66**
Marigold Av. *Gate* —1B **82**
Marigold Ct. *Sund* —6B **102**
Marigold Cres. *Hou S* —6C **126**
Marigold Wlk. *S Shi* —4D **72**
Marina Av. *Sund* —2C **102**
Marina Ct. *Sund* —2D **102**
Marina Dri. *S Shi* —4G **61**
Marina Dri. *Whit B* —1F **45**
Marina Gro. *Sund* —2D **102**
Marina Ter. *Ryh* —3F **131**
Marina Ter. *Sund* —2F **89**
Marina Vw. *Heb* —3A **70**
Marina Vw. *W'snd* —5D **58**
Marine Activity Centre. —3F **103**
Marine App. *S Shi* —5F **61**
Marine Av. *Whit B* —6B **34**
*Marine Ct. E. Whit B —5C 34
(off Marine Av.)*
*Marine Ct. W. Whit B —6C 34
(off Marine Av.)*
Marine Dri. *Heb* —6E **71**
Marine Dri. *Lee* —1F **131**
Marine Gdns. *Whit B* —6C **34**
Mariner's Cotts. *S Shi* —4G **61**
(in two parts)
Mariners' La. *N Shi* —6E **47**
Mariners Point. *N Shi* —6F **47**
Mariner Sq. *Sund* —5F **103**
Marine Ter. *Bly* —6C **10**
Marine Ter. E. *Bly* —6C **10**
Marine Vw. *Sea S* —2F **23**
Marine Wlk. *Sund* —2F **103**
Marion St. *Sund* —3E **117**
Maritime Cres. *Pet* —3F **161**
Maritime St. *Sund* —1D **116**
Maritime Ter. *Sund* —1D **116**
Marius Av. *Hed W* —5H **49**
Mariville E. *Sund* —4G **131**
Mariville W. *Sund* —4G **131**
Marjorie St. *Cra* —4E **21**
Markby Clo. *Sund* —4G **129**
Market Cres. *N Her* —3G **127**
Market Hall. *S'ley* —2C **120**
Market La. *Gate* —3A **80**
Market La. *Newc T* —4G **67** (5E **5**)
Market La. *Whi & Swa* —2E **79**
Market Pl. *Bed* —5H **7**
Market Pl. *Bly* —5C **10**
Market Pl. *Ches S* —5C **124**
*Market Pl. Dur —6C 152
(off Silver St.)*
Market Pl. *Hou S* —3B **136**
Market Pl. *S Shi* —4E **61**
Market Pl. Ind. Est. *Hou S* —2B **136**
Market Sq. *Jar* —2F **71**
Market Sq. *Sund* —1D **116**
Market St. *Bly* —5C **10**
Market St. *Dud* —3H **29**

Market St. *Hett H* —1D **146**
Market St. *Newc T* —4F **67** (4D **4**)
Market Way. *Team T* —5F **81**
Mark Ga. *Pet* —6D **160**
Markham Av. *Sund* —3G **89**
Markham St. *Sund* —5F **117**
Markington Dri. *Ryh* —3F **131**
Markle Gro. *E Rai* —6H **135**
Mark Ri. *Hett H* —6C **136**
Mark's La. *W Rai* —1C **144**
Marlboro Av. *Swa* —3F **79**
Marlborough. *S'hm* —4B **140**
Marlborough App. *Newc T* —6E **41**
Marlborough Av. *Newc T* —6D **40**
Marlborough Ct. *Hou S* —5A **136**
Marlborough Ct. *Jar* —4F **71**
Marlborough Ct. *Newc T* —6H **39**
Marlborough Cres. *Gate* —2C **96**
Marlborough Cres. *Newc T*
—5E **67** (6B **4**)
Marlborough Cres. *Pet* —1H **163**
Marlborough Ho. *Whit B* —5B **34**
Marlborough Rd. *Sund* —4B **114**
Marlborough Rd. *Wash* —4C **98**
Marlborough St. N. *S Shi* —1F **73**
Marlborough St. S. *S Shi* —1F **73**
Marlborough Ter. *Sco G* —1H **7**
Marleen Av. *Newc T* —1C **68**
Marleen Ct. *Hea* —1C **68**
Marlesford Clo. *Sund* —3F **129**
Marley Cres. *Sund* —2H **101**
Marley Hill. —5F 93
Marley Pots. —2H **101**
Marlfield Ct. *Newc T* —4F **53**
Marlow Dri. *Sund* —4F **129**
Marlowe Gdns. *Gate* —2H **81**
Marlowe Pl. *Hou S* —4A **136**
Marlowe Wlk. *S Shi* —6C **72**
Marlow Pl. *Newc T* —1C **56**
Marlow St. *Bly* —6B **10**
Marlow Way. *Whi* —6D **78**
Marmion Rd. *Newc T* —1F **69**
Marmion Ter. *Whit B* —1B **46**
Marne St. *Hou S* —3G **127**
Marondale Av. *Newc T* —2F **69**
Marquis Av. *Newc T* —2A **52**
Marquis Clo. *Newc T* —2D **56**
Marquisway. *Team T* —2F **95**
Marquisway Cen. *Team T* —2E **95**
Marr Rd. *Heb* —4D **70**
Marsden. —3B 74
Marsden Av. *Sund* —6F **75**
Marsden Clo. *Hou S* —3G **135**
Marsden Gro. *Gate* —2D **96**
Marsden Gro. *Sund* —2F **89**
Marsden La. *Newc T* —4E **53**
Marsden La. *S Shi* —2B **74**
Marsden Rd. *S Shi* —2H **73**
Marsden Rd. *Sund* —3H **87**
Marsden Vw. *Sund* —6F **75**
Marshall's Ct. *Newc T* —4F **67** (5C **4**)
Marshall St. *Sund* —1D **102**
Marshall Ter. *Dur* —4H **153**
Marshall Wallis Rd. *S Shi* —1E **73**
(in two parts)
Marsham Clo. *Newc T* —2C **64**
Marsham Clo. *Sund* —1A **88**
Marsham Rd. *Newc T* —4C **52**
Marsh Ct. *Gate* —4D **80**
Marshmont Av. *N Shi* —4E **47**
Marske Ter. *Newc T* —3E **69**
Marston. *Newc T* —1D **42**
Marston Wlk. *Whi* —6D **78**
Martello Gdns. *Newc T* —5D **56**
Martha St. *Tant* —5H **105**
Martin Ct. *Wash* —5F **111**

Martindale Av. *Sund* —1C **102**
Martindale Pk. *Hou S* —4A **136**
Martindale Pl. *Sea D* —6C **22**
Martin Hall. *Jar* —3G **71**
Martin Rd. *W'snd* —5D **58**
Martin Ter. *Sund* —6H **101**
Martin Way. *Bru V* —5C **28**
Marwell Dri. *Wash* —3C **98**
Marwood Ct. *Whit B* —5H **33**
Marwood Gro. *Pet* —4C **162**
Marx Cres. *S'ley* —4D **120**
(in four parts)
Mary Agnes St. *Newc T* —2C **54**
Mary Av. *Bir* —1B **110**
Maryhill Clo. *Newc T* —5A **66**
Mary's Pl. *Newc T* —3H **69**
Mary St. *Ann P* —6G **119**
Mary St. *Bla B* —1G **77**
Mary St. *Bla T* —6A **64**
Mary St. *New S* —1A **130**
Mary St. *S'hm* —4C **140**
Mary St. *S'ley* —3C **120**
Mary St. *Sund* —1C **116**
Mary Ter. *Newc T* —5E **53**
Masefield Av. *Swa* —2F **79**
Masefield Clo. *S'ley* —2F **121**
Masefield Dri. *S Shi* —6C **72**
Masefield Pl. *Gate* —1H **81**
Masefields. *Pelt F* —6G **123**
Mason. —3F 27
Mason Av. *Whit B* —6D **34**
Mason Cres. *Pet* —1F **163**
Mason Rd. *W'snd* —3G **57**
Mason St. *Bru V* —5C **28**
Mason St. *Newc T* —4C **68**
Mason Vw. *Sea B* —3D **28**
Massingham Way. *S Shi* —4D **72**
Master Mariner's Homes. *N Shi*
—6E **47**

Mast La. *N Shi* —2D **46**
Matamba Ter. *Sund* —1B **116**
Matanzas St. *Sund* —4E **117**
Matfen Av. *Haz* —1C **40**
Matfen Av. *Shir* —3E **45**
Matfen Clo. *Bly* —6A **10**
Matfen Clo. *Newc T* —3C **64**
Matfen Ct. *Ches S* —6A **124**
Matfen Dri. *Sund* —3F **129**
Matfen Gdns. *W'snd* —2D **58**
Matfen Pl. *Cox* —1C **54**
Matfen Pl. *Fenh* —2B **66**
Mather Rd. *Newc T* —5D **66**
Matlock Gdns. *Newc T* —4D **52**
Matlock Rd. *Jar* —4G **71**
Matlock St. *Sund* —6D **102**
Matterdale Rd. *Pet* —1F **163**
Matthew Bank. *Jes* —4G **55**
Matthew Rd. *Bly* —2D **16**
Matthews Rd. *Mur* —4E **149**
Matthew St. *Newc T* —3B **68**
Maude Gdns. *W'snd* —6H **57**
Maudlin Pl. *Newc T* —6H **53**
Maudlin St. *Hett H* —5D **136**
Mauds La. *Sund* —6E **103**
Maud St. *Newc T* —3A **64**
Maud St. *Sund* —1E **103**
Maud Ter. *Tan* —4B **106**
Maud Ter. *W All* —4B **44**
Maughan St. *Bly* —6D **10**
Maureen Ter. *Dur* —1A **154**
Maureen Ter. *S'hm* —4A **140**
Maurice Rd. *W'snd* —1H **69**
Maurice Rd. Ind. Est. *Newc T &
W'snd* —1G **69**
Mautland Sq. *Hou S* —2A **136**
Mautland St. *Hou S* —2A **136**

Mavin St. *Dur* —1D **158**
Maxstoke Pl. *Newc T* —1A **56**
Maxton Clo. *Sund* —4F **129**
Maxwell St. *Gate* —4F **81**
Maxwell St. *S Shi* —5E **61**
Maxwell St. *Sund* —6H **101**
May Av. *Ryton* —3C **62**
May Av. *Winl M* —4A **78**
Maydown Clo. *Sund* —5B **100**
Mayfair Ct. *Heb* —4B **70**
Mayfair Gdns. *Gate* —3A **82**
Mayfair Gdns. *Pon* —5F **25**
Mayfair Gdns. *S Shi* —2G **73**
Mayfair Rd. *Newc T* —5F **55**
Mayfield. *Whi* —6F **79**
Mayfield Av. *Cra* —3C **20**
Mayfield Av. *Newc T* —6E **51**
Mayfield Ct. *Sund* —2D **102**
Mayfield Dri. *Sund* —3B **88**
Mayfield Gdns. *Jar* —3E **71**
Mayfield Gdns. *Newc T* —6E **51**
Mayfield Gdns. *W'snd* —4F **57**
Mayfield Gro. *Sund* —5C **114**
Mayfield Pl. *Wide* —6C **28**
Mayfield Rd. *Newc T* —3D **54**
Mayfield Rd. *Sund* —1C **114**
Mayfield Ter. *Newc T* —6A **54**
May Gro. *Sund* —6F **75**
Maynards Row. *Dur* —5F **153**
Mayo Dri. *Sund* —4G **129**
Mayoral Way. *Team T* —2F **95**
Mayorswell Clo. *Dur* —5D **152**
Mayorswell Fld. *Dur* —5E **153**
Mayorswell St. *Dur* —5D **152**
Maypole Clo. *Sund* —4B **102**
May St. *Bir* —3C **110**
May St. *Bla T* —2H **77**
May St. *Dur* —6B **152**
May St. *S Shi* —6F **61**
May St. *Sund* —6B **102**
Maythorne Dri. *S Net* —6B **148**
Mayswood Rd. *Sund* —2D **102**
Maywood Clo. *Newc T* —3A **54**
Meaburn St. *Sund* —1E **117**
Meaburn Ter. *Sund* —1E **117**
Meacham Way. *Whi* —6E **79**
Mead Av. *Newc T* —5E **43**
Mead Cres. *Newc T* —5E **43**
Meadowbrook Dri. *Gate* —4A **84**
Meadow Clo. *Ann* —3A **30**
Meadow Clo. *Bla T* —2F **77**
Meadow Clo. *Gate* —2A **80**
Meadow Clo. *Hou S* —4B **136**
Meadow Clo. *Newc T* —1B **56**
Meadow Clo. *Ryton* —4D **62**
Meadow Clo. *Seg* —1F **31**
Meadow Ct. *Bed* —4G **7**
Meadow Ct. *Pon* —6E **25**
Meadowcroft M. *Gate* —2F **81**
Meadowdale Cres. *Bed* —4F **7**
Meadowdale Cres. *Newc T* —4H **53**
Meadow Dri. *Ches S* —1A **132**
Meadow Dri. *E Her* —3D **128**
Meadow Dri. *Sea B* —3E **29**
Meadow Dri. *S Hyl* —2D **114**
Meadowfield. —6E 157
Meadowfield. *Gate* —4F **97**
Meadowfield. *Pon* —4E **25**
Meadowfield. *Whit B* —6H **33**
Meadowfield Av. *Newc T* —1C **54**
Meadowfield Cres. *Ryton* —5A **62**
Meadowfield Dri. *Sund* —2A **88**
Meadowfield Gdns. *W'snd* —6G **57**
　　　　　　　　　　　　—6G **157**
Meadowfield Ind. Est. *Mead* —6F **157**

Meadowfield Pk. *Pon* —5E **25**
　(off Meadowfield)
Meadowfield Pl. *B'don* —5F **157**
Meadowfield Rd. *Newc T* —3D **54**
Meadowfield Ter. *Newc T* —4F **43**
Meadowfield Way. *Tan L* —1A **120**
Meadow Gdns. *Sund* —4B **116**
Meadow Grange. *New L* —1C **134**
Meadow Gro. *Sund* —2D **114**
Meadow La. *Dur* —2A **154**
Meadow La. *Gate* —2A **80**
Meadow La. *Ryton* —5A **62**
Meadow La. *Sund* —3D **128**
Meadow Laws. *S Shi* —5A **74**
Meadow Ri. *Newc T* —3F **53**
Meadow Rd. *Monk* —1H **45**
Meadow Rd. *Newc T* —1B **64**
Meadow Rd. *Sea S* —3F **23**
Meadow Rd. *W'snd* —5D **58**
Meadowside. *Sund* —3B **116**
Meadows La. *Hou S* —1F **145**
Meadows, The. *B'mr* —6B **126**
Meadows, The. *Newc T* —1B **54**
Meadows, The. *Ryton* —4D **62**
Meadows, The. *W Rai* —3E **145**
Meadow St. *E Rai* —2G **145**
Meadow Ter. *Hou S* —3G **127**
Meadowvale. *Pon* —3A **36**
Meadow Va. *Sund* —3C **116**
Meadow Vw. *Dip* —6E **105**
Meadow Vw. *Jar* —3H **85**
Meadow Vw. *N Har* —3B **22**
Meadow Vw. *Sund* —3D **128**
Meadow Vw. *W'sde* —1A **76**
Meadow Wlk. *Ryton* —4D **62**
Meadow Wlk. *Sund* —6F **75**
Meadow Well Way. *N Shi* —3A **60**
Mead Wlk. *Newc T* —3F **69**
Mead Way. *Newc T* —5E **43**
Meadway Dri. *Newc T* —6F **43**
Meadway Ho. *Newc T* —6F **43**
Means Ct. *Burr* —5B **30**
Means Dri. *Burr* —5B **30**
Medburn Av. *N Shi* —3E **47**
Medburn Rd. *H'wll* —1C **32**
Medburn Rd. *Newc T* —2H **63**
Medina Clo. *Sund* —4G **129**
Medlar. *Gate* —1C **96**
Medomsley Gdns. *Gate* —1E **97**
Medomsly St. *Sund* —6A **102**
Medway. *Gt Lum* —4G **133**
Medway. *Jar* —1G **85**
Medway Av. *Heb* —6C **70**
Medway Clo. *Pet* —3C **162**
Medway Cres. *Gate* —2B **82**
Medway Gdns. *N Shi* —6C **46**
Medway Gdns. *S'ley* —5C **120**
Medway Gdns. *Sund* —3F **115**
Medway Pl. *Cra* —6C **14**
Medwyn Clo. *Bly* —3B **16**
Medwyn Clo. *Hou S* —6C **126**
Megstone Av. *Cra* —4A **20**
Megstone Ct. *Newc T* —1E **43**
Melbeck Dri. *Ous* —5G **109**
Melbourne Ct. *Gate* —6G **67**
Melbourne Ct. *Newc T* —4H **67** (4H **5**)
Melbourne Cres. *Whit B* —2A **46**
Melbourne Pl. *S Shi* —6B **72**
Melbourne Pl. *Sund* —3G **115**
Melbourne St. *Newc T* —4G **67** (5F **5**)
Melbury. *Whit B* —5G **33**
Melbury Ct. *Sund* —2D **102**
Melbury Rd. *Newc T* —6A **56**
Melbury St. *S'hm* —4H **140**
Meldon Av. *Newc T* —6B **40**
Meldon Av. *Sher* —6E **155**

Meldon Av. *S Shi* —3G **73**
Meldon Clo. *W'snd* —4C **58**
Meldon Gdns. *Gate* —6C **80**
Meldon Ho. *Bly* —5H **9**
Meldon Rd. *Sund* —6H **101**
Meldon St. *Newc T* —5C **66**
Meldon St. *W'snd* —6G **59**
Meldon Ter. *Newc T* —1B **68**
Meldon Way. *Bla T* —3F **77**
Meldon Way. *H Shin* —4H **159**
Meldon Way. *S'ley* —5H **119**
Melgarve Dri. *Sund* —4G **129**
Melkington Ct. *Newc T* —4F **53**
Melkridge Gdns. *Newc T* —4D **56**
Melkridge Pl. *Cra* —4H **19**
Mellendean Clo. *Newc T* —4F **53**
Melling Rd. *Cra* —3H **19**
Melmerby Clo. *Newc T* —6F **41**
Melness Rd. *Haz* —6C **28**
Melock Ct. *Haz* —6C **28**
Melrose. *Wash* —4B **112**
Melrose Av. *Back* —6A **32**
Melrose Av. *Bed* —4D **8**
Melrose Av. *Gate* —6A **82**
Melrose Av. *Heb* —6C **70**
Melrose Av. *Mur* —3A **148**
Melrose Av. *N Shi* —3C **46**
Melrose Av. *Sea D* —2B **32**
Melrose Av. *Whit B* —1B **46**
Melrose Clo. *Gos* —3D **40**
Melrose Clo. *N Den* —3C **64**
Melrose Ct. *Bed* —3D **8**
Melrose Cres. *S'hm* —3F **139**
Melrose Gdns. *Hou S* —6G **127**
Melrose Gdns. *Sund* —2E **103**
Melrose Gdns. *W'snd* —2E **59**
Melrose Gro. *Jar* —5A **72**
Melrose Ter. *Bed* —3D **8**
Melrose Vs. *Bed* —3D **8**
Melsonby Clo. *Sund* —3F **129**
Meltham Ct. *Newc T* —5H **51**
Meltham Dri. *Sund* —4G **129**
Melton Av. *Newc T* —4F **69**
Melton Cres. *Sea S* —5H **23**
Melton Dri. *N Har* —3B **22**
Melton Ter. *N Har* —3B **22**
Melvaig Clo. *Sund* —4G **129**
Melville Av. *Bly* —3B **16**
Melville Gdns. *Whit B* —1G **45**
Melville Gro. *Newc T* —4A **56**
Melville St. *Ches S* —1C **132**
Melvin Pl. *Newc T* —5F **53**
Melvyn Gdns. *Sund* —2E **103**
Membury Clo. *Sund* —4G **129**
Memorial Av. *Pet* —1E **161**
Memorial Homes. *Tan L* —1B **120**
Menai Ct. *Sund* —3H **129**
Menceforth Cotts. *Ches S* —5B **124**
Mendham Clo. *Gate* —5E **83**
Mendip Av. *Ches S* —1B **132**
　(in two parts)
Mendip Clo. *N Shi* —4B **46**
Mendip Clo. *Pet* —1B **162**
Mendip Dri. *Wash* —4H **111**
Mendip Gdns. *Gate* —5D **80**
Mendip Ho. *Ches S* —1C **132**
Mendip Ter. *S'ley* —4E **121**
Mendip Way. *Newc T* —1H **55**
Mentieth Clo. *Wash* —4H **111**
Menvill Pl. *Sund* —1E **117**
Mercantile Rd. *Hou S* —4G **135**
Merchants Wharf. *Newc T* —6C **68**
Mercia Retail Pk. *Dur* —5C **142**
Mercia Way. *Newc T* —4C **64**
Meredith Gdns. *Gate* —2H **81**
Mere Dri. *Dur* —6B **142**

Mere Knolls Rd. *Sund* —6E **89**
Meresyde. *Gate* —5G **83**
Meresyde Ct. *Gate* —4G **83**
Merevale Clo. *Wash* —3C **98**
Merganser Lodge. Gate —3D **82**
(off Crowhall La.)
Meridan Way. *Newc T* —4D **56**
Merlay Dri. *Din* —5F **27**
Merle Gdns. *Newc T* —4C **68**
Merle Ter. *Sund* —5H **101**
Merley Hall. *Newc T* —5G **69**
Merlin Clo. *S'hm* —3A **140**
Merlin Ct. Gate —3D **82**
(off High St. Felling,)
Merlin Cres. *W'snd* —4D **58**
Merlin Dri. *Ches S* —2D **124**
Merlin Pl. *Newc T* —6A **42**
Merrick Ho. *Sund* —3H **129**
Merrington Clo. *N Har* —2B **22**
Merrington Clo. *Sund* —3F **129**
Merrion Clo. *Sund* —3F **129**
Merryfield Gdns. *Sund* —2E **103**
Merryoaks. —2A 158
Mersey Ct. *Sund* —3H **129**
Mersey Pl. *Gate* —3B **82**
Mersey Rd. *Gate* —3B **82**
Mersey Rd. *Heb* —6C **70**
Merton Ct. *Newc T* —5A **66**
Merton Rd. *Newc T* —6F **69**
Merton Rd. *Pon* —5E **25**
Merton Sq. Bly —5C **10**
(off Regent St.)
Merton Way. *Pon* —5E **25**
Merz Ct. *Newc T* —1C **4**
Metcalfe Cres. *Mur* —2B **148**
Metcalf Ho. *Dur* —5B **152**
Methold Houses. *Beam* —1A **122**
Methuen St. *Gate* —3A **82**
Metro Cen. *Gate* —2G **79**
Metro Pk. W. *Gate* —1F **79**
Metro Retail Pk. *Gate* —1F **79**
Mews, The. *Bla T* —1C **78**
Mews, The. *Gate* —3H **83**
Mews, The. *Newc T* —3F **67** (3C **4**)
Mews, The. *N Shi* —5F **47**
Mews, The. *Shin* —3F **159**
Mews, The. *Sund* —2D **128**
Michaelgate. *Newc T* —4C **68**
Mickle Clo. *Wash* —1G **111**
Mickle Hill Rd. *B Col* —6G **163**
Mickleton Clo. *Gt Lum* —4H **133**
Mickleton Gdns. *Sund* —5B **116**
Mid Cross St. *Newc T* —6D **66**
Middlebrook. *Pon* —2B **36**
Middle Chare. *Ches S* —6C **124**
Middle Clo. *Wash* —6H **111**
Middle Dri. *Pon* —3A **36**
Middle Dri. *Wool* —3D **38**
(in two parts)
Middle Engine La. *W'snd & Newc T*
—2D **58**
Middlefield. *Pelt* —2G **123**
Middlefields Ind. Est. *S Shi* —3C **72**
Middlefield Ter. *Ush M* —6B **150**
Middlegarth. *Newc T* —5H **53**
Middle Ga. *Newc T* —6B **52**
Middle Grn. *Whit B* —1G **45**
Middle Gro. *B'don* —6C **156**
Middleham Clo. *Ous* —6F **109**
Middleham Ct. *Sund* —2G **101**
Middleham Rd. *Dur* —6D **142**
Middle Herrington. —1E 129
Middle Rainton. —2F 145
Middle Row. *Hou S* —2C **134**
Middle Row. *Ryton* —5E **63**
Middles Rd. *S'ley* —5D **120**

Middles, The. —6F 121
Middle St. *Bly* —3H **15**
Middle St. *Newc T* —3F **69**
Middle St. *N Shi* —6F **47**
(in two parts)
Middle St. *Sund* —6C **102**
(in two parts)
Middle St. E. *Newc T* —3G **69**
Middleton Av. *Newc T* —3A **66**
Middleton Av. *Row G* —4F **91**
Middleton Clo. *Sea* —2E **139**
Middleton St. *Bly* —6C **10**
Middlewood Pk. *Newc T* —2A **66**
Midfield Dri. *Sund* —3E **103**
Midgley Dri. *Sund* —4G **129**
Midhill Clo. *B'don* —5D **156**
Midhurst Av. *S Shi* —1H **73**
Midhurst Clo. *Sund* —3F **129**
Midhurst Rd. *Newc T* —6D **42**
Midmoor Rd. *Sund* —6G **101**
Midsomer Clo. *Sund* —4F **129**
Midway. *Newc T* —3G **69**
Milbanke Clo. *Ous* —6H **109**
Milbanke St. *Ous* —6H **109**
Milbourne St. *N Shi* —4C **60**
Milburn Clo. *Ches S* —1E **133**
Milburn Dri. *Newc T* —3F **65**
Milburn St. *Sund* —6B **102**
Milcombe Clo. *Sund* —3F **129**
Mildmay Rd. *Newc T* —5F **55**
Mildred St. *Hou S* —2A **136**
Milecastle Ct. *Newc T* —5B **52**
Mile End Rd. *S Shi* —3E **61**
(in three parts)
Milfield Av. *Shir* —2D **44**
Milfield Av. *W'snd* —3A **58**
Milford Gdns. *Newc T* —4D **40**
Milford Rd. *Newc T* —4G **65**
Military Rd. *Hed W* —3C **48**
Military Rd. *N Shi* —1D **60**
Military Vehicle Museum. —1F **67**
Millais Gdns. *S Shi* —1E **87**
Mill Bank. *Sund* —1C **102**
Millbank Ct. *Dur* —5B **152**
Millbank Cres. *Bed* —4A **8**
Millbank Ho. *S'hm* —3F **139**
Millbank Ind. Est. *S Shi* —5E **61**
Millbank Pl. *Bed* —5B **8**
Millbank Rd. *Bed* —4B **8**
Millbank Rd. *Newc T* —5G **69**
Millbank Ter. *Bed* —4A **8**
Millbeck Gdns. *Gate* —2B **96**
Millbeck Gro. *Hou S* —5H **135**
Millbrook. *Gate* —4E **83**
Millbrook. *N Shi* —2A **60**
Millbrook Rd. *Cra* —6C **14**
Millburngate. *Dur* —5C **152**
Millburngate Shop. Cen. *Dur*
—5C **152**
Millburn Ho. *Newc T* —5A **54**
Millburn Ter. *Shin R* —3F **127**
Mill Clo. *N Shi* —2A **60**
Mill Ct. *Hou S* —1C **134**
Mill Cres. *Heb* —1A **84**
Mill Cres. *Shin R* —3F **127**
Milldale. *S'hm* —3F **139**
Milldale Av. *Bly* —6G **9**
Milldam. *S Shi* —5D **60**
Milldene Av. *N Shi* —5E **47**
Mill Dene Vw. *Jar* —4G **71**
Milldyke Clo. *Whit B* —6G **33**
Millennium Way. *Sund* —5C **102**
Miller Gdns. *Pelt F* —5F **123**
Millers Bank. *W'snd* —5D **58**
Millers Hill. *Hou S* —3G **127**
Miller's La. *Swa* —2F **79**

Millers Rd. *Newc T* —2C **68**
Miller St. *Gate* —3F **81**
Miller Ter. *Sund* —1A **130**
Mill Farm Clo. *Newc T* —4D **66**
Mill Farm Rd. *Ham M* —1A **104**
Millfield. —1A 116
Millfield. *Bed* —6A **8**
Millfield. *Sea S* —4H **23**
Millfield Av. *Newc T* —4A **54**
Millfield Clo. *Ches S* —2A **132**
Millfield Clo. *Newc T* —2F **63**
Millfield Ct. *Bed* —5A **8**
Millfield Ct. *Sea S* —4H **23**
Millfield Ct. *Whi* —4G **79**
Millfield E. *Bed* —6A **8**
Millfield Gdns. *Bly* —4B **10**
Millfield Gdns. *Gate* —3C **82**
Millfield Gdns. *N Shi* —5E **47**
Millfield Gro. *N Shi* —4E **47**
Millfield La. *Newc T* —1F **63**
Millfield N. *Bed* —6A **8**
Millfield Rd. *Whi* —5F **79**
Millfield S. *Bed* —6A **8**
Millfield Ter. *Sund* —6F **75**
Millfield W. *Bed* —5A **8**
Millford. *Gate* —4H **83**
Millford Ct. *Gate* —5H **83**
Mill Gro. *N Shi* —5E **47**
Mill Gro. *S Shi* —5B **74**
Millgrove Vw. *Newc T* —4B **54**
Mill Hill. *Hou S* —5H **135**
Mill Hill. *N West* —4A **160**
Mill Hill La. *Dur* —2A **158**
Mill Hill Rd. *Newc T* —1D **64**
Mill Hill Rd. *Sund* —3H **129**
Mill Hill Wlk. *Sund* —3A **130**
Mill Ho. Ct. *Dur* —5G **153**
Milling Ct. *Gate* —1E **81**
Mill La. *Dur* —5G **153**
Mill La. *Heb* —6B **70**
Mill La. *Hed W* —4H **49**
(in two parts)
Mill La. *New B* —1C **156**
Mill La. *Newc T* —5C **66**
Mill La. *Plaw G* —1A **142**
Mill La. *Seg* —2C **30**
Mill La. *Sher* —6E **155**
Mill La. *Shin* —2G **159**
Mill La. *S'ley* —5F **109**
Mill La. *Sund* —5F **75**
Mill La. *Winl M* —4H **77**
Mill La. N. *Newc T* —4C **66**
Milne Ct. *Bed* —4H **7**
Millom Ct. *Pet* —4A **162**
Millom Pl. *Gate* —1B **96**
Mill Pit. *Hou S* —3F **127**
Mill Ri. *S Gos* —3G **55**
Mill Rd. *Gate* —5H **67** (6H **5**)
Mill Rd. *Lang M* —4G **157**
Mill Rd. *S'hm* —3F **139**
Mills Gdns. *W'snd* —4H **57**
Mill St. *Sund* —1B **116**
Mill Ter. *Hou S* —5H **135**
Mill Ter. *Pet* —1A **160**
Mill Ter. *Shin R* —3F **127**
Millthorp Clo. *Sund* —6G **117**
Millum Ter. *Newc T* —4E **103**
Mill Vw. *Gate* —4C **82**
Mill Vw. *W Bol* —4C **86**
Mill Vw. Av. *Sund* —2D **102**
Millview Dri. *N Shi* —4D **46**
Mill Vs. *W Bol* —4C **86**
Millway. *Gate* —4A **82**
Millway. *Sea S* —4H **23**
Millway Gro. *Sea S* —4H **23**
Milner Cres. *Bla T* —2G **77**

Milner St. *S Shi* —5G **61**
Milne Way. *Newc T* —2B **54**
Milrig Clo. *Sund* —4G **129**
Milsted Clo. *Sund* —4F **129**
Milsted Ct. *Newc T* —5H **51**
Milton Av. *Heb* —3C **70**
Milton Av. *Hou S* —4A **136**
  (in two parts)
Milton Clo. *Newc T* —2H **67** (1G **5**)
Milton Clo. *S'hm* —4H **139**
Milton Clo. *S'ley* —3F **121**
Milton Grn. *Newc T* —2H **67** (1G **5**)
Milton Gro. *N Shi* —1B **60**
  (in two parts)
Milton La. *Pet* —1C **160**
Milton Pl. *Gate* —4F **97**
Milton Pl. *Newc T* —2H **67** (1G **5**)
Milton Pl. *N Shi* —1B **60**
Milton Rd. *Swa & Whi* —3E **79**
Milton Sq. *Gate* —1A **82**
  (in two parts)
Milton St. *Jar* —1F **71**
Milton St. *S Shi* —1F **73**
Milton St. *Sund* —6A **102**
Milton Ter. *N Shi* —1B **60**
Milton Ter. *Pelt F* —6G **123**
Milvain Av. *Newc T* —3A **66**
Milvain Clo. *Gate* —2H **81**
Milvain St. *Gate* —2H **81**
Milverton Ct. *Newc T* —1G **53**
Mimosa Dri. *Heb* —6C **70**
Mimosa Pl. *Newc T* —1H **65**
Minden St. *Newc T* —4G **67** (4F **5**)
Mindrum Ter. *Newc T* —5F **69**
Mindrum Ter. *N Shi* —3H **59**
Mindrum Way. *Sea D* —6B **22**
Minehead Gdns. *Sund* —1A **130**
Minerva Clo. *Newc T* —3A **52**
Mingarry. *Bir* —5E **111**
Mingary Clo. *E Rai* —1G **145**
Minorca Clo. *Sund* —1E **117**
Minorca Pl. *Newc T* —4B **54**
Minskip Clo. *Sund* —4G **129**
Minster Ct. *Dur* —4A **154**
Minster Ct. *Gate* —6H **67**
Minster Gro. *Newc T* —4H **51**
Minsterley. *Gt Lum* —4G **133**
Minster Pde. *Jar* —2G **71**
Minting Pl. *Cra* —3H **19**
Minton Ct. *N Shi* —3B **60**
Minton La. *N Shi* —3B **60**
Minton Sq. *Sund* —6G **101**
Mirk La. *Gate* —5G **67**
Mirlaw Rd. *Cra* —4H **19**
Mistletoe Rd. *Newc T* —6G **55**
Mistletoe St. *Dur* —6B **152**
Mitcham Cres. *Newc T* —4B **56**
Mitchell Av. *Newc T* —4G **55**
Mitchell Av. *Whit B* —1H **45**
Mitchell Clo. *Pet* —5B **160**
Mitchell Gdns. *S Shi* —2H **73**
Mitchell St. *Ann P* —5G **119**
Mitchell St. *Bir* —3B **110**
Mitchell St. *Dur* —5B **152**
Mitchell St. *Newc T* —3G **69**
  (in two parts)
Mitchell St. *S Moor* —5B **120**
Mitchell Ter. *Tant* —5H **105**
Mitford Av. *Bly* —1A **16**
Mitford Av. *Sea D* —6A **22**
Mitford Clo. *Ches S* —1D **124**
Mitford Clo. *H Shin* —4H **159**
Mitford Clo. *Wash* —3H **111**
Mitford Ct. *Pet* —3D **162**
Mitford Dri. *Newc T* —4C **52**
Mitford Dri. *Sher* —6E **155**

Mitford Gdns. *Gate* —6C **80**
Mitford Gdns. *W'snd* —2D **58**
Mitford Gdns. *Wide* —4E **29**
Mitford Pl. *Newc T* —1C **54**
Mitford Rd. *S Shi* —3G **73**
Mitford St. *Sund* —1E **103**
Mitford St. *W'snd* —5G **59**
Mitford Ter. *Jar* —1F **85**
Mitford Way. *Din* —5F **27**
Mithras Gdns. *Hed W* —5G **49**
Mitre Pl. *S Shi* —1D **72**
Moat Gdns. *Gate* —3A **84**
Moatside La. *Dur* —6C **152**
Modder St. *Newc T* —6F **69**
Model Dwellings. *Wash* —3C **112**
Model Ter. *Newc T* —1E **127**
Moffat Av. *Jar* —5A **72**
Moffat Clo. *N Shi* —5G **45**
Moine Gdns. *Sund* —2E **103**
Moir Ter. *Sund* —3G **131**
Molesdon Clo. *N Shi* —4C **46**
Molineux Clo. *Newc T* —3B **68**
Molineux Ct. *Newc T* —3B **68**
Molineux St. *Newc T* —3B **68**
Mollyfair Clo. *Ryton* —5A **62**
Monarch Av. *Dox I* —4D **89**
Monarch Rd. *Newc T* —6C **66**
Monarch Ter. *Bla T* —1A **78**
Monastery St. *Jar* —2F **71**
Mona St. *S'ley* —2D **120**
Moncreiff Ter. *Pet* —1D **160**
Monday Cres. *Newc T* —3D **66**
  (in two parts)
Monday Pl. *Newc T* —3D **66**
Money Slack. *Dur* —4B **158**
Monkchester Grn. *Newc T* —4E **69**
Monkchester Rd. *Newc T* —4E **69**
Monk Ct. *Gate* —1H **81**
Monk Ct. *Pet* —4B **162**
Monkdale Av. *Bly* —1G **15**
Monkhouse Av. *N Shi* —4C **46**
Monkridge. *Newc T* —5H **51**
Monkridge. *Whit B* —4A **34**
Monkridge Ct. *Newc T* —3G **55**
Monkridge Gdns. *Gate* —4B **80**
Monks Av. *Whit B* —2H **45**
Monks Cres. *Dur* —4F **153**
Monks Dormitory. —6C **152**
Monkseaton. —6B 34
Monkseaton Dri. *Whit B* —4B **34**
Monkseaton Rd. *Well* —6E **33**
Monksfeld. *Gate* —4E **83**
Monksfield Clo. *Sund* —4H **129**
Monkside. *Cra* —4H **19**
Monkside Clo. *Wash* —5G **111**
Monks Pk. Way. *Newc T* —1A **56**
Monks Rd. *Whit B* —2G **45**
Monkstone Av. *N Shi* —5E **47**
Monkstone Clo. *N Shi* —5E **47**
Monkstone Cres. *N Shi* —5E **47**
Monk St. *Newc T* —4E **67** (5B **4**)
Monk St. *Sund* —4D **102**
Monksway. *Jar* —3A **72**
Monks Way. *N Shi* —4E **47**
Monks Wood. *N Shi* —5A **46**
Monkswood Sq. *Sund* —3B **130**
Monk Ter. *Jar* —3G **71**
Monkton. —5E 71
Monkton. *Gate* —5F **83**
Monkton Av. *S Shi* —5C **72**
Monkton Dene. *Jar* —5E **71**
Monkton Hall. *Jar* —5F **70**
Monkton La. *Heb* —1C **84**
Monkton La. *Mon V* —6D **70**
Monkton Rd. *Jar* —2F **71**
  (in three parts)

Monkton Ter. *Jar* —2G **71**
Monkwearmouth. —5D 102
Monkwearmouth Station Museum.
                            —5D **102**
Monmouth Gdns. *W'snd* —3E **59**
Monroe Pl. *Newc T* —5H **53**
Mons Av. *Heb* —3C **70**
Mons Cres. *Hou S* —3G **127**
Montagu Av. *Newc T* —4C **54**
Montagu Ct. *Newc T* —5C **54**
Montague St. *Lem* —3B **64**
Montague St. *Sund* —2D **102**
  (in two parts)
Monterey. *Sund* —4G **129**
Monterey. *Wash* —4B **98**
Montfalcon Clo. *Pet* —1C **162**
Montford Clo. *Sund* —4F **129**
Montgomery Rd. *Dur* —4F **153**
Montorosso. *Pres* —6A **26**
Montpelier Ter. *Sund* —3E **117**
Montpellier Pl. *Newc T* —4B **54**
Montrose Clo. *N Har* —3B **22**
Montrose Cres. *Gate* —4B **82**
Montrose Dri. *Gate* —4H **83**
Montrose Gdns. *Sund* —4A **116**
Monument Mall Shop. Cen. *Newc T*
                          —4F **67** (4D **4**)
Monument Ter. *Bir* —3C **110**
Monument Ter. *Hou S* —1E **127**
Monument Vw. *New P* —1F **127**
Moor. —5F 43
Moor Clo. *N Shi* —5G **45**
Moor Clo. *Sund* —6F **103**
Moor Ct. *Hou S* —6C **126**
Moor Ct. *Newc T* —5D **54**
Moor Ct. *Whi* —3E **89**
Moor Cres. *Dur* —4G **153**
Moor Cres. *Newc T* —5E **55**
Moor Crest Ter. N Shi —5B 46
  (off Walton Av.)
Moorcroft Clo. *Newc T* —2B **64**
Moorcroft Rd. *Newc T* —2C **64**
Moordale Av. *Bly* —1G **15**
Moore Av. *Gate* —3B **80**
Moore Av. *S Shi* —3G **73**
Moore Ct. *Newc T* —2C **62**
Moore Cres. *Bir* —1C **110**
Moore Cres. N. *Hou S* —4A **136**
Moore Cres. S. *Hou S* —4A **136**
Moor Edge. *B'don* —6D **156**
Moor Edge. *C Moor* —5H **151**
Moor Edge Rd. *Shir* —1C **44**
Moor End. —3A 154
Moor End Ter. *Dur* —3A **154**
Moore St. *Gate* —2A **82**
Moore St. *S'ley* —4C **120**
Moore St. Vs. Gate —2A 82
  (off Sunderland Rd.)
Moorfield. *Newc T* —4F **55**
Moorfield Gdns. *Sund* —4A **88**
Moorfoot Av. *Ches S* —1C **132**
  (in two parts)
Moorfoot Gdns. *Gate* —4C **80**
Moor Gdns. *N Shi* —5G **45**
Moorhead M. *Newc T* —6A **54**
Moorhouse Clo. *S Shi* —4F **73**
Moorhouse Gdns. *Hett H* —3C **146**
  (in two parts)
Moorhouses Rd. *N Shi* —5G **45**
Moorland Av. *Bed* —2E **9**
Moorland Cotts. *Bed* —2D **8**
Moorland Ct. *Bed* —2E **9**
Moorland Cres. *Bed* —2E **9**
Moorland Cres. *Newc T* —2E **69**
Moorland Dri. *Bed* —3E **9**

Moorlands—Murtagh Diamond Ho.

Moorlands. *Jar* —2H **85**
Moorlands, The. *Dip* —6E **105**
Moorlands, The. *Dur* —5G **153**
Moorland Vs. *Bed* —2E **9**
Moorland Way. *Cra* —6G **13**
Moor La. *E Bol & Cle* —3G **87**
Moor La. *Ken* —3H **53**
Moor La. *Pon* —1B **36**
Moor La. *S Shi* —3G **73**
Moor La. E. *S Shi* —3H **73**
Moormill. *Gate* —1E **109**
Moormill La. *Kib* —1F **109**
Moor Pk. Ct. *N Shi* —6G **45**
Moor Pk. Rd. *N Shi* —6F **45**
(in three parts)
Moor Pl. *Newc T* —4E **55**
Moor Rd. N. *Newc T* —2F **55**
Moor Rd. S. *Newc T* —4F **55**
Moorsburn Dri. *Hou S* —2G **135**
Moors Clo. *Hou S* —3F **135**
Moorsfield. *Hou S* —3F **135**
Moorside. —4G 129
Moorside. *Jar* —2G **85**
Moorside. *Newc T* —3B **42**
Moorside. *Wash* —6H **97**
Moorside Ct. *Newc T* —6A **54**
Moorside Ind. Est. *Sund* —4F **129**
Moorside N. *Newc T* —6A **54**
Moorside Pl. *Newc T* —1H **66**
Moorside Rd. *Sund* —3F **129**
Moorside S. *Newc T* —2B **66**
Moorsley Rd. *Hett H* —4A **146**
Moorsley Rd. *L Pit & Hett H* —6F **145**
Moor St. *Sund* —6E **103**
(nr. Coronation St.)
Moor St. *Sund* —1F **117**
(nr. Woodbine St.)
Moor Ter. *Sund* —6F **103**
Moorvale La. *Newc T* —5A **54**
Moor Vw. *Camp* —6C **30**
Moor Vw. *Ken* —3H **53**
Moor Vw. *Ryton* —5A **62**
Moor Vw. *Sund* —3E **89**
Moorview Cres. *Newc T* —5A **54**
Moor Vw. Ter. *S'ley* —6E **119**
Moor Vw. Wlk. *Camp* —1C **42**
Moorway. *Wash* —6H **97**
Moorway Dri. *Newc T* —2C **64**
Moralee Clo. *Newc T* —4D **56**
Moran St. *Sund* —1D **102**
Moray Clo. *Bir* —6D **110**
Moray Clo. *Pet* —2C **162**
Moray St. *Sund* —3D **102**
Morcott Gdns. *Newc T* —3B **60**
Morden St. *Newc T* —3F **67** (3C **4**)
Mordey Clo. *Sund* —2E **117**
Mordue Ter. *S'ley* —6G **119**
Morecambe Pde. *Heb* —1E **85**
Moreland Rd. *S Shi* —6F **73**
Moreland St. *Sund* —3D **102**
Morgan St. *Sund* —3B **102**
Morgans Way. *Bla T* —1G **77**
Morland Av. *Wash* —4C **112**
Morland Gdns. *Gate* —4B **82**
Morley Av. *Gate* —1H **83**
Morley Ct. *Newc T* —2C **68**
Morley Hill Rd. *Newc T* —1D **64**
Morley La. *B'don* —5A **156**
Morley Pl. Shir —1D **44**
(off Earsdon Rd.)
Morley Ter. *Gate* —3D **82**
Morley Ter. *Hou S* —2E **135**
Morningside. *Wash* —1E **125**
Morningside Ct. *Ches S* —5C **124**
Mornington Av. *Newc T* —4B **54**
Morpeth Av. *Jar* —6F **71**

Morpeth Av. *S Shi* —2F **73**
Morpeth Av. *Wide* —4E **29**
Morpeth Clo. *Wash* —3G **111**
Morpeth Dri. *Sund* —3F **129**
Morpeth St. *Newc T* —1D **66**
Morpeth St. *Pet* —4F **161**
Morpeth Ter. *N Shi* —3H **59**
Morris Av. *S Shi* —6D **72**
Morris Ct. *Dud* —3B **30**
Morris Cres. *Bol C* —3C **86**
Morris Gdns. *Gate* —3H **83**
Morrison Ind. Est. *S'ley* —6G **119**
Morrison Rd. *S'ley* —6G **119**
Morrison Rd. N. Ind. Est. *S'ley*
—6G **119**
Morrison St. *Gate* —1E **81**
Morris Rd. *Whi* —3F **79**
Morris Sq. *Pet* —2C **160**
Morris St. *Bir* —3B **110**
Morris St. *Gate* —3E **81**
Morris St. *Wash* —5A **98**
Morris Ter. *Hou S* —4B **136**
Morrit Ct. *Newc T* —2C **56**
Morston Dri. *Newc T* —3C **64**
Mortimer Av. *Newc T* —4D **52**
Mortimer Av. *N Shi* —1H **59**
Mortimer Chase. *E Har* —4B **14**
Mortimer Rd. *S Shi* —1F **73**
Mortimer St. *Sund* —6H **101**
Mortimer Ter. H'wll —1C **32**
(off Laurel Ter.)
Morton Clo. *Wash* —3B **112**
Morton Cres. *Hou S* —2D **134**
Morton Cres. *Newc T* —1H **51**
Morton Grange Ter. *Hou S* —2C **134**
Morton Sq. *Pet* —6C **160**
Morton St. *Newc T* —3D **68**
Morton St. *S Shi* —3E **61**
Morton Wlk. *S Shi* —3E **61**
Morval Clo. *Sund* —4F **129**
Morven Dri. *Gate* —2H **83**
Morven Lea. *Bla T* —1H **77**
Morwick Clo. *Cra* —4H **19**
Morwick Pl. *Newc T* —6H **53**
Morwick Rd. *N Shi* —5H **45**
Mosley St. *Newc T* —4F **67** (5E **5**)
Mossbank. *Gate* —2B **96**
Moss Clo. *Newc T* —1A **64**
Moss Ct. *Dur* —5D **152**
Moss Cres. *Ryton* —5A **62**
Mossdale. *Dur* —3C **154**
Moss Gdns. *Gate* —2F **81**
Moss Gth. *Ches S* —1C **132**
Moss Mans. *Newc T* —5D **4**
Mosspool. *Bla T* —1G **77**
Moss Side. *Gate* —2C **96**
Mossway. *Pelt* —2F **123**
Mostyn Grn. *Newc T* —2B **54**
Moulton Ct. *Newc T* —5G **53**
Moulton Pl. *Newc T* —5G **53**
Mountbatten Av. *Heb* —5C **70**
Mount Clo. *Kil* —1D **42**
Mount Clo. *Sund* —1D **114**
Mount Clo. *Whit B* —2H **45**
Mt. Cottage. *Gate* —5E **97**
Mountfield Gdns. *Newc T* —3B **54**
Mountford Rd. *N Har* —2B **22**
Mount Gro. *Gate* —4B **80**
Mount Gro. *Sund* —3A **116**
Mt. Joy Cres. *Dur* —1D **158**
Mount La. *Gate* —5E **97**
Mt. Lonnen. *Gate* —5E **97**
Mount Pleasant. —1C 126
(nr. Fatfield)
Mount Pleasant. —2A 82
(nr. Gateshead)

Mt. Pleasant. *Bir* —2C **110**
Mt. Pleasant. *Bla T* —2H **77**
Mt. Pleasant. *Dip* —6E **105**
Mt. Pleasant. *Hou S* —3B **136**
Mt. Pleasant. *Sund* —4A **102**
Mt. Pleasant Bungalows. *Bir*
—2C **110**
Mt. Pleasant Ct. *Newc T* —5D **50**
Mt. Pleasant Gdns. *Gate* —2A **82**
Mount Pleasant Marsh
Nature Reserve. —5A **86**
Mount Rd. *Bir* —2C **110**
Mount Rd. *Gate* —5E **97**
Mount Rd. *Sund* —3H **115**
Mountside Gdns. *Gate* —4B **80**
Mount Sq. *Gate* —5E **97**
Mt. Stewart St. *S'hm* —6B **140**
Mount Ter. *S Shi* —5E **61**
Mount, The. *Newc T* —5C **50**
Mount, The. *Ryton* —4C **62**
Mount Vw. *Swa* —3F **79**
Mourne Gdns. *Gate* —5C **80**
Moutter Clo. *Pet* —5E **161**
Mowbray Clo. *Sund* —2D **116**
Mowbray Rd. *Newc T* —5D **42**
Mowbray Rd. *N Shi* —1H **59**
Mowbray Rd. *S Shi* —6F **61**
Mowbray Rd. *Sund* —2D **116**
Mowbray St. *Dur* —5B **152**
Mowbray St. *Newc T* —3A **68**
Mowbray Ter. *Hou S* —1H **135**
Moyle Ter. *Hob* —3G **105**
Mozart St. *S Shi* —5F **61**
Muirfield. *S Shi* —6H **61**
Muirfield. *Whit B* —6H **33**
Muirfield Dri. *Gate* —5D **82**
Muirfield Dri. *Wash* —3A **98**
Muirfield Rd. *Newc T* —2C **56**
Mulben Clo. *Newc T* —5A **66**
Mulberry Gdns. *Gate* —1C **82**
Mulberry Pl. *Newc T* —6D **66**
Mulberry St. *Gate* —2C **82**
Mulberry Ter. *S'ley* —5H **119**
Mulberry Trad. Est. *Gate* —2C **82**
Mulberry Way. *Hou S* —2F **135**
Mulcaster Gdns. *W'snd* —3G **57**
Mulgrave Dri. *Sund* —5E **103**
Mulgrave Ter. *Gate* —6G **67**
Mulgrave Vs. *Gate* —1G **81**
Mullen Dri. *Ryton* —5C **62**
Mullen Gdns. *W'snd* —3G **57**
Mullen Rd. *W'snd* —3G **57**
Mull Gro. *Jar* —6A **72**
Mullin Clo. *Bear* —4D **150**
Muncaster M. *Pet* —4A **162**
Mundella Ter. *Newc T* —2B **68**
Mundell St. *S'ley* —5C **120**
Mundle Av. *Winl M* —5A **78**
Mundles La. *E Bol* —4F **87**
Municipal Ter. *Wash* —1B **112**
Munslow Rd. *Sund* —1E **129**
Muriel St. *S'ley* —6C **120**
Murphy Gro. *Sund* —2E **131**
Murray Av. *Hou S* —2E **135**
Murrayfield. *Seg* —1F **31**
Murrayfield Dri. *B'don* —6C **156**
Murrayfield Rd. *Newc T* —5H **53**
Murrayfields. *W All* —4B **44**
Murray Gdns. *Gate* —4C **80**
Murray Pl. *Ches S* —6B **124**
Murray Rd. *Ches S* —6B **124**
Murray Rd. *W'snd* —4D **58**
Murray St. *Bla T* —6A **64**
Murray St. *Pet* —1G **163**
Murray Ter. *Dip* —1D **118**
Murtagh Diamond Ho. *S Shi* —4E **73**

Murton. —3F 45
(nr. Easington Lane)
Murton. —2C 148
(nr. Shiremoor)
Murton Ho. *N Shi* —4G **45**
Murton La. *Eas L* —4E **147**
Murton La. *Mur V* —4E **45**
Murton St. *Mur* —3D **148**
Murton St. *Sund* —1E **117**
Muscott Gro. *Newc T* —3E **65**
Musgrave Gdns. *Dur* —5G **153**
Musgrave Rd. *Gate* —5H **81**
Musgrave Ter. *Gate* —2G **83**
Musgrave Ter. *Newc T* —3E **69**
Musgrave Ter. *Wash* —1B **112**
Muswell Hill. *Newc T* —4E **65**
Mutual St. *W'snd* —6H **57**
Mylord Cres. *Camp* —6B **30**
Myra Av. *Hes* —6G **163**
Myrella Cres. *Sund* —5C **116**
Myreside Pl. *Newc T* —6B **42**
Myrtle Av. *Gate* —3B **80**
Myrtle Av. *Sund* —2F **89**
Myrtle Cres. *Newc T* —4D **42**
Myrtle Gro. *Burn* —1F **105**
Myrtle Gro. *Gate* —6H **81**
Myrtle Gro. *Newc T* —5G **55**
Myrtle Gro. *S Shi* —5H **73**
Myrtle Gro. *Sund* —2B **130**
Myrtle Gro. *W'snd* —6B **58**
Myrtle Rd. *Bla T* —2A **78**
Myrtles. *Ches S* —4B **124**

Nafferton Pl. *Newc T* —1G **65**
Nailor's Bank. *Gate* —5A **68**
Nailsworth Clo. *Bol C* —1A **86**
Nairn Clo. *Bir* —6D **110**
Nairn Clo. *Wash* —3A **98**
Nairn Rd. *Cra* —2B **20**
Nairn St. *Jar* —6A **72**
Naisbitt Av. *Pet* —5E **161**
Nansen Clo. *Newc T* —5D **52**
Napier Clo. *Ches S* —1D **124**
Napier Ct. *Whi* —1F **93**
Napier Rd. *S'hm* —3G **139**
Napier Rd. *Swa* —2E **79**
Napier St. *Jar* —2F **71**
(in two parts)
Napier St. *Newc T* —3H **67** (2G **5**)
Napier St. *S Shi* —3D **72**
Napier Way. *Bla T* —1C **78**
Narvik Way. *Tyn T* —2F **59**
Nash Av. *S Shi* —6F **73**
Naters St. *Whit B* —1E **47**
National Glass Centre. —5E **103**
Natley Av. *E Bol* —4G **87**
Navenby Clo. *Newc T* —5F **41**
Navenby Clo. *S'hm* —2G **139**
Naworth Av. *N Shi* —4C **46**
Naworth Ct. *Pet* —4B **162**
Naworth Dri. *Newc T* —4B **52**
Naworth Ter. *Jar* —5H **71**
Nawton Av. *Sund* —3C **102**
Nayland Rd. *Cra* —2A **20**
Naylor Av. *Winl M* —5A **78**
Naylor Bldgs. *Winl M* —5A **78**
Naylor Ct. *Bla T* —5C **64**
Naylor Pl. *Sea S* —2F **23**
Neale St. *S'ley* —5G **119**
Neale St. *Sund* —2D **102**
Neale St. *Tant* —5H **105**
Neale Ter. *Bir* —3C **110**
Neale Wlk. *Newc T* —4A **54**
Nearlane Clo. *Sea B* —3E **29**
Neasdon Cres. *N Shi* —4D **46**

Neasham Rd. *S'hm* —2G **139**
Nedderton. —4C 6
Nedderton Clo. *Newc T* —3H **51**
Needham Pl. *Cra* —2B **20**
Neill Dri. *Sun* —3F **93**
Neilson Rd. *Gate* —1B **82**
Neil St. *Eas L* —4E **147**
Nellie Gormley Ho. *Newc T*
                              —3B **42**
Nell Ter. *Row G* —4C **90**
Nelson Av. *Nel V* —1G **19**
Nelson Av. *Newc T* —2C **54**
Nelson Av. *S Shi* —4G **61**
Nelson Clo. *Pet* —5G **161**
(in two parts)
Nelson Clo. *Sund* —2E **117**
Nelson Cres. *N Shi* —4H **59**
Nelson Dri. *Cra* —2F **19**
Nelson Ho. *N Shi* —6F **47**
Nelson Ind. Est. *Cra* —6G **13**
Nelson Pk. *Cra* —6G **13**
Nelson Pk. E. *Cra* —6H **13**
Nelson Pk. W. *Cra* —6F **13**
Nelson Rd. *Cra* —6F **13**
Nelson Rd. *Newc T* —5H **69**
Nelson Rd. *Well* —6F **33**
Nelson Sq. *Sund* —5E **103**
Nelson St. *Ches S* —1C **132**
Nelson St. *Gate* —6G **67**
Nelson St. *G'sde* —2A **76**
Nelson St. *Hett H* —2C **146**
Nelson St. *Newc T* —4F **67** (4D **4**)
Nelson St. *N Shi* —2C **60**
Nelson St. *S'hm* —3H **139**
Nelson St. *S Shi* —4E **61**
Nelson St. *Sund* —2F **131**
Nelson St. *Wash* —3C **112**
Nelson Ter. *N Shi* —4H **59**
Nelson Ter. *Sher* —6E **155**
Nelson Village. —1G 19
Nelson Way. *Cra* —5F **13**
Nene Ct. *Wash* —5C **98**
Nenthead Clo. *Gt Lum* —4H **133**
Neptune Rd. *Newc T* —2C **64**
Neptune Rd. *W'snd* —1H **69**
Neptune St. *S'hm* —4H **139**
Neptune Way. *Eas* —1C **160**
Nesbit Rd. *Pet* —2E **163**
Nesburn Rd. *Sund* —3A **116**
Nesham Pl. *Hou S* —3A **136**
Nesham St. *Newc T* —6C **66**
Nesham Ter. *Sund* —6F **103**
Ness Ct. *Bla T* —1G **77**
Nest Rd. *Gate* —1D **82**
Netherburn Rd. *Sund* —3C **102**
Netherby Dri. *Newc T* —1G **65**
Netherdale. *Bed* —4F **7**
Nether Farm Rd. *Gate* —2F **83**
Nether Riggs. *Bed* —5H **7**
Netherton. *Kil* —1D **42**
Netherton Av. *N Shi* —5H **45**
Netherton Clo. *Ches S* —1A **132**
Netherton Gdns. *Wide* —5D **28**
Netherton Gro. *N Shi* —6H **45**
Netherton La. *Bed* —3E **7**
Nettleham Rd. *Sund* —3C **102**
Nettles La. *Sund* —3B **130**
Neville Ct. *Wash* —5D **98**
Neville Cres. *Bir* —1C **110**
Nevilledale Ter. *Dur* —6B **152**
Neville Dene. *Dur* —6H **151**
Neville Rd. *Newc T* —2B **64**
Neville Rd. *Pet* —6C **160**
Neville Rd. *Sund* —6H **101**
Nevilles Ct. *Nev X* —6A **152**
Neville's Cross. —1A 158

Neville's Cross Bank. *Dur* —2H **157**
Neville's Cross Rd. *Heb* —4D **70**
Neville's Cross Vs. *Dur* —1A **158**
Neville Sq. *Dur* —2A **158**
Neville St. *Dur* —6C **152**
Neville St. *Newc T* —5E **67** (6C **4**)
Neville Ter. *Dur* —5A **152**
Neville Wlk. Wash —4D **98**
(off Marlborough Rd.)
Nevinson Av. *S Shi* —6F **73**
Nevis Clo. *Whit B* —3A **34**
Nevis Ct. *Whit B* —3A **34**
Nevis Gro. *W Bol* —4D **86**
Nevis Way. *Whit B* —4A **34**
New Acres. *Ush M* —5C **150**
New Acres Rd. *S'ley* —6C **120**
Newark Clo. *Pet* —6C **160**
(in two parts)
Newark Cres. *S'hm* —2G **139**
Newark Dri. *Sund* —3F **89**
Newark Sq. *N Shi* —3B **60**
Newarth Clo. *Newc T* —2C **64**
Newbank Wlk. *Bla T* —2G **77**
Newbiggin Hall Estate. —3D 52
Newbiggin La. *Newc T* —3D **52**
New Blackett St. *S'ley* —5E **119**
Newbold Av. *Sund* —3C **102**
Newbold St. *Newc T* —4D **68**
Newbolt Ct. *Gate* —1A **82**
Newbottle. —6H 127
Newbottle La. *Hou S* —4D **134**
Newbottle St. *Hou S* —2H **135**
New Brancepeth. —2B 156
New Brancepeth Clo. *Lang M*
                                —3G **157**
Newbridge Av. *Sund* —3C **102**
Newbridge Bank. *Ches S* —4F **125**
Newbridge Banks. *Ches S* —5C **122**
New Bri. St. *Newc T* —4G **67** (4F **5**)
New Bri. St. W. *Newc T* —4F **67**
(in two parts)
Newbrough Cres. *Newc T* —5G **55**
Newburgh Av. *Sea D* —1A **32**
Newburn. —1F 63
Newburn Av. *Sund* —3C **102**
Newburn Bri. Rd. *Bla T* —3E **63**
Newburn Ct. *S Shi* —6F **61**
Newburn Cres. *Hou S* —2H **135**
Newburn Hall Motor Museum.
                                —1F **63**
Newburn Haugh Ind. Est. *Newc T*
                                —3H **63**
Newburn Ind. Est. *Newc T* —3G **63**
Newburn Rd. *Newc T* —5D **50**
Newburn Rd. *S'ley* —1D **120**
Newbury Av. *Gate* —3F **81**
(in two parts)
Newbury Clo. *Newc T* —2B **64**
Newbury St. *S Shi* —2F **73**
Newbury St. *Sund* —2C **102**
Newby La. *H Pitt* —2G **155**
Newby Pl. *Gate* —1B **96**
Newcastle Airport. —2B **38**
Newcastle Arena. —6E **67**
Newcastle Av. *Pet* —5F **161**
Newcastle Bank. *Bir* —6B **96**
Newcastle Bus. Pk. *Newc T* —6B **66**
(in two parts)
Newcastle College. *Newc T* —2E **5**
Newcastle Discovery Museum.
                                —5E **67** (6A **4**)
Newcastle Falcons R.U.F.C. —6G **39**
Newcastle Race Course. —2F **41**
Newcastle Rd. *Bir* —1C **110**
Newcastle Rd. *Bly* —3A **16**
Newcastle Rd. *Ches S* —5C **124**

Newcastle Rd. *C Moor & Nev X*
—3H **151**
Newcastle Rd. *Gate* —4C **84**
Newcastle Rd. *Hou S* —3G **135**
Newcastle Rd. *Jar & S Shie* —5A **72**
Newcastle Rd. *Sund* —6A **88**
Newcastle Science Pk. *Newc T*
—4G **67** (4F **5**)
Newcastle St. *N Shi* —2C **60**
Newcastle Ter. *Dur* —1A **152**
Newcastle Ter. *N Shi* —6F **47**
Newcastle United F.C. —3E **67**
Newcastle upon Tyne. —4F 67
Newcastle Western By-Pass. *Newc T*
—4B **40**

New Delaval. —4H 15
Newdene Wlk. *Newc T* —2B **64**
New Dri. *S'hm* —2H **139**
(in two parts)
New Durham Rd. *S'ley* —6G **119**
New Durham Rd. *Sund* —1C **116**
New Elvet. *Dur* —6D **152**
New Elvet Bri. *Dur* —6D **152**
Newfield. —4E 123
Newfield Rd. *Newf* —4E **123**
Newfield Ter. *Newf* —4E **123**
Newfield Wlk. *Whi* —5E **79**
New Front St. *Ann P* —5F **119**
New Front St. *Tan L* —6B **106**
Newgate Shop. Cen. *Newc T*
—4F **67** (5C **4**)
Newgate St. *Newc T* —4F **67** (4C **4**)
New George St. *S Shi* —1E **73**
New Grange Ter. *Pelt F* —5F **123**
New Grn. St. *S Shi* —6E **61**
Newham Av. *Haz* —1C **40**
New Hartley. —3B 22
Newhaven Av. *Sund* —3C **102**
New Herrington. —3H 127
New Herrington Ind. Est. *Hou S*
—3G **127**
Newington Ct. *Sund* —4C **102**
Newington Ct. *Wash* —5A **98**
Newington Rd. *Newc T*
(in three parts)   —2H **67** (1H **5**)
Newington Rd. Depot. *Newc T*
—1H **5**

New Kyo. —5H 119
New Lambton. —1D 134
Newland Ct. *S Shi* —4E **73**
Newlands. *N Shi* —3C **46**
Newlands Av. *Bly* —2B **16**
Newlands Av. *Newc T* —4E **41**
Newlands Av. *Sund* —4B **116**
Newlands Av. *Whit B* —2H **45**
Newlands Pl. *Bly* —2B **16**
Newlands Rd. *Bly* —2B **16**
Newlands Rd. *Dur* —3A **154**
Newlands Rd. *Newc T* —4F **55**
Newlands Rd. E. *S'hm* —3H **139**
Newlands Rd. W. *S'hm* —3G **139**
Newlyn Cres. *N Shi* —2A **60**
Newlyn Dri. *Cra* —2A **20**
Newlyn Dri. *Jar* —3H **71**
Newlyn Rd. *Newc T* —2A **54**
Newman Pl. *Gate* —3A **82**
Newman Ter. *Gate* —3A **82**
Newmarch St. *Jar* —2E **71**
Newmarket Wlk. *S Shi* —5E **61**
(in two parts)
Newminster Clo. *Hou S* —1F **135**
Newminster Rd. *Newc T* —3G **65**
Newmin Way. *Whi* —6D **78**
Newport Gro. *Sund* —1A **130**
New Quay. *N Shi* —3D **60**
Newquay Gdns. *Gate* —3H **95**

New Rainton. *Hou S* —1F **127**
(off Rainton St.)
New Rainton St. *Hou S* —1F **127**
(off Rainton St.)
New Redheugh Bri. Rd. *Newc T*
—6E **67**
Newriggs. *Wash* —5B **112**
New Rd. *Beam* —2B **122**
New Rd. *Bol C* —3B **86**
New Rd. *Burn* —6G **91**
New Rd. *Fat* —1A **126**
(in two parts)
New Rd. *Team T* —5D **80**
Newsham. —3A 16
Newsham Clo. *Newc T* —3H **51**
Newsham Rd. *Bly* —2A **16**
New Silksworth. —2H 129
New S. Ter. *Bir* —3D **110**
Newstead Ct. *Wash* —2A **112**
(in two parts)
Newstead Rd. *Hou S* —1G **135**
Newsteads Clo. *Whit B* —6H **33**
Newsteads Dri. *Whit B* —6G **33**
Newsteads Farm Cotts. *Whit B*
—1G **45**
Newstead Sq. *Sund* —3A **116**
New Strangford Rd. *S'hm* —3H **139**
New St. *Dur* —5B **152**
New St. *Sher* —6E **155**
New St. *Sund* —1C **114**
Newton Av. *N Shi* —2D **46**
Newton Av. *W'snd* —4D **58**
Newton Clo. *Newc T* —2C **64**
Newton Dri. *Dur* —2B **152**
Newton Gro. *S Shi* —4C **72**
Newton Hall. —6D 142
Newton Hall. *Newc T* —5B **56**
Newton Pl. *Newc T* —5B **56**
Newton Rd. *Newc T* —4A **56**
Newton St. *Dun* —2B **80**
Newton St. *Gate* —3F **81**
New Town. —3B 86
(nr. Boldon)
New Town. —3B 136
(nr. Houghton-le-Spring)
Newtown Ind. Est. *Bir* —5C **110**
New York. —5F 45
New York By-Pass. *N Shi* —4F **45**
New York Rd. *Shir & N Shi* —2C **44**
(in two parts)
New York Way. *Shir* —5E **45**
(in two parts)
Nicholas Av. *Whi* —3F **89**
Nicholas St. *Hett H* —6D **136**
Nichol Ct. *Newc T* —4H **65**
Nicholson Clo. *Sund* —1E **117**
Nicholson's Ter. *Beam* —1B **122**
Nicholson Ter. *Newc T* —4E **43**
Nichol St. *Newc T* —4H **65**
Nickleby Chare. *Dur* —2B **158**
Nidderdale Av. *Hett H* —3B **146**
Nidderdale Clo. *Bly* —5G **9**
Nidsdale Av. *Newc T* —2G **69**
Nightingale Clo. *Sund* —3C **114**
Nightingale Pl. *S'ley* —4F **121**
Nile Clo. *Newc T* —1A **64**
Nile Ct. *Gate* —2A **82**
Nile St. *N Shi* —2C **60**
Nile St. *S Shi* —5D **60**
Nile St. *Sund* —6E **103**
Nilverton Av. *Sund* —4D **116**
Nimbus Ct. *Sund* —3A **130**
Nine Lands. *Hou S* —3G **135**
Nine Pins. *Gate* —5G **81**
Ninnian Ter. *Dip* —2C **118**
Ninth Av. *Bly* —1B **16**

Ninth Av. *Ches S* —6B **124**
Ninth Av. *Newc T* —1C **68**
Ninth Av. *Team T* —2F **95**
Ninth Av. E. *Team T* —2F **95**
Ninth St. *Pet* —6G **161**
Nissan Way. *Sund* —6F **99**
Nithdale Clo. *Newc T* —1H **69**
Nixon St. *Gate* —5A **68**
Nixon Ter. *Bla T* —2H **77**
Nixon Ter. *Bly* —1D **16**
Nobbyends La. *Bla T* —3F **77**
Noble Gdns. *S Shi* —5B **72**
Noble's Bank Rd. *Sund* —2F **117**
Noble St. *Gate* —2D **82**
Noble St. *Newc T* —6B **66**
Noble St. *Pet* —1E **161**
Noble St. *Sund* —2F **117**
Noble St. Ind. Est. *Newc T* —6B **66**
Noble Ter. *Sund* —2F **117**
Noel Av. *Winl M* —5A **78**
Noel St. *S'ley* —2F **121**
Noel Ter. *Winl M* —4B **78**
Noirmont Way. *Sund* —3G **129**
Nook Cotts., The. *Sund* —3E **115**
Nookside. *Sund* —3E **115**
Nookside Ct. *Sund* —3E **115**
Nook, The. *N Shi* —2B **60**
Nook, The. *Whit B* —1B **46**
No Place. —2H 121
Nora St. *S Shi* —4E **73**
Nora St. *Sund* —3H **115**
Norbury Gro. *Newc T* —4D **68**
Nordale Way. *Bly* —5G **9**
Norfolk Av. *Bir* —6C **110**
Norfolk Av. *Sund* —1H **129**
Norfolk Clo. *S'hm* —2G **139**
Norfolk Dri. *Wash* —3B **98**
Norfolk Gdns. *W'snd* —3C **58**
Norfolk M. *N Shi* —1C **60**
Norfolk Pl. *Bir* —6D **110**
Norfolk Rd. *Gate* —5A **68**
Norfolk Rd. *S Shi* —2C **74**
Norfolk Sq. *Newc T* —3B **68**
Norfolk St. *Hett H* —1B **146**
Norfolk St. *N Shi* —1D **60**
Norfolk St. *Sund* —6D **102**
Norfolk Wlk. *Pet* —5C **160**
Norfolk Way. *Newc T* —2C **64**
Norgas Ho. *Newc T* —3C **42**
Norham Av. N. *S Shi* —1A **74**
Norham Av. S. *S Shi* —1A **74**
Norham Clo. *Bly* —6A **10**
Norham Clo. *Wide* —6C **90**
Norham Ct. *Wash* —3H **111**
Norham Dri. *Newc T* —4C **52**
Norham Dri. *Pet* —4C **162**
Norham Pl. *Newc T* —6G **55**
Norham Rd. *Dur* —6D **142**
Norham Rd. *Newc T* —1D **54**
Norham Rd. *N Shi* —1G **59**
Norham Rd. *Whit B* —6B **34**
Norham Rd. N. *N Shi* —5F **45**
Norham Ter. *Bla T* —1H **77**
Norham Ter. *Jar* —5F **71**
Norhurst. *Newc T* —6C **78**
Norland Rd. *Newc T* —3D **64**
Norley Av. *Sund* —3C **102**
Norma Cres. *Whit B* —1E **47**
Norman Av. *Sund* —2B **130**
Normanby Clo. *S'hm* —2G **139**
Normanby Ct. *Sund* —4F **103**
Normandy Cres. *Hou S* —3B **136**
Norman Rd. *Row G* —4E **91**
Norman Ter. *H Pitt* —2G **155**
Norman Ter. *Will Q* —5F **59**
Normanton Ter. *Newc T* —4C **66**

Normount Av. *Newc T* —4A **66**
Normount Gdns. *Newc T* —4A **66**
Normount Rd. *Newc T* —4A **66**
Northampton Rd. *Pet* —5C **160**
Northamptonshire Dri. *Dur* —4B **154**
North App. *Ches S* —5B **124**
North Av. *Gos* —3D **54**
North Av. *Pet* —6F **161**
North Av. *S Shi* —3H **73**
North Av. *Wash* —4A **98**
North Av. *W'hpe* —5D **52**
North Bailey. *Dur* —6C **152**
North Bank Ct. *Sund* —3B **102**
North Blyth. —4C 10
Northbourne Rd. *Jar* —3E **71**
Northbourne St. *Gate* —3H **81**
Northbourne St. *Newc T* —5B **66**
N. Brancepeth Ter. *Lang M* —3G **157**
N. Bridge St. *Sund* —5D **102**
North Burns. *Ches S* —5C **124**
Northburn Wood. *Cra* —5A **14**
N. Church St. *N Shi* —1D **60**
North Clo. *Newc T* —2C **68**
North Clo. *Ryton* —4C **62**
North Clo. *S Shi* —3H **73**
N. Coronation St. *Mur* —2D **148**
Northcote. *Whi* —6E **79**
Northcote Av. *Newc T* —6A **52**
Northcote Av. *Sund* —1E **117**
Northcote Av. *Whit B* —1H **45**
Northcote St. *Newc T* —4C **66**
Northcote St. *S Shi* —1F **73**
Northcott Gdns. *Seg* —2E **31**
North Ct. *Jar* —2F **71**
North Cres. *Dur* —4A **152**
North Cres. *Pet* —2B **160**
North Cres. *Wash* —6H **111**
North Cft. *Newc T* —6E **43**
N. Cross St. *Newc T* —2E **55**
Northdene. *Bir* —6C **96**
Northdene Av. *S'hm* —3B **140**
North Dri. *Heb* —4A **70**
North Dri. *Sund* —2G **87**
North Dri. *Wash* —2D **124**
N. Durham St. *Sund* —6E **103**
North East Aircraft Museum.
—3A **100**
N. Eastern Ct. *Gate* —4A **80**
N. E. Exhibition Cen. *Newc T* —2F **41**
—5F **81**
N. East Ind. Est. *Pet* —4D **160**
North End. —4A 152
North End. *B'don* —4C **156**
North End. *Dur* —4A **152**
Northern Promenade. *Whit B* —3C **34**
Northern Ter. *Dud* —2A **30**
Northern Way. *Sund* —3A **102**
North Farm. *Ned V* —5C **6**
North Farm Av. *Sund* —5D **114**
North Farm Rd. *Heb* —4B **70**
Northfield. *E Sle* —1H **9**
Northfield Clo. *Whi* —5D **78**
Northfield Dri. *Newc T* —3B **42**
Northfield Dri. *Sund* —5D **114**
Northfield Gdns. *S Shi* —1H **73**
Northfield Rd. *Newc T* —3D **54**
Northfield Rd. *S Shi* —6H **61**
Northgate. *Newc T* —1D **42**
Northgate. *S'ley* —6F **119**
North Grange. *Pon* —3E **25**
North Gro. *Ryton* —4D **62**
North Gro. *Sund* —2E **103**
North Guards. *Sund* —3E **89**
North Hall Rd. *Sund* —3F **115**
North Haven. *S'hm* —3H **139**

North Hylton. —6C 100
N. Hylton Rd. *Sund* —3F **101**
N. Hylton Rd. Ind. Est. *Sund* —3F **101**
N. Jesmond Av. *Newc T* —4G **55**
N. King St. *N Shi* —1D **60**
Northland Clo. *Sund* —5D **114**
Northlands. *Bla T* —2H **77**
Northlands. *Ches S* —3C **124**
Northlands. *N Shi* —4D **46**
North La. *E Bol* —4E **87**
North La. *Hett H* —5G **137**
Northlea. —3H 139
Northlea. *Newc T* —1C **64**
(in two parts)
Northlea Rd. *S'hm* —3G **139**
North Leigh. *Tan L* —6B **106**
North Lodge. —2D 124
North Lodge. *Ches S* —2C **124**
N. Mason Lodge. *Din* —3F **27**
N. Milburn St. *Sund* —6B **102**
N. Moor Cotts. *Sund* —6G **115**
N. Moor Ct. *Sund* —6G **115**
N. Moor La. *Sund* —6G **115**
Northmoor Rd. *Newc T* —1E **69**
N. Moor Rd. *Sund* —6G **115**
N. Nelson Ind. Est. *Cra* —5G **13**
North of England Open Air
Museum, The. —5H **107**
Northolt Av. *Cra* —2B **20**
North Pde. *N Shi* —5A **60**
North Pde. *Whit B* —6D **34**
N. Railway St. *S'hm* —4B **140**
N. Ravensworth St. *Sund* —6B **102**
N. Ridge. *Bed* —4F **7**
(nr. Netherton La.)
N. Ridge. *Bed* —4G **7**
(nr. Northumberland Av.)
North Ridge. *Whit B* —6G **33**
North Rd. *Bol C* —2A **86**
(in two parts)
North Rd. *Ches S* —2C **124**
North Rd. *Dip* —2E **119**
North Rd. *Dur* —4B **152**
North Rd. *E Bol* —4E **87**
(in two parts)
North Rd. *Hett H* —5H **135**
North Rd. *N Shi* —5B **46**
North Rd. *Pon* —3E **25**
(in two parts)
North Rd. *S'hm* —2B **140**
North Rd. *W'snd* —5H **57**
North Row. *Back* —4C **32**
N. Sands Bus. Cen. *Sund* —5E **103**
North Shields. —2C 60
Northside. —1D 110
North Side. *Bir* —1D **110**
Northside Pl. *H'wll* —1C **32**
North St. *Bir* —4E **111**
North St. *Bla T* —2G **77**
North St. *Cle* —2A **88**
North St. *E Rai* —1H **145**
North St. *Jar* —2F **71**
North St. *Nbtle* —5H **127**
North St. *Newc T* —3G **67** (3D **4**)
North St. *New S* —1A **130**
North St. *S Shi* —4E **61**
North St. *Sund* —4C **102**
North St. *W Rai* —3D **144**
North St. Ct. *Newc T* —1B **5**
North St. E. *Newc T* —3G **67** (3E **5**)
North Ter. *Dur* —1A **152**
North Ter. *Newc T* —2E **67**
North Ter. *Pet* —2B **160**
North Ter. *S'hm* —3B **140**
North Ter. *Seg* —1F **31**
North Ter. *S'ley* —4A **120**

North Ter. *Sund* —1B **130**
North Ter. *W'snd* —5B **58**
North Ter. *W All* —4C **44**
N. Thorn. *S'ley* —2D **120**
N. Tyne Ind. Est. *Bent* —5G **43**
Northumberland Annexe. *Newc T*
—2E **5**
Northumberland Av. *Bed* —6G **7**
Northumberland Av. *For H* —6D **42**
Northumberland Av. *Gos* —3C **54**
Northumberland Av. *W'snd* —5D **58**
Northumberland Building. *Newc T*
—2E **5**
Northumberland County
Cricket Ground. —1H **67**
Northumberland Ct. *Heb* —4B **70**
Northumberland Dock Rd. *W'snd*
—6G **59**
Northumberland Gdns. *Jes* —1A **68**
Northumberland Gdns. *Walb* —4H **51**
Northumberland Ho. *Cra* —3C **20**
Northumberland Pl. *Bir* —6D **110**
Northumberland Pl. *Newc T*
—3F **67** (4D **4**)
Northumberland Pl. *N Shi* —1C **60**
Northumberland Pl. *Pet* —5B **160**
Northumberland Rd. *Lem* —3A **64**
Northumberland Rd. *Newc T* —3F **67**
(in two parts)
Northumberland Rd. *Ryton* —3C **62**
Northumberland Sq. *N Shi* —1C **60**
Northumberland Sq. *Whit B* —6C **34**
Northumberland St. *Gate* —2E **81**
Northumberland St. *Newc T* —3F **67**
(in two parts)
Northumberland St. *N Shi* —1E **61**
Northumberland St. *Pet* —5F **161**
Northumberland St. *W'snd* —5A **58**
Northumberland Ter. *Newc T* —3B **68**
Northumberland Ter. *N Shi* —6F **47**
Northumberland Ter. W'snd —5D **58**
(off Northumberland Av.)
Northumberland Vs. *W'snd* —5C **58**
Northumberland Way. *Wash* —1A **98**
(NE37)
Northumberland Way. *Wash*
(NE38) —1C **112**
Northumbria Birds of Prey Centre.
—2A **42**
Northumbria Ho. *Newc T* —1E **55**
Northumbria Lodge. *Newc T* —6A **54**
Northumbrian *Cra* —4B **20**
Northumbrian Rd. *Cra* —1A **20**
Northumbrian Way. *Newc T* —2B **42**
Northumbrian Way. *N Shi* —4C **60**
Northumbria Pl. *S'ley* —2F **121**
Northumbria Wlk. *Newc T* —6D **52**
North Vw. *Bear* —4C **150**
North Vw. *Bed* —2D **8**
North Vw. *Cas E* —6B **162**
North Vw. *C'twn* —4E **101**
North Vw. *Cul* —1E **47**
North Vw. *Din* —4F **27**
North Vw. *Dur* —5G **153**
North Vw. *Eas L* —4E **147**
North Vw. *For H* —5D **42**
North Vw. *Gate* —2B **96**
North Vw. *Haz* —1C **40**
North Vw. *Jar* —3E **71**
North Vw. *Mead* —6E **157**
North Vw. *Mur* —3C **148**
North Vw. *Newc T* —3B **68**
(in two parts)
North Vw. *Newf* —4F **123**
North Vw. *New L* —1C **134**
North Vw. *Pre* —5B **46**

North Vw. *Ryh* —3F **131**
(off Stockton Rd.)
North Vw. *Ryton* —4A **62**
North Vw. *S Hill* —6H **155**
North Vw. *S Hyl* —2C **114**
North Vw. *S Shi* —1H **73**
North Vw. *S'ley* —6F **121**
North Vw. *Sund* —2D **102**
North Vw. *W'snd* —5A **58**
North Vw. *Wash* —5B **98**
North Vw. *Whi* —4E **79**
N. View E. *Row G* —3C **90**
N. View Ter. *Col R* —3F **135**
N. View Ter. *Gate* —2C **82**
N. View W. *Row G* —3B **90**
North Vs. *Dud* —2A **30**
N. Walbottle Rd. *N Wal & Newc T*
—5G **51**
Northway. *Gate* —4B **82**
Northway. *Newc T* —4D **50**
North Way. *Ous* —6G **109**
N. West Ind. Est. *N West* —6A **160**
Northwood Ct. *Sund* —3C **102**
Northwood Rd. *S'hm* —3H **139**
Norton Av. *S'hm* —2G **139**
Norton Clo. *Ches S* —2A **132**
Norton Rd. *Bed* —6B **8**
Norton Rd. *Sund* —2A **102**
Norton Way. *Newc T* —3C **64**
Norway Av. *Sund* —3G **115**
Norwich Av. *Wide* —6D **28**
Norwich Clo. *Gt Lum* —4H **133**
Norwich Rd. *Dur* —6D **142**
Norwich Way. *Cra* —2A **20**
(in two parts)
Norwich Way. *Jar* —2F **85**
Norwood Av. *Gos* —4E **41**
Norwood Av. *Hea* —6B **56**
Norwood Ct. *Eig B* —3C **96**
Norwood Ct. *Newc T* —1D **56**
Norwood Cres. *Row G* —3F **91**
Norwood Gdns. *Gate* —3A **82**
Norwood Rd. *Gate* —3D **80**
Norwood Rd. *Newc T* —1B **64**
Nottingham Pl. *Pet* —5B **160**
Nottinghamshire Rd. *Dur* —4A **154**
Numbers Gth. *Sund* —2E **103**
Nuneaton Way. *Newc T* —3H **51**
Nunn St. *Hou S* —4E **127**
Nuns La. *Gate* —6H **67**
Nuns La. *Newc T* —4F **67** (5C **4**)
Nuns Moor. —6B **54**
Nuns Moor Cres. *Newc T* —2A **66**
Nuns Moor Rd. *Newc T* —2A **66**
Nuns' Row. *Dur* —4F **153**
Nun St. *Newc T* —4F **67** (4C **4**)
Nunthorpe Av. *Sund* —6F **117**
Nunwick Gdns. *N Shi* —1G **59**
Nunwick Way. *Newc T* —4D **56**
Nurseries, The. *Cle* —2A **88**
Nursery Clo. *Sund* —5A **116**
Nursery La. *Cle* —2A **88**
(in two parts)
Nursery La. *Gate* —4C **82**
Nursery Rd. *Sund* —5A **116**
Nutley Pl. *Newc T* —4E **65**
Nye Dene. *Sund* —4D **100**

Oakapple Clo. *Bed* —4H **7**
Oak Av. *Din* —4G **27**
Oak Av. *Dur* —6G **153**
Oak Av. *Gate* —4B **80**
Oak Av. *Hou S* —2H **135**
Oak Av. *S Shi* —4A **74**
Oak Cres. *Kim* —1A **142**

Oak Cres. *Whi* —2G **89**
Oakdale. *Ned V* —5D **6**
Oakdale Clo. *Newc T* —3B **64**
Oakdale Ter. *Ches S* —1C **132**
Oakenshaw. *Newc T* —3C **64**
Oakerside Dri. *Pet* —2C **162**
Oakey's Rd. *S'ley* —1D **120**
Oakfield Av. *Whi* —5F **79**
Oakfield Clo. *Sund* —3E **129**
Oakfield Clo. *Whi* —5F **79**
Oakfield Ct. *Sund* —3E **129**
Oakfield Dri. *Kil* —2F **43**
Oakfield Dri. *Whi* —5F **79**
Oakfield Gdns. *Newc T* —4H **65**
Oakfield Gdns. *W'snd* —4F **57**
Oakfield N. *Ryton* —4B **62**
Oakfield Rd. *Gate* —5C **80**
Oakfield Rd. *Newc T* —4D **54**
Oakfield Rd. *Whi* —6D **78**
Oakfields. *Burn* —6H **91**
Oakfield Ter. *For H* —4E **43**
Oakfield Ter. *Gate* —2G **83**
Oakfield Ter. *Gos* —3D **54**
Oakfield Way. *Seg* —2F **31**
Oakgreen. *B'don* —5D **156**
Oak Gro. *Newc T* —5D **42**
Oak Gro. *W'snd* —6B **58**
Oakham Av. *Newc T* —5D **78**
Oakham Dri. *Dur* —2B **154**
Oakham Gdns. *N Shi* —3A **60**
(in two parts)
Oakhurst Dri. *Newc T* —4C **54**
Oakhurst Ter. *Newc T* —1D **56**
Oakland Rd. *Newc T* —5F **55**
Oakland Rd. *Whit B* —1H **45**
Oaklands. *Newc T* —4E **55**
Oaklands. *Pon* —1D **36**
Oaklands. *Swa* —2F **79**
Oaklands Av. *Newc T* —4E **55**
Oaklands Ct. *Pon* —1D **36**
Oaklands Cres. *Sund* —3H **101**
Oaklands Ter. *Sund* —2A **116**
Oaklea. *Ches S* —4A **124**
Oakleigh Gdns. *Sund* —1A **88**
Oakley Clo. *Ann* —3B **30**
Oakley Dri. *Cra* —2C **20**
Oakmere Clo. *Shin R* —3F **127**
Oakridge. *Whi* —5D **78**
Oakridge Rd. *Ush M* —5C **150**
Oak Rd. *N Shi* —6F **45**
Oak Rd. *Pet* —1C **160**
Oak Sq. *Gate* —2E **81**
Oaks, The. *G'sde* —2B **76**
Oaks, The. *Pen* —1F **127**
Oaks, The. *Sund* —2E **117**
Oak St. *Hou S* —2C **134**
Oak St. *Jar* —2E **71**
Oak St. *Newc T* —5D **50**
Oak St. *Sea B* —3E **29**
Oak St. *Sund* —1F **117**
Oak St. *Wash* —3D **112**
Oaks W., The. *Sund* —2D **116**
Oak Ter. *Bla T* —2A **78**
Oak Ter. *Burn* —6A **92**
Oak Ter. *Cat* —4E **119**
Oak Ter. *Crag* —6F **121**
Oak Ter. *Mur* —2D **148**
Oak Ter. *Pelt* —2E **123**
Oak Ter. *Pet* —1G **163**
Oak Ter. *Tant* —5H **105**
Oaktree Av. *Newc T* —6G **57**
Oaktree Gdns. *Whit B* —2A **46**
(in two parts)
Oakwellgate. *Gate* —5H **67**
Oakwood. *Gate* —6E **83**
(in three parts)

Oakwood. *Heb* —2A **70**
Oakwood. *S Het* —6B **148**
Oakwood. *S'ley* —5E **119**
Oakwood Av. *Gate* —2A **96**
Oakwood Av. *N Gos* —6E **29**
Oakwood Clo. *Gate* —4F **97**
Oakwood Ct. *S'ley* —5E **119**
Oakwood Gdns. *Gate* —5D **80**
Oakwood Pl. *Newc T* —6G **53**
Oakwood St. *Sund* —2B **116**
Oakwood Ter. *W'snd* —5H **59**
Oates St. *Sund* —1A **116**
Oatlands Rd. *Sund* —3G **115**
Oatlands Way. *Dur* —5C **142**
Oban Av. *W'snd* —3D **58**
(in two parts)
Oban Ct. *Newc T* —4C **68**
Oban Gdns. *Newc T* —4C **68**
Oban St. *Gate* —2C **82**
Oban St. *Jar* —6A **72**
Oban Ter. *Gate* —2C **82**
Obelisk La. *Dur* —5B **152**
Occupation Rd. *S Shi* —6H **73**
Ocean Rd. *S Shi* —4E **61**
Ocean Rd. *Sund* —5F **117**
Ocean Rd. E. *Sund* —5G **117**
Ocean Rd. N. *Sund* —5F **117**
Ocean Rd. N. *Sund* —5F **117**
(off Ocean Rd.)
Ocean Rd. S. *Sund* —5F **117**
(off Ocean Rd.)
Ocean Vw. *Sund* —2F **131**
Ocean Vw. *Whit B* —6D **34**
Ochiltree Ct. *Sea S* —3H **23**
Octavia Clo. *Bed* —3G **7**
Octavia Ct. *W'snd* —3D **58**
Octavian Way. *Team T* —2E **95**
Offerton. —4A **114**
Offerton Clo. *Sund* —1C **114**
Offerton La. *Sund* —5G **113**
Offerton St. *Sund* —1A **116**
Office Pl. *Hett H* —2C **146**
Office Row. *Burr* —6C **30**
Office Row. *Hou S* —2A **128**
Office Row. *Wash* —6G **111**
Office St. *Pet* —1F **161**
Ogden St. *Sund* —1A **116**
Ogle Av. *Haz* —1C **40**
Ogle Dri. *Bly* —1A **16**
Ogle Gro. *Jar* —6E **71**
O'Hanlon Cres. *W'snd* —3G **57**
Oil Mill Rd. *Newc T* —2H **69**
Okehampton Ct. *Gate* —3A **96**
Okehampton Dri. *Hou S* —5G **127**
Okehampton Sq. *Sund* —2A **102**
Old Benwell. —4F **65**
Old Blackett St. *S'ley* —4E **119**
Old Coronation St. *S Shi* —5E **61**
Old Course Rd. *Sund* —3A **88**
Old Crow Hall La. *Cra* —2H **19**
Old Durham. —1F **159**
Old Durham Rd. *Gate* —2H **81**
Old Elvet. *Dur* —6D **152**
Old Farm Ct. *Sun* —3F **93**
Oldfield Rd. *Newc T* —6F **69**
Old Fold. —1C **82**
Old Fold Rd. *Gate* —1B **82**
Old George Yd. *Newc T*
—4F **67** (5D **4**)
Old Mill La. *Gt Lum* —6F **133**
Old Mill Rd. *Hen* —2F **117**
Old Mill Rd. *Sund* —2A **102**
Old Newbiggin La. *Newc T* —2D **52**
Old Pit La. *Dur* —6C **142**
Old Pit Ter. *Dur* —6C **142**
Old Rectory Clo. *Tan* —3B **106**
Old Sta. Ct. *Pon* —2C **36**

Oldstead Gdns. *Sund* —3G **115**
Oldstone Rd. *Cra* —4E **21**
Old Vicarage Wlk. *Newc T* —4C **68**
Old Well La. *Bla T* —2H **77**
Olga Ter. *Row G* —4C **90**
Olive Gdns. *Gate* —5A **82**
Olive Pl. *Newc T* —2H **65**
Oliver Av. *Newc T* —3A **66**
Oliver Ct. *Newc T* —6F **69**
Oliver Cres. *Bir* —1C **110**
Oliver Pl. *Dur* —2A **158**
Oliver St. *Mur* —4E **149**
Oliver St. *S'hm* —3H **139**
Oliver St. *S'ley* —5C **120**
Oliver St. *Wash* —3C **112**
Olive St. *S Shi* —3D **72**
Olive St. *Sund* —1C **116**
Ollerton Dri. *Newc T* —5B **50**
Ollerton Gdns. *Gate* —5C **82**
Olney Clo. *Cra* —2D **20**
Ongar Way. *Newc T* —6B **42**
Onslow Gdns. *Gate* —6H **81**
Onslow St. *Sund* —6G **101**
Onslow Ter. *Lang M* —4G **157**
Open, The. *Newc T* —3F **67** (3C **4**)
Orange Gro. *Ann* —2B **30**
Orange Gro. *Whi* —4G **79**
Orchard Av. *Row G* —4D **90**
Orchard Clo. *Newc T* —3F **43**
Orchard Clo. *Row G* —5D **90**
Orchard Clo. *Sun* —2F **93**
Orchard Clo. *W Pel* —3C **122**
Orchard Ct. *Ryton* —4C **62**
Orchard Dene. *Row G* —4D **90**
Orchard Dri. *Dur* —4E **153**
Orchard Gdns. *Ches S* —2C **132**
Orchard Gdns. *Gate* —1A **96**
Orchard Gdns. *Sund* —3E **89**
Orchard Gdns. *W'snd* —4G **57**
Orchard Grn. *Newc T* —4H **53**
Orchard Leigh. *Newc T* —3C **64**
Orchard Pk. *Bir* —3C **110**
Orchard Pl. *Newc T* —6H **55**
Orchard Rd. *Row G* —4D **90**
Orchard Rd. *Whi* —4G **79**
Orchards, The. *Bly* —5H **9**
Orchard St. *Bir* —3C **110**
Orchard St. *Newc T* —5F **67** (6D **4**)
Orchard St. *Pelt* —2G **123**
Orchard St. *Sund* —6H **101**
Orchard Ter. *Ches S* —2C **132**
Orchard Ter. *Lem* —3A **64**
Orchard Ter. *Newc T* —5D **50**
Orchard, The. *Ches S* —5D **124**
Orchard, The. *E Bol* —4E **87**
Orchard, The. *Newc T* —3B **64**
Orchard, The. *N Shi* —2C **60**
Orchard, The. *Pity Me* —6B **142**
Orchard, The. *Whi* —4G **79**
Orchid Clo. *S Shi* —4D **72**
Orchid, The. *Whi* —4G **79**
Ord Ct. *Newc T* —2H **65**
Orde Av. *W'snd* —4C **58**
Ordley Clo. *Newc T* —3C **64**
Ord St. *Newc T* —6E **67**
Orkney Dri. *Ryh* —1D **130**
Orlando Rd. *N Shi* —1A **60**
Ormesby Rd. *Sund* —2D **102**
Ormiscraig. *Newc T* —3C **64**
Ormiston. *Newc T* —3C **64**
Ormonde Av. *Newc T* —3E **65**
Ormonde St. *Jar* —2F **71**
Ormonde St. *Sund* —2H **115**
Ormsby Grn. *Newc T* —1E **65**
Ormskirk Clo. *Newc T* —3B **64**
Ormskirk Gro. *Cra* —2C **20**

Ormston St. *H'fd* —4B **14**
Orpen Av. *S Shi* —6E **73**
Orpington Av. *Newc T* —2E **69**
Orpington Rd. *Cra* —2C **20**
Orr Av. *Sund* —3B **130**
Orton Clo. *Newc T* —5A **66**
Orwell Clo. *Pet* —3B **162**
Orwell Clo. *S Shi* —1D **86**
Orwell Gdns. *S'ley* —5C **120**
Orwell Grn. *Newc T* —4A **54**
Osbaldeston Gdns. *Newc T* —4D **54**
Osborne Av. *Newc T* —1G **67**
Osborne Av. *S Shi* —6F **61**
Osborne Bldgs. *S'ley* —5B **120**
Osborne Clo. *Bed* —3C **8**
Osborne Ct. *Newc T* —1H **67**
Osborne Gdns. *N Shi* —6C **46**
Osborne Gdns. *Whit B* —6B **34**
Osborne Pl. *Newc T* —4F **43**
Osborne Rd. *Ches S* —6C **124**
Osborne Rd. *Newc T* —4F **55**
Osborne Rd. *Sund* —6C **100**
Osborne St. *Sund* —3D **102**
Osborne Ter. *Cra* —6H **21**
Osborne Ter. *Gate* —2G **81**
Osborne Ter. *Newc T* —2G **67** (1F **5**)
Osborne Ter. *Pet* —2B **160**
Osborne Vs. *Newc T* —1G **67**
Osborne Vs. *S'ley* —1C **120**
Osbourne Rd. *Newc T* —1G **67**
Oslo Clo. *Tyn T* —4F **59**
Osman Clo. *Sund* —2E **117**
Osman Ter. *Hou S* —1E **135**
Osmond Ter. *Shin R* —3E **127**
Osprey Dri. *Bly* —2C **16**
Osprey Way. *S Shi* —5D **72**
Oswald Av. *Dur* —6G **153**
Oswald Clo. *Dur* —6G **153**
Oswald Cotts. *Gate* —2C **96**
Oswald Ct. *Dur* —1D **158**
Oswald Rd. *Hett H* —6C **136**
Oswald St. *S Shi* —6E **73**
Oswald St. *S'ley* —6H **121**
Oswald St. *Sund* —6A **102**
Oswald Ter. *Gate* —2F **81**
Oswald Ter. *Pet* —1D **160**
Oswald Ter. *S'ley* —6C **120**
Oswald Ter. *Sund* —5F **117**
Oswald Ter. S. *Sund* —4E **101**
Oswald Ter. W. *Sund* —4E **101**
Oswald Wlk. *Newc T* —2G **55**
Oswestry Pl. *Cra* —2C **20**
(in two parts)
Oswin Av. *Newc T* —5D **42**
Oswin Ct. *Newc T* —4E **43**
Oswin Rd. *Newc T* —4D **42**
Oswin Ter. *N Shi* —2H **59**
Otley Clo. *Cra* —2D **20**
Otterburn Av. *Newc T* —3C **54**
Otterburn Av. *S Well* —1F **45**
Otterburn Clo. *Newc T* —5F **43**
Otterburn Ct. *Gate* —2F **81**
Otterburn Ct. *Whit B* —1F **45**
Otterburn Cres. *Hou S* —2G **135**
Otterburn Gdns. *Dun* —4C **80**
Otterburn Gdns. *Gate* —6G **81**
Otterburn Gdns. *S Shi* —3G **73**
Otterburn Gdns. *Whi* —4F **79**
Otterburn Gro. *Bly* —2H **15**
Otterburn Rd. *N Shi* —6B **46**
Otterburn Ter. *Newc T* —6G **55**
Otterburn Vs. *Newc T* —6G **55**
(off Otterburn Ter.)
Otterburn Vs. *Newc T* —6G **55**
Otterburn Vs. S. *Newc T* —6G **55**
(off Otterburn Ter.)

Ottercap Clo. *Newc T* —3B **64**
Otterington. *Wash* —3E **113**
Ottershaw. *Newc T* —3C **64**
Otto Ter. *Sund* —2B **116**
Ottovale Cres. *Bla T* —2G **77**
Ottringham Clo. *Newc T* —3B **64**
Oulton Clo. *Cra* —2C **20**
Oulton Clo. *Newc T* —3F **53**
Ousby Ct. *Newc T* —6H **39**
Ouseburn Clo. *Sund* —1F **131**
Ouseburn Rd. *Newc T* —3A **68**
(NE1)
Ouseburn Rd. *Newc T* —2A **68**
(NE6)
Ouse Cres. *Gt Lum* —4H **133**
Ouselaw. *Gate* —1F **109**
Ouse St. *Newc T* —4A **68**
Ouslaw La. *Kib* —1D **108**
Ouston. —5H 109
Ouston Clo. *Gate* —4A **84**
Ouston La. *Pelt* —2H **123**
(in two parts)
Ouston St. *Newc T* —4D **64**
Outram St. *Hou S* —2A **136**
Oval Pk. Vw. *Gate* —4D **82**
Oval, The. *Bed* —4C **8**
Oval, The. *Bly* —4H **15**
Oval, The. *Ches M* —4B **132**
Oval, The. *For H* —1E **57**
Oval, The. *Hou S* —3H **135**
Oval, The. *Ous* —5H **109**
Oval, The. *Ryton* —4C **62**
Oval, The. Sund —3B 102
(off Burnbank)
Oval, The. *Walk* —6D **68**
Oval, The. *Wash* —5B **98**
Oval, The. *Wool* —5D **38**
Overdene. *Dal D* —6F **139**
Overdene. *Newc T* —2D **64**
Overfield Rd. *Newc T* —2B **54**
Overhill Ter. *Gate* —2F **81**
Overman St. *H Shin* —5H **159**
Overstone Av. *G'sde* —1A **76**
Overton Clo. *Newc T* —3B **64**
Overton Rd. *N Shi* —5A **46**
Ovingham Clo. *Wash* —2D **112**
Ovingham Gdns. *Wide* —5D **28**
Ovington Gro. *Newc T* —2G **65**
Owen Brannigan Dri. *Dud* —4B **30**
Owen Ct. *Newc T* —2E **67**
Owen Dri. *W Bol & Bol C* —3D **86**
Owengate. *Dur* —6C **152**
Owen Ter. *Tant* —5H **105**
Owlet Clo. *Bla T* —2G **77**
Oxberry Gdns. *Gate* —4C **82**
Oxbridge St. *Sund* —5F **117**
Oxclose. —2G 111
Ox Clo. *Wylam* —6D **48**
Oxclose Rd. *Wash* —3C **112**
Oxclose Village Cen. *Wash* —3G **111**
Oxford Av. *Cra* —2C **20**
Oxford Av. *S Shi* —1F **73**
Oxford Av. *W'snd* —4G **57**
Oxford Av. *Wash* —5H **97**
Oxford Clo. *Sund* —1H **129**
Oxford Cres. *Heb* —3D **70**
Oxford Cres. *Hett H* —1B **146**
Oxford Pl. *Bir* —6C **110**
Oxfordshire Dri. *Dur* —4A **154**
Oxford Sq. *Sund* —6G **101**
Oxford St. *Bly* —6D **10**
Oxford St. *Newc T* —3G **67** (3E **5**)
Oxford St. *S'hm* —4G **139**
Oxford St. *S Shi* —1F **73**
Oxford St. *S'ley* —4F **119**
Oxford St. *Sund* —6G **101**

Oxford St. *Tyn* —6F **47**
Oxford St. *Whit B* —6D **34**
Oxford Ter. *Gate* —2G **81**
Oxford Ter. *Shin R* —3E **127**
Oxford Way. *Jar* —2F **85**
Oxhill. —4B 120
Oxhill Vs. *S'ley* —4H **119**
Oxley Ter. *Dur* —6A **142**
Oxnam Cres. *Newc T* —2D **66**
Oxted Clo. *Cra* —2D **20**
Oxted Pl. *Newc T* —6E **69**
Oyston St. *S Shi* —5E **61**
Ozanan Clo. *Dud* —4B **30**

Pacific Hall Clo. *S'hm* —3E **139**
Packham Rd. *Sund* —2E **115**
Paddock Clo. *Shin R* —4D **126**
Paddock Clo. *Sund* —2G **87**
Paddock Hill. *Pon* —4F **25**
Paddock La. *Sund* —2B **130**
Paddock, The. *Bly* —6A **10**
Paddock, The. *Cra* —4D **20**
Paddock, The. *Gate* —5F **83**
Paddock, The. *H Spen* —1A **90**
Paddock, The. *Kil* —2E **43**
Paddock, The. *Newc T* —6F **51**
Paddock, The. *Tan L* —1A **120**
Paddock, The. *W Her* —2B **128**
Paddock, The. *Wool* —5D **38**
Pader Clo. *Haz* —6C **28**
Padgate Rd. *Sund* —1E **115**
Padonhill. *Sund* —4G **129**
Padstow Clo. *Sund* —1F **131**
Padstow Gdns. *Gate* —3H **95**
Padstow Rd. *N Shi* —3A **60**
Page Av. *S Shi* —2G **73**
Page's Bldgs. *Bol C* —3A **86**
Page St. *Heb* —2D **70**
Paignton Av. *Newc T* —4A **66**
Paignton Av. *Whit B* —1H **45**
Paignton Sq. *Sund* —5G **115**
Painter Heugh. *Newc T*
—5G **67** (5E **5**)
Paisley Sq. *Sund* —5G **115**
Palace Grn. *Dur* —6C **152**
Palace Rd. *Bed* —3D **8**
Palace St. *Newc T* —5D **66** (6A **4**)
Palatine St. *S Shi* —3E **61**
Palatine Vw. Dur —6B 152
  (off Margery La.)
Palermo St. *Sund* —5H **101**
Paley St. *Sund* —6C **102**
Palgrove Rd. *Sund* —2E **115**
Palgrove Sq. *Sund* —2E **115**
Pallinsburn Ct. *Newc T* —4F **53**
Pallion. —5H 101
Pallion Ind. Est. *Sund* —6F **101**
Pallion New Rd. *Sund* —5H **101**
Pallion Pk. *Sund* —6H **101**
Pallion Retail Pk. *Sund* —5G **101**
Pallion Rd. *Sund* —1H **115**
Pallion Subway. *Sund* —5G **101**
Pallion Way. *Sund* —6F **101**
Pallion W. Ind. Est. *Sund* —5F **101**
Palm Av. *Newc T* —2A **66**
Palm Av. *S Shi* —4A **74**
Palm Ct. *Newc T* —4F **43**
Palmer Cres. *Heb* —3D **70**
Palmer Cres. *Pet* —6G **161**
Palmer Gdns. *Gate* —3A **84**
Palmer Rd. *Dip* —6E **105**
Palmer Rd. *S West* —2A **162**
Palmers Gth. *Dur* —6D **152**
Palmers Grn. *Newc T* —4F **43**
Palmer's Hill Rd. *Sund* —5D **102**

Palmerston Av. *Newc T* —2E **69**
Palmerstone Rd. *Sund* —3E **115**
Palmerston Rd. *Sund* —4C **114**
Palmerston Sq. *Sund* —3E **115**
Palmerston Wlk. *Gate* —1E **81**
Palmer St. *Gate* —4F **97**
Palmer St. *Jar* —2E **71**
Palmer St. *S Het* —6B **148**
Palmer St. *S'ley* —4B **120**
Palmersville. —4G 43
Palmersville. *Newc T* —4F **43**
Palm Lea. *B'don* —5C **156**
Palmstead Rd. *Sund* —2D **114**
Palmstead Sq. *Sund* —2E **115**
Palm Ter. *S'ley* —6F **121**
Palm Ter. *Tant* —4A **106**
Pancras Rd. *Sund* —5G **115**
Pandon. *Newc T* —4G **67** (5F **5**)
Pandon Bank. *Newc T* —4G **67** (5F **5**)
Pandon Building. *Newc T* —2F **5**
Pandon Ct. *Newc T* —3H **67** (2G **5**)
Panfield Ter. *Hou S* —1C **134**
Pangbourne Clo. *Newc T* —1A **64**
Pankhurst Gdns. *Gate* —3G **83**
Pankhurst Pl. *S'ley* —4F **121**
Pann La. *Sund* —6D **102**
  (in two parts)
Panns Bank. *Sund* —6D **102**
Pantiles, The. *Wash* —3B **98**
Parade Clo. *Walk* —4G **69**
Parade, The. *Ches S* —2D **132**
Parade, The. *Gate* —1G **79**
Parade, The. *Pelt* —3E **123**
  (in two parts)
Parade, The. *Sund* —1F **117**
Parade, The. *Walk* —4G **69**
Parade, The. *W'snd* —2B **58**
Parade, The. *Wash* —3C **112**
Paradise. —5G 65
Paradise Cres. *Pet* —1D **160**
Paradise La. *Pet* —1D **160**
Paradise Row. *Cra* —3B **20**
Paradise St. *Pet* —6H **161**
Park Av. *Bed* —2E **9**
Park Av. *Bla T* —1A **78**
Park Av. *Faw* —6B **40**
Park Av. *Gate* —4A **80**
Park Av. *Gos* —1C **54**
  (in two parts)
Park Av. *New S* —2B **130**
Park Av. *N Shi* —6E **47**
Park Av. *Shir* —2D **44**
Park Av. *S Shi* —5H **73**
Park Av. *S'ley* —2D **120**
Park Av. *Sund* —2E **103**
Park Av. *W'snd* —5H **57**
Park Av. *Wash* —4B **98**
Park Av. *Whit B* —6C **34**
Park Av. *Winl* —1H **77**
Park Chare. *Wash* —2B **112**
Park Clo. *Newc T* —5C **66**
Park Clo. *S'ley* —6G **119**
Park Ct. *Walkg* —6G **57**
Park Cres. *N Shi* —6D **46**
Park Cres. *Shir* —2D **44**
  (in two parts)
Park Cres. E. *N Shi* —6E **47**
Parkdale Ri. *Whi* —4E **79**
Park Dri. *Bly* —3H **15**
Park Dri. *For H* —5E **43**
Park Dri. *Mel P* —4E **41**
Park Dri. *Stan* —4A **6**
Park Dri. *Whi* —4G **79**
Parker Av. *Newc T* —3D **54**
Parker Ct. *Dun* —1A **80**
Pk. Farm Vs. *Bly* —5A **16**

Parkfield. *Jar* —2G **85**
Park Fld. *Ryton* —4B **62**
Parkfield. *Sea S* —3G **23**
Parkfield Ter. *S'ley* —3E **119**
Park Gdns. *Whit B* —6C **34**
Park Ga. *Sund* —2E **103**
Parkgate La. *Bla T* —3H **77**
Park Gro. *Shir* —2D **44**
Park Gro. *Wash* —4B **98**
Parkham Clo. *Cra* —6B **14**
Parkhead. *G'cft I* —6E **119**
Park Head. *Newc T* —6A **56**
Parkhead Gdns. *Bla T* —3H **77**
Pk. Head Rd. *Newc T* —5A **56**
Parkhead Sq. *Bla T* —2A **78**
Parkhouse Av. *Sund* —5D **100**
Park Ho. Clo. *Sher* —5D **154**
Pk. House Gdns. *Sher* —5D 154
  (in two parts)
Pk. House Rd. *Dur* —2A **158**
Parkhurst Rd. *Sund* —3D **114**
Parkin Gdns. *Gate* —4E **83**
Parkinson Cotts. *Ryton* —5E **63**
Parkland. *Bla T* —5G **63**
Parkland. *Newc T* —1D **56**
Parkland Av. *Bla T* —3H **77**
Parklands. *Gate* —3A **84**
Parklands. *Ham M* —2A **104**
Parklands. *Pon* —3B **36**
Parklands Ct. *Cas E* —6B **162**
Parklands Ct. *Gate* —2A **84**
Parklands Ct. *S'hm* —3H **139**
Parklands Dri. *Cas E* —6B **162**
Parklands Gro. *S Het* —6B **148**
Parklands Way. *Wardl* —3A **84**
Parkland Ter. *S'hm* —3H **139**
Park La. *Bla T* —3H **77**
Park La. *Gate* —6H **67**
Park La. *Mur* —2B **148**
Park La. *Pet* —6G **161**
Park La. *Shir* —2D **44**
Park La. *Sund* —1C **116**
Parklea. *Sea S* —3G **23**
Park Lea. *Sund* —3C **128**
Parkmore Rd. *Sund* —4C **114**
Park Pde. *Sund* —2E **103**
Park Pde. *Whit B* —6C **34**
Park Pl. *Ches S* —4D **124**
Park Pl. *Hett H* —2C **146**
Park Pl. E. *Sund* —2D **116**
Park Pl. W. *Sund* —2D **116**
Park Ri. *Newc T* —2A **64**
Park Rd. *Bed* —4A **8**
Park Rd. *Bly* —6D **10**
Park Rd. *Els* —5C **66**
Park Rd. *Gate* —6A **68**
Park Rd. *Heb* —4C **70**
Park Rd. *Hett H* —1C **146**
Park Rd. *Jar* —3E **71**
Park Rd. *Newb* —1F **63**
Park Rd. *Pet* —5F **161**
Park Rd. *Row G* —3D **90**
Park Rd. *Sea D* —6A **22**
Park Rd. *Sher* —5D **154**
Park Rd. *Shir* —2D **44**
Park Rd. *S'ley* —4B **120**
Park Rd. *Sund* —2D **116**
Park Rd. *W'snd* —5H **57**
Park Rd. *Whit B* —5C **34**
Park Rd. Central. *Ches S* —6D **124**
Park Rd. N. *Ches S* —3C **124**
Park Rd. S. *Ches S* —2C **132**
Park Row. *Gate* —3D **82**
Park Row. *Sund* —4H **101**
Parkshiel. *S Shi* —5A **74**

Parkside. —6A **140**
Parkside. *Bed* —2E **9**
Parkside. *Dur* —5B **152**
Parkside. *Gate* —3B **80**
Parkside. *Heb* —5A **70**
Parkside. *N Shi* —4F **47**
Parkside. *Sund* —3D **128**
Parkside. *Tan L* —6A **106**
Parkside. *Thro* —6E **51**
Parkside. *W'snd* —4B **58**
Parkside. *W Moor* —3A **42**
Parkside Av. *Bla T* —2A **78**
Parkside Av. *Newc T* —2B **56**
Parkside Cotts. *Tan L* —6A **106**
Parkside Cres. *N Shi* —5F **47**
Parkside Cres. *S'hm* —6A **140**
Parkside S. *Sund* —3D **128**
Parkside Ter. *W'snd* —3G **57**
Park Site. *Hep* —1B **6**
Parks, The. *Ches S* —2E **133**
Parkstone Clo. *Sund* —5C **114**
Park St. *S'hm* —5B **140**
Park St. S. *Sund* —4E **101**
Park Ter. *Bed* —2D **8**
Park Ter. *Bla T* —2B **78**
Park Ter. *Dun* —3B **80**
Park Ter. *Kil* —3B **42**
Park Ter. *Newc T* —2F **67** (1C **4**)
Park Ter. *N Shi* —6E **47**
Park Ter. *Pet* —1G **163**
Park Ter. *Sund* —3H **101**
Park Ter. *Swa* —2E **79**
Park Ter. *W'snd* —5H **57**
Park Ter. *Wash* —4B **98**
Park Ter. *Whit B* —5C **34**
Park Vw. *Bla T* —3A **78**
Park Vw. *Bly* —6D **10**
Park Vw. *B'mr* —5B **126**
Park Vw. *Burn* —1H **105**
Park Vw. *Ches S* —4B **124**
Park Vw. Cra —3B **20**
(off Station Rd.)
Park Vw. *Fel* —3D **82**
Park Vw. *Hett H* —2C **146**
Park Vw. *Jar* —5F **71**
Park Vw. *Lang M* —3G **157**
Park Vw. *Nett* —1A **142**
Park Vw. *Newc T* —5D **42**
Park Vw. *Pet* —6G **161**
Park Vw. *S'hm* —3F **139**
Park Vw. *Sea D* —6B **22**
(in two parts)
Park Vw. *Shin R* —3F **127**
Park Vw. *Swa* —2D **78**
Park Vw. *Walk* —4G **69**
Park Vw. *W'snd* —5H **57**
Park Vw. *Whit B* —6C **34**
Park Vw. *Wide* —5E **29**
Park Vw. Clo. *Ryton* —4D **62**
Park Vw. Ct. *Ken* —2A **54**
Park Vw. Ct. *Newc T* —3B **42**
Pk. View Ct. *Whit B* —6C **34**
Park Vw. Gdns. *Ryton* —4D **62**
Park Vs. *Dip* —2C **118**
Park Vs. *Newc T* —5D **54**
Park Vs. *W'snd* —5H **57**
Parkville. *Newc T* —2A **68**
Park Wlk. *Sund* —4A **130**
Parkway. *Wash* —2A **112**
Parkwood Av. *Bear* —4C **150**
Parliament St. *Bla T* —2H **77**
Parliament St. *Heb* —2A **70**
Parmeter St. *S'ley* —5C **120**
Parmontley St. *Newc T* —4D **64**
Parnell St. *Hou S* —3F **135**
Parrish Cft. *Dur* —2A **152**

Parrish Mans. *Newc T* —5D **42**
Parry Dri. *Sund* —2E **89**
Parson's Av. *Newc T* —4F **69**
Parsons Dri. *Ryton* —4C **62**
Parsons Gdns. *Gate* —2B **80**
Parsons Ind. Est. *Wash* —6H **97**
Parsons Rd. *N East* —4D **160**
Parsons Rd. *Par I* —6H **97**
Partick Rd. *Sund* —3D **114**
Partick Sq. *Sund* —3E **115**
Partridge Clo. *Wash* —3F **111**
Passfield Sq. *Pet* —2C **160**
Passfield Way. *Pet* —3A **162**
Pasteur Rd. *S Het* —6H **147**
Paston Rd. *Sea D* —1B **32**
Pastures, The. *Bly* —3B **16**
Path Head. —6H 63
Pathside. *Jar* —1G **85**
Path, The. *Gate* —1H **95**
Patience Av. *Sea B* —3E **29**
Patina Clo. *Newc T* —1A **64**
Paton Rd. *Sund* —5H **115**
Paton Sq. *Sund* —5H **115**
Patrick Cres. *S Het* —5G **147**
Patrick Ter. *Dud* —4B **30**
Patterdale Clo. *Dur* —3C **154**
Patterdale Clo. *E Bol* —4E **87**
Patterdale Gdns. *Newc T* —4B **56**
Patterdale Gro. *Sund* —1C **102**
Patterdale Rd. *Bly* —5G **9**
Patterdale St. *Hett H* —3C **146**
Patterdale Ter. *Gate* —3H **81**
Patterson Ho. *Bly* —1C **16**
Patterson St. *Bla T* —5C **64**
Pattinson Gdns. *Carr H* —4B **82**
Pattinson Gdns. *Gate* —1C **82**
Pattinson Ind. Est. *Wash* —1F **113**
Pattinson N. Ind. Est. *Wash* —2F **113**
Pattinson Rd. *Wash* —4D **112**
Pattinson S. Ind. Est. *Wash* —4D **112**
Paula Fld. *Cra* —3B **20**
Pauline Av. *Sund* —2D **102**
Pauline Gdns. *Newc T* —2E **65**
Pauls Grn. *Sund* —5C **136**
Paul's Rd. *Sund* —1E **117**
Paulsway. *Jar* —3A **72**
Pavilion M. *Newc T* —6H **55**
Pavilion Ter. *Hett H* —2C **146**
Pawston Rd. *H Spen* —6A **76**
Paxford Clo. *Newc T* —2A **56**
Paxton Ter. *Sund* —6A **102**
Peacehaven Ct. *Wash* —3A **98**
Peacock Ct. *Gate* —4D **80**
Peacock St. W. *Sund* —1H **115**
Peacock Ter. *Wash* —5B **98**
Pea Flatts La. *Gt Lum* —4A **134**
Peareth Edge. *Gate* —4F **97**
Peareth Gro. *Sund* —2F **103**
Peareth Hall Rd. *Gate & Wash*
—4F **97**
Peareth Rd. *Sund* —1E **103**
Peareth Ter. *Bir* —3C **110**
Pear Lea. *B'don* —5C **156**
Pearl Rd. *Sund* —5H **115**
Pea Rd. *S'ley* —3B **120**
Pearson Ct. *Bla T* —5C **64**
Pearson Ct. *N Shi* —1D **60**
Pearson Pl. *Jar* —1G **71**
Pearson Pl. *N Shi* —1D **60**
Pearson St. *S Shi* —3F **61**
Pearson St. *S'ley* —1D **120**
Peart Clo. *Sher* —6E **155**
Peartree Gdns. *Newc T* —6G **57**
Pear Tree Ter. *Cas D* —2H **133**
Peary Clo. *Newc T* —5D **52**
Pease Av. *Newc T* —3G **65**

Peasemore Rd. *Sund* —2D **114**
Pease Rd. *N West* —5A **160**
Pebble Beach. *Whi* —4F **89**
Pecket Clo. *Bly* —2G **15**
Peddars Way. *S Shi* —4D **72**
Peebles Clo. *N Shi* —5G **45**
Peebles Rd. *Sund* —5G **115**
Peel Av. *Dur* —5H **153**
Peel Cen., The. *Wash* —6D **98**
Peel Gdns. *S Shi* —5A **72**
Peel La. *Newc T* —5E **67** (6B **4**)
Peel St. *Newc T* —4E **67** (6B **4**)
Peel St. *Sund* —2E **117**
Peggy's Wicket. *Beam* —1B **122**
Pegwood Rd. *Sund* —2E **115**
Pelaw. —2G 83
Pelaw Av. *Ches S* —4B **124**
Pelaw Av. *S'ley* —1E **121**
Pelaw Bank. *Ches S* —5C **124**
Pelaw Cres. *Ches S* —4B **124**
(in two parts)
Pelaw Grange Ct. *Ches S* —1C **124**
Pelaw Leazes La. *Dur* —5D **152**
Pelaw Pl. *Ches S* —4C **124**
Pelaw Rd. *Ches S* —4C **124**
Pelaw Sq. *Ches S* —4B **124**
Pelaw Sq. *Sund* —6E **101**
Pelaw Ter. *Ches S* —4B **124**
Pelaw Way. *Gate* —2G **83**
Peldon Clo. *Newc T* —2H **55**
Pelham Ct. *Newc T* —6H **39**
Pelton. —2F 123
Peltondale Av. *Bly* —1G **15**
Pelton Fell. —5G 123
Pelton Fell Rd. *Ches S* —5G **123**
Pelton Ho. Farm Est. *Pelt F* —3G **123**
Pelton La. *Ches S* —5C **122**
Pelton La. *Pelt* —2G **123**
Pelton Lane Ends. —3E 123
Pelton M. *Pelt* —3E **123**
Pelton Rd. *Sund* —3E **115**
Pemberton Bank. *Eas L* —4D **146**
Pemberton Clo. *Sund* —4B **102**
Pemberton Gdns. *Sund* —4B **116**
Pemberton St. *Hett H* —1C **146**
Pemberton Ter. N. *S'ley* —6F **121**
Pemberton Ter. S. *S'ley* —6F **121**
Pembridge. *Wash* —2G **111**
Pembroke Av. *Bir* —6D **110**
(in two parts)
Pembroke Av. *Newc T* —1E **69**
Pembroke Av. *Sund* —3B **130**
Pembroke Ct. *Newc T* —6H **39**
Pembroke Ct. *Sund* —1C **100**
Pembroke Dri. *Pon* —6A **24**
Pembroke Gdns. *W'snd* —3E **59**
Pembroke Pl. *Pet* —5B **160**
Pembroke Ter. *S Shi* —2E **73**
Pendeford. *Wash* —3E **113**
Pendle Clo. *Pet* —2B **162**
Pendle Clo. *Wash* —4H **111**
Pendle Grn. *Sund* —2A **116**
Pendleton Dri. *Cra* —6A **14**
Pendower Way. *Newc T* —3G **65**
Pendragon. *Gt Lum* —3H **133**
Penfold Clo. *Newc T* —3C **56**
Penhale Dri. *Sund* —2F **131**
Penhill Clo. *Ous* —6G **109**
Penistone Rd. *Sund* —3C **114**
Penman Pl. *N Shi* —3C **60**
Penman Sq. *Sund* —3D **114**
Pennant Sq. *Sund* —1E **115**
Pennine Av. *Ches S* —1B **132**
(in two parts)
Pennine Ct. *S'ley* —6F **119**
Pennine Ct. *Sund* —3H **129**

Pennine Dri. *Pet* —2A **162**
Pennine Gdns. *Gate* —4C **80**
Pennine Gdns. *S'ley* —4E **121**
Pennine Gro. *W Bol* —4D **86**
Pennine Ho. *Wash* —3H **111**
Pennine Way. *Newc T* —1A **56**
Pennon Pl. *Newc T* —3C **4**
Penn Sq. *Sund* —1E **115**
Penn St. *Newc T* —6D **66**
Pennycross Rd. *Sund* —3C **114**
Pennycross Sq. *Sund* —2C **114**
Pennyfine Clo. *N Shi* —5C **46**
Pennyfine Rd. *Sun* —2G **93**
Pennygate Sq. *Sund* —2C **114**
Pennygreen Sq. *Sund* —2C **114**
Pennymore Sq. *Sund* —3C **114**
Pennywell. —3E 115
Pennywell Ind. Est. *Sund* —3C **114**
Pennywell Rd. *Sund* —3E **115**
Penrith Av. *N Shi* —3C **46**
Penrith Gdns. *Gate* —1B **96**
Penrith Gro. *Gate* —1B **96**
Penrith Rd. *Heb* —5D **70**
Penrith Rd. *Sund* —1C **102**
Penrose Grn. *Newc T* —2B **54**
Penrose Rd. *Sund* —3D **114**
Penryn Av. *Mur* —2D **148**
Penryn Way. *Mead* —5E **157**
Pensford Ct. *Newc T* —1G **53**
Penshaw. —1F 127
Penshaw Gdns. *S'ley* —2F **121**
(in two parts)
Penshaw Grn. *Newc T* —4H **53**
Penshaw La. *Hou S* —1F **127**
Penshaw Vw. *Bir* —4E **111**
Penshaw Vw. *Heb* —5C **70**
Penshaw Vw. *Jar* —5F **71**
Penshaw Vw. *Wardl* —3A **84**
Penshaw Way. *Bir* —3E **111**
Penser St. *Gate* —2C **82**
Penser St. *Sund* —1B **116**
Penser St. E. *Gate* —2C **82**
Pensher Vw. *Wash* —4D **98**
Pentland Clo. *Cra* —6B **14**
Pentland Clo. *N Shi* —4B **46**
Pentland Clo. *Pet* —2A **162**
Pentland Clo. *Wash* —4H **111**
Pentland Ct. *Ches S* —1C **132**
Pentland Gdns. *Gate* —4C **80**
Pentland Gro. *Newc T* —4B **42**
Pentlands Ter. *S'ley* —4E **121**
Pentridge Clo. *Cra* —2C **20**
Penwood Rd. *Sund* —2E **115**
Penyghent Way. *Wash* —4G **111**
Penzance Bungalows. *Mur* —1D **148**
Penzance Pde. *Heb* —1E **85**
Penzance Rd. *Sund* —2D **114**
Peoples Museum of Memorabilia & Antiques Centre. —4F **5** (5D **4**)
Peplow Sq. *Sund* —6E **101**
Peppercorn Ct. *Newc T* —6F **5**
Percival St. *Sund* —6H **101**
Percy Av. *N Shi* —1E **47**
Percy Av. *S'ley* —4E **119**
Percy Av. *Whit B* —6B **34**
Percy Building. *Newc T* —1C **4**
Percy Cotts. *Sea D* —6C **22**
(in two parts)
Percy Ct. *N Shi* —4H **59**
Percy Cres. *N Shi* —4H **59**
Percy Gdns. *Gate* —4C **80**
Percy Gdns. *Newc T* —5D **42**
Percy Gdns. *N Shi* —5F **47**
Percy Gdns. *Whit B* —1C **46**
Percy Gdns. Cotts. *N Shi* —5G **47**
(off Percy Gdns.)

Percy La. *Dur* —6A **152**
Percy Main. —4H 59
Percy Pk. *N Shi* —5F **47**
Percy Pk. Rd. *N Shi* —5F **47**
Percy Rd. *Whit B* —6D **34**
Percy Scott St. *S Shi* —6E **73**
Percy Sq. *Dur* —2A **158**
Percy St. *Bly* —5D **10**
Percy St. *Cra* —4C **20**
Percy St. *For H* —4F **43**
Percy St. *Hett H* —1D **146**
Percy St. *Jar* —2G **71**
Percy St. *Lem* —3A **64**
Percy St. *Newc T* —3F **67** (4C **4**)
Percy St. *N Shi* —6F **47**
Percy St. *S Shi* —5F **61**
Percy St. *S'ley* —4B **120**
Percy St. *W'snd* —5A **58**
Percy St. S. *Bly* —6D **10**
Percy Ter. *Dur* —6A **152**
Percy Ter. *Gos* —2G **55**
Percy Ter. *Hou S* —1E **127**
Percy Ter. *Newb* —2F **63**
Percy Ter. *S'ley* —5H **119**
Percy Ter. *Sund* —3E **117**
(in two parts)
Percy Ter. *Whit* —2F **89**
Percy Ter. *Whit B* —6A **34**
Percy Ter. S. *Sund* —4E **117**
Percy Way. *Newc T* —6G **51**
Peregrine Ct. *N Shi* —1B **60**
Peregrine Pl. *Newc T* —6A **42**
Perival Rd. *Sund* —3D **114**
Perkins Memorial Cottage Homes. *Bir* —4C **110**
Perkinsville. —1H 123
Perrycrofts. *Sund* —5A **130**
(in two parts)
Perry St. *Gate* —3H **81**
Perth Av. *Jar & S Shie* —6A **72**
Perth Clo. *N Shi* —5G **45**
Perth Clo. *W'snd* —3D **58**
Perth Ct. *Sund* —6G **115**
Perth Ct. *Team T* —3G **95**
Perth Gdns. *W'snd* —3D **58**
Perth Grn. *Jar* —6A **72**
Perth Rd. *Sund* —6G **115**
Perth Sq. *Sund* —5H **115**
Peterborough Clo. *Gate* —1G **81**
Peterborough Rd. *Dur* —6E **143**
Peterborough Way. *Jar* —2F **85**
Peterbrough St. *Gate* —1G **81**
Peterlee. —1D 162
Peterlee Clo. *Pet* —6C **160**
Peter's Bank. *S'ley* —2G **119**
Petersfield Rd. *Sund* —3D **114**
Petersham Rd. *Sund* —1E **115**
Peter Stracey Ho. *Sund* —1D **102**
Petherton Ct. *Newc T* —1G **53**
Peth Grn. *Eas L* —4D **146**
Peth La. *Ryton* —3D **62**
(in two parts)
Peth, The. *Dur* —6B **152**
Petrel Clo. *S Shi* —4E **61**
Petrel Way. *Bly* —3D **16**
Petteril. *Wash* —6G **111**
Petwell Cres. *Pet* —1C **160**
Petwell La. *Eas* —1B **160**
Petworth Clo. *S Shi* —4F **61**
Pevensey Clo. *N Shi* —4B **46**
Pexton Way. *Newc T* —1E **65**
Phalp St. *S Het* —6B **148**
Pheasantmoor. *Wash* —1G **111**
Philadelphia. —5H 127
Philadelphia Complex. *Phil* —4H **127**
Philadelphia La. *Nbtle* —3F **127**

Philip Bldgs. *Sund* —6E **103**
Philip Ct. *Gate* —6B **82**
Philiphaugh. *W'snd* —1H **69**
(in three parts)
Philip Pl. *Newc T* —3C **66**
Philipson St. *Newc T* —3F **69**
Philip Sq. *Sund* —5G **115**
Philip St. *Newc T* —3C **66**
Phillips Av. *Whi* —3E **79**
Phipp M. *Newc T* —1D **56**
Phipp Pas. *Cra* —2C **20**
Phoenix Chase. *N Shi* —5F **45**
Phoenix Ct. *N Shi* —5G **45**
Phoenix Rd. *Sund* —1E **115**
Phoenix Rd. *Wash* —1F **111**
Phoenix St. *Bly* —3H **15**
Phoenix Way. *Hou S* —4G **135**
Phoenix Work Shops. *Pet* —5G **161**
Piccadilly. *Sund* —1G **129**
Picherwell. *Gate* —4D **82**
Pickard Clo. *Pet* —6E **161**
Pickard St. *Sund* —6A **102**
Pickering Ct. *Jar* —2E **71**
Pickering Grn. *Gate* —3B **96**
Pickering Nook. —3G 105
Pickering Rd. *Sund* —4C **114**
Pickering Sq. *Sund* —3D **114**
Pickhurst Rd. *Sund* —4C **114**
Pickhurst Sq. *Sund* —4D **114**
Picktree. —2E 125
Picktree Cotts. *Ches S* —5D **124**
Picktree Cotts. E. *Ches S* —5D **124**
Picktree Farm Cotts. *Pick* —3E **125**
Picktree La. *Ches S* —3E **125**
(nr. Chester Rd.)
Picktree La. *Ches S* —5D **124**
(nr. North Burns)
Picktree Lodge. *Ches S* —1D **124**
Picktree Ter. *Ches S* —5D **124**
Pickwick Clo. *Dur* —2B **158**
Pier Pde. *S Shi* —3G **61**
Pier Rd. *N Shi* —6G **47**
Pier Vw. *Sund* —3F **103**
Pikestone Clo. *Wash* —4G **111**
Pikesyde. *Dip* —2B **118**
Pilgram St. *Newc T* —5G **67**
Pilgrim Clo. *Sund* —4C **102**
Pilgrim St. *Newc T* —4F **67** (4D **4**)
(in two parts)
Pilgrims Way. *Dur* —4F **153**
Pilgrimsway. *Gate* —4A **82**
Pilgrimsway. *Jar* —3A **72**
Pilton Rd. *Newc T* —4D **52**
Pilton Wlk. *Newc T* —4D **52**
Pimlico. *Dur* —1C **158**
Pimlico Ct. *Gate* —1H **95**
Pimlico Rd. *Hett H* —4D **146**
Pimlico Rd. *Sund* —3D **114**
Pinders Way. *S Hill* —6H **155**
Pine Av. *Burn* —1F **105**
Pine Av. *Din* —4G **27**
Pine Av. *Dur* —6G **153**
Pine Av. *Hou S* —3H **135**
Pine Av. *Newc T* —6B **40**
Pine Av. *S Shi* —4A **74**
Pinedale Dri. *S Het* —6H **147**
Pinegarth. *Pon* —3C **36**
Pine Lea. *B'don* —5C **156**
Pine Pk. *Ush M* —6D **150**
Pine Rd. *Bla T* —1A **78**
Pines, The. *G'sde* —2B **76**
Pines, The. *Newc T* —6C **66**
Pine St. *Bir* —2C **110**
Pine St. *Ches S* —6C **124**
Pine St. *Gate* —2E **81**

Pine St. *Gran V* —4C **122**
Pine St. *G'sde* —2B **76**
Pine St. *Jar* —3E **71**
Pine St. *Pelt* —2D **122**
Pine St. *Sea B* —3E **29**
Pine St. *S'ley* —5B **120**
Pine St. *Sund* —6H **101**
Pine St. *Thro* —4D **50**
Pinesway. *Sund* —4B **116**
Pine Ter. *S'ley* —4E **119**
Pinetree Gdns. *Whit B* —2A **46**
Pinetree Way. *Gate* —1F **79**
Pine Vw. *S'ley* —5B **120**
Pinewood. *Heb* —2A **70**
Pinewood Av. *Cra* —6B **14**
Pinewood Av. *N Gos* —6E **29**
Pinewood Av. *Wash* —6A **112**
Pinewood Clo. *King P* —1F **53**
Pinewood Clo. *Walkv* —6F **57**
Pinewood Gdns. *Gate* —6C **80**
Pinewood Rd. *Sund* —3H **101**
Pinewood Sq. *Sund* —3H **101**
Pinewood St. *Hou S* —2C **134**
Pinewood Vs. *S Shi* —3A **74**
Pink La. *Newc T* —4E **67** (5B **4**)
(in three parts)
Pinner Pl. *Newc T* —5E **69**
Pinner Rd. *Sund* —2E **115**
Pioneer Ter. *Bed* —3C **8**
Pipershaw. *Wash* —1F **111**
Pipe Track La. *Newc T* —5H **65**
Pipewellgate *Gate* —6F **67**
Pitcairn Rd. *Sund* —2D **114**
Pit Ho. La. *Leam* —1C **144**
Pit La. *Dur* —1B **152**
Pit La. *Esh W* —4A **156**
Pit La. *Seg* —2E **31**
Pit Row. *Sund* —1H **129**
Pittington. —6E 145
Pittington Crossing. *L Pit*
—6F **145**
Pittington Rd. *Rain G* —5D **144**
Pitt St. *Newc T* —3D **66** (3A **4**)
Pity Me. —6B 142
Pity Me By-Pass. *Dur* —2H **151**
Plains Farm. —5H 115
Plains Rd. *Sund* —5H **115**
Plaistow Sq. *Sund* —1E **115**
Plaistow Way. *Cra* —6B **14**
Planesway. *Gate* —6E **83**
Planetarium, The. —1G **73**
Planet Pl. *Newc T* —3C **42**
Planetree Av. *Newc T* —1H **65**
Plane Tree Ct. *Sund* —3G **129**
Plantagenet Av. *Ches S* —1D **132**
Plantation Av. *L'ton* —4H **155**
Plantation Av. *Swa* —3E **79**
Plantation Gro. *Gate* —1H **83**
Plantation Rd. *Sund* —6G **101**
Plantation Sq. *Sund* —6G **101**
Plantation St. *W'snd* —1H **69**
Plantation, The. *Gate* —6A **82**
Plantation Vw. *W Pel* —3B **122**
Plantation Wlk. *S Het* —6H **147**
Plawsworth. —1A 142
Plawsworth Gdns. *Gate* —2C **96**
Pleasant Pl. *Bir* —2C **110**
Plenmeller Pl. *Sun* —2E **93**
Plessey Av. *Bly* —1D **16**
Plessey Ct. *Bly* —3H **15**
Plessey Cres. *Whit B* —1D **46**
Plessey Gdns. *N Shi* —2H **59**
Plessey Rd. *Bly* —3H **15**
(in three parts)
Plessey St. *H'fd* —4B **14**
Plessey Ter. *Newc T* —5B **56**

Plessey Woods Country Park.
—3D **12**
Plough Rd. *Sund* —4H **129**
Plover Clo. *Bly* —3C **16**
Plover Clo. *Wash* —4F **111**
Plover Dri. *Burn* —2A **106**
Plover Lodge. *Bir* —1C **110**
Plummer Chare. *Newc T*
—5G **67** (6F **5**)
Plummer St. *Newc T* —6E **67**
Plumtree Av. *Sund* —3E **101**
(in two parts)
Plunkett Rd. *Dip* —6E **105**
Plunkett Ter. *Pelt F* —5F **123**
Plymouth Clo. *Dal D* —5F **139**
Plymouth Rd. *N Shi* —1G **59**
Plymouth Sq. *Sund* —5G **115**
Point Pleasant. —6D 58
Point Pleasant Ind. Est. *W'snd*
—5D **58**
Point Pleasant Ter. *W'snd* —5C **58**
Polden Clo. *Pet* —2A **162**
Polden Cres. *N Shi* —4B **46**
Polebrook Rd. *Sund* —1E **115**
Polemarch St. *S'hm* —5B **140**
Polinaize St. *S'ley* —2F **121**
Pollard St. *S Shi* —4F **61**
Polmaise St. *Bla T* —1A **78**
Polmuir Rd. *Sund* —5G **115**
Polmuir Sq. *Sund* —5G **115**
Polpero Clo. *Bir* —4D **110**
Polperro Clo. *Ryh* —2F **131**
Polton Sq. *Sund* —1E **115**
Polwarth Cres. *Newc T* —5E **41**
Polwarth Dri. *Newc T* —4D **40**
Polwarth Pl. *Newc T* —5E **41**
Polwarth Rd. *Newc T* —4E **41**
Polworth Sq. *Sund* —5H **115**
Ponds Cotts. *G'sde* —2A **76**
Pond St. *H Shin* —5H **159**
Pontburn Wood Nature Reserve.
—2B **104**
Pontdyke. *Gate* —1F **97**
Pontefract Rd. *Sund* —4D **114**
Ponteland. —5E 25
Ponteland Clo. *N Shi* —6G **45**
Ponteland Clo. *Wash* —3F **111**
Ponteland Gro. *Newc T* —6A **54**
Ponteland Rd. *Newc T* —6B **54**
Ponteland Rd. *Pres & Newc T*
—2B **38**
Ponteland Rd. *Thro* —3D **50**
Pont Haugh. *Pon* —4F **25**
Ponthaugh. *Row G* —2F **91**
Pontop. —3B 118
Pontop Ct. *S'ley* —5F **119**
Pontop Pike La. *Dip* —4B **118**
Pontop Sq. *Sund* —6E **101**
Pontop St. *E Rai* —1G **145**
Pontopsyde. *Dip* —2C **118**
Pontop Ter. *S'ley* —6E **119**
Pontop Vw. *Dip* —2B **118**
Pontop Vw. *Row G* —3D **90**
Pont Vw. *Pon* —4F **25**
Pool Bri. *Gate* —4C **84**
Poole Clo. *Cra* —2C **20**
Poole Rd. *Sund* —1E **115**
Pooley Clo. *Newc T* —6F **53**
Pooley Rd. *Newc T* —1F **65**
Poplar Av. *Bly* —4B **10**
Poplar Av. *Burn* —1F **105**
Poplar Av. *Din* —4G **27**
Poplar Av. *Hou S* —3H **135**
Poplar Av. *Newc T* —6F **57**
Poplar Clo. *Heb* —6C **70**
Poplar Ct. *Ches S* —6C **124**

Poplar Cres. *Ben* —2G **81**
Poplar Cres. *Bir* —2B **110**
Poplar Cres. *Dun* —4B **80**
Poplar Dri. *Dur* —4G **153**
Poplar Dri. *Sund* —2F **89**
Poplar Gro. *Bed* —4B **8**
Poplar Gro. *Dip* —1E **119**
Poplar Gro. *S Shi* —4H **73**
Poplar Gro. *Sund* —1E **131**
Poplar Lea. *B'don* —5C **156**
Poplar Pl. *Newc T* —2E **55**
Poplar Rd. *Bla T* —2A **78**
Poplar Rd. *Dur* —3B **154**
Poplars, The. *Ches S* —2D **132**
Poplars, The. *Eas L* —4E **147**
Poplars, The. *Gos* —4E **55**
Poplars, The. *Newc T* —6C **66**
Poplars, The. *Pen* —1F **127**
Poplars, The. *S Hyl* —1C **114**
Poplars, The. *Sund* —3H **101**
Poplars, The. *Wash* —3B **112**
Poplar St. *Ches S* —6C **124**
Poplar St. *Pelt* —2D **122**
Poplar St. *S'ley* —5B **120**
Poplar St. *Thro* —5D **50**
Poplar Ter. *Ches S* —5D **124**
Popplewell Gdns. *Gate* —1A **96**
Popplewell Ter. *N Shi* —5C **46**
Poppyfields. *Ches S* —1A **132**
Porchester Dri. *Cra* —1C **20**
Porchester St. *S Shi* —2D **72**
Porlock Ct. *Cra* —6A **14**
Porlock Ho. *Jar* —4H **71**
Porlock Rd. *Jar* —4H **71**
Portadown Rd. *Sund* —4D **114**
Portberry St. *S Shi* —1D **72**
Portberry Way. *S Shi* —6D **60**
(in two parts)
Portchester Gro. *Bol C* —3A **86**
Portchester Rd. *Sund* —2E **115**
Portchester Sq. *Sund* —3E **115**
Porter Ter. *Mur* —2C **148**
Porthcawl Dri. *Wash* —3A **98**
Portland Av. *S'hm* —4G **139**
Portland Clo. *Ches S* —2A **132**
Portland Clo. *W'snd* —2E **59**
Portland Gdns. *Cra* —2C **20**
Portland Gdns. *Gate* —3H **95**
Portland Gdns. *N Shi* —6C **46**
Portland M. *Newc T* —2H **67** (1G **5**)
Portland Rd. *Shie* —2H **67** (1G **5**)
(in two parts)
Portland Rd. *Sund* —5H **115**
Portland Rd. *Thro* —5E **51**
Portland Sq. *Sund* —4H **115**
Portland St. *Bly* —4B **10**
Portland St. *Gate* —2G **83**
Portland St. *Newc T* —5B **66**
Portland Ter. *Newc T* —2G **67** (1G **5**)
Portman M. *Newc T* —2H **5**
Portman Pl. *Newc T* —6E **69**
Portman Sq. *Sund* —2E **115**
Portmarnock. *Wash* —3H **97**
Portmeads. —3D 110
Portmeads Ri. *Bir* —3D **110**
Portmeads Rd. *Bir* —3D **110**
Portobello. —4E 111
Portobello Ind. Est. *Bir* —3E **111**
Portobello La. *Sund* —4D **102**
Portobello Rd. *Bir* —2E **111**
Portobello Ter. *Bir* —4E **111**
Portobello Way. *Bir* —3D **110**
Portree Clo. *Bir* —6D **110**
Portree Sq. *Sund* —5G **115**
Portrush Clo. *Wash* —3A **98**
Portrush Rd. *Sund* —1E **115**

Portrush Way. *Newc T* —2C **56**
Portslade Rd. *Sund* —3D **114**
Portsmouth Rd. *N Shi* —2G **59**
Portsmouth Rd. *Sund* —2D **114**
Portsmouth Sq. *Sund* —2D **114**
Portugal Pl. *W'snd* —6H **57**
Post Office La. *N Shi* —5C **46**
Post Office St. *Bly* —5D **10**
Potterhouse La. *Pity Me* —5A **142**
Potterhouse Ter. *Dur* —5A **142**
Potteries, The. *S Shi* —6G **61**
Potter Pl. *S'ley* —4F **121**
Potters Bank. *Dur* —2A **158**
Potters Clo. *Dur* —2B **158**
Potter Sq. *Sund* —5H **115**
Potter St. *Jar* —2E **71**
Potter St. *W'snd* —6E **59**
Pottersway. *Gate* —4A **82**
Pottery Bank. *Newc T* —6F **69**
Pottery Bank. *Sund* —5F **103**
Pottery La. *Newc T* —6E **67**
Pottery La. *Sund* —6C **100**
Pottery Rd. *Sund* —4A **102**
Pottery Yd. *Hou S* —3A **136**
Potts St. *Newc T* —3C **68**
Poultry Farm. *Hou S* —3G **127**
Powburn Clo. *Ches S* —2A **132**
Powburn Gdns. *Newc T* —1A **66**
Powis Rd. *Sund* —5H **115**
Powis Sq. *Sund* —5H **115**
Powys Pl. *Newc T* —3C **66**
Poxon Dri. *Dur* —1D **152**
Poxon Pk. *W'snd* —2B **58**
Poynings Clo. *Newc T* —2G **53**
Praetorian Dri. *W'snd* —6H **57**
Prebend Row. *Pelt* —3F **123**
Prebends Fld. *Dur* —3F **153**
Precinct, The. *Sund* —5C **116**
Prefect Pl. *Gate* —4A **82**
Premier Rd. *Sund* —5G **115**
Prendwick Av. *Heb* —6B **70**
Prendwick Clo. *Ches S* —3A **132**
Prendwick Ct. *Heb* —6B **70**
Prengarth Av. *Sund* —2D **102**
Prensgarth Way. *S Shi* —6B **72**
Prescot Rd. *Sund* —1E **115**
Press La. *Sund* —6D **102**
Prestbury Av. *Cra* —6A **14**
Prestbury Rd. *Sund* —3C **114**
Prestdale Av. *Bly* —6G **9**
Presthope Rd. *Sund* —3C **114**
Prestmede. *Gate* —4E **83**
Preston. —5A 26
Preston Av. *N Shi* —6C **46**
Preston Ct. N Shi —5C **46**
  (off Rosebery Av.)
Preston Ga. *N Shi* —4B **46**
Preston Grange. —4B 46
Prestonhill. *Sund* —4G **129**
Preston N. Rd. *N Shi* —3B **46**
Preston Pk. *N Shi* —6C **46**
Preston Rd. *N Shi* —6C **46**
Preston Rd. *Sund* —3F **117**
Preston Ter. *N Shi* —5B **46**
Preston Ter. *W All* —4C **44**
Preston Wood. *N Shi* —4C **46**
Prestwick. —5A 26
Prestwick. *Gate* —6E **83**
Prestwick Av. *N Shi* —6G **45**
Prestwick Clo. *Wash* —3A **98**
Prestwick Dri. *Gate* —4A **84**
Prestwick Gdns. *Newc T* —3B **54**
Prestwick Pit Houses. *Pres* —1A **38**
Prestwick Rd. *Din* —4E **27**
Prestwick Rd. *Sund* —1E **115**
Prestwick Road End. —1A 38

Prestwick Ter. *Pres* —2A **38**
Pretoria Sq. *Sund* —5G **115**
Pretoria St. *Newc T* —5E **65**
Price St. *Heb* —2A **70**
Priestfield Gdns. *Burn* —1F **105**
Priestley Ct. *S Shi* —6C **72**
Priestley Gdns. *Gate* —3H **83**
Priestly Cres. *Sund* —5B **102**
Priestman Ct. *Sund* —1F **115**
Priestsfield Clo. *Sund* —4H **129**
Primary Gdns. *Sund* —2F **117**
Primate Rd. *Sund* —6G **115**
Primrose. —6F 71
Primrose Av. *Pet* —6F **161**
Primrose Av. *S Shi* —4D **72**
Primrose Clo. *Ann* —3A **30**
Primrose Cres. *Hou S* —6C **126**
Primrose Cres. *Sund* —2D **102**
Primrose Gdns. *Ous* —5H **109**
Primrose Gdns. *W'snd* —3G **57**
Primrose Hill. *Gate* —6A **82**
Primrose Hill. *Hou S* —1C **134**
Primrose Hill. *Jar* —6G **71**
Primrose Hill Ter. *Jar* —6G **71**
Primrose Pl. *Gate* —6H **81**
Primrose Precinct. *Sund* —2D **102**
Primrose St. *Sund* —1C **114**
Primrose Ter. *Bir* —3D **110**
Primrose Ter. *Jar* —5F **71**
Prince Albert Ter. *Newc T*
  —3H **67** (3G **5**)
Prince Consort Ind. Est. *Heb* —2A **70**
Prince Consort La. *Heb* —3B **70**
  (in two parts)
Prince Consort Rd. *Gate* —1G **81**
Prince Consort Rd. *Heb* —3A **70**
Prince Consort Rd. *Jar* —3G **71**
Prince Consort Way. *N Shi* —4C **60**
Prince Edward Ct. *S Shi* —4A **74**
Prince Edward Gro. *S Shi* —3C **74**
Prince Edward Rd. *S Shi* —4H **73**
Prince George Av. *Sund* —1D **102**
Prince Georg Sq. *S Shi* —4F **61**
Prince of Wales Clo. *S Shi* —4G **73**
Prince Philip Clo. *Newc T* —4G **65**
Prince Rd. *W'snd* —4H **57**
Princes Av. *Newc T* —1D **54**
Prince's Av. *Sund* —6E **89**
Princes Clo. *Newc T* —5D **40**
Prince's Gdns. *Sund* —6E **89**
Princes Gdns. *Whit B* —6A **34**
Princes Mdw. *Newc T* —2C **54**
Princes Rd. *Newc T* —4D **40**
Princess Ct. *N Shi* —4B **60**
Princess Dri. *Gate* —2C **80**
Princess's Gdns. *Bly* —5A **10**
Princess Gdns. *Hett H* —6C **136**
Princess Louise Rd. *Bly* —6B **10**
Princess Mary Ct. *Jes* —6F **55**
Princess Rd. *S'hm* —4A **140**
Princess Sq. *Newc T* —3G **67** (3E **5**)
Princess St. *Pel* —2G **83**
Princess St. *Sund* —2C **116**
Princess St. *Sun* —3F **93**
Princes St. *Dur* —5B **152**
Princes St. *N Shi* —6D **46**
Princes St. *Shin R* —4E **127**
Prince's St. *S'ley* —4E **119**
Prince St. *Sund* —6D **102**
Princesway. *Team T* —1E **95**
Princesway Central. *Team T* —1E **95**
Princesway N. *Team T* —5E **81**
Princesway S. *Team T* —1E **95**
  (in two parts)
Princetown Ter. *Sund* —5G **115**
Princeway. *N Shi* —5F **47**

Pringle Clo. *New B* —2A **156**
Pringle Gro. *New B* —2B **156**
Pringle Pl. *New B* —2B **156**
Prinn Pl. *Sun* —3F **93**
Priors Clo. *Dur* —5A **152**
Priors Grange. *H Pitt* —2F **155**
Priors Path. *Dur* —6B **152**
Prior's Ter. *N Shi* —6F **47**
Priors Way. *W'snd* —5C **58**
Priory Av. *Whit B* —1B **46**
Priory Cotts. *Whit B* —5C **34**
Priory Grange. *Bly* —6A **10**
Priory Grn. *Newc T* —3B **68**
Priory Gro. *Sund* —2H **115**
Priory M. *N Shi* —6F **47**
Priory Orchard. *Dur* —6B **152**
Priory Pl. *Newc T* —4C **68**
Priory Pl. *Wide* —6C **28**
Priory Rd. *Dur* —2B **152**
Priory Rd. *Jar* —1G **71**
Priory Way. *Newc T* —3D **52**
Proctor Ct. *Newc T* —4G **69**
Proctor Sq. *Sund* —5H **115**
Proctor St. *Newc T* —4G **69**
Promenade. *S Shi* —3G **61**
Promenade. *Sund* —4G **117**
Promenade. *Whit B* —5C **34**
Promenade Ter. *N Shi* —6G **47**
Promontory Ter. *N Shi & Whit B*
  —1E **47**
Promotion Clo. *Sund* —3E **103**
Prospect Av. *Sea D* —6A **22**
Prospect Av. *W'snd* —4H **57**
Prospect Av. N. *W'snd* —3H **57**
Prospect Cotts. *Gate* —4F **97**
Prospect Ct. *Newc T* —4C **66**
Prospect Cres. *Eas L* —5E **147**
Prospect Gdns. *W Bol* —4C **86**
Prospect Pl. *New B* —1A **156**
Prospect Pl. *Newc T* —4C **66**
Prospect Row. *Sund* —6F **103**
Prospect St. *Ches S* —5C **124**
Prospect St. *Gate* —1F **81**
Prospect Ter. *Ches S* —5C **124**
Prospect Ter. *Dur* —1A **158**
Prospect Ter. *E Bol* —4F **87**
Prospect Ter. *Eig B* —4D **96**
Prospect Ter. *Hob* —3G **105**
Prospect Ter. *Kib* —1E **109**
Prospect Ter. *New B* —1B **156**
Prospect Ter. *N Shi* —1E **61**
Prospect Ter. *Shin* —3G **159**
Prospect Ter. *Spri* —3F **97**
Prospect Ter. *S'ley* —5H **119**
Prospect Vw. *W Rai* —3D **144**
Providence Pl. *Dur* —4H **153**
  (nr. Dragon La.)
Providence Pl. *Dur* —5D **152**
  (nr. Providence Row)
Providence Pl. *Gate* —2D **82**
Providence Row. *Dur* —5D **152**
Provident St. *Pelt* —3E **123**
Provident Ter. *Crag* —6H **121**
Provident Ter. *W'snd* —5G **57**
Provost Gdns. *Newc T* —5H **65**
Prudhoe Chare. *Newc T*
  —3F **67** (3D **4**)
Prudhoe Ct. *Newc T* —6A **40**
Prudhoe Gro. *Jar* —6E **71**
Prudhoe Pl. *Newc T* —3F **67** (3C **4**)
Prudhoe St. *Newc T* —3F **67** (3C **4**)
Prudhoe St. *N Shi* —2C **60**
Prudhoe St. *Sund* —6H **101**
Prudhoe Ter. *Tyn* —5F **47**
Pudding Chare. *Newc T*
  —4F **67** (5D **4**)

Pudsey Ct. *Dur* —1C **152**
Puffin Clo. *Bly* —4D **16**
Pullman Ct. *Gate* —6G **81**
Purbeck Clo. *N Shi* —3B **46**
Purbeck Gdns. *Cra* —2C **20**
Purbeck Rd. *Newc T* —1B **56**
Purley. *Wash* —3E **113**
Purley Clo. *W'snd* —3D **58**
Purley Gdns. *Newc T* —3B **54**
Purley Rd. *Sund* —5G **115**
Purley Sq. *Sund* —5G **115**
Putney Sq. *Sund* —3D **114**
Pykerley M. *Whit B* —1A **46**
Pykerley Rd. *Whit B* —6A **34**

Quadrant, The. *N Shi* —2A **60**
Quadrant, The. *Sund* —6F **103**
Quaking Houses. —6B 120
Quality Row. *Newc T* —4A **68**
Quality Row Rd. *Swa* —2E **79**
Quality St. *H Shin* —4H **159**
Quantock Av. *Ches S* —1A **132**
(in two parts)
Quantock Clo. *Newc T* —1A **56**
Quantock Clo. *N Shi* —3B **46**
Quantock Pl. *Pet* —1A **162**
Quarry Bank Ct. *Newc T* —4D **66**
Quarry Cotts. *Burr* —5C **30**
Quarry Cotts. *Din* —4F **27**
Quarry Cres. *Bear* —4C **150**
Quarryfield Rd. *Gate* —5H **67**
(in two parts)
Quarryheads La. *Dur* —1B **158**
Quarry Ho. Gdns. *E Rai* —1G **145**
(in two parts)
Quarry Ho. La. *Dur* —6H **151**
Quarry Ho. La. *E Rai* —1H **145**
Quarry La. *S Shi* —4A **74**
(in two parts)
Quarry Rd. *Heb* —4C **70**
Quarry Rd. *Newc T* —3A **64**
Quarry Rd. *S'ley* —2D **120**
Quarry Rd. *Sund* —2B **130**
(in two parts)
Quarry Row. *Gate* —2D **82**
Quarry St. *Sund* —2A **130**
Quay Rd. *Bly* —5D **10**
Quayside. —5G 67
Quayside. *Bly* —5D **10**
Quayside. *Newc T* —5G **67** (6F **5**)
(in three parts)
Quayside Ct. *Bly* —5D **10**
Quayside Ct. *N Shi* —2D **60**
Quayside Ho. *Newc T* —5G **5**
Quay, The. *Hett H* —2C **146**
Quay Vw. *W'snd* —5E **59**
Queen Alexandra Bri. *Sund* —5A **102**
Queen Alexandra Rd. *N Shi* —6B **46**
Queen Alexandra Rd. *S'hm* —5B **140**
Queen Alexandra Rd. *Sund* —3A **116**
Queen Alexandra Rd. W. *N Shi*
—6A **46**
Queen Anne Ct. *Newc T* —2C **68**
Queen Anne St. Newc T —2C **68**
(off Shields Rd.)
Queen Elizabeth Av. *Gate* —6B **82**
Queen Elizabeth Ct. *S Shi* —6B **72**
Queen Elizabeth Dri. *Eas L* —5F **147**
Queen's Av. *Dal D* —5F **139**
Queen's Av. *Sund* —6E **89**
Queensberry St. *Sund* —6B **102**
Queensbridge. *Newc T* —6H **41**
Queensbury Dri. *Newc T* —4G **51**
Queensbury Rd. *S'hm* —4G **139**
Queens Ct. *Gate* —2E **81**

Queens Ct. *Gos* —3E **41**
Queen's Ct. *Newc T* —3D **66** (3A **4**)
Queens Ct. *Walb* —6G **51**
Queen's Cres. *Heb* —5B **70**
Queen's Cres. *Sund* —2A **116**
Queen's Cres. *W'snd* —4G **57**
Queens Dri. *Sun* —3F **93**
Queens Dri. *Whi* —6G **79**
Queen's Dri. *Whit B* —6C **34**
Queens Gdns. *Ann* —2B **30**
Queen's Gdns. *Bly* —5A **10**
Queen's Gdns. *Newc T* —1D **56**
Queens Gro. *Dur* —2A **158**
Queens Hall Bldgs. Sea D —6B **22**
(off Hayward Av.)
Queensland Av. *S Shi* —5B **72**
Queens La. *Newc T* —5G **67** (6D **4**)
Queensmere. *Ches S* —2C **124**
Queens Pde. *S'ley* —5F **119**
Queens Pde. *Sund* —6F **89**
Queens Pk. *Ches S* —1D **124**
Queens Rd. *Ann* —2B **30**
Queen's Rd. *Bed* —3D **8**
Queen's Rd. *Jes* —6G **55**
(in two parts)
Queens Rd. *Newc T* —4E **53**
Queens Rd. *Sea S* —3H **23**
Queen's Rd. *Sund* —4A **102**
Queens Rd. *Walb* —6G **51**
Queen's Rd. *Whit B* —5B **34**
Queens Sq. *Newc T* —3F **67** (3D **4**)
Queen's Ter. *Newc T* —6H **55**
Queens Ter. *W'snd* —4H **57**
Queen St. *Bir* —3B **110**
Queen St. *Gate* —3E **81**
Queen St. *Gran V* —4C **122**
Queen St. *Hett H* —6C **136**
Queen St. *Newc T* —5G **67** (6F **5**)
Queen St. *N Shi* —1D **60**
Queen St. *Ryh* —1F **131**
Queen St. *S'hm* —4A **140**
Queen St. *S Shi* —4E **61**
Queen St. E. *Sund* —6E **103**
Queensway. *Fenh* —1H **65**
Queensway. *Gos* —4D **40**
Queensway. *Hou S* —4B **136**
Queensway. *N Shi* —5F **47**
Queensway. *Pon* —2D **36**
Queensway. *Wash* —3C **112**
Queensway N. *Team T* —4E **81**
Queensway S. *Team T* —1F **95**
Queen Victoria Rd. *Newc T*
—3F **67** (2C **4**)
Queen Victoria St. *Gate* —2F **83**
Quentin Av. *Newc T* —2H **53**
Que Sera. *Hett H* —2C **146**
Quigley St. *Bir* —1B **110**
Quinn Clo. *Pet* —2D **162**
Quinn's Ter. *Dur* —1A **158**
Quin Sq. *S Het* —6A **148**

Rabbit Banks Rd. *Gate* —6F **67**
Raby Clo. *Bed* —4F **7**
Raby Clo. *Hou S* —2E **135**
Raby Cres. *Newc T* —3C **68**
Raby Dri. *Sund* —2E **129**
Raby Gdns. *Burn* —1E **105**
Raby Gdns. *Jar* —5F **71**
Raby Ga. *Newc T* —3C **68**
Raby Rd. *Dur* —6C **142**
Raby Rd. *Wash* —2F **111**
Raby St. *Gate* —3H **81**
Raby St. *Newc T* —3B **68**
(in two parts)
Raby St. *Sund* —1B **116**

Raby Wlk. *Newc T* —3C **68**
Raby Way. *Newc T* —3C **68**
Rachel Clo. *Sund* —2C **130**
Rackley Way. *Sund* —3F **89**
(in two parts)
Radcliffe Pl. *Newc T* —5H **53**
Radcliffe Rd. *Sund* —3G **101**
Radcliffe St. *Bir* —4C **110**
Radlett Rd. *Sund* —3F **101**
Radnor Gdns. *W'snd* —4E **59**
Radnor St. *Newc T* —3G **67** (2F **5**)
Radstock Pl. *Newc T* —6C **42**
Rae Av. *W'snd* —3H **57**
Raeburn Av. *Wash* —3C **112**
Raeburn Gdns. *Gate* —4B **82**
Raeburn Rd. *S Shi* —1F **87**
Raeburn Rd. *Sund* —2E **101**
Raey Ct. *Ches S* —1C **132**
Raglan. *Wash* —2G **111**
Raglan Av. *Sund* —4E **117**
Raglan Pl. *Burn* —6H **91**
Raglan Row. *Hou S* —4G **127**
Raglan St. *Jar* —2G **71**
Railton Gdns. *Gate* —5B **82**
Railway Clo. *Sher* —6C **154**
Railway Cotts. *Beb* —5E **9**
Railway Cotts. *Bir* —3B **110**
Railway Cotts. *Ches S* —4A **124**
Railway Cotts. *C Moor* —6H **151**
Railway Cotts. *Dub* —3D **134**
Railway Cotts. *Pen* —1E **127**
Railway Cotts. *Shir* —2B **44**
Railway Cotts. *Sund* —1C **114**
Railway Gdns. *S'ley* —5F **119**
Railway Row. *Sund* —1B **116**
Railway St. *Ann P* —6G **119**
Railway St. *Gate* —1B **80**
Railway St. *Gras* —1H **135**
Railway St. *Heb* —2D **70**
Railway St. *Hett H* —1C **146**
Railway St. *Jar* —2F **71**
Railway St. *Newc T* —6D **66** (6B **4**)
Railway St. *N Shi* —2C **60**
Railway St. *Sund* —1F **117**
(SR1)
Railway St. *Sund* —6H **101**
(SR4)
Railway Ter. *Bly* —6B **10**
Railway Ter. *Hett H* —6C **136**
Railway Ter. *Newc T* —6D **66**
Railway Ter. *N Her* —3H **127**
Railway Ter. *N Shi* —2C **60**
Railway Ter. *Pen* —1E **127**
Railway Ter. *S New* —5A **16**
Railway Ter. *W'snd* —6B **58**
Railway Ter. *Wash* —3D **112**
Railway Ter. N. *N Her* —2H **127**
Raine Gro. *Sund* —1E **117**
Rainford Av. *Sund* —4E **117**
Rainhill Clo. *Ste I* —4D **98**
Rainhill Rd. *Wash* —4C **98**
Rainton Bank. *Hou S* —5B **136**
Rainton Bri. N. Ind. Est. *Hou S*
—4F **135**
Rainton Bri. S. Ind. Est. *Hou S*
—5F **135**
Rainton Clo. *Gate* —5A **84**
Rainton Gate. —4D 144
Rainton Gro. *Hou S* —5A **136**
Rainton St. *Hou S* —1F **127**
Rainton St. *S'hm* —5B **140**
Rainton St. *Sund* —1A **116**
Rainton Vw. *W Rai* —3D **144**
Rake La. *N Shi* —4G **45**
Raleigh Clo. *S Shi* —1D **72**
Raleigh Rd. *Sund* —3F **101**

Raleigh Sq. *Sund* —3F **101**
Ralph Av. *Sund* —1E **131**
Ralph St. *Heb* —2D **70**
Ramilies. *Sund* —3D **130**
Ramillies Rd. *Sund* —2E **101**
Ramillies Sq. *Sund* —2E **101**
Ramparts, The. *Newc T* —1C **64**
Ramsay Sq. *Sund* —2G **101**
Ramsay St. *Bla T* —2H **77**
Ramsay St. *H Spen* —6A **76**
Ramsey Clo. *Dur* —5G **153**
Ramsey Clo. *Pet* —5D **160**
Ramsey St. *Ches S* —1C **132**
Ramsgate Rd. *Sund* —2G **101**
Ramside Vw. *Dur* —2B **154**
Randolph St. *Jar* —2G **71**
Range Vs. *Sund* —2F **89**
Rangoon Rd. *Sund* —2E **101**
Ranksborough St. *S'hm* —3H **139**
Ranmere Rd. *Newc T* —4F **65**
Ranmore Clo. *Cra* —2B **20**
Rannoch Av. *Ches S* —2B **132**
Rannoch Clo. *Wardl* —3H **83**
Rannoch Rd. *Sund* —2E **101**
Ransom Pl. *N Shi* —5G **45**
Ranson Cres. *S Shi* —4B **72**
Ranson St. *Sund* —3B **116**
Raphael Av. *S Shi* —6E **73**
Rathmore Gdns. *N Shi* —6C **46**
Ratho Ct. *Gate* —5E **83**
Ravel Ct. *Jar* —3G **71**
Ravenburn Gdns. *Newc T* —3D **64**
Ravenna Rd. *Sund* —2D **100**
Ravensbourne Av. *E Bol* —3F **87**
Ravensburn Wlk. *Newc T* —5C **50**
Ravenscar Clo. *Whi* —6C **78**
Ravenscleugh Ct. Newc T —5C 68
  (off Harbottle Ct.)
Ravenscourt Pl. Gate —2F 81
  (off Airey Ter.)
Ravenscourt Rd. *Sund* —2E **101**
Ravensdale Cres. *Gate* —5A **82**
Ravensdale Gro. *Bly* —6G **9**
Ravenshill Rd. *Newc T* —6B **52**
Ravenside Rd. *Newc T* —1A **66**
Ravenstone. *Wash* —6H **97**
Ravenswood Clo. *Newc T* —5E **43**
Ravenswood Gdns. *Gate* —2H **95**
Ravenswood Rd. *Newc T* —6C **56**
Ravenswood Rd. *Sund* —2D **100**
Ravenswood Sq. *Sund* —2D **100**
Ravensworth. *Sund* —3C **130**
Ravensworth Av. *Gate* —3C **96**
Ravensworth Av. *Hou S* —2E **135**
Ravensworth Clo. *W'snd* —5D **58**
Ravensworth Ct. *Bed* —2D **8**
Ravensworth Ct. *Gate* —2C **80**
Ravensworth Ct. *Newc T* —6H **39**
Ravensworth Ct. *S Het* —5H **147**
Ravensworth Cres. *Burn* —5B **92**
Ravensworth Gdns. *Bir* —2B **110**
Ravensworth Pk. Est. *Gate* —1B **94**
Ravensworth Rd. *Bir* —2B **110**
Ravensworth Rd. *Gate* —3C **80**
Ravensworth St. *Bed* —2D **8**
Ravensworth St. *Sund* —6B **102**
Ravensworth St. *W'snd* —5D **58**
Ravensworth Ter. *Bed* —2D **8**
Ravensworth Ter. *Bir* —3C **110**
Ravensworth Ter. *Dun* —3C **80**
Ravensworth Ter. *Dur* —5D **152**
Ravensworth Ter. *Jar* —6F **71**
Ravensworth Ter. *Newc T*
  —4D **66** (5A **4**)
Ravensworth Ter. *S Shi* —1E **73**
Ravensworth Ter. *Sun* —3F **93**

Ravensworth Vw. *Gate* —1C **80**
Ravensworth Vs. *Gate* —3C **96**
Raven Ter. *Bir* —2C **110**
Ravine Ter. *Sund* —2F **103**
  (in two parts)
Rawdon Ct. *W'snd* —6H **57**
Rawdon Rd. *Sund* —2G **101**
Rawling Rd. *Gate* —3F **81**
Rawlston Way. *Newc T* —4G **53**
Rawmarsh Rd. *Sund* —2E **101**
Raydale. *Sund* —2G **101**
Raydale Av. *Wash* —5H **97**
Raylees Gdns. *Gate* —4C **80**
Rayleigh Dri. *Wide* —4D **28**
Rayleigh Gro. *Gate* —3F **81**
Raynham Clo. *Cra* —6H **19**
Raynham Ct. *S Shi* —6E **61**
Readhead Av. *S Shi* —6G **61**
Readhead Dri. *Newc T* —5F **69**
Readhead Rd. *S Shi* —1G **73**
Reading Rd. *S Shi* —2F **73**
Reading Rd. *Sund* —2F **101**
Reading Sq. *Sund* —2E **101**
Reasby Gdns. *Ryton* —4B **62**
Reasby Vs. *Ryton* —4B **62**
Reavley Av. *Bed* —2E **9**
Reay Cres. *Bol C* —3D **86**
Reay Gdns. *Newc T* —4E **53**
Reay Pl. *Newc T* —2C **54**
Reay Pl. *S Shi* —4D **72**
Reay St. *Gate* —1H **83**
Rectory Av. *Newc T* —3F **55**
Rectory Bank. *W Bol* —4C **86**
Rectory Cotts. *Ryton* —3C **62**
Rectory Ct. *Whi* —4F **79**
Rectory Dri. *Newc T* —3G **55**
Rectory Grn. *W Bol* —4B **86**
Rectory Gro. *Newc T* —2F **55**
Rectory La. *Bla T* —2H **77**
Rectory La. *Whi* —5F **79**
Rectory Pl. *Gate* —2F **81**
Rectory Rd. *Fel* —4C **82**
Rectory Rd. *Gate* —2F **81**
Rectory Rd. *Hett H* —2C **146**
Rectory Rd. *Newc T* —4F **55**
Rectory Rd. E. *Gate* —4D **82**
  (in two parts)
Rectory Ter. *Newc T* —3G **55**
Rectory Ter. *W Bol* —5B **86**
Red Admiral Ct. *Gate* —4D **80**
Red Banks. *Ches S* —1A **132**
Red Barns. *Newc T* —4H **67** (4H **5**)
Redberry Way. *S Shi* —5D **72**
Red Briar Wlk. *Dur* —6A **142**
Red Bungalows. *Gate* —4E **97**
Redburn Clo. *Hou S* —3G **135**
Redburn Rd. *Hou S* —4F **135**
Redburn Rd. *Newc T* —3D **52**
Redburn Row. *Hou S* —4F **135**
Redcar Rd. *Newc T* —6D **56**
Redcar Rd. *W'snd* —4E **59**
Redcar Sq. *Sund* —3G **101**
Redcar Ter. *W Bol* —5C **86**
Redcliffe Way. *Newc T* —4F **53**
Red Courts. *B'don* —5E **157**
Redcroft Grn. *Newc T* —4F **53**
Redditch Sq. *Sund* —2F **101**
Rede Av. *Heb* —3C **70**
Redemarsh. *Gate* —5F **83**
Redesdale Av. *Bla T* —3F **77**
Redesdale Av. *Newc T* —1C **54**
Redesdale Clo. *For H* —5C **42**
Redesdale Clo. *S Den* —2C **64**
Redesdale Gdns. *Gate* —4B **80**
Redesdale Gro. *N Shi* —1H **59**

Redesdale Pl. *Bly* —6H **9**
Redesdale Rd. *Ches S* —2A **132**
Redesdale Rd. *N Shi* —1G **59**
Redesdale Rd. *Sund* —2E **101**
Rede St. *Jar* —4E **71**
Rede St. *Team T* —6E **81**
Redewater Gdns. *Whi* —5E **79**
Redewater Rd. *Newc T* —1A **66**
Red Firs. *B'don* —5D **156**
Redford Pl. *Burr* —6C **30**
Red Hall Dri. *Newc T* —4D **56**
Redheugh. —1E 81
Redheugh Bri. Rd. *Newc T* —6E **67**
Redheugh Ct. *Gate* —3D **80**
Redheugh Rd. *S Well* —6F **33**
Redhill Dri. *Whi* —1C **92**
Redhill Rd. *Sund* —2F **101**
Redhills La. *Dur* —5A **152**
Red Hills Ter. *Dur* —6A **152**
Redhills Way. *Hett H* —3C **146**
Red Hill Vs. *Dur* —5B **152**
Redhill Wlk. *Cra* —2B **20**
Red Ho. Dri. *Whit B* —6G **33**
Red Ho. Farm Est. *Bed* —5F **7**
Red Ho. Rd. *Heb* —3D **70**
Redland Av. *Newc T* —1H **53**
Redlands. *Hou S* —2E **127**
Redlands. *Mar H* —5E **93**
Redland Wlk. *Newc T* —1A **54**
Red Lion Building. *Gate* —4D **96**
Red Lion La. *Wash* —3A **98**
Redmayne Ct. *Gate* —3D **82**
Redmires Clo. *Ous* —6G **109**
Redmond Rd. *Sund* —2G **101**
Redmond Sq. *Sund* —2G **101**
Rednam Pl. *Newc T* —5F **53**
Red Ridges. *B'don* —4E **157**
Red Rose Ter. *Ches S* —1D **132**
Red Row. *Bed* —1C **8**
Red Row Ct. *Bed* —1C **8**
Red Row Dri. *Bed* —2C **8**
Redruth Gdns. *Gate* —3H **95**
Redruth Sq. *Sund* —2F **101**
Redshank Clo. *Wash* —5F **111**
Redshank Dri. *Bly* —3C **16**
Red Wlk. *Newc T* —5A **56**
Redwell Ct. *S Shi* —2C **74**
Redwell La. *S Shi* —2D **74**
Redwing Clo. *Wash* —4F **111**
Redwood Clo. *Hett H* —2B **146**
Redwood Clo. *Newc T* —1C **42**
Redwood Flats. *B'don* —5D **156**
Redwood Gdns. *Gate* —6D **80**
Reed Av. *Camp* —6C **30**
Reedham Ct. *Newc T* —3F **53**
Reedling Ct. *Sund* —1E **101**
Reedside. *Ryton* —4D **62**
Reedsmouth Pl. *Newc T* —1F **65**
Reed St. *N Shi* —1D **60**
Reed St. *S Shi* —1D **72**
Reedswood Cres. *Cra* —4D **20**
Reestones Pl. *Newc T* —2H **53**
Reeth Rd. *Sund* —3F **101**
Reeth Sq. *Sund* —3F **101**
Reeth Way. *Newc T* —6C **50**
Regal Rd. *Sund* —6A **102**
Regency Ct. *S'hm* —4B **140**
Regency Dri. *Sund* —1B **130**
Regency Dri. *Whi* —5D **78**
Regency Gdns. *N Shi* —6A **46**
Regency Way. *Pon* —6A **24**
Regent Av. *Newc T* —2D **54**
Regent Cen. *Gos* —1E **55**
Regent Clo. *Newc T* —4B **42**
Regent Ct. *Bly* —6B **10**
Regent Ct. *Gate* —1H **81**

Regent Ct. *Heb* —4B **70**
Regent Ct. *Newc T* —3A **42**
Regent Ct. *S Shi* —6E **61**
Regent Dri. *Whi* —1D **92**
Regent Farm Ct. *Newc T* —2E **55**
Regent Farm Rd. *Newc T* —1C **54**
Regent Rd. *Jar* —3G **71**
Regent Rd. *Newc T* —2E **55**
Regent Rd. *Ryh* —4G **131**
Regent Rd. *W'snd* —4G **57**
Regent Rd. N. *Newc T* —2E **55**
Regents Ct. *W'snd* —3E **57**
Regents Dri. *N Shi* —4E **47**
Regents Pk. *W'snd* —4E **57**
Regent St. *Bly* —4C **10**
Regent St. *Gate* —1G **81**
Regent St. *Hett H* —6C **136**
Regent St. *S Shi* —6D **60**
Regent St. *S'ley* —4F **119**
Regent Ter. *Gate* —1G **81**
Regent Ter. *N Shi* —6A **46**
Regent Ter. *Sund* —5F **117**
Reginald St. *Bol C* —3B **86**
(in two parts)
Reginald St. *Gate* —2B **82**
Reginald St. *Sund* —6H **101**
Regina Sq. *Sund* —2F **101**
Reg Vardy Arts Foundation
　　　　Gallery, The. —3D **116**
Rehill. *Sund* —3E **89**
Reid Av. *W'snd* —4H **57**
Reid Pk. Clo. *Newc T* —5H **55**
Reid Pk. Ct. *Newc T* —5H **55**
Reid Pk. Rd. *Newc T* —5H **55**
Reid's La. *Seg* —2E **31**
Reigate Sq. *Cra* —2B **20**
Rekendyke Ind. Est. *S Shi* —1D **72**
Rekendyke La. *S Shi* —6D **60**
Relley Clo. *Ush M* —6D **150**
Relley Gth. *Lang M* —4F **157**
Relly Path. *Dur* —1A **158**
Relton Av. *Newc T* —5D **68**
Relton Clo. *Hou S* —4E **135**
Relton Ct. *Whit B* —6A **34**
Relton Pl. *Whit B* —6A **34**
Relton Ter. *Ches S* —1C **132**
Relton Ter. *Whit B* —6A **34**
Rembrandt Av. *S Shi* —6E **73**
Remus Av. *Hed W* —5F **49**
Remus Clo. *Wide* —6D **28**
Rendel St. *Gate* —2B **80**
Rendle Rd. *Newc T* —5H **69**
Renforth St. *Gate* —3B **80**
Renfrew Clo. *N Shi* —5G **45**
Renfrew Grn. *Newc T* —4F **53**
Renfrew Pl. *Bir* —5D **110**
Renfrew Rd. *Sund* —2F **101**
Rennie Rd. *Sund* —2D **100**
Rennie Sq. *Sund* —2D **100**
Rennington. *Gate* —6G **83**
Rennington Av. *N Shi* —4E **47**
Rennington Clo. *N Shi* —4E **47**
Rennington Pl. *Newc T* —5H **53**
Renny's La. *Dur* —5G **153**
(in two parts)
Renny St. *Dur* —5D **152**
Renoir Gdns. *S Shi* —1F **87**
Renwick Av. *Newc T* —1A **54**
Renwick Rd. *Bly* —6B **10**
Renwick St. *Newc T* —3D **68**
Renwick Ter. *Gate* —3E **81**
Rescue Sta. Cotts. *Hou S* —5B **136**
Resida Clo. *Newc T* —1A **64**
Retail World. *Team T* —3F **95**
Retford Gdns. *N Shi* —3H **59**
Retford Rd. *Sund* —2F **101**

Retford Sq. *Sund* —2F **101**
Retreat, The. *Newb* —2F **63**
Retreat, The. *Sund* —1B **116**
Revell Ter. *Newc T* —6A **54**
Revelstoke Rd. *Sund* —2D **100**
Revesby St. *S Shi* —3E **73**
Reynolds Av. *Newc T* —3B **42**
Reynolds Av. *S Shi* —6F **73**
Reynolds Av. *Wash* —3C **112**
Reynolds Clo. *S'ley* —3D **120**
Reynolds Ct. *Pet* —1H **163**
Reyrolle Ct. *Heb* —4B **70**
Rheims Ct. *Sund* —6F **101**
Rheydt Av. *W'snd* —5F **57**
Rhoda Ter. *Sund* —6F **117**
Rhodesia Rd. *Sund* —2F **101**
Rhodes St. *Newc T* —4G **69**
Rhodes Ter. *Dur* —1H **157**
Rhondda Rd. *Sund* —2D **100**
Rhuddlan Ct. *Newc T* —3F **53**
Rhyl Pde. *Heb* —1E **85**
Rhyl Sq. *Sund* —2G **101**
Ribbledale Gdns. *Newc T* —4B **56**
Ribble Rd. *Sund* —3E **101**
Ribblesdale. *Hou S* —2F **127**
Ribblesdale. *W'snd* —3F **57**
Ribblesdale Av. *Bly* —5G **9**
(in two parts)
Ribble Wlk. *Jar* —6G **71**
Richard Av. *Sund* —3A **116**
Richard Browell Rd. *Newc T* —6D **50**
Richardson Av. *S Shi* —5B **72**
(in two parts)
Richardson Rd. *Newc T*
　　　　　　　　—2D **66** (1A **4**)
Richardson St. *Newc T* —1C **68**
Richardson St. *W'snd* —5A **58**
Richardson Ter. *Sund* —3G **131**
Richardson Ter. *Wash* —5B **98**
(in four parts)
Richard St. *Bly* —6C **10**
Richard St. *Hett H* —2C **146**
Richmond. *Sund* —2C **130**
Richmond Av. *Gate* —2A **84**
Richmond Av. *Swa* —2F **79**
Richmond Av. *Wash* —1B **112**
Richmond Clo. *Bed* —4G **7**
Richmond Ct. *Dur* —6D **142**
Richmond Ct. *Gate* —2H **81**
(NE8)
Richmond Ct. *Gate* —1H **95**
(NE9)
Richmond Ct. *Jar* —2E **71**
Richmond Fields. *Pon* —6A **24**
Richmond Gdns. *W'snd* —4C **58**
Richmond Gro. *N Shi* —2A **60**
Richmond M. *Newc T* —4D **54**
Richmond Pk. *W'snd* —3E **57**
Richmond Rd. *Dur* —6D **142**
Richmond Rd. *S Shi* —3E **73**
Richmond St. *Sund* —5C **102**
Richmond Ter. *Fel* —3D **82**
Richmond Ter. *Gate* —2G **81**
Richmond Ter. *Newc T* —6F **51**
Richmond Ter. *Whit B* —4B **34**
Richmond Way. *Cra* —6H **19**
Richmond Way. *Pon* —6A **24**
Rickaby St. *Sund* —5F **103**
Rickgarth. *Gate* —6F **83**
(in two parts)
Rickleton. —1E 125
Rickleton Av. *Ches S* —4D **124**
Rickleton Village Cen. *Wash* —1F **125**
Rickleton Way. *Wash* —6F **111**
Riddell Av. *Newc T* —4G **65**
Riddell Ct. *Ches S* —1C **132**

Riddell Ter. *Newc T* —2C **54**
Riddings Rd. *Sund* —2F **101**
Riddings Sq. *Sund* —2F **101**
Ridge Ct. *Haz* —1D **40**
Ridgely Clo. *Pon* —5G **25**
Ridgely Dri. *Pon* —5G **25**
Ridge Ter. *Bed* —4G **7**
Ridge, The. *Ryton* —5C **62**
Ridge Vs. *Bed* —4G **7**
Ridgeway. *Bir* —2C **110**
Ridgeway. *Fenh* —1A **66**
Ridgeway. *Gate* —4H **83**
Ridgeway. *H'wll* —2C **32**
Ridgeway. *Sund* —3C **130**
Ridgeway Cres. *Sund* —4B **116**
Ridgeway, The. *Hett H* —2C **146**
Ridge Way, The. *Ken* —3B **54**
Ridgeway, The. *S Shi* —6H **73**
Ridgewood Cres. *Newc T* —2H **55**
Ridgewood Gdns. *Newc T* —2G **55**
Ridgewood Vs. *Newc T* —2G **55**
Riding Barns Way. *Sun* —3E **93**
Riding Hill. *Gt Lum* —4G **133**
Riding Hill Rd. *W Kyo* —4G **119**
Riding La. *Gate* —2C **108**
Riding Lea. *Bla T* —2G **77**
Ridings, The. *Whit B* —5G **33**
Riding, The. *Newc T* —4A **54**
Ridley Av. *Bly* —6D **10**
Ridley Av. *Ches S* —1B **132**
Ridley Av. *Sund* —2F **131**
Ridley Av. *W'snd* —3E **59**
Ridley Building. *Newc T* —1C **4**
Ridley Clo. *Newc T* —5B **40**
Ridley Ct. *Newc T* —4F **67** (5D **4**)
Ridley Gdns. *Swa* —2E **79**
Ridley Gro. *S Shi* —2A **74**
Ridley Ho. *Newc T* —2E **55**
Ridley Pl. *Newc T* —3F **67** (2D **4**)
Ridley St. *Bly* —5D **10**
Ridley St. *Cra* —4C **20**
Ridley St. *Gate* —3F **81**
Ridley St. *S'ley* —2D **120**
Ridley St. *Sund* —3A **102**
Ridley Ter. *Camb* —1B **10**
Ridley Ter. *Gate* —3E **83**
Ridley Ter. *Sund* —2F **117**
Ridsdale Av. *Newc T* —6B **52**
Ridsdale Clo. *Sea D* —6A **22**
Ridsdale Clo. *W'snd* —3A **58**
Ridsdale Ct. *Gate* —2F **81**
Rievaulx. *Wash* —4A **112**
Riga Sq. *Sund* —2E **101**
Riggs, The. *B'don* —4E **157**
Riggs, The. *Hou S* —3B **136**
Rignall. *Wash* —2E **113**
Riley St. *Jar* —2E **71**
RIngmore Ct. *Sund* —5C **116**
Ringway. *Sund* —5B **100**
Ringwood Dri. *Cra* —2B **20**
Ringwood Grn. *Newc T* —6C **42**
Ringwood Rd. *Sund* —2F **101**
Ringwood Sq. *Sund* —2F **101**
Rink St. *Bly* —5D **10**
Rink Way. *Whit B* —2B **46**
Ripley Av. *N Shi* —2A **60**
(in two parts)
Ripley Clo. *Bed* —3F **7**
Ripley Ct. *Gate* —4B **96**
Ripley Dri. *Cra* —6H **19**
Ripley Ter. *Newc T* —3E **69**
Ripon Clo. *Cra* —6H **19**
Ripon Gdns. *Newc T* —1A **68**
Ripon Gdns. *W'snd* —4C **58**
Ripon Rd. *Dur* —5D **142**
Ripon Sq. *Jar* —2F **85**

Ripon St. *Ches S* —2C **132**
Ripon St. *Gate* —2G **81**
Ripon St. *Sund* —3E **103**
Ripon Ter. *Mur* —2C **148**
Ripon Ter. *Plaw G* —2A **142**
Rise, The. *Bla T* —5G **63**
Rise, The. Gate —2B **82**
  (off Duncan St.)
Rise, The. *Newc T* —3A **54**
Rise, The. *Pon* —2B **36**
Rise, The. *Sea S* —5H **23**
Rishton Sq. *Sund* —2E **101**
Rising Sun Cotts. *W'snd* —2H **57**
Rising Sun Country Park &
  Countryside Centre. —6A **44**
Rising Sun Vs. *W'snd* —2H **57**
Ritson Av. *Bear* —4C **150**
Ritson Clo. *N Shi* —6A **46**
Ritson St. *S'ley* —3D **120**
Ritson Ter. *S'ley* —1E **103**
Riverbank Rd. *Sund* —3F **101**
Riverdale. *Sund* —5D **100**
River Dri. *S Shi* —4E **61**
River Garth. Sund —6E **103**
  (off High St. E.)
River La. *Ryton* —3C **62**
Rivermead. *Wash* —6C **112**
Rivermede. *Pon* —4F **25**
Riversdale Ct. *Newc T* —3A **64**
Riversdale Rd. *Gate* —6F **67**
Riversdale Ter. *Sund* —2B **116**
Riversdale Way. *Newc T* —3H **63**
Riverside. *Pon* —5E **25**
Riverside Ct. *Gate* —2C **80**
Riverside Ct. *S Shi* —5D **60**
Riverside E. Ind. Est. *Newc T* —5B **68**
Riverside Pk. *S Hyl* —6D **100**
Riverside Rd. *Sund* —3F **101**
Riverside Studios. *Newc T* —6B **66**
Riverside, The. *Heb* —2A **70**
Riverside Vw. *Newc T* —6F **69**
Riverside Way. *Row G* —5D **90**
Riverside Way. *Swa* —6E **65**
River St. *S Shi* —1C **72**
River Ter. *Ches S* —5D **124**
River Vw. *Bed* —4D **8**
River Vw. *Bla T* —1H **77**
River Vw. *N Shi* —1E **61**
River Vw. *Ryton* —4E **63**
River Vw. Clo. *Bed* —4D **8**
Riverview Lodge. *Newc T* —5H **65**
River Vw. Ter. *Wash* —1B **126**
Roachburn Rd. *Newc T* —5C **52**
Roadside Cotts. *Bla T* —4F **63**
Robert Allen Ct. *Bru V* —5C **28**
Robert Owen Gdns. *Gate* —4C **82**
Robertson Rd. *Sund* —3D **100**
Robertson Sq. *Sund* —2D **100**
Robert Sq. *S'hm* —5C **140**
Roberts St. *Newc T* —5E **65**
Roberts Ter. *Jar* —4F **71**
Robert St. *Bly* —6C **10**
Robert St. *New S* —2B **130**
Robert St. *S'hm* —5C **140**
Robert St. *S Shi* —6F **61**
Robert St. *Sund* —6A **102**
Robert Ter. *H Spen* —1A **90**
Robert Ter. *S'ley* —1D **120**
Robert Ter. Cotts. *H Spen* —1A **90**
Robert Westall Way. *N Shi* —4C **60**
Robert Wheatman Ct. *Sund* —6E **117**
Robin Ct. *E Rai* —2G **145**
Robin Gro. *Sund* —4E **101**
Robin La. *Hett H* —4E **145**
Robinson Gdns. *Sund* —2F **89**
Robinson Gdns. *W'snd* —4E **59**

Robinson Ho. *Pet* —6G **161**
Robinson St. *Newc T* —3C **68**
Robinson St. *S Shi* —6F **61**
Robinson Ter. *Hob* —3G **105**
Robinson Ter. *New S* —2B **130**
Robinson Ter. *Sund* —3F **117**
Robinson Ter. *Wash* —3D **112**
Robinswood. *Gate* —6H **81**
Robsheugh Pl. *Newc T* —1G **65**
Robson Av. *Pet* —6D **160**
Robson Pl. *Sund* —3G **131**
Robson St. *Gate* —6H **81**
Robson St. *Newc T* —3B **68**
Robson Ter. *Dip* —6E **105**
Robson Ter. *Gate* —4D **96**
Robson Ter. *Row G* —2A **90**
Robson Ter. *Shin* —3F **159**
Rochdale Rd. *Sund* —2F **101**
Rochdale St. *Hett H* —3C **146**
Rochdale St. *W'snd* —6G **57**
Rochdale Way. *Sund* —2F **101**
Roche Ct. *Wash* —2A **112**
Rochester Gdns. *Gate* —3C **80**
Rochester Rd. *Dur* —6D **142**
Rochester Sq. *Jar* —2F **85**
Rochester St. *Newc T* —5G **69**
Rochester Ter. *Gate* —3E **83**
Rochford Gro. *Cra* —6A **20**
Rochford Rd. *Sund* —2E **101**
Rockcliffe. *S Shi* —6H **61**
Rockcliffe Av. *Whit B* —1E **47**
  (in two parts)
Rockcliffe Gdns. *Newc T* —2D **64**
Rockcliffe Gdns. *Whit B* —6E **35**
Rockcliffe St. *Whit B* —6E **35**
Rockcliffe Way. *Gate* —3C **96**
Rocket Way. *Newc T* —5F **43**
Rock Gro. *Gate* —6H **81**
Rockingham Rd. *Sund* —2E **101**
Rockingham Sq. *Sund* —2E **101**
Rock Lodge Gdns. *Sund* —2E **103**
Rock Lodge Rd. *Sund* —2F **103**
Rockmore Rd. *Bla T* —2A **78**
Rock Ter. *New B* —1B **156**
Rock Ter. *Newc T* —3H **67** (2G **5**)
Rock Ter. *Wash* —5C **98**
Rockville. *Sund* —1E **103**
Rock Wlk. *Ches S* —3H **125**
Rockwood Hill Rd. *G'sde* —2A **76**
Rodham Ter. *S'ley* —1D **120**
Rodin Av. *S Shi* —1F **87**
Rodney Clo. *Sund* —3C **130**
Rodney Clo. *Tyn* —6F **47**
Rodney Ct. Whit B —4H **33**
  (off Woodburn Sq.)
Rodney St. *Newc T* —4B **68**
Rodney Way. *Whit B* —4H **33**
Rodsley Av. *Gate* —3G **81**
Roeburn Way. *Newc T* —4B **54**
Roedean Rd. *Sund* —2G **101**
Roehedge. *Gate* —5H **83**
Rogan Av. Wash —1G **111**
  (off Thirlmoor)
Rogerley Ter. *S'ley* —4E **119**
Rogers Clo. *Pet* —1G **163**
Rogerson Ter. *Newc T* —5C **52**
Roger St. *Newc T* —3B **68**
Rogues La. *H Spen* —5A **76**
Rokeby Av. *Newc T* —3B **64**
Rokeby Dri. *Newc T* —3B **54**
Rokeby Sq. *Dur* —2A **158**
Rokeby St. *Newc T* —3B **64**
Rokeby St. *Sund* —1B **116**
Rokeby Ter. *Newc T* —6C **56**
  (in two parts)
Rokeby Vw. *Gate* —3A **96**

Rokeby Vs. *Newc T* —3B **64**
Roker. —2E 103
Roker Av. *Sund* —5D **102**
Roker Av. *Whit B* —1A **46**
Roker Baths Rd. *Sund* —3D **102**
Rokerby Av. *Whi* —5G **79**
Roker By. Rd. *Sund* —3E **103**
Roker Pk. Clo. *Sund* —3E **103**
Roker Pk. Rd. *Sund* —3E **103**
Roker Pk. Ter. *Sund* —3F **103**
Roker Ter. *Sund* —2F **103**
Roland Rd. *W'snd* —5C **58**
Roland St. *Wash* —3C **112**
Rollesby Ct. *Newc T* —3F **53**
Rolling Mill Rd. *Jar* —1E **71**
Romaldkirk Clo. *Sund* —2D **114**
Roman Av. *Ches S* —6D **124**
Roman Av. *Newc T* —2E **69**
Roman Rd. *B'don* —6C **156**
Roman Rd. *Jar* —1F **85**
  (in two parts)
Roman Rd. *S Shi* —3F **61**
Roman Rd. N. *S Shi* —3E **61**
Roman Wall. *W'snd* —1H **69**
Roman Way, The. *Newc T* —6B **52**
Romford Clo. *Cra* —6A **20**
Romford Pl. *Gate* —3A **82**
Romford St. *Sund* —1H **115**
Romiley Gro. *Gate* —4B **84**
Romilly St. *S Shi* —5F **61**
Romney Av. *S Shi* —6F **73**
Romney Av. *Sund* —4E **117**
Romney Av. *Wash* —3C **112**
Romney Clo. *Phil* —4G **127**
Romney Clo. *Whit B* —1E **47**
Romney Dri. *Dur* —2B **154**
Romney Gdns. *Gate* —4B **82**
Romney Vs. *Wash* —3C **112**
Romsey Clo. *Cra* —2B **20**
Romsey Dri. *Bol C* —3H **85**
Romsey Gro. *Newc T* —1A **64**
Ronald Dri. *Newc T* —3E **65**
Ronald Gdns. *Heb* —5B **70**
Ronaldsay Clo. *Ryh* —1E **131**
Ronald Sq. *Sund* —2D **102**
Ronan M. *W Rai* —3E **145**
Ronsdorf Ct. *Jar* —3F **71**
Rookery Clo. *Bly* —6H **9**
Rookery La. *Whi* —1C **92**
Rookery, The. *Burn* —1F **105**
Rookhope. *Wash* —1F **125**
Rooksleigh. *Bla T* —2H **77**
Rookswood Gdns. *Row G* —2E **91**
Rookwood Dri. *Sea B* —3E **29**
Rookwood Rd. *Newc T* —1E **65**
Roosevelt Rd. *Dur* —4F **153**
Ropery La. *Ches S* —1D **132**
Ropery La. *Heb* —3B **70**
Ropery La. *W'snd* —5C **58**
Ropery Rd. *Gate* —3D **80**
Ropery Rd. *Sund* —5A **102**
Ropery, The. *Newc T* —5D **68**
Ropery Wlk. *S'hm* —5B **140**
Rosalie Ter. *Sund* —3F **117**
Rosalind Av. *Bed* —5A **8**
Rosamond Pl. *Bly* —6D **10**
Rosa St. *S Shi* —5F **61**
Rose Av. *Hou S* —2D **134**
Rose Av. *Nel V* —1H **19**
Rose Av. *S'ley* —4B **120**
Rose Av. *Whi* —4F **79**
Rosebank Clo. *Sund* —1E **131**
Rosebank Cotts. *Gate* —4F **97**
Rosebank Hall. *W'snd* —5D **58**
Rosebay Rd. *Lang M* —4G **157**
Roseberry Ct. *Wash* —5C **98**
Roseberry Grange. *Newc T* —4G **43**

Roseberry St. *Beam* —2H **121**
Roseberry Ter. *Bol C* —2A **86**
Roseberry Vs. *Newf* —4E **123**
Rosebery Av. *Bly* —6B **10**
Rosebery Av. *Gate* —3A **82**
Rosebery Av. *N Shi* —5C **46**
Rosebery Av. *S Shi* —6G **61**
Rosebery Ct. *Whit B* —6A **34**
Rosebery Cres. *Newc T* —1A **68**
Rosebery Pl. *Newc T* —1H **67**
Rosebery St. *Sund* —4D **102**
Roseby Rd. *Pet* —6F **161**
Rose Cotts. *Burn* —2E **105**
Rose Cotts. *S Het* —6A **148**
Rose Ct. *Heb* —4B **70**
Rose Ct. *Pet* —2B **162**
Rose Cres. *Hou S* —6B **126**
Rose Cres. *Sund* —1F **89**
(in two parts)
Rosedale. *Bed* —4G **7**
Rosedale. *W'snd* —3F **57**
Rosedale Av. *Sund* —5E **89**
Rosedale Ct. *Newc T* —5B **52**
Rosedale Cres. *Hou S* —1F **135**
Rosedale Rd. *Dur* —3B **154**
Rosedale Rd. *Ryton* —6A **62**
Rosedale St. *Hett H* —4A **146**
Rosedale St. *Sund* —1B **116**
Rosedale Ter. *Nbtle* —6A **128**
Rosedale Ter. *Newc T* —2H **67** (1G **5**)
Rosedale Ter. *N Shi* —6D **46**
Rosedale Ter. *Pet* —6F **161**
Rosedale Ter. *Sund* —1E **103**
Roseden Ct. *Longb* —6C **42**
Rosedene Vs. *Cra* —3D **20**
Rosefinch Lodge. *Gate* —6H **81**
Rose Gdns. *Gate* —1E **109**
Rose Gdns. *W'snd* —3H **57**
Rosegill. *Wash* —1H **111**
Rosehill. —5D 58
Rosehill Bank. *W'snd* —5C **58**
Rosehill Rd. *W'snd* —5D **58**
Rosehill Ter. *W'snd* —5C **58**
Rose Hill Way. *Newc T* —6G **53**
Roselea. *Jar* —2G **85**
Roselea Av. *Sund* —2F **131**
Rosemary Gdns. *Gate* —3D **96**
Rosemary La. *Newc T* —4F **67** (6D **4**)
Rosemary La. *Pet* —1B **160**
Rosemary Rd. *Sund* —2F **101**
Rosemary Ter. *Bly* —1D **16**
Rosemount. *Dur* —5D **142**
Rosemount. *Newc T* —5D **52**
Rosemount. *Sund* —2C **114**
Rosemount Av. *Gate* —4H **83**
Rosemount Clo. *Wash* —3A **98**
Rosemount Ct. *W Bol* —4D **86**
Rosemount Way. *Newc T* —2C **56**
Rosemount Way. *Whit B* —6G **33**
Rose St. *Gate* —1E **81**
Rose St. *Heb* —4B **70**
Rose St. *Hou S* —3H **135**
Rose St. *Sund* —6B **102**
Rose St. E. *Pen* —1F **127**
Rose St. W. *Pen* —1F **127**
Rose Ter. *G'sde* —2C **76**
Rose Ter. *Newc T* —6A **54**
Rose Ter. *Pelt F* —4G **123**
Rosetown Av. *Pet* —1G **163**
Rose Villa La. *Whi* —4F **79**
Rose Vs. *Newc T* —4B **66**
Roseville St. *Sund* —2B **116**
Rosewell Pl. *Whi* —6E **79**
Rosewood. *Kil* —2F **43**
Rosewood Av. *Newc T* —1F **55**
Rosewood Cres. *Newc T* —6F **57**

Rosewood Cres. *Sea S* —5H **23**
Rosewood Gdns. *Ches S* —4B **124**
Rosewood Gdns. *Gate* —6B **82**
Rosewood Gdns. *Newc T* —3B **54**
Rosewood Sq. *Sund* —5C **114**
Rosewood Ter. *Bir* —2B **110**
Rosewood Ter. *W'snd* —5E **59**
Roseworth Av. *Newc T* —4E **55**
Roseworth Clo. *Newc T* —3F **55**
Roseworth Cres. *Newc T* —4F **55**
Roseworth Ter. *Newc T* —3E **55**
Roseworth Ter. *Whi* —4F **79**
Roslin Pk. *Bed* —4C **8**
Roslin Way. *Cra* —6A **20**
Ross. *Ous* —5A **110**
Ross Av. *Gate* —2B **80**
Rosse Clo. *Wash* —5H **97**
Rossendale Pl. *Newc T* —1H **55**
Ross Gth. *Hou S* —4A **136**
Ross Gro. *Nel V* —2H **19**
Ross Lea. *Hou S* —4E **127**
Rosslyn Av. *Gate* —5A **82**
Rosslyn Av. *Newc T* —2A **54**
Rosslyn Av. *Sund* —2F **131**
Rosslyn M. *Sund* —1A **116**
(in two parts)
Rosslyn Pl. *Bir* —5D **110**
Rosslyn St. *Sund* —1A **116**
Rosslyn Ter. *Sund* —1A **116**
Ross St. *S'hm* —4B **140**
Ross St. *Sund* —4C **102**
Ross Way. *Newc T* —5B **40**
Ross Way. *Whit B* —4A **34**
Rosyth Rd. *Sund* —2G **101**
Rosyth Sq. *Sund* —2G **101**
Rotary Way. *Bly* —1C **16**
Rotary Way. *N Shi* —4A **60**
Rothay Pl. *Newc T* —5G **53**
Rothbury. *Sund* —3D **130**
Rothbury Av. *Bly* —1H **15**
Rothbury Av. *Gate* —2G **83**
Rothbury Av. *Mon V* —5E **71**
Rothbury Av. *Newc T* —1C **54**
Rothbury Av. *Pet* —5F **161**
Rothbury Clo. *Ches S* —2A **132**
Rothbury Clo. *Newc T* —2C **42**
Rothbury Gdns. *Gate* —6C **80**
Rothbury Gdns. *W'snd* —4D **58**
Rothbury Gdns. *Wide* —5E **29**
Rothbury Rd. *Dur* —6C **142**
Rothbury Rd. *Sund* —2F **101**
Rothbury Ter. *Newc T* —1B **68**
Rothbury Ter. *N Shi* —3G **59**
Rotherfield Clo. *Cra* —2B **20**
Rotherfield Gdns. *Gate* —3A **96**
Rotherfield Rd. *Sund* —3E **101**
Rotherfield Sq. *Sund* —2E **101**
Rotherham Clo. *Hou S* —5H **135**
Rotherham Rd. *Sund* —2E **101**
Rothesay. *Ous* —6H **109**
Rothesay Ter. *Bed* —4B **8**
Rothley. *Wash* —5D **112**
Rothley Av. *Newc T* —2G **65**
Rothley Av. *Pet* —5F **161**
Rothley Clo. *Newc T* —2F **55**
Rothley Clo. *Pon* —4D **24**
Rothley Ct. *Newc T* —2C **42**
Rothley Ct. *Sund* —1H **101**
Rothley Gdns. *N Shi* —4D **46**
Rothley Gro. *Sea D* —6A **22**
Rothley Way. *Whit B* —4A **34**
Rothwell Rd. *Newc T* —2E **55**
Rothwell Rd. *Sund* —3E **101**
Roundhill. *Jar* —2H **85**
Roundhill Av. *Newc T* —5G **53**
Roundstone Gro. *Newc T* —3D **56**

Roundway, The. *Newc T* —6B **42**
Routledge's Bldgs. *Bed* —2C **8**
Rowan Av. *Wash* —6A **112**
Rowanberry Rd. *Newc T* —1B **56**
Rowan Clo. *Bed* —3H **7**
Rowan Clo. *Sund* —2D **114**
Rowan Ct. *Newc T* —5F **43**
Rowan Dri. *Bras* —5E **143**
Rowan Dri. *Hett H* —2B **146**
Rowan Dri. *Newc T* —1A **54**
Rowan Dri. *Pon* —4E **25**
Rowan Gro. *Cra* —4D **20**
Rowan Lea. *B'don* —5D **156**
Rowans, The. *Gate* —3D **96**
(in two parts)
Rowan Tree Av. *Dur* —3G **153**
Rowantree Rd. *Newc T* —6G **57**
Rowanwood Gdns. *Gate* —6C **80**
Rowedge Wlk. *Newc T* —5E **53**
Rowell Clo. *Sund* —3C **130**
Rowell St. *Newc T* —6D **66**
Rowes M. *Newc T* —5C **68**
Rowlands Bldgs. *Dud* —2A **30**
Rowlands Gill. —4F 91
Rowlandson Ter. *Gate* —3D **82**
Rowlandson Ter. *Sund* —3E **117**
Rowley Clo. *New B* —2A **156**
Rowley Dri. *Ush M* —6D **150**
Rowley St. *Bly* —6C **10**
Rowntree Way. *N Shi* —4C **60**
Rowsley Rd. *Jar* —4G **71**
Row's Ter. *Newc T* —2G **55**
Roxborough Ho. *Whit B* —6C **34**
Roxburgh Clo. *Bla T* —3G **77**
Roxburgh Pl. *Newc T* —2B **68**
Roxburgh St. *Sund* —3D **102**
Roxburgh Ter. *Whit B* —6C **34**
Roxby Gdns. *N Shi* —2A **60**
Royal Arc. *Newc T* —4G **67** (5E **5**)
Royal Cres. *Newc T* —1A **66**
Royal Ind. Est. *Heb* —2D **70**
Royal Quays Outlet Shop. *N Shi* —5A **60**
Royal Rd. *S'ley* —2C **120**
Royalty, The. *Sund* —2B **116**
Roydon Av. *Sund* —4E **117**
Royle St. *Sund* —5F **117**
Royston Ter. *Newc T* —5G **69**
Ruabon Clo. *Cra* —6A **20**
Rubens Av. *S Shi* —6F **73**
Ruby St. *Hou S* —1H **135**
Rudby Clo. *Newc T* —5F **41**
Rudchester Pl. *Newc T* —1G **65**
Ruddock Sq. *Newc T* —4C **68**
Rudyard Av. *Sund* —4E **117**
Rudyerd Ct. *N Shi* —2D **60**
Rudyerd St. *N Shi* —2C **60**
Rugby Gdns. *Gate* —2C **96**
Rugby Gdns. *W'snd* —4C **58**
Ruislip Pl. *Cra* —6H **19**
Ruislip Rd. *Sund* —2C **114**
Runcorn. *Sund* —2C **130**
Runcorn Rd. *Sund* —2E **101**
Runhead Est. *Ryton* —5D **62**
Runhead Gdns. *Ryton* —4D **62**
Runhead Ter. *Ryton* —4E **63**
Runnymede. *Gt Lum* —3G **133**
Runnymede. *Sund* —2D **130**
Runnymede Rd. *Pon* —1A **36**
Runnymede Rd. *Sund* —2F **101**
Runnymede Rd. *Whi* —5E **79**
Runnymede Way. *Newc T* —3A **54**
Runnymede Way. *Sund* —2F **101**
Runswick Av. *Newc T* —1H **55**
Runswick Clo. *Sund* —2C **130**
Runswick Clo. *Sund* —2G **101**
Rupert Sq. *Sund*

Rupert St. *Sund* —2F **89**
Rupert Ter. *Newc T* —1F **63**
Rushall Pl. *Newc T* —1B **56**
Rushbury Ct. *Back* —6A **32**
Rushey Gill. *B'don* —5C **156**
Rushford. *Sund* —2D **130**
Rushie Av. *Newc T* —4G **65**
Rushley Cres. *Bla T* —6A **64**
Rushsyde Clo. *Whi* —6C **78**
Rushton Av. *Sund* —4E **117**
Rushyrig. *Wash* —1G **111**
(in two parts)
Ruskin Av. *Eas L* —5E **147**
Ruskin Av. *Gate* —2B **80**
Ruskin Av. *Newc T* —4C **42**
Ruskin Av. *Pelt F* —6G **123**
Ruskin Clo. *S'ley* —2F **121**
Ruskin Cres. *S Shi* —6D **72**
Ruskin Dri. *Bol C* —3C **86**
Ruskin Dri. *Newc T* —5D **56**
Ruskin Rd. *Bir* —3C **110**
Ruskin Rd. *Gate* —4B **82**
Ruskin Rd. *Swa* —3E **79**
Rusling Vw. *Whi* —6F **79**
Russell Ct. *Gate* —2E **81**
Russell Sq. *Sea B* —3D **28**
Russell St. *Jar* —2G **71**
Russell St. *N Shi* —2C **60**
Russell St. *S Shi* —4E **61**
Russell St. *Sund* —6E **103**
Russell St. *Wash* —5A **98**
Russell Ter. *Bed* —5H **7**
Russell Ter. *Bir* —1B **110**
(in tw parts)
Russell Ter. *Newc T* —3H **67** (3G **5**)
Russell Way. *Sund* —1G **79**
Ruswarp Dri. *Sund* —3B **130**
Ruth Av. *Bla T* —1A **78**
Rutherford Av. *S'hm* —3F **139**
Rutherford Hall. *Newc T* —2E **5**
Rutherford Ho. *Pet* —1D **160**
Rutherford Rd. *Ste I* —4C **98**
Rutherford Rd. *Sund* —2D **100**
Rutherford Sq. *Sund* —2D **100**
Rutherford St. *Bly* —6B **10**
Rutherford St. *Newc T* —4E **67** (5B **4**)
Rutherford St. *W'snd* —4F **59**
Rutherglen Rd. *Sund* —2G **101**
Rutherglen Sq. *Sund* —2G **101**
Rutland Av. *Newc T* —2G **69**
Rutland Av. *Sund* —2H **129**
Rutland Pl. *N Shi* —1A **60**
Rutland Pl. *Wash* —3B **98**
Rutland Rd. *Heb* —6D **70**
Rutland Rd. *W'snd* —6G **57**
Rutland Sq. *Bir* —2B **110**
Rutland St. *Hett H* —1B **146**
Rutland St. *S'hm* —3H **139**
(in two parts)
Rutland St. *S Shi* —3D **72**
Rutland St. *Sund* —6H **101**
Rutland Wlk. *Pet* —5C **160**
Ryal Clo. *Bly* —6A **10**
Ryal Clo. *Sea D* —6B **22**
Ryall Av. *Haz* —1C **40**
Ryal Ter. *Newc T* —4F **69**
Ryal Wlk. *Newc T* —3H **53**
Rydal. *Gate* —3G **83**
Rydal Av. *Eas L* —5E **147**
Rydal Av. *N Shi* —3C **46**
Rydal Av. *S'ley* —4B **120**
Rydal Clo. *E Bol* —3E **87**
Rydal Clo. *Kil* —2F **43**
Rydal Cres. *Bla T* —3H **77**
Rydal Cres. *Pet* —1E **163**

Rydal Gdns. *S Shi* —3G **73**
Rydal Mt. *C'twn* —5C **100**
Rydal Mt. *Pet* —1D **160**
Rydal Mt. *Sund* —2C **102**
Rydal Rd. *Ches S* —2B **132**
Rydal Rd. *Gos* —2F **55**
Rydal Rd. *Lem* —1B **64**
Rydal St. *Gate* —2G **81**
Rydal Ter. *N Gos* —1D **40**
Ryde Pl. *Cra* —2B **20**
Ryde Ter. *Gate* —2C **80**
Ryde Ter. *S'ley* —5F **119**
Ryde Ter. Bungalows. *S'ley* —4F **119**
(off Lwr. Church St.)
Rye Clo. *Newc T* —6E **51**
Ryedale. *Dur* —4B **154**
Ryedale. *Sund* —4F **89**
Ryedale. *W'snd* —2F **57**
Ryedale Ct. *S Shi* —5C **72**
Ryehaugh. *Pon* —5F **25**
Rye Hill. *Ches S* —6C **124**
Rye Hill. *Newc T* —5D **66** (6A **4**)
Ryehill Vw. *E Rai* —1G **145**
Ryelands Way. *Dur* —5C **142**
Ryemount Rd. *Sund* —2D **130**
Rye Vw. *Sund* —2F **131**
Ryhope. —3G 131
Ryhope Beach Rd. *Sund* —3G **131**
Ryhope Colliery. —1E 131
Ryhope Engines Museum. —4E **131**
Ryhope Gdns. *Gate* —1D **96**
Ryhope Grange Ct. *Sund* —6F **117**
Ryhope Rd. *Ryh* —2D **116**
Ryhope St. *Hou S* —3B **136**
Ryhope St. *Sund* —5F **117**
Ryhope St. N. *Sund* —2E **131**
Ryhope St. S. *Sund* —2F **131**
Rymers Clo. *Pet* —2A **160**
Ryton. —4C 62
Ryton Ct. *S Shi* —6F **61**
Ryton Crawcrook By-Pass. *Ryton* —6A **62**
Ryton Cres. *S'hm* —4G **139**
Ryton Cres. *S'ley* —1E **121**
Ryton Hall Dri. *Ryton* —3C **62**
Ryton Ind. Est. *Bla T* —4F **63**
Ryton Sq. *Sund* —4E **117**
Ryton Ter. *Newc T* —5F **69**
Ryton Ter. *W All* —4C **44**
Ryton Village. —3C 62
Ryton Woodside. —1B 76

Sabin Ter. *S'ley* —5H **119**
Sackville Rd. *Newc T* —6C **56**
Sackville Rd. *Sund* —4G **115**
Sacriston Av. *Sund* —4H **115**
Sacriston Gdns. *Gate* —3C **96**
Saddleback. *Wash* —5H **97**
(in two parts)
Saddler St. *Dur* —5C **152**
Saffron Pl. *Newc T* —4G **69**
Sage Clo. *Newc T* —1A **64**
St Agatha's Clo. *B'don* —4E **157**
St Aidans Av. *Dur* —2B **152**
St Aidan's Av. *Newc T* —4A **44**
St Aidan's Av. *Sund* —6F **117**
St Aidans Clo. *N Shi* —5H **45**
St Aidans College Gardens. —2B **158**
St Aidan's Ct. *N Shi* —6E **47**
St Aidan's Cres. *C Moor* —5A **152**
St Aidan's Cres. *S'ley* —6F **119**
St Aidan's Rd. *S Shi* —3F **61**
St Aidan's Rd. *W'snd* —6G **57**
St Aidan's Sq. *Newc T* —4A **44**
St Aidans St. *Gate* —2F **81**

St Aidan's Ter. *Hou S* —3A **128**
St Alban's Clo. *Ear* —6E **33**
St Albans Clo. *Gt Lum* —5H **133**
St Albans Cres. *Gate* —4C **82**
St Alban's Cres. *Newc T* —5D **56**
St Albans Pl. *Gate* —4C **82**
St Albans Pl. *N Shi* —6F **47**
St Alban's St. *Sund* —4E **117**
St Alban's Ter. *Gate* —2H **81**
St Albans Vw. *Shir* —3D **44**
St Aldwyn Rd. *S'hm* —3H **139**
St Andrew's. *Hou S* —3F **135**
St Andrew's Av. *Wash* —5H **97**
St Andrews Ct. *Newc T* —2C **56**
St Andrew's Ct. *N Shi* —5B **46**
(off Walton Av.)
St Andrew's Dri. *Gate* —2G **95**
St Andrew's Rd. *Tan L* —6D **106**
St Andrew's Sq. *Mur* —1E **149**
St Andrew's St. *Heb* —2A **70**
St Andrew's St. *Newc T* —4E **67** (4B **4**)
St Andrews Ter. *S'hm* —1F **149**
St Andrew's Ter. *Sund* —3E **103**
St Annes Clo. *Bla T* —2H **77**
St Anne's Clo. *Newc T* —4A **68** (4H **5**)
St Anne's Ct. *Whit B* —2A **46**
St Anne's Yd. *Newc T* —4A **68**
St Ann's Wharf. *Newc T* —5H **5**
St Anselm Cres. *N Shi* —6G **45**
St Anselm Rd. *N Shi* —6G **45**
St Anthony's. —5F 69
St Anthony's Rd. *Newc T* —4E **69**
St Anthony's Wlk. *Newc T* —6F **69**
St Asaph Clo. *Newc T* —3D **56**
St Aubyns Way. *S'ley* —2F **121**
St Austell Clo. *Newc T* —3G **53**
St Austell Gdns. *Gate* —3H **95**
St Barnabas. *Hou S* —6B **126**
St Barnabas Way. *Hen* —2F **117**
St Bede's. *E Bol* —4F **87**
(in two parts)
St Bedes Clo. *Dur* —6A **152**
St Bede's Clo. *Hett H* —1C **146**
St Bede's Dri. *Gate* —1H **81**
St Bede's Pk. *Sund* —2D **116**
St Bedes Pl. *Bly* —3H **15**
St Bedes Rd. *Bly* —3H **15**
St Bede's Ter. *Sund* —2D **116**
St Bede's Way. *Lang M* —4G **157**
St Benet's Clo. *Sund* —5E **103**
St Benet's Way. *Sund* —5D **102**
St Brandon's Gro. *B'don* —5C **156**
St Brelades Way. *S'ley* —2F **121**
St Buryan Cres. *Newc T* —3G **53**
St Catherine's Ct. *Sund E* —5E **101**
St Catherines Gro. *Newc T* —2A **68**
St Chad's Cres. *Sund* —2D **128**
St Chad's Rd. *Sund* —2D **128**
St Chad's Vs. *E Bol* —4F **87**
St Christopher's Rd. *Sund* —5A **116**
St Christopher Way. *N Shi* —4H **59**
St Clements Ct. *Newc T* —5B **40**
St Columba Ct. *Sund* —3C **102**
Saint Ct. *Sund* —4A **130**
St Cuthbert Av. *Ches S* —6D **124**
St Cuthberts Av. *Dur* —2A **152**
St Cuthberts Av. *S Shi* —1A **74**
St Cuthbert's Clo. *Hett H* —1C **146**
St Cuthberts Ct. *Bly* —6D **10**
St Cuthbert's Ct. *Gate* —1F **81**
St Cuthbert's Ct. *Newc T* —2C **54**
St Cuthbert's Dri. *Gate* —4F **83**
(in two parts)
St Cuthbert's Grn. *Newc T* —2G **65**

St Cuthberts Pk. *Mar H* —5E **93**
St Cuthbert's Pl. *Dur* —4B **152**
St Cuthbert's Pl. *Gate* —2F **81**
St Cuthbert's Rd. *Gate* —1F **81**
(in two parts)
St Cuthbert's Rd. *Hol* —4A **44**
St Cuthbert's Rd. *Hou S* —2B **128**
St Cuthbert's Rd. *Mar H* —4F **93**
St Cuthbert's Rd. *Newc T* —2F **65**
(in three parts)
St Cuthberts Rd. *Pet* —2D **162**
St Cuthbert's Rd. *W'snd* —4B **58**
St Cuthbert's Ter. *Dal D* —6F **139**
St Cuthbert's Ter. *Sund* —6B **102**
St Cuthberts Wlk. *Ches S* —6C **124**
St Cuthberts Wlk. *Lang M* —4G **157**
St Cuthbert's Way. *Bla T* —6B **64**
St Cuthberts Way. *Sher* —6D **154**
St Cuthbert's Rd. *Nbtle* —6H **127**
St David's Clo. *Whit B* —3A **34**
St David's Ct. *Whit B* —3A **34**
St David's Way. *Jar* —2G **85**
St David's Way. *Whit B* —3B **34**
St Edmund's Ct. *Gate* —2A **82**
St Edmund's Dri. *Gate* —4F **83**
St Edmund's Rd. *Gate* —2H **81**
St Edmund's Ter. *Dip* —2C **118**
St Elvins Pl. *Gt Lum* —4H **133**
St Etienne Ct. Gate —2D *82*
(off Carlisle St.)
St Gabriel's Av. *Newc T* —6B **56**
St Gabriel's Av. *Sund* —1H **115**
St George's Av. *S Shi* —1G **73**
St George's Clo. *Newc T* —5G **55**
St Georges Ct. *Gate* —4H **83**
St George's Cres. *N Shi* —2B **60**
St Georges Cres. *Whit B* —1B **46**
St George's Est. *Wash* —6A **112**
St George's Pl. *Newc T* —4C **64**
St George's Rd. *Newc T* —4C **64**
St George's Rd. *N Shi* —2E **47**
St George's Ter. *E Bol* —4F **87**
St George's Ter. *Jes* —6G **55**
St George's Ter. *Newc T* —4C **64**
St George's Ter. *Sund* —3F **103**
St George's Way. *Sund* —2D **116**
St Godric's Clo. *Dur* —6C **152**
St Godric's Dri. *W Rai* —3E **145**
St Gregorys Ct. *S Shi* —4H **73**
St Helen's Cres. *Gate* —6G **81**
St Helen's Pl. *Gate* —6H **81**
St Heliers Way. *S'ley* —2F **121**
St Hilda Ind. Est. *S Shi* —5E **61**
St Hildas Av. *W'snd* —4C **58**
St Hilda's La. *S Shi* —4E **61**
St Hilda St. *S Shi* —5E **61**
St Hilds La. *Dur* —5E **153**
St Ignatius Clo. *Sund* —2E **117**
St Ives Pl. *Mur* —1D **148**
St Ives Way. *Newc T* —3G **53**
St James Ct. *Gate* —2B **82**
(in two parts)
St James' Cres. *Newc T* —5H **65**
St James Gdns. *Newc T* —4H **65**
St James' Mall. *Heb* —4B **70**
St James' Park. —3E **67**
St James Rd. *Gate* —1A **82**
St James Rd. *Newc T* —4H **65**
St James Sq. *Gate* —6A **68**
St James St. *Gos* —2F **55**
St James St. *Newc T* —3E **67** (3B **4**)
St James Ter. *Newc T* —3E **67**
St James' Ter. *N Shi* —4H **59**
St John's Av. *Heb* —4B **70**
St John's Clo. *Whit B* —3B **34**
St John's Ct. *Back* —6A **32**

St John's Cres. *Bed* —2D **8**
St John's Grn. *N Shi* —4H **59**
St John's Ho. S Shi —4F *61*
(off Beach Rd.)
St John's Mall. *Heb* —4B **70**
St John's Pl. *Bed* —2D **8**
St John's Pl. *Bir* —3C **110**
(in two parts)
St John's Pl. *Gate* —3D **82**
St John's Pl. *Whit B* —3B **34**
St John's Precinct. Heb —4B *70*
(off St John's Mall)
St John's Rd. *Bed* —3D **8**
St John's Rd. *Dur* —6A **152**
St John's Rd. *H Pitt* —1F **155**
St John's Rd. *Mead* —5F **157**
St John's Rd. *Newc T* —5A **66**
St John's Sq. *S'hm* —4B **140**
St John's Ter. *Dip* —2C **118**
St John's Ter. *E Bol* —4G **87**
St John's Ter. *Jar* —2F **71**
St John's Ter. *N Shi* —4H **59**
St John's Ter. *S'hm* —2E **139**
St John St. *Newc T* —4F **67** (5C **4**)
St John St. *N Shi* —4H **59**
(in two parts)
St Johns Va. *Sund* —3C **114**
St John's Wlk. *Heb* —4C **70**
St John's Wlk. *Newc T* —5A **66**
(in two parts)
St John's Wlk. *N Shi* —4H **59**
St John's W. *Bed* —2D **8**
St Josephs Clo. *Dur* —5G **153**
St Josephs Ct. *Bir* —2C **110**
St Josephs Ct. *Heb* —6B **70**
St Joseph's Way. *Jar* —2G **85**
St Jude's Ter. *S Shi* —1E **73**
St Julien Gdns. *Newc T* —4D **56**
St Julien Gdns. *W'snd* —4F **59**
St Just Pl. *Newc T* —3G **53**
St Keverne Sq. *Newc T* —3G **53**
St Kitt's Clo. *Whit B* —3B **34**
St Lawrence. —4B 68
St Lawrence Clo. *H Pitt* —2G **155**
St Lawrence Rd. *H Pitt* —2F **155**
St Lawrence Rd. *Newc T* —4B **68**
St Lawrence Sq. *Newc T* —4B **68**
St Leonards. *Dur* —4B **152**
St Leonards Clo. *Pet* —2B **162**
St Leonard St. *Sund* —3E **117**
St Lucia Clo. *Sund* —2E **117**
St Lucia Clo. *Whit B* —3A **34**
St Luke's Rd. *N Shi* —4H **59**
St Luke's Rd. *Sund* —2D **114**
St Luke's Ter. *Sund* —6H **101**
St Margarets Av. *Newc T* —1D **56**
St Margarets Av. *Sund* —4C **100**
St Margarets Ct. *Dur* —6B **152**
St Margaret's Ct. *Sund* —4C **100**
St Margaret's Ct. Whit B —1E *47*
(off Margaret Rd.)
St Margaret's Dri. *Tan* —4B **106**
St Margarets Gth. *Dur* —6B **152**
St Margaret's Rd. *Newc T* —5E **65**
St Mark's Clo. *Newc T* —2C **68**
St Mark's Ct. *N Shi* —5H **59**
St Mark's Ct. *Shir* —2C **44**
St Marks Cres. *Sund* —1B **116**
St Mark's Rd. *Sund* —1A **116**
St Mark's St. *Newc T* —2C **68**
St Mark's St. *Sund* —1B **116**
St Mark's Ter. *Sund* —1B **116**
St Mark's Way. *S Shi* —6E **61**
St Martin's Clo. *Whit B* —4A **34**
St Martin's Ct. *Whit B* —4A **34**
St Martin's Way. *Whit B* —4A **34**

St Mary Magdalene Hospital. *Newc T* —1D **66**
St Mary's Av. *S Shi* —3H **73**
St Mary's Av. *Whit B* —4B **34**
(in two parts)
St Marys Clo. *Ches S* —2B **132**
St Mary's Clo. *Pet* —2A **160**
(in two parts)
St Mary's Clo. *Shin* —3F **159**
St Mary's Ct. *Gate* —1H **81**
St Mary's Dri. *Bly* —2H **15**
St Mary's Dri. *Sher* —6D **154**
St Mary's Dri. *W Rai* —3E **145**
St Mary's Pl. *Newc T* —4F **67** (2D **4**)
St Mary's Pl. *Thro* —5E **51**
St Mary's Pl. E. *Newc T* —2D **4**
St Mary's Rd. *Dur* —3A **154**
St Mary's Ter. *E Bol* —4G **87**
St Mary's Ter. *Gate* —3F **83**
St Mary's Ter. *Ryton* —4B **62**
St Mary's Ter. *S Shi* —2D **72**
(nr. Dean Rd.)
St Mary's Ter. S Shi —2E *73*
(off Wharfedale Dri.)
St Mary's Vw. Whit B —5D *34*
(off Brook St.)
St Mary's Way. *Sund* —6C **102**
St Matthew's Ter. *Hou S* —5H **127**
St Matthew's Vw. *Sund* —2A **130**
St Michael's. *Hou S* —3F **135**
St Michael's Av. *N Har* —3B **22**
St Michaels Av. *S Shi* —6F **61**
St Michaels Av. N. *S Shi* —6F **61**
St Michael's Mt. *Newc T* —4C **68**
St Michael's Rd. *Newc T* —4B **68**
St Michael's Way. *Gate* —1F **79**
St Michael's Way. *Sund* —6C **102**
St Monica Gro. *Dur* —6A **152**
St Nicholas Av. *Gos* —3E **55**
(in two parts)
St Nicholas Av. *Sund* —4B **116**
St Nicholas Bldgs. *Newc T* —5F **67** (6D **4**)
St Nicholas Churchyard. *Newc T* —4F **67** (5D **4**)
St Nicholas Dri. *Dur* —3H **151**
St Nicholas Nature Reserve. —2C **54**
St Nicholas Precinct. *Newc T* —5D **4**
St Nicholas Rd. *W Bol* —4C **86**
St Nicholas Sq. *Newc T* —4F **67** (5D **4**)
St Nicholas St. *Newc T* —5F **67** (6D **4**)
St Nicholas Ter. *Pet* —1D **160**
St Nicholas Vw. *W Bol* —4C **86**
St Omers Rd. *Dun* —1B **80**
St Oswald's Av. *Newc T* —2E **69**
St Oswald's Ct. *Gate* —3D **82**
St Oswald's Dri. *Dur* —4A **158**
St Oswald's Grn. *Newc T* —2E **69**
St Oswald Sq. *Dur* —5A **142**
St Oswald's Rd. *Heb* —2D **70**
St Oswald's Rd. *W'snd* —3B **58**
St Oswald's Ter. *Hou S* —3F **127**
St Oswin's Av. *N Shi* —2E **47**
St Oswin's Pl. *N Shi* —5F **47**
St Oswin's St. *S Shi* —2F **73**
St Patricks Clo. *Gate* —3E **83**
St Patricks Gth. *Sund* —6E **103**
St Patrick's Ter. *Sund* —3D **131**
St Patrick's Wlk. *Gate* —3D **82**
St Paul's Ct. *Gate* —2E **81**
St Pauls Dri. *Hou S* —1C **126**
St Paul's Gdns. *Whit B* —1C **46**
St Paul's Monastery. —2H **71**
St Pauls Pl. *Newc T* —4C **66**

St Paul's Rd. *Jar* —2G **71**
St Paul's Ter. *Sund* —3F **131**
St Paul's Ter. *W Pel* —3C **122**
St Peter's. —5C 68
St Peters Av. *S Shi* —3G **73**
St Peters Basin Marina. *Newc T*
   —5C **68**
St Peters' Church & Visitor Centre.
   —5E **103**
St Peters Ct. *W'snd* —5C **58**
St Peter's Rd. *Newc T* —5C **68**
St Peter's Rd. *W'snd* —4B **58**
St Peter's Stairs. *N Shi* —3D **60**
St Peter's Vw. *Sund* —5D **102**
St Peters Way. *Sund* —5E **103**
St Peters Wharf. *Newc T* —5C **68**
St Philips Clo. *Newc T* —4D **66**
St Philips Way. *Newc T* —4D **66**
St Rollox St. *Heb* —4B **70**
St Ronan's Dri. *Sea S* —2F **23**
St Ronan's Rd. *Whit B* —1B **46**
St Ronans Vw. *Gate* —3A **96**
St Simon St. *S Shi* —5C **72**
St Stephen's Clo. *Sea D* —6H **21**
St Stephens Way. *N Shi* —5H **59**
St Stevens Clo. *Hou S* —1C **126**
St Thomas Clo. *Pet* —2A **160**
St Thomas Cres. *Newc T*
   —3F **67** (2C **4**)
St Thomas Sq. *Newc T*
   —3F **67** (2C **4**)
St Thomas St. *Gate* —6A **82**
St Thomas' St. *Newc T*
   —3F **67** (2C **4**)
St Thomas St. *Sund* —6D **102**
St Thomas' Ter. *Newc T* —2C **4**
St Vincent Ct. *Gate* —2A **82**
St Vincent Ho. *N Shi* —6F **47**
St Vincent's Clo. *Newc T* —1C **64**
St Vincents Pl. *Whit B* —3B **34**
St Vincent St. *Gate* —2A **82**
St Vincent St. *S Shi* —6G **61**
St Vincent St. *Sund* —2E **117**
St Vincent's Way. *Whit B* —3B **34**
Saker Pl. W'snd —6H **57**
  (off Elton St.)
Salcombe Av. *Jar* —4H **71**
Salcombe Clo. *Dal D* —5G **139**
Salcombe Gdns. *Gate* —3H **95**
Salem Hill. *Sund* —2E **117**
Salem Rd. *Sund* —2E **117**
Salem St. *Jar* —2G **71**
Salem St. *S Shi* —4E **61**
Salem St. *Sund* —2E **117**
Salem St. S. *Sund* —2E **117**
Salem Ter. *Sund* —2E **117**
Salisbury Av. *Ches S* —1C **132**
Salisbury Av. *N Shi* —6B **46**
Salisbury Clo. *Cra* —3G **19**
Salisbury Clo. *Gt Lum* —5G **133**
Salisbury Gdns. *Newc T* —1A **68**
Salisbury Pl. *S Shi* —4G **61**
Salisbury Rd. *Dur* —5E **143**
Salisbury St. *Bly* —5B **10**
Salisbury St. *Gate* —2G **83**
Salisbury St. *S Hyl* —6C **100**
Salisbury St. *S Shi* —5F **61**
Salisbury St. *S'ley* —4B **120**
Salisbury St. *Sund* —1E **117**
Salisbury Way. *Jar* —2F **85**
Salkeld Gdns. *Gate* —3A **82**
Salkeld Rd. *Gate* —5A **82**
Sallyport Cres. *Newc T*
   —4G **67** (5F **5**)
Salmon St. *S Shi* —3F **61**
Saltburn Clo. *Hou S* —2G **135**

Saltburn Gdns. *W'snd* —4F **59**
Saltburn Rd. *Sund* —4G **115**
Saltburn Sq. *Sund* —4G **115**
Salterfen La. *Sund* —1G **131**
Salterfen Rd. *Sund* —1G **131**
  (SR3)
Salter La. *Sund* —5E **115**
  (SR4)
Salters Clo. *Newc T* —1G **55**
Salters Ct. *Newc T* —1G **55**
Salter's La. *Hou S & Sea* —2G **137**
  (in two parts)
Salters' La. *Newc T* —1H **55**
  (in two parts)
Salter's La. *S Het* —6G **147**
  (in two parts)
Salters La. Ind. Est. *Newc T* —4A **42**
Salters Rd. *Newc T* —3C **54**
Saltford. *Gate* —3A **96**
Saltmeadows. —5A 68
Saltmeadows Rd. *Gate* —5A **68**
Saltwell Park. —4G **81**
Saltwell Pl. *Gate* —3F **81**
Saltwell Rd. *Gate* —3F **81**
Saltwell Rd. S. *Gate* —6G **81**
Saltwell St. *Gate* —3F **81**
Saltwell Vw. *Gate* —4G **81**
Sams Ct. *Dud* —3H **29**
Samson Clo. *Newc T* —3C **42**
Sancroft Dri. *Hou S* —4A **136**
Sandalwood. *S Shi* —6F **73**
Sandalwood Sq. *Sund* —5C **114**
Sandalwood Wlk. *S'ley* —2E **121**
Sandbach. *Gt Lum* —3G **133**
Sanderling Clo. *Ryton* —5E **63**
Sanderlings, The. *Sund* —3G **131**
Sanders Gdns. *Bir* —2C **110**
Sanders Memorial Homes. *Ches S*
   —6C **124**
Sanderson Rd. *Newc T* —5G **55**
Sanderson Rd. *Whit B* —6B **34**
Sanderson St. *Els* —6B **66**
Sanderson Ter. *Cra* —6C **20**
Sanderson Yd. *Newc T* —3C **68**
Sandfield Rd. *E Sle* —1H **9**
Sandfield Rd. *N Shi* —2D **46**
Sandford Av. *Cra* —6B **14**
Sandford M. *Wide* —6C **28**
Sandgate. *Newc T* —4H **67** (5G **5**)
Sandgate. *New K* —5H **119**
Sandgate Ho. *Newc T* —4H **67** (5G **5**)
Sandgrove. *Sund* —2A **88**
Sandhill. *Newc T* —5G **67** (6E **5**)
Sandhoe Gdns. *Newc T* —4F **65**
Sandhoe Ter. *Newc T* —5C **68**
Sandholm Clo. *W'snd* —2D **58**
Sandhurst Av. *N Shi* —3D **46**
Sandiacres. *Jar* —2G **85**
Sandison Ct. *Bru V* —5B **28**
Sandmere Pl. *Newc T* —3E **65**
Sandmere Rd. *Lee I* —6D **116**
Sandon Clo. *Back* —6A **32**
Sandown. *Whit B* —6H **33**
Sandown Clo. *Sea D* —1B **32**
Sandown Ct. *W'snd* —3E **59**
Sandown Gdns. *Gate* —3E **81**
Sandown Gdns. *Sund* —1H **129**
Sandown Gdns. *W'snd* —3D **58**
Sandpiper Clo. *Bly* —3D **16**
Sandpiper Clo. *Ryton* —5D **62**
Sandpiper Clo. *Wash* —5F **111**
Sandpiper Ct. *N Shi* —5F **47**
Sandpiper Pl. *Newc T* —6A **42**
Sand Point Rd. *Sund* —4E **103**
Sandray Clo. *Bir* —6D **110**

Sandrigg Sq. *S Shi* —4G **73**
Sandringham Av. *Newc T* —1C **56**
Sandringham Clo. *Whit B* —1F **45**
Sandringham Ct. *Fel* —3C **82**
Sandringham Ct. *Newc T* —1A **56**
Sandringham Cres. *Pet* —1H **163**
Sandringham Cres. *Sund* —3E **129**
Sandringham Dri. *Bly* —4A **16**
Sandringham Dri. *S'ley* —4F **119**
Sandringham Dri. *Whi* —4E **79**
Sandringham Dri. *Whit B* —1F **45**
Sandringham Gdns. *N Shi* —6C **46**
Sandringham M. *W'snd* —3D **58**
Sandringham Rd. *E Den* —1C **64**
Sandringham Rd. *Gos* —3G **55**
Sandringham Rd. *Sund* —3D **102**
Sandringham Ter. *Sund* —3E **103**
Sandringham Way. *Pon* —1C **36**
Sandsay Clo. *Ryh* —1D **130**
Sands Flats, The. *Dur* —5D **152**
Sands Ind. Est., The. *Swa* —2E **79**
Sands Rd. *Swa* —2E **79**
Sandstone Clo. *S Shi* —6B **72**
Sand St. *S'ley* —2E **121**
Sandwell Dri. *Hou S* —1D **126**
Sandwich Rd. *N Shi* —4B **46**
Sandwich St. *Newc T* —6F **69**
Sandy Chare. *Sund* —3E **89**
Sandy Cres. *Newc T* —5E **69**
Sandyford. *Pelt* —2F **123**
Sandyford Ho. *Newc T* —1F **5**
Sandyford Pk. *Newc T* —1H **67**
Sandyford Pl. *Pelt* —2G **123**
Sandyford Rd. *Newc T*
   —3G **67** (2E **5**)
Sandygate M. *Mar H* —4F **93**
Sandy La. *Din* —5G **27**
Sandy La. *Gate* —4D **96**
Sandy La. *Newc T* —1G **41**
Sandy La. *N Gos* —1E **41**
Sandypath La. *Burn* —6G **91**
  (in two parts)
Sans St. *Sund* —6E **103**
Sans St. S. *Sund* —1E **117**
Sargent Av. *S Shi* —1F **87**
Satley Gdns. *Gate* —3C **96**
Satley Gdns. *Sund* —5B **116**
Saturn Clo. *Eas* —1C **160**
Saturn St. *S'hm* —4G **139**
Saunton Ct. *Hou S* —6G **127**
Saville Ct. S Shi —4F **61**
  (off Saville St.)
Saville Pl. *Newc T* —3E **5**
Saville Pl. *Sund* —1E **117**
Saville Row. *Newc T* —3F **67** (3D **4**)
Saville St. *N Shi* —2D **60**
Saville St. *S Shi* —4F **61**
Saville St. W. *N Shi* —2C **60**
Savory Rd. *W'snd* —4D **58**
Saw Mill Cotts. *Dip* —5E **105**
Sawmills La. *B'don* —5C **156**
Saxilby Dri. *Newc T* —5F **41**
Saxon Clo. *Cle* —2G **87**
Saxon Cres. *Sund* —4H **115**
Saxondale Rd. *Newc T* —2A **54**
Saxon Dri. *N Shi* —4E **47**
Saxon Way. *Jar* —1G **71**
Saxton Gro. *Newc T* —3A **56**
Sayer Wlk. *Pet* —2E **163**
Scafell. *Bir* —6D **110**
Scafell Clo. *Pet* —1E **163**
Scafell Ct. *S'ley* —6E **119**
Scafell Ct. *Sund* —3H **129**
Scafell Dri. *Newc T* —4H **53**
Scafell Gdns. *Gate* —5C **80**
Scalby Clo. *Newc T* —5F **41**

Scarborough Ct. *Cra* —4B **20**
Scarborough Ct. *Newc T* —3D **68**
Scarborough Pde. *Heb* —1E **85**
Scarborough Rd. *Newc T* —3D **68**
(in two parts)
Scarborough Rd. *Sund* —1H **129**
Scarborough Ter. *Ches S* —1D **132**
Scardale Way. *Dur* —3C **154**
Sceptre Ct. *Newc T* —5C **66**
Sceptre Pl. *Newc T* —4C **66**
(in two parts)
Sceptre St. *Newc T* —4C **66**
Schalksmuhle Rd. *Bed* —4H **7**
Schimel St. *Sund* —3B **102**
School App. *S Shi* —3A **74**
School Av. *Gate* —3B **80**
School Av. *W Rai* —4D **144**
School Clo. *Gate* —5D **82**
School Ct. Sher —6D **154**
(off Hallgarth St.)
Schoolhouse La. *Mar H* —5C **92**
School La. *Dur* —1D **158**
School La. *H Spen* —2A **90**
School La. *S'ley* —4B **120**
School La. *Whi* —4G **79**
School Rd. *Bed* —2D **8**
School Rd. *E Rai* —1G **145**
School St. *Bir* —3C **110**
School St. *Heb* —2C **70**
School St. *Pet* —1E **161**
School St. *Gate* —1F **81**
School St. *Whi* —4E **79**
School Ter. *Hou S* —2C **134**
School Ter. *S'ley* —4B **120**
School Vw. *Eas L* —5F **147**
School Vw. *W Rai* —4D **144**
Scorer's La. *Gt Lum* —2H **133**
Scorer St. *N Shi* —2B **60**
Scotby Gdns. *Gate* —2B **90**
Scotland Ct. *Bla T* —2G **77**
Scotland Gate. —1H 7
Scotland Head. *Bla T* —4G **77**
Scotland St. *Sund* —3G **131**
Scotswood. —4E 65
Scotswood Rd. *Newc T*
(in two parts) —3B **64** (6B **4**)
Scotswood Sta. App. *Newc T* —5E **65**
Scotswood Vw. *Gate* —6F **65**
Scott Av. *Nel V* —1H **19**
Scott Ct. *Gt Lum* —4G **133**
Scott Ct. *S Shi* —6C **72**
Scotts Bank *Sund* —4A **102**
Scotts Cotts. *Dur* —5H **151**
Scotts Ct. *Gate* —5H **83**
Scott's Ter. *Hett H* —1C **146**
Scott St. *H'fd* —4B **14**
Scott St. *Hou S* —3H **135**
Scott St. *S'ley* —3C **120**
Scripton Gill. *B'don* —5C **156**
Scripton Gill Rd. *B'don* —6B **156**
Scrogg Rd. *Newc T* —2E **69**
Scruton Av. *Sund* —5G **115**
Sea Banks. *N Shi* —5G **47**
Sea Beach Rd. *Sund* —4G **117**
Seaburn. —1E 103
Seaburn Av. *N Har* —3B **22**
Seaburn Clo. *Sund* —1E **103**
Seaburn Ct. *Sund* —1E **103**
Seaburn Dri. *Hou S* —3G **135**
Seaburn Gdns. *Gate* —2D **96**
Seaburn Gdns. *Sund* —1E **103**
Seaburn Gro. *Sea S* —3G **23**
Seaburn Hill. *Sund* —1E **103**
Seaburn Ter. *Sund* —1F **103**
Seaburn Vw. *N Har* —3B **22**

Seacombe Av. *N Shi* —2E **47**
Seacrest Av. *N Shi* —2D **46**
Seafield Rd. *Bly* —2C **16**
Seafields. *Sund* —6E **89**
Seafield Ter. *S Shi* —4F **61**
Seafield Vw. *N Shi* —5F **47**
Seaforth Rd. *Sund* —4A **116**
Seaforth St. *Bly* —5C **10**
Seaham. —4B 140
Seaham Clo. *S Shi* —3B **74**
Seaham Gdns. *Gate* —3C **96**
Seaham Grange Ind. Est. *S'hm*
—1F **139**
Seaham Rd. *Hou S* —3B **136**
Seaham Rd. *Sund* —3G **131**
Seaham St. *S'hm* —6C **140**
Seaham St. *Sund* —2A **130**
Sea La. *Sund* —1E **103**
(nr. Chichester Rd.)
Sea La. *Sund* —4F **89**
(nr. Whitburn Bents Rd.)
Sea Life Centre. —4F **47**
Sea Rd. *S Shi* —3G **61**
Sea Rd. *Sund* —1D **102**
Seascale Pl. *Gate* —1B **96**
Seaside La. *Eas* —1B **160**
Seaside La. S. *Pet* —1E **161**
Seatoller Ct. *Sund* —3H **129**
Seaton. —4D 22
(nr. Seaton Delaval)
Seaton. —3D 138
(nr. Westlea)
Seaton Av. *Ann* —2B **30**
Seaton Av. *Bed* —4B **8**
Seaton Av. *Bly* —3A **16**
Seaton Av. *Hou S* —3B **136**
Seaton Burn. —3D 28
Seaton Clo. *Gate* —5H **83**
Seaton Cres. *H'wll* —1D **32**
Seaton Cres. *Monk* —6A **34**
Seaton Cres. *S'hm* —2E **139**
Seaton Cft. *Ann* —3C **30**
Seaton Delaval Hall. —3E **23**
Seaton Delaval. —6A 22
Seaton Gdns. *Gate* —2C **96**
Seaton Gro. *S'hm* —3D **138**
Seaton Holme. —1A **160**
Seaton La. *Sea* —2D **138**
Seaton Pk. *S'hm* —3F **139**
Seaton Pl. *Newc T* —6E **69**
Seaton Pl. *Wide* —6C **28**
Seaton Rd. *Shir* —1E **45**
Seaton Rd. *Sund* —4F **115**
Seaton Sluice. —3H 23
Seaton Terrace. —6B 22
Seatonville Cres. *Whit B* —2A **46**
Seatonville Gro. *Whit B* —2A **46**
Seatonville Rd. *Whit B* —1H **45**
Sea Vw. *Eas* —2B **160**
Sea Vw. *Ryh* —3G **131**
Sea Vw. E. *Sund* —5F **117**
Sea Vw. Gdns. *H'dn* —5G **161**
Sea Vw. Gdns. *Sund* —2E **103**
Sea Vw. Ind. Est. *Pet* —4G **161**
Sea Vw. Pk. *Cra* —3D **20**
Sea Vw. Pk. *Sund* —3D **88**
Sea Vw. Rd. *Sund* —5E **117**
Sea Vw. Rd. W. *Sund* —5D **116**
Sea Vw. St. *Sund* —5F **117**
Seaview Ter. *S Shi* —4G **61**
Seaview Vs. *Cra* —3D **20**
Sea Vw. Wlk. *Mur* —1E **149**
Sea Way. *S Shi* —4G **61**
Second Av. *Bly* —1B **16**
Second Av. *Ches S* —1B **124**
(nr. Drum Rd.)

Second Av. *Ches S* —1B **132**
(nr. Waldridge Rd.)
Second Av. *Newc T* —1C **68**
Second Av. *Team T* —5D **80**
Second Av. *Tyn T* —3F **59**
Second St. *Gate* —2F **81**
Secretan Way. *S Shi* —5E **61**
Sedbergh Rd. *N Shi* —3C **46**
Sedgefield Ct. *Kil* —2D **42**
Sedgeletch. —1F 135
Sedgeletch Ind. Est. *Fenc* —1E **135**
Sedgeletch Rd. *Fenc* —2E **135**
Sedgemoor. *Newc T* —1D **42**
Sedgemoor Av. *Newc T* —5E **65**
Sedgewick Pl. *Gate* —2G **81**
Sedley Rd. *W'snd* —6H **57**
Sedling Rd. *Wash* —5H **111**
Sefton Av. *Newc T* —6C **56**
Sefton Ct. *Cra* —6C **14**
Sefton Sq. *Sund* —4G **115**
Segedunum Roman Fort. (site of)
—1A **70**
Segedunum Way. *W'snd* —6H **57**
Seghill. —2G 31
Seghill Ind. Est. *Seg* —1F **31**
Seine St. *Jar* —3G **71**
Selborne Av. *Gate* —1G **95**
Selborne Gdns. *Newc T* —1A **68**
Selborne Clo. *Cra* —3G **19**
Selbourne St. *S Shi* —5F **61**
Selbourne St. *Sund* —4E **103**
(in two parts)
Selbourne Ter. *Camb* —2B **10**
Selby Clo. *Cra* —6B **14**
Selby Ct. *Jar* —2F **71**
Selby Ct. *Newc T* —5F **69**
Selby Gdns. *Newc T* —1F **69**
Selby Gdns. *W'snd* —4H **57**
Selby Sq. *Sund* —4G **115**
Selina Pl. *Sund* —4E **103**
Selkirk Cres. *Bir* —1C **110**
Selkirk Gro. *Cra* —6C **14**
Selkirk Sq. *Sund* —4F **115**
Selkirk St. *Jar* —6A **72**
Selkirk Way. *N Shi* —5G **45**
Selsdon Av. *Sund* —5C **114**
Selsey Ct. *Gate* —5E **83**
Selwood Ct. *S Shi* —4H **73**
Selwyn Av. *Whit B* —2H **45**
Selwyn Clo. *Newc T* —4H **53**
Serlby Clo. *Wash* —4A **98**
Seton Av. *S Shi* —5B **72**
Seton Wlk. *S Shi* —5B **72**
Setting Stones. *Wash* —1G **125**
Settlingstone Clo. *Newc T* —4D **56**
Sevenacres. *Gt Lum* —3H **133**
Sevenoaks Dri. *Sund* —4C **114**
Seventh Av. *Bly* —1C **16**
(in two parts)
Seventh Av. *Ches S* —6B **124**
Seventh Av. *Newc T* —2C **68**
Seventh Av. *Team T* —1F **95**
Seventh Av. *Pet* —6C **161**
(in two parts)
Severn Av. *Heb* —6C **70**
Severn Clo. *Pet* —3C **162**
Severn Ct. *Sund* —3H **129**
Severn Cres. *S'ley* —4C **120**
Severn Dri. *Jar* —1G **85**
Severn Gdns. *Gate* —2B **82**
Severn Houses. *Wash* —5E **99**
Severs Ter. *Newc T* —1H **51**
Severus Rd. *Newc T* —2A **66**
Seymour Ct. *Gate* —2C **80**
Seymour Sq. *Sund* —4G **115**
Seymour St. *Gate* —2C **80**

Seymour St. *N Shi* —3C **60**
Seymour St. *Pet* —1H **163**
Seymour Ter. *Eas L* —4D **146**
Seymour Ter. *Ryton* —4A **62**
Shadfen Pk. Rd. *N Shi* —2C **46**
Shadforth Clo. *Pet* —3A **162**
Shadon Way. *Bir* —3E **111**
Shaftesbury Av. *Jar & S Shi* —3H **71**
Shaftesbury Av. *Sund* —2E **131**
Shaftesbury Av. *Whit B* —4B **34**
Shaftesbury Cres. *N Shi* —2C **46**
Shaftesbury Cres. *Sund* —4H **115**
Shaftesbury Gro. *Newc T* —2B **68**
Shaftesbury Rd. *B Col* —2H **163**
Shaftesbury Wlk. *Gate* —1E **81**
Shaftoe Clo. *Ryton* —6A **62**
Shaftoe Ct. *Gos* —6C **40**
Shaftoe Ct. *Kil* —2D **42**
Shaftoe Ct. *Newc T* —4F **65**
Shaftoe Rd. *Sund* —5F **115**
Shaftoe Sq. *Sund* —5F **115**
Shaftoe Way. *Din* —4F **27**
Shafto St. *Newc T* —4E **65**
Shafto St. *W'snd* —4C **58**
Shafto Ter. *Crag* —6H **121**
Shafto Ter. *S Row* —1D **120**
Shafto Ter. *Wash* —6B **98**
Shaftsbury Dri. *B'don* —6C **156**
Shakespeare Av. *Heb* —3C **70**
Shakespeare Clo. *S'ley* —2F **121**
  (in two parts)
Shakespeare St. *Gate* —1A **82**
Shakespeare St. *Hou S* —4A **136**
Shakespeare St. *Jar* —1F **71**
Shakespeare St. *Newc T*
  —4F **67** (4D **4**)
Shakespeare St. *S'hm* —4B **140**
Shakespeare St. *S Shi* —6F **61**
Shakespeare St. *Sund* —3B **102**
Shakespeare St. *W'snd* —4D **58**
Shakespeare Ter. *Pelt F* —6G **123**
Shakespeare Ter. *Pet* —1C **160**
Shakespeare Ter. *Sund* —2C **116**
Shalcombe Clo. *Sund* —3A **130**
Shallcross. *Sund* —3B **116**
Shalstone. *Wash* —4D **98**
Shamrock Clo. *Newc T* —1A **64**
Shandon Way. *Newc T* —2A **54**
  (in two parts)
Shankhouse. —6C 14
Shanklin Pl. *Cra* —3G **19**
Shannon Clo. *Sund* —4C **100**
Shannon Ct. *Newc T* —6G **39**
Shap Clo. *Wash* —4B **112**
Shap Ct. *Sund* —3H **129**
Shap La. *Newc T* —6E **53**
Shap Rd. *N Shi* —3C **46**
Sharnford Clo. *Back* —6B **32**
Sharon Clo. *Newc T* —3B **42**
Sharp Cres. *Dur* —4G **153**
  (in two parts)
Sharpendon St. *Heb* —2C **70**
Sharpley Dri. *S'hm* —3E **139**
Shaw Av. *S Shi* —5D **72**
Shawdon Clo. *Newc T* —3F **53**
Shaw Gdns. *Gate* —3H **83**
Shaw St. *S'hm* —4B **140**
Shaw Wood Clo. *Dur* —4A **152**
Shearlegs Rd. *Gate* —6A **68**
Shearwater. *Whit* —6F **75**
Shearwater Av. *Newc T* —6A **42**
Shearwater Clo. *Newc T* —3F **53**
Shearwater Way. *Bly* —3C **16**
Sheelin Av. *Ches S* —2C **132**
Sheen Clo. *W Rai* —3E **145**
Sheen Ct. *Newc T* —2F **53**

Sheepfolds N. *Sund* —5D **102**
Sheepfolds Rd. *Sund* —5D **102**
Sheepfolds S. *Sund* —6D **102**
Sheephill. —1H 105
Sheep Hill. *Burn* —1H **105**
Sheldon Ct. *Newc T* —4C **42**
Sheldon Gro. *Cra* —6B **14**
Sheldon Gro. *Newc T* —4C **54**
Sheldon Rd. *S Shi* —6H **61**
Sheldon St. *Jar* —2F **71**
Shelford Gdns. *Newc T* —2C **64**
Shelley Av. *Bol C* —3C **86**
Shelley Av. *Eas L* —5F **147**
Shelley Av. *Gate* —4B **82**
Shelley Av. *S Shi* —4B **74**
Shelley Clo. *S'ley* —3E **121**
Shelley Ct. *Pelt F* —6H **123**
Shelley Cres. *Bly* —2A **16**
Shelley Dri. *Gate* —1A **82**
Shelley Gdns. *Pelt F* —6G **123**
Shelley Rd. *Newc T* —2F **63**
Shelley Sq. *Pet* —2C **160**
Shelley St. *S'hm* —4B **140**
Shepherd Clo. *Burr* —5C **30**
Shepherd St. *Sund* —6A **102**
Shepherds Way. *W Bol* —4C **86**
Shepherd Way. *Wash* —5C **112**
Sheppard Ter. *Sund* —4D **100**
Sheppey Ct. *Sund* —3A **130**
Shepton Cotts. *Sun* —2G **93**
Sheraton. *Gate* —6G **83**
Sheraton St. *Newc T* —1D **66**
Sherborne. *Gt Lum* —3H **133**
Sherborne Av. *N Shi* —5H **45**
Sherburn. —5D 154
Sherburn Grange N. *Jar* —4E **71**
Sherburn Grange S. *Jar* —4E **71**
Sherburn Grn. *Row G* —2F **91**
Sherburn Gro. *Hou S* —2G **135**
Sherburn Hill. —6H 155
Sherburn Pk. Dri. *Row G* —2F **91**
Sherburn Rd. *Dur* —5F **153**
Sherburn Rd. Est. *Dur* —6G **153**
Sherburn Rd. Flats. Dur —5F *153*
  (off Sherburn Rd.)
Sherburn Ter. *Gate* —3C **96**
Sherburn Way. *Gate* —5A **84**
Sherfield Dri. *Newc T* —5D **56**
Sheridan Grn. *Wash* —6G **111**
Sheridan Rd. *S Shi* —6C **72**
Sheridan St. *Sund* —6H **101**
Sheriff Hill. —6A 82
Sheriff Mt. N. *Gate* —4A **82**
Sheriff Mt. S. *Gate* —4A **82**
Sheriffs Clo. *Fel* —3B **82**
Sheriff's Highway. *Gate* —5A **82**
Sheriff's Moor Av. *Eas L* —5E **147**
Sheringham Av. *N Shi* —6H **45**
Sheringham Clo. *Sund* —5A **130**
Sheringham Dri. *Cra* —3G **19**
Sheringham Gdns. *Newc T* —5B **50**
Sherringham Av. *Newc T* —2A **54**
Sherwood. *Mur V* —3F **45**
Sherwood Clo. *Mur V* —3F **45**
Sherwood Clo. *Wash* —2B **112**
Sherwood Ct. *Sund* —3A **130**
Sherwood Pl. *Newc T* —3E **41**
Sherwood Vw. *W'snd* —3G **57**
Shetland Ct. *Sund* —3A **130**
Shibdon Bank. *Bla T* —2A **78**
Shibdon Ct. Bla T —6A *64*
  (off Shibdon Rd.)
Shibdon Cres. *Bla T* —1B **78**
Shibdon Pk. Vw. *Bla T* —1B **78**
Shibdon Pond Nature Reserve.
  —1D **78**

Shibdon Rd. *Bla T* —6A **64**
Shibdon Way. *Bla T* —1D **78**
Shield Av. *Swa* —2F **79**
Shieldclose. *Wash* —1G **111**
Shield Ct. *Newc T* —2H **67** (1G **5**)
Shieldfield. —3H 67
Shieldfield Grn. *Newc T*
  —3H **67** (3G **5**)
Shieldfield Ho. *Newc T* —2G **5**
Shieldfield Ind. Est. *Newc T* —3H **5**
Shieldfield La. *Newc T* —3H **5**
Shieldfield La. *Shie* —3H **67**
Shield Gro. *Newc T* —1F **55**
Shield Row. —1E 121
Shield Row. *S'ley* —2D **120**
Shield Row Gdns. *S'ley* —1D **120**
Shieldrow La. *S'ley* —6G **119**
Shields Pl. *Hou S* —2A **136**
Shields Rd. *Ches S* —4D **124**
Shields Rd. *Cle* —6H **73**
Shields Rd. *H Bri* —2D **12**
Shields Rd. *Newc T* —3B **68**
Shields Rd. *Pel* —3F **83**
Shields Rd. *Sund* —5B **88**
  (in two parts)
Shields Rd. *Whit B* —2B **46**
Shields Rd. By-Pass. *Newc T* —3B **68**
Shields Rd. W. *Newc T* —3A **68**
Shield St. *Newc T* —3H **67** (3G **5**)
Shiel Gdns. *Cra* —3G **19**
Shillaw Pl. *Burr* —5B **30**
Shillmoor Clo. *Ches S* —2A **132**
Shilmore Rd. *Newc T* —2B **54**
Shilton Clo. *S Shi* —4B **74**
Shincliffe. —3G 159
Shincliffe Av. *Sund* —3E **101**
Shincliffe Gdns. *Gate* —2C **96**
Shincliffe La. *Sher H* —2H **159**
Shiney Row. —4E 127
Shinwell Ter. *Mur* —2B **148**
Shipby. *Sund* —2H **129**
Shipcote. —3G 81
Shipcote La. *Gate* —3H **81**
Shipcote Ter. *Gate* —3H **81**
Shipley Art Gallery. —3H **81**
Shipley Av. *Newc T* —3A **66**
Shipley Av. *Sund* —1E **103**
Shipley Ct. *Gate* —2H **81**
Shipley Pl. *Newc T* —3B **68**
Shipley Ri. *Newc T* —3C **68**
Shipley Rd. *N Shi* —6E **47**
Shipley St. *Lem* —3A **64**
Shipley Wlk. *Newc T* —3B **68**
Shipton Clo. *Bol C* —2A **86**
Shire Chase. *Dur* —5D **142**
Shiremoor. —2D 44
Shirley Gdns. *Sund* —4B **116**
Shirwood Av. *Whi* —6E **79**
Shop Row. *Hou S* —4G **127**
Shop Spouts. *Bla T* —6A **64**
Shoreham Ct. *Newc T* —1G **53**
Shoreham Sq. *Sund* —4G **115**
Shorestone Av. *N Shi* —2D **46**
Shore St. *Sund* —4D **102**
Short Gro. *Mur* —2A **148**
Shortridge St. *S Shi* —4F **61**
Shortridge Ter. *Newc T* —6H **55**
Short Row. *Cal* —1H **51**
Short Row. *Hou S* —5C **126**
Shot Factory La. *Newc T* —6E **67**
Shotley Av. *Sund* —2B **102**
Shotley Gdns. *Gate* —4A **82**
Shotton. —6B 12
Shotton Av. *Bly* —1C **16**
Shotton Bank. *Pet* —5A **162**
Shotton Edge. —3A 18

Shotton La. *Cra* —6D **12**
Shotton La. *Shot C* —2A **162**
Shotton La. *Stan* —6A **12**
Shotton Rd. *Pet* —6F **161**
Shotton St. *H'fd* —4B **14**
Shotton Way. *Gate* —5C **84**
Shrewsbury Clo. *Newc T* —3D **56**
Shrewsbury Clo. *Pet* —2B **162**
Shrewsbury Cres. *Sund* —4G **115**
Shrewsbury Dri. *Back* —6A **32**
Shrewsbury St. *Gate* —3B **80**
Shrewsbury St. *S'hm* —6B **140**
Shrewsbury Ter. *S Shi* —2E **73**
Shrigley Gdns. *Newc T* —2B **54**
Shropshire Dri. *Dur* —5A **154**
Shunner Clo. *Wash* —1G **111**
Sibthorpe St. *N Shi* —2D **60**
Side. *Newc T* —5G **67**
   (in two parts)
Side Cliff Rd. *Sund* —2D **102**
Sidegate. *Dur* —5C **152**
Side La. *Hep* —1A **6**
Sidlaw Av. *Ches S* —1A **132**
Sidlaw Av. *N Shi* —4B **46**
Sidmouth Clo. *Dal D* —5F **139**
Sidmouth Clo. *Hou S* —5G **127**
Sidmouth Rd. *Gate* —2H **95**
Sidney Clo. *S'ley* —3F **121**
Sidney Gro. *Gate* —2F **81**
Sidney Gro. *Newc T* —3C **66**
Sidney St. *Bly* —6B **10**
Sidney St. *Bol C* —3B **86**
Sidney St. *N Shi* —2C **60**
Sidney Ter. *Tan L* —1B **120**
Siemans Way. *W'snd* —6D **44**
Silkeys La. *N Shi* —2B **60**
Silkstun Ct. *Sund* —2A **130**
Silksworth Clo. *Sund* —1H **129**
Silksworth Gdns. *Gate* —3C **96**
Silksworth Hall Dri. *Sund* —3H **129**
Silksworth La. *New S* —1H **129**
Silksworth La. *Sund* —3B **116**
Silksworth Rd. *New S* —2E **129**
Silksworth Ter. *Sund* —2A **130**
Silksworth Way. *Sund* —3G **129**
Silkwood Clo. *Cra* —6B **14**
Silkworth. —3G 129
Silkworth Row. *Sund* —6C **102**
Silloth Av. *Newc T* —1E **65**
Silloth Dri. *Wash* —3A **98**
Silloth Pl. *N Shi* —3D **46**
Silloth Rd. *Sund* —5F **115**
Silverbirch Ind. Est. *Camp* —1B **42**
Silver Courts. *B'don* —5D **156**
Silverdale. *Sund* —5A **130**
Silverdale Av. *Gate* —3B **84**
Silverdale Av. *Bla T* —2F **77**
Silverdale Rd. *Cra* —6B **14**
Silverdale Ter. *Gate* —3H **81**
Silverdale Way. *S Shi* —6B **72**
Silverdale Way. *Whi* —6D **78**
Silver Fox Way. *Shir* —5D **44**
Silverhill Dri. *Newc T* —2E **65**
Silverlink Bus. Pk. *Shir* —5E **45**
   (nr. New York Way.)
Silverlink Bus. Pk. *W'snd* —6D **44**
   (nr. Siemans Way)
Silverlink N., The. *Shir* —4C **44**
Silverlink, The. *W'snd* —6E **45**
Silver Lonnen. *Newc T* —2E **65**
Silvermere Dri. *Ryton* —5D **62**
Silverstone. *Newc T* —2E **43**
Silverstone Way. *Wash* —5C **98**
Silver St. *Dur* —6C **152**
Silver St. *Newc T* —4G **67** (5F **5**)
Silver St. *N Shi* —6G **47**

Silver St. *Sund* —5F **103**
Silvertop Gdns. *G'sde* —2A **76**
Silvertop Ter. *G'sde* —3A **76**
Silverwood Gdns. *Gate* —6D **80**
Simonburn. *Wash* —3F **111**
Simonburn Av. *Newc T* —1A **66**
Simonburn Av. *N Shi* —1G **59**
Simon Pk. *Hett H* —1C **146**
Simon Pl. *Wide* —6C **28**
Simonside. —4C 72
Simonside. *Sea S* —5H **23**
Simonside. *S Shi* —4C **72**
Simonside Av. *W'snd* —3D **58**
Simonside Clo. *Sea S* —5H **23**
Simonside E. Ind. Est. *S Shi* —4A **72**
Simonside Hall. *S Shi* —4B **72**
Simonside Ind. Est. *Jar* —4H **71**
Simonside Lodge. *Bly* —5G **9**
Simonside Pl. *Gate* —2C **96**
Simonside Rd. *Bla T* —2A **78**
Simonside Rd. *Sund* —4F **115**
Simonside Ter. *Newc T* —1B **68**
Simonside Vw. *Jar* —5G **71**
Simonside Vw. *Pon* —4D **24**
Simonside Vw. *Whi* —4E **79**
Simonside Wlk. *Lob H* —6C **80**
Simonside Way. *Newc T* —1F **43**
Simon St. *S Shi* —1D **72**
Simpson Clo. *Bol C* —3A **86**
   (in two parts)
Simpsons Memorial Homes. *Ryton*
   —5A **62**
Simpson St. *Bly* —5C **10**
Simpson St. *Chi* —2A **60**
Simpson St. *Cul* —1E **47**
Simpson St. *Ryton* —5E **63**
Simpson St. *S'ley* —2D **120**
Simpson St. *Sund* —5B **102**
Simpson Ter. *Blu* —6H **51**
Simpson Ter. *Newc T* —3G **5**
Simpson Ter. *Shie* —3H **67**
Sinclair Dri. *Ches S* —1D **124**
Sinclair Gdns. *Sea D* —6B **22**
Sinderby Clo. *Newc T* —5F **41**
Sir Godfrey Thomson Ct. *Gate*
   —3C **82**
Sitwell Rd. *S'ley* —3E **121**
Sixth Av. *Bly* —2B **16**
Sixth Av. *Ches S* —6B **124**
Sixth Av. *Newc T* —2C **68**
Sixth Av. *Team T* —1E **95**
Sixth St. *Pet* —6G **161**
Skaylock Dri. *Wash* —4G **111**
Skegness Pde. *Heb* —1E **85**
Skelder Av. *Newc T* —1B **56**
Skelton Ct. *Newc T* —5A **40**
Skerne Clo. *Pet* —3C **162**
Skiddaw Clo. *Pet* —1E **163**
Skiddaw Ct. *S'ley* —6F **119**
Skiddaw Dri. *Sund* —6C **88**
Skiddaw Pl. *Gate* —1B **96**
Skinnerburn Rd. *Newc P & Newc T*
   —1D **80**
Skippers Mdw. *Ush M* —6D **150**
   (in four parts)
Skipsea Vw. *Sund* —2D **130**
   (in two parts)
Skipsey Ct. *N Shi* —4H **59**
Skipton Clo. *Bed* —4F **7**
Skipton Clo. *Cra* —6C **14**
Skipton Grn. *Gate* —3B **96**
   (in two parts)
Skirlaw Clo. *Wash* —3B **112**
Ski Vw. *Sund* —1H **129**
Skye Ct. *Sund* —3A **130**
Skye Gro. *Jar* —1A **86**

Slacks Plantation Nature Reserve.
   —6F **49**
Slaidburn Rd. *S'ley* —2D **120**
Slake Rd. *Jar* —1H **71**
Slake Ter. *S Shi* —2D **72**
Slaley. *Wash* —6C **112**
Slaley Clo. *Gate* —4A **84**
Slaley Ct. *Bed* —4B **8**
Slaley Ct. *Sund* —3A **130**
Slater's Row. *Gt Lum* —4G **133**
   (in two parts)
Slatyford La. *Newc T* —1E **65**
Sledmere Clo. *Pet* —5D **160**
Sleekburn Av. *Bed* —2D **8**
Sleetburn La. *Lang M* —3F **157**
Slingley Clo. *S'hm* —2E **139**
Slingsby Gdns. *Newc T* —4D **56**
Sloane Ct. *Newc T* —2G **67** (1E **5**)
Smailes La. *High* —3C **90**
Smailes St. *S'ley* —4C **120**
Smallburn. —1D 24
Smeaton Ct. *W'snd* —6E **59**
Smeaton St. *W'snd* —6E **59**
Smillie Clo. *Pet* —6D **160**
Smillie Rd. *Pet* —4E **161**
Smithburn Rd. *Gate* —4D **82**
Smith Clo. *Sher* —6D **154**
Smithfield. *Dur* —5B **142**
Smith Fld. *Pet* —1D **160**
Smith Ga. *Hou S* —6H **127**
Smith Gro. *Sund* —3E **131**
Smith's Ter. *Eas L* —4D **146**
Smith St. *S Shi* —1D **72**
Smith St. *Sund* —3F **131**
Smith St. S. *Sund* —3F **131**
Smith Ter. *Gate* —2D **80**
Smithyford. *Gate* —4A **96**
Smithy La. *Lam* —4G **95**
Smithy Sq. *Cra* —3B **20**
Smithy St. *S Shi* —4E **61**
Smyrna Pl. *Sund* —1E **117**
Sniperley Gro. *Dur* —2H **151**
Snipes Dene. *Row G* —2E **91**
Snowdon Ct. *S'ley* —6F **119**
Snowdon Gdns. *Gate* —5C **80**
Snowdon Gro. *W Bol* —4D **86**
Snowdon Pl. *Pet* —2A **162**
Snowdon Ter. *H Spen* —6A **76**
Snowdon Ter. *Sund* —2F **131**
Snowdrop Av. *Pet* —6F **161**
Snowdrop Clo. *Bla T* —1G **77**
Soane Gdns. *S Shi* —6F **73**
Softley Pl. *Newc T* —2D **64**
Solingen Est. *Bly* —2D **16**
Solway Av. *N Shi* —3C **46**
Solway Rd. *Heb* —5D **70**
Solway Sq. *Sund* —4G **115**
Solway St. *Newc T* —5C **68**
Somerford. *Spri* —3F **97**
Somersby Dri. *Newc T* —2A **54**
Somerset Cotts. *Sund* —6A **116**
Somerset Gdns. *W'snd* —4G **57**
Somerset Gro. *N Shi* —5H **45**
Somerset Pl. *Newc T* —5D **66**
Somerset Rd. *Heb* —6D **70**
Somerset Rd. *Sund* —4F **115**
Somerset Sq. *Sund* —4F **115**
Somerset St. *Sund* —1A **130**
Somerset Ter. *E Bol* —4F **87**
Somerton Ct. *Newc T* —1G **53**
Somervyl Ct. *Newc T* —6H **41**
Sophia. *S'hm* —4B **140**
Sophia St. *S'hm* —4B **140**
Sophy St. *Sund* —3C **102**
Sorley St. *Sund* —1A **116**
Sorrel Gdns. *S Shi* —6G **73**

Soulby Ct.—Spanish City Bldgs.

Soulby Ct. *Newc T* —5H **39**
Sourmilk Hill La. *Gate* —5A **82**
Souter Point Lighthouse. —4F **75**
Souter Rd. *Newc T* —2C **54**
Souter Vw. *Sund* —1F **89**
South App. *Ches S* —6B **124**
South Av. *Ryton* —4C **62**
South Av. *S Shi* —4H **73**
South Av. *Wash* —5A **98**
South Av. *Whi* —6F **79**
South Bailey. *Dur* —1C **158**
*South Bank. Gate —4G **97***
(off Stoney La.)
South Bend. *Newc T* —4D **40**
South Bents. —5E 89
S. Bents Av. *Sund* —5E **89**
South Benwell. —5H 65
S. Benwell Rd. *Newc T* —5G **65**
South Boldon. —4D 86
Southburn Clo. *Hou S* —3G **135**
South Burns. *Ches S* —5C **124**
S. Burn Ter. *N Her* —3G **127**
Southcliff. *Whit B* —1E **47**
South Cliffe. *Sund* —3F **103**
South Clo. *Eas L* —5F **147**
South Clo. *Ryton* —5C **62**
South Clo. *S Shi* —4H **73**
South Clo. *Sund* —3F **131**
*S. Coronation St. Mur —3D **148***
(off E. Coronation St.)
Southcote. *Whi* —6E **79**
South Cres. *Bol C* —3B **86**
South Cres. *Dur* —4B **152**
South Cres. *Hou S* —2D **134**
South Cres. *Pet* —4E **161**
South Cres. *S'hm* —4C **140**
South Cres. *Wash* —1H **125**
South Cft. *Newc T* —6E **43**
Southcroft. *Wash* —6B **112**
S. Cross St. *Newc T* —3E **55**
South Dene. *S Shi* —4D **72**
Southdowns. *Ches S* —1C **132**
South Dri. *Heb* —5A **70**
South Dri. *Sea B* —3A **18**
South Dri. *Sund* —2H **87**
South Dri. *Wool* —5E **39**
S. Durham Ct. *Sund* —1E **117**
S. East Vw. *Pet* —6H **161**
South Eldon St. *S Shi* —2D **72**
South End. *H Pitt* —3G **155**
South End. *Sund* —3G **87**
Southend Av. *Bly* —1A **16**
Southend Pde. *Heb* —1E **85**
Southend Rd. *Gate* —1A **96**
Southend Rd. *Sund* —5G **115**
Southend Ter. *Gate* —5B **82**
Southern Rd. *Newc T* —5F **69**
Southern Way. *Ryton* —5C **62**
Southernwood. *Gate* —4A **96**
Southey St. *S Shi* —1E **73**
(in two parts)
Southfield. *Pelt* —2G **123**
Southfield Gdns. *Whi* —4G **79**
Southfield Grn. *Whi* —5G **79**
Southfield La. *Newc T* —5A **104**
Southfield Rd. *Newc T* —1C **56**
Southfield Rd. *S Shi* —1H **73**
Southfield Rd. *Whi* —5G **79**
Southfields. *Dud* —4A **30**
Southfields. *S'ley* —5C **120**
Southfield Ter. *Newc T* —5G **69**
Southfield Ter. *Whi* —5G **79**
Southfield Way. *Dur* —3A **152**
S. Foreshore. *S Shi* —5H **61**
Southfork. *Newc T* —1A **64**
S. Frederick St. *S Shi* —2D **72**

South Front. *Newc T* —1G **67**
Southgate. *Newc T* —3C **42**
Southgate Ct. *Newc T* —1H **55**
South Gosforth. —3F 55
Southgrange. *S'hm* —2F **139**
S. Grange Pk. *S'hm* —1F **139**
South Gro. *Ryton* —5D **62**
South Hetton. —6A 148
S. Hetton Ind. Est. *S Het* —6A **148**
S. Hetton Rd. *Eas L* —5F **147**
S. Hill Cres. *Sund* —2B **116**
S. Hill Rd. *Gate* —2E **81**
South Hylton. —1C 114
Southill Rd. *S Shi* —3A **74**
Southlands. *Gate* —3C **96**
(in two parts)
Southlands. *Jar* —2H **85**
Southlands. *Newc T* —5A **56**
Southlands. *N Shi* —5D **46**
Southlands. *Sund* —3F **131**
South La. *E Bol* —4E **87**
South Lea. *Bla T* —2A **78**
S. Leam Farm. *Gate* —1G **97**
South Leigh. *Tan L* —6B **106**
Southleigh. *Whit B* —6D **34**
S. Lodge Wood. *Hep* —1A **6**
S. Market St. *Hett H* —1D **146**
Southmayne Rd. *Sund* —3F **115**
Southmead Av. *Newc T* —6F **53**
S. Meadows. *Dip* —1D **118**
South Moor. —5B 120
Southmoor Rd. *Newc T* —2F **69**
South Moor Rd. *S'ley* —5C **120**
S. Nelson Ind. Est. *Cra* —1G **19**
S. Nelson Rd. *Cra* —1G **19**
South Newsham. —4B 16
South Newsham Nature Reserve.
—4A **16**
S. Newsham Rd. *Bly* —4A **16**
South Pde. *Gate* —1H **83**
South Pde. *N Shi* —5A **60**
South Pde. *Whit B* —6D **34**
South Pelaw. —4B 124
Southport Pde. *Heb* —6E **71**
S. Preston Gro. *N Shi* —2C **60**
*S. Preston Ter. N Shi —2C **60***
(off Albion Rd. W.)
S. Promenade. *S Shi* —4H **61**
S. Railway St. *S'hm* —4B **140**
South Ridge. *Newc T* —5D **40**
South Riggs. *Bed* —5H **7**
South Rd. *Dur* —5B **158**
South Row. *Gate* —5A **68**
S. Sherburn. *Row G* —4D **90**
South Shields. —4E 61
South Shields Museum & Art Gallery.
—4F **61**
S. Shore Rd. *Gate* —5H **67** (6G **5**)
(in three parts)
South Side. *Pet* —2B **160**
South Stanley. —5C 120
South St. *Ches S* —5B **124**
South St. *Dur* —6C **152**
South St. *E Rai* —1G **145**
South St. *Fenc* —3E **135**
South St. *Gate* —2H **81**
(in two parts)
South St. *Gos* —2C **54**
South St. *Heb* —2D **70**
South St. *H Spen* —1A **90**
South St. *Nbtle* —6H **127**
South St. *Newc T* —5F **67** (6C **4**)
South St. *Sher* —6E **155**
South St. *Shir* —1D **44**
South St. *Sund* —6C **102**
(in two parts)

South St. *W Rai* —3E **145**
Southstreet Banks. *Dur* —1C **158**
South Ter. *Dur* —2A **152**
South Ter. *Hep* —1B **6**
*South Ter. Mur —3D **148***
(off E. Coronation St.)
South Ter. *Pet* —6F **161**
South Ter. *S'hm* —4C **140**
South Ter. *Sund* —4B **102**
South Ter. *W'snd* —5C **58**
South Thorn. *S'ley* —2D **120**
South Vw. *Ann P* —6G **119**
South Vw. *Ann* —2B **30**
South Vw. *Bear* —4D **150**
South Vw. *Bir* —3D **110**
South Vw. *Cas E* —6B **162**
South Vw. *Ches S* —2A **142**
South Vw. *Crag* —6F **121**
South Vw. *Dur* —5F **153**
South Vw. *Eas L* —5F **147**
South Vw. *E Den* —1C **64**
South Vw. *E Sle* —2F **9**
South Vw. *Haz* —1C **40**
South Vw. *H Spen* —2A **90**
South Vw. *Jar* —3E **71**
South Vw. *Mead* —6E **157**
South Vw. *Mur* —2D **148**
South Vw. *Newf* —4E **123**
South Vw. *News* —3A **16**
South Vw. *Pelt* —2C **122**
(nr. High Handenhold)
South Vw. *Pelt* —2G **123**
(nr. Pelton)
South Vw. *Ryton* —5A **62**
South Vw. *S'hm* —6F **139**
South Vw. *S Hill* —6H **155**
South Vw. *Shin R* —3F **127**
South Vw. *S Hyl* —2C **114**
South Vw. *Sund* —2D **102**
South Vw. *Tant* —5H **105**
South Vw. *Ush M* —5B **150**
South Vw. *Wash* —6C **112**
South Vw. *Whit* —6F **75**
S. View E. *Row G* —3C **90**
S. View Gdns. *S'ley* —6G **119**
S. View Pl. *Cra* —3B **20**
S. View Rd. *Sund* —2C **114**
S. View Ter. *Bear* —4D **150**
S. View Ter. *Gate* —3D **82**
S. View Ter. *Hou S* —3F **135**
S. View Ter. *Swa* —3F **79**
S. View Ter. *Whi* —5F **79**
S. View W. *Newc T* —3A **68**
S. View W. *Row G* —3B **90**
Southward. *Sea S* —4H **23**
Southward Clo. *Sea S* —4H **23**
Southward Way. *H'wll* —2C **32**
Southway. *Gate* —5B **82**
Southway. *Newc T* —2C **64**
Southway. *Pet* —2C **162**
South Wellfield. —1F 45
S. West Ind. Est. *S West* —1A **162**
Southwick. —3B 102
Southwick Ind. Est. *Sund* —3G **101**
Southwick Rd. *Sund* —3B **102**
(in two parts)
Southwold Gdns. *Sund* —1H **129**
(in two parts)
Southwold Pl. *Cra* —3G **19**
S. Woodbine St. *S Shi* —5F **61**
Southwood Cres. *Row G* —3F **91**
Southwood Gdns. *Newc T* —3A **54**
Sovereign Ct. *Newc T* —5C **66**
Sovereign Ho. *N Shi* —6F **47**
Sovereign Pl. *Newc T* —5C **66**
Spanish City Bldgs. *Whit B* —5C **34**

Spalding Clo. *Newc T* —3C **56**
Sparkwell Clo. *Hou S* —5H **127**
Spartylea. *Wash* —6D **112**
Spa Well Clo. *Bla T* —3H **77**
Spa Well Dri. *Sund* —3E **101**
Spa Well Rd. *Winl M* —5B **78**
Speculation Pl. *Wash* —5B **98**
Speedway Stadium. —3D **68**
Speedwell. *Gate* —6C **82**
Spelter Works Rd. *Sund* —5F **117**
Spen Burn. *H Spen* —2A **90**
Spencer Clo. *S'ley* —3F **121**
Spencer Ct. *Bly* —4H **9**
Spencer Gro. *Whi* —3F **79**
Spencer Rd. *Bly* —4H **9**
Spencers Bank. Swa —2E **79**
  (off Market La.)
Spencers Entry. *Newc T* —5G **5**
Spencer St. *Heb* —2D **70**
Spencer St. *Jar* —1F **71**
Spencer St. *Newc T* —1C **68**
Spencer St. *N Shi* —2C **60**
Spencer Ter. *Newc T* —6H **51**
Spence Ter. *N Shi* —2B **60**
Spenfield Rd. *Newc T* —4H **53**
Spen La. *G'sde* —5A **76**
Spen La. *H Spen* —1A **90**
Spen Rd. *H Spen* —6A **76**
Spenser Wlk. *S Shi* —6C **72**
Spen St. *S'ley* —4C **120**
Spinneyside Gdns. *Gate* —4B **80**
Spinney Ter. *Newc T* —3F **69**
Spinney, The. *Ann* —3C **30**
Spinney, The. *Kil V* —3E **43**
Spinney, The. *Newc T* —5B **56**
Spinney, The. *Pet* —1A **160**
Spinney, The. *Wash* —5B **112**
Spire Hollin. *Pet* —1C **162**
Spire Rd. *Wash* —1D **112**
Spires La. *Newc T* —3C **68**
Spital Ter. *Newc T* —2E **55**
Spital Tongues. —2C 66
Split Crow Rd. *Gate & Fel* —3A **82**
Spohr Ter. *S Shi* —6F **61**
Spoors Cotts. *Whi* —5E **79**
Spoor St. *Gate* —2B **80**
Spout La. *Wash* —5B **98**
  (in three parts)
Springbank Rd. *Newc T* —2A **68**
Springbank Rd. *Sund* —4F **115**
Springbank Sq. *Sund* —4F **115**
Spring Clo. *Ann P* —6G **119**
Springfeld. *Gate* —1F **97**
Springfell. *Bir* —4D **110**
  (in two parts)
Springfield. *N Shi* —1C **60**
Springfield Av. *Gate* —4C **96**
Springfield Cres. *S'hm* —5A **140**
Springfield Gdns. *Ches S* —4C **128**
Springfield Gdns. *W'snd* —3F **57**
Springfield Gro. *Whit B* —2A **46**
Springfield Pk. *Dur* —4A **152**
Springfield Pk. *For H* —5D **42**
Springfield Pl. *Gate* —5A **82**
Springfield Rd. *Bla T* —1A **78**
Springfield Rd. *Hou S* —6H **127**
Springfield Rd. *Newc T* —6G **53**
Springfield Ter. *Fel* —4C **82**
Springfield Ter. *Pelt F* —4G **123**
Springfield Ter. *Pet* —2F **161**
Springfield Ter. *Spri* —4F **97**
Spring Garden Clo. *Sund* —6E **103**
Spring Garden La. *Newc T*
  —3D **66** (3A **4**)
Spring Gdns. *N Shi* —2B **60**
Springhill Gdns. *Newc T* —3H **65**

Spring Pk. *Bed* —5A **8**
Springs, The. *Bir* —4D **110**
  (in two parts)
Spring St. *Newc T* —3D **66** (3A **4**)
Springsyde Clo. *Whi* —6C **78**
Spring Ter. *N Shi* —1C **60**
Spring Ville. *E Sle* —1F **9**
Springwell. —4F 115
  (nr. Pennywell)
Springwell. —4F 97
  (nr. Usworth)
Springwell Av. *Dur* —4A **152**
Springwell Av. *Gate* —2C **96**
Springwell Av. *Jar* —3G **71**
Springwell Av. *Newc T* —5E **69**
Springwell Bldgs. *Pet* —6G **161**
Springwell Clo. *Bla T* —2B **78**
Springwell Estate. —1E 97
Springwell La. *Gate* —2E **97**
Springwell Rd. *Dur* —4A **152**
Springwell Rd. *Gate* —2C **96**
Springwell Rd. *Jar* —4F **71**
Springwell Rd. *Spri* —3F **97**
Springwell Rd. *Sund* —3F **115**
Springwell Ter. *Gate* —2E **97**
Springwell Ter. *Hett H* —2C **146**
Springwood. *Heb* —2A **70**
Square Houses. *Gate* —4B **82**
Square, The. *Pres* —6A **26**
Square, The. *Whi* —4F **79**
Squires Building. *Newc T* —1E **5**
Squires Gdns. *Gate* —4D **82**
Stack Gth. *B'don* —4E **157**
Stadium Ind. Pk. *Gate* —6B **68**
Stadium of Light. —5C **102**
Stadium Rd. *Gate* —6B **68**
Stadium Vs. *W'snd* —5A **58**
Stadium Way. *Sund* —4C **102**
Stadon Way. *Hou S* —5G **127**
Stafford Gro. *Ryh* —3E **131**
Stafford Gro. *S'wck* —3B **102**
Stafford La. *Whi* —3F **89**
Stafford Pl. *Pet* —6B **160**
Staffordshire Dri. *Dur* —4B **154**
Stafford St. *Hett H* —1B **146**
Stafford St. *Sund* —5F **103**
Stafford Vs. *Gate* —4F **97**
Stagshaw. *Kil* —6C **30**
Staindrop. *Gate* —6G **83**
Staindrop Rd. *Dur* —1D **152**
Staindrop Ter. *S'ley* —5F **119**
Staines Rd. *Newc T* —5D **68**
Stainmore Dri. *Gt Lum* —4H **133**
Stainton Dri. *Gate* —3D **82**
Stainton Gdns. *Gate* —3C **96**
Stainton Gro. *Sund* —6C **88**
Stainton Way. *Pet* —1C **162**
Staithe Ho. *Wash* —4E **113**
Staithes Av. *Newc T* —1C **56**
Staithes Rd. *Dun* —1C **80**
Staithes Rd. *Pat I* —4E **113**
Staithes St. *Newc T* —3H **69**
Staith La. *Bla T* —5G **63**
Stakeford Rd. *Bed* —2C **8**
Stalks Rd. *Wide* —5D **28**
Stamford. *Newc T* —1D **42**
Stamford Av. *Sea D* —1C **32**
Stamford Av. *Sund* —4H **115**
Stamfordham Av. *N Shi* —2H **59**
Stamfordham Clo. *W'snd* —5G **57**
Stamfordham M. *Newc T* —6H **53**
Stamfordham Rd. *Newc T* —5A **36**
Stampley Clo. *Bla T* —3G **77**
Stamps La. *Sund* —6F **103**
Standerton Ter. *S'ley* —6F **121**
Standish St. *S'ley* —4B **120**

Stanelaw Way. *Tan L* —6D **106**
Staneway. *Gate* —6E **83**
Stanfield Ct. *Newc T* —4E **57**
Stanfield Gdns. *Gate* —3A **84**
Stang Wlk. *Newc T* —6C **42**
Stanhope. *Wash* —2F **111**
Stanhope Chase. *Pet* —4D **162**
Stanhope Clo. *Dur* —6D **142**
Stanhope Clo. *Hou S* —4H **135**
Stanhope Clo. *Mead* —5E **157**
Stanhope Gdns. *S'ley* —5F **119**
Stanhope Pde. *S Shi* —1F **73**
Stanhope Rd. *Jar* —4H **71**
Stanhope Rd. *S Shi* —3D **72**
Stanhope Rd. *Sund* —1E **103**
Stanhope St. *Newc T* —3C **66** (3A **4**)
Stanhope St. *S Shi* —4E **61**
Stanhope Way. *Newc T* —3D **66**
Stanley. —2D 120
Stanley By-Pass. *S'ley* —4B **120**
Stanley Clo. *Sher* —6D **154**
Stanley Ct. *S'ley* —3E **121**
Stanley Cres. Whit B —1D **46**
  (off Alma Pl.)
Stanley Gdns. *Gate* —3C **96**
Stanley Gdns. *Seg* —2F **31**
Stanley Gro. *Bed* —4B **8**
Stanley Gro. *Newc T* —4A **56**
Stanley St. *Bly* —5D **10**
Stanley St. *Hou S* —2A **136**
Stanley St. *Jar* —2G **71**
Stanley St. *Newc T* —5B **66**
Stanley St. *N Shi* —2C **60**
Stanley St. *S'hm* —3H **139**
Stanley St. *S Shi* —4D **72**
Stanley St. *Sund* —4D **100**
Stanley St. W. *N Shi* —2C **60**
Stanley Ter. *Ches S* —1D **132**
Stanley Ter. *Hou S* —3F **127**
Stanmore Rd. *Newc T* —6C **56**
Stannington Av. *Newc T* —2B **68**
Stannington Gdns. *Sund* —5C **116**
Stannington Gro. *Newc T* —2B **68**
Stannington Gro. *Sund* —4C **116**
Stannington Pl. *Newc T* —2C **68**
Stannington Pl. *Pon* —3E **25**
Stannington Rd. *N Shi* —2G **59**
Stannington Sta. Rd. *Stan* —5A **6**
Stannington St. *Bly* —6D **10**
Stansfield St. *Sund* —4E **103**
Stanstead Clo. *Sund* —5C **100**
Stanton Av. *Bly* —2H **15**
Stanton Av. *S Shi* —2G **73**
Stanton Clo. *Gate* —4B **84**
Stanton Gro. *N Shi* —4C **46**
Stanton Rd. *N Shi* —4B **46**
Stanton Rd. *Shir* —2C **44**
Stanton St. *Newc T* —3C **66**
Stanway Dri. *Newc T* —4A **56**
Stanwick St. *N Shi* —5F **47**
Stapeley Ct. *Newc T* —2H **53**
Stapeley Vw. *Newc T* —2H **53**
Staple Rd. *Jar* —2G **71**
Stapylton Dri. *Sund* —3B **116**
Starbeck Av. *Newc T* —2H **67** (1H **5**)
Starbeck M. *Newc T* —2H **67** (1G **5**)
Stardale Av. *Bly* —1G **15**
Stargate. —5D 62
Stargate Gdns. *Gate* —3C **96**
Stargate Ind. Est. *Ryton* —6D **62**
Stargate La. *Ryton* —4E **63**
Starlight Cres. *Sea D* —6A **22**
Startforth Clo. *Gt Lum* —4H **133**
Station App. *Bent* —1D **56**
Station App. *Dur* —5B **152**

Station App. *E Bol* —3G **87**
Station App. *S Shi* —4E **61**
Station App. *Team* —1F **95**
Station Av. *B'don* —3E **157**
Station Av. *Hett H* —2C **146**
Station Av. N. *Fenc* —2D **134**
Station Av. S. *Fenc* —2D **134**
Station Bank. *Dur* —5C **152**
Station Bank. *Ryton* —3C **62**
Station Cotts. *Beam* —1A **122**
Station Cotts. *Faw* —1B **54**
Station Cotts. *L Grn* —1C **104**
Station Cotts. *Newc T* —1D **56**
Station Cotts. *Pet* —1H **163**
Station Cotts. *Pon* —5E **25**
Station Cotts. *Seg* —2G **31**
Station Cotts. *S Shi* —3D **72**
Station Cres. *S'hm* —1H **139**
Station Est. E. *Mur* —2A **148**
Station Est. N. *Mur* —2A **148**
(in two parts)
Station Est. S. *Mur* —2A **148**
Station Fld. Rd. *Tan L* —6D **106**
Station Houses. *Pelt F* —4G **123**
Station La. *Bir* —3B **110**
Station La. *Dur* —5E **153**
Station La. *Pelt* —2F **123**
Station La. Ind. Est. *Bir* —3B **110**
Station Rd. *Ann P* —6F **119**
Station Rd. *Back* —1A **44**
Station Rd. *Beam* —1A **122**
Station Rd. *Bed* —3C **8**
Station Rd. *Bill Q* —1H **83**
Station Rd. *Bly* —3A **16**
Station Rd. *Bol C* —1A **86**
Station Rd. *Camp* —6B **30**
Station Rd. *Ches S* —6C **124**
Station Rd. *Cra* —2H **19**
Station Rd. *Cul* —2E **47**
Station Rd. *Dud* —3H **29**
Station Rd. *E Bol* —4F **87**
Station Rd. *For H* —5D **42**
Station Rd. *Gos* —2G **55**
Station Rd. *Heb* —3B **70**
Station Rd. *Hed W* —5G **49**
(in two parts)
Station Rd. *Hes* —6G **163**
Station Rd. *Hett H* —2C **146**
Station Rd. *Hou S* —2H **135**
(nr. Brinkburn Cres.)
Station Rd. *Hou S* —1D **126**
(nr. Station Rd. E.)
Station Rd. *Ken F* —1F **53**
Station Rd. *Low F* —6G **81**
Station Rd. *L Pit* —1E **155**
Station Rd. *Mead* —6E **157**
Station Rd. *Mur* —2A **148**
Station Rd. *Newb* —2F **63**
Station Rd. *Newc T* —5G **69**
Station Rd. *Pat I* —2C **112**
Station Rd. *Pen* —6C **112**
Station Rd. *Per M* —3H **59**
Station Rd. *Pet* —1F **161**
Station Rd. *Row G* —4E **91**
Station Rd. *Ryh* —3G **131**
Station Rd. *S'hm* —3F **139**
Station Rd. *Sea D* —5G **21**
Station Rd. *Seg* —2F **31**
Station Rd. *Shin R* —3E **127**
Station Rd. *S Shi* —5E **61**
Station Rd. *S'ley* —2D **120**
Station Rd. *Sund* —1C **102**
Station Rd. *Ush M* —6B **150**
Station Rd. *W'snd* —4G **57**
Station Rd. *W Rai* —3C **144**
Station Rd. *Whit B* —1D **46**

Station Rd. *Will Q* —6E **59**
Station Rd. E. *Hou S* —1C **126**
Station Rd. N. *Hett H* —2C **146**
Station Rd. N. *Mur* —2A **148**
Station Rd. N. *Newc T* —5D **42**
Station Rd. N. *W'snd* —1F **57**
Station Rd. S. *Mur* —2A **148**
Station Sq. *Whit B* —1D **46**
Station St. *Bed* —2D **8**
Station St. *Bly* —5C **10**
Station St. *Jar* —2F **71**
Station St. *Sund* —6D **102**
Station Ter. *E Bol* —4G **87**
Station Ter. *Hou S* —2D **134**
Station Ter. *N Shi* —6F **47**
Station Ter. *Wash* —5C **98**
Station Vw. *Ches S* —6C **124**
Station Vw. *Hett H* —2C **146**
Staveley Rd. *Pet* —1E **163**
Staveley Rd. *Sund* —6C **88**
Stavordale St. *S'hm* —5B **140**
(in three parts)
Stavordale St. W. *S'hm* —6B **140**
Stavordale Ter. *Gate* —4A **82**
Staward Av. *Sea D* —1B **32**
Staward Ter. *Newc T* —5F **69**
Staynebrigg. *Gate* —5G **83**
Steadings, The. *G'sde* —2A **76**
Steadlands Sq. *Bed* —4C **8**
Stead La. *Bed* —4B **8**
Stead St. *W'snd* —4E **59**
Stedham Clo. *Wash* —3C **98**
Steep Hill. *Sund* —2E **129**
Stella. —5G **63**
Stella Bank. *Bla T* —4F **63**
Stella Cotts. *Bla T* —5G **63**
Stella Gill Ind. Est. *Pelt F* —4H **123**
Stella Hall Dri. *Bla T* —5G **63**
Stella La. *Bla T* —5F **63**
Stella Rd. *Bla T* —4G **63**
Stephen Ct. *Jar* —3G **71**
Stephenson Building. *Newc T* —1C **4**
Stephenson Cen., The. *Newc T*
—2D **42**
Stephenson Clo. *Hett H* —1C **146**
Stephenson Ct. *N Shi* —2D **60**
Stephenson Ho. *Newc T* —3C **42**
Stephenson Ind. Est. *Newc T* —3C **42**
Stephenson Ind. Est. *Wash* —3C **98**
Stephenson Railway Museum.
—6E **45**
Stephenson Rd. *H Hea* —6B **56**
Stephenson Rd. *N East* —4C **160**
Stephenson Rd. *Wash* —3B **98**
Stephenson's La. *Newc T* —6D **4**
Stephenson Sq. *Pet* —2C **160**
Stephensons's La. *Newc T* —5F **67**
Stephenson St. *Gate* —3F **81**
Stephenson St. *Mur* —2C **148**
Stephenson St. *N Shi* —1D **60**
Stephenson St. *Tyn* —6F **47**
Stephenson St. *W'snd* —6E **59**
Stephenson Ter. *Blu* —6H **51**
Stephenson Ter. *Gate* —4D **82**
Stephenson Ter. *Thro* —5C **50**
Stephenson Trail, The. *Newc T*
—4F **43**
Stephenson Way. *Bed* —1A **8**
Stephenson Way. *Bla T* —3H **77**
Stephens Rd. *Mur* —2B **148**
Stephen St. *Bly* —5C **10**
Stephen St. *H'fd* —4B **14**
Stephen St. *Newc T* —3A **68**
Stepney Bank. *Newc T*
—3H **67** (3H **5**)
Stepney La. *Newc T* —4H **67** (4G **5**)

Stepney Rd. *Newc T* —3H **67** (3H **5**)
Sterling St. *Sund* —1A **116**
Stevens Grn. *Sund* —2A **130**
Stevenson Rd. *S'ley* —3E **121**
Stevenson St. *Hou S* —3H **135**
Stevenson St. *S Shi* —6F **61**
Steward Cres. *S Shi* —2B **74**
Stewart Av. *Sund* —3E **131**
Stewart Dri. *W Bol* —4D **86**
Stewartsfield. *Row G* —3D **90**
Stewart St. *New S* —2A **130**
Stewart St. *Pet* —1D **160**
Stewart St. *S'hm* —5C **140**
Stewart St. *Sund* —2B **116**
Stewart St. E. *S'hm* —5C **140**
Stileford. *Gate* —4G **83**
Stillington Clo. *Ryh* —4F **131**
Stirling Av. *Jar* —5A **72**
Stirling Av. *Row G* —4E **91**
Stirling Clo. *Wash* —3E **113**
Stirling Cotts. *Gate* —4C **82**
Stirling Ct. *Team T* —3G **95**
Stirling Dri. *Bed* —3C **8**
Stirling Dri. *N Shi* —5G **45**
Stirling La. *Row G* —4E **91**
Stobart St. *Sund* —5C **102**
Stobb Ho. Vw. *B'don* —4C **156**
Stock Bri. *Newc T* —4G **67** (5F **5**)
Stockdale Gdns. Newc T —5G **69**
(off Rochester St.)
Stockfold. *Wash* —5C **112**
Stockholm Clo. *Tyn T* —2F **59**
Stockley Av. *Sund* —3E **101**
Stockley Ct. *Ush M* —6E **151**
Stockley Rd. *Wash* —1D **112**
Stocksfield Av. *Newc T* —2G **65**
Stocksfield Gdns. *Gate* —3A **96**
Stockton Av. *Pet* —5F **161**
Stockton Rd. *Cas E* —6B **162**
Stockton Rd. *Dur & Shin* —1D **158**
Stockton Rd. *Eas* —3A **160**
Stockton Rd. *Haw* —5H **149**
Stockton Rd. *N Shi* —4B **60**
Stockton Rd. *Ryh* —5F **131**
Stockton Rd. *Sund* —2D **116**
(in two parts)
Stockton St. *S'hm* —3H **139**
Stockton Ter. *Sund* —5F **117**
Stockwell Grn. *Newc T* —1F **69**
Stoddart Ho. *Newc T* —2H **5**
Stoddart St. *Newc T* —2H **5**
Stoddart St. *Shie* —3H **67**
Stoddart St. *S Shi* —3D **72**
Stoker Av. *S Shi* —5B **72**
Stoker Ter. *H Spen* —2A **90**
Stokesley Gro. *Newc T* —4A **56**
Stoke St. *Sund* —3F **117**
Stone Cellar Rd. *Wash* —3H **97**
Stonechat Clo. *Wash* —4F **111**
Stonechat Mt. *Bla T* —5G **63**
Stonechat Pl. *Newc T* —6A **42**
Stonecroft Gdns. *Newc T* —4D **56**
Stonecrop. *Gate* —6C **82**
Stonefold Clo. *Newc T* —4F **53**
Stonehaugh Way. *Pon* —3B **36**
Stonehills Bldgs. *Gate* —2H **83**
Stoneleigh. *Hep* —1A **6**
Stoneleigh Av. *Newc T* —1H **55**
Stoneleigh Clo. *Hou S* —2G **135**
Stoneleigh Pl. *Newc T* —1A **56**
Stone Row. *Gran V* —4C **122**
Stonesdale. *Hou S* —1C **126**
Stone St. *Win N* —5C **82**
Stoneycroft E. *Newc T* —3E **43**
Stoneycroft W. *Newc T* —3E **43**
Stoneygate. *Hou S* —5C **128**

Stoney Ga. Gdns. *Gate* —2E **83**
(in two parts)
Stoneygate La. *Gate* —3E **83**
Stoneyhurst Av. *Newc T* —4F **65**
Stoneyhurst Rd. *Newc T* —3G **55**
Stoneyhurst Rd. W. *Newc T* —3F **55**
Stoney La. *Gate* —4F **97**
Stoney La. *Sund* —4A **102**
Stoneylea Rd. *Newc T* —1D **64**
Stonycroft. *Wash* —6A **98**
Stony Gate. —5C 128
Stony Heap. —6B 118
Stonyheap La. *Con* —6B **118**
Stony La. *Beam* —2C **122**
Store Bldgs. *Bol C* —3A **86**
Store St. *Bla T* —2H **77**
Store St. *Newc T* —3A **64**
Store Ter. *Eas L* —4D **146**
Storey Ct. *Bla T* —5C **64**
Storey La. *Bla T* —5G **63**
Storey St. *Cra* —4C **20**
Stormont Grn. *Newc T* —4B **54**
Stormont St. *N Shi* —2C **60**
Stotfold Clo. *S'hm* —3E **139**
Stothard St. *Jar* —2G **71**
Stotts Rd. *Newc T* —1G **69**
Stowell Sq. *Newc T* —4E **67** (5B **4**)
Stowell St. *Newc T* —4E **67** (5B **4**)
Stowell Ter. *Gate* —3E **83**
Stow, The. *Newc T* —2A **56**
Straker St. *Jar* —3H **71**
Straker Ter. *S Shi* —4D **72**
Strand, The. *Sund* —1G **129**
Strangford Av. *Ches S* —2B **132**
Strangford Rd. *S'hm* —4H **139**
Strangways St. *S'hm* —5B **140**
Stranton Ter. *Sund* —3D **102**
Stratfield St. *Sund* —6G **101**
Stratford Av. *Sund* —4E **117**
Stratford Clo. *Cra* —2G **19**
Stratford Clo. *Kil* —2E **43**
Stratford Gdns. *Gate* —5H **81**
Stratford Gro. *Newc T* —2A **68**
Stratford Gro. Ter. *Newc T* —2A **68**
Stratford Gro. W. *Newc T*
—2A **68** (1H **5**)
Stratford Rd. *Newc T* —2A **68**
(in two parts)
Stratford Vs. *Newc T* —2A **68**
Strathearn Way. *Newc T* —1B **54**
Strathmore. *Gt Lum* —3G **133**
Strathmore Av. *Row G* —4E **91**
Strathmore Clo. *S'ley* —2F **121**
Strathmore Cres. *Burn* —5B **92**
Strathmore Cres. *Newc T* —4A **66**
Strathmore Rd. *Gate* —4B **82**
Strathmore Rd. *Newc T* —6E **41**
Strathmore Rd. *Row G* —4D **90**
Strathmore Rd. *Sund* —5G **115**
Strathmore Sq. *Sund* —5G **115**
Stratton Clo. *Sund* —1G **131**
Stratus Ct. *Sund* —3A **130**
Strawberry Gdns. *W'snd* —3G **57**
Strawberry La. *Dur* —5G **159**
(in two parts)
Strawberry La. *Newc T*
—3E **67** (4B **4**)
Strawberry Pl. *Newc T* —4E **67** (4B **4**)
Strawberry Ter. *Burr* —6C **30**
Strawberry Ter. *Haz* —1B **40**
Street Gate. —2G 93
Streetgate Pk. *Sun* —2G **93**
Street Houses. *Pon* —1H **37**
Stretford Ct. *Gate* —4A **96**
Stretton Clo. *Hou S* —4E **135**
Stretton Way. *Back* —6A **32**

Stridingedge. *Wash* —1G **111**
(in three parts)
Stronsay Clo. *Ryh* —1E **131**
Strothers Rd. *H Spen* —6A **76**
Struan Ter. *E Bol* —4G **87**
Strudders Farm Ct. *Bla T* —1D **78**
Stuart Ct. *Newc T* —1F **53**
Stuart Gdns. *Newc T* —5C **50**
Stuart Ter. *Gate* —2D **82**
Stubbs Av. *Whi* —3E **79**
Studdon Wlk. *Newc T* —2H **53**
Studland Clo. *N Shi* —4B **46**
Studley Gdns. *Gate* —6H **81**
Studley Gdns. *Whit B* —1C **46**
Studley Ter. *Newc T* —2C **66**
Studley Vs. *Newc T* —6E **43**
Sturdee Gdns. *Newc T* —4G **55**
Styan Av. *Whit B* —6D **34**
Styford Gdns. *Newc T* —2C **64**
Success. —5F 127
Success Rd. *Hou S* —5F **127**
Sudbury Way. *Cra* —2G **19**
Suddick St. *Sund* —4B **102**
Suez St. *N Shi* —1D **60**
Suffolk Gdns. *S Shi* —2C **74**
Suffolk Gdns. *W'snd* —3C **58**
Suffolk Pl. *Bir* —6D **110**
Suffolk Pl. *Gate* —5A **68**
Suffolk Rd. *Heb* —6D **70**
Suffolk St. *Hett H* —1B **146**
Suffolk St. *Jar* —3F **71**
Suffolk St. *Sund* —2E **117**
Suffolk Wlk. *Pet* —5C **160**
Suffolk Way. *Dur* —5D **142**
Sugley Ct. *Newc T* —1C **64**
Sugley St. *Newc T* —3B **64**
(in two parts)
Sugley Vs. *Newc T* —3B **64**
Sulgrave. —4C 98
Sulgrave Rd. *Wash* —4D **98**
Sullivan Wlk. *Heb* —4C **70**
Summerfield. *W Pel* —3C **122**
Summerfield Rd. *Gate* —4H **81**
Summerhill. *Bla T* —6G **63**
Summerhill. *E Her* —2D **128**
Summerhill. *Jar* —2H **85**
Summerhill. *Sund* —1C **116**
Summerhill Av. *Newc T* —4F **41**
Summerhill Gro. *Newc T*
—4D **66** (5A **4**)
Summerhill Rd. *S Shi* —2A **74**
Summerhill St. *Newc T* —4D **66**
Summerhill Ter. *Newc T*
—5E **67** (6A **4**)
Summerhouse Farm. *E Rai* —6H **135**
Summerson St. *Hett H* —1D **146**
Summerson Way. *Bed* —3D **8**
Summers St. *Bly* —5C **10**
Summer St. *Gate* —2D **82**
Summerville. *Dur* —6B **152**
Sunbury Av. *Newc T* —5G **55**
Sunderland. —6E 103
Sunderland Av. *Pet* —5F **161**
Sunderland By-Pass. *E Bol* —5H **85**
Sunderland Enterprise Pk. *Sund E*
(nr. Alexandra Av.) —4H **101**
Sunderland Enterprise Pk. *Sund E*
(nr. Colima Av.) —5D **100**
Sunderland F.C. —5C **102**
Sunderland (Greyhound) Stadium.
—5H **87**
Sunderland Highway. *Gate & Wash*
—1E **111**
Sunderland Museum & Art Gallery.
—1D **116**
Sunderland Retail Pk. *Sund* —4D **102**

Sunderland Rd. *Dur* —5F **153**
Sunderland Rd. *E Bol* —4F **87**
Sunderland Rd. *Gate & Wardl*
—1H **81**
Sunderland Rd. *Haw* —6H **149**
(in two parts)
Sunderland Rd. *Nbtle* —6A **128**
Sunderland Rd. *Pet* —4F **161**
Sunderland Rd. *S Shi* —1G **73**
Sunderland Rd. *Sund* —3A **102**
(SR5)
Sunderland Rd. *Sund* —2B **88**
(SR6)
Sunderland Rd. Vs. *Gate* —3F **83**
Sunderland St. *Hou S* —3A **136**
(DH4)
Sunderland St. *Hou S* —2A **136**
(DH5)
Sunderland St. *Newc T* —5E **67**
(in two parts)
Sunderland St. *Sund* —6E **103**
Sundew Rd. *Gate* —1C **96**
Sundridge Dri. *Gate* —4A **84**
Sun Hill. *Hett H* —2B **146**
Sun Hill. *Sun* —3G **93**
Sunholme Dri. *W'snd* —2G **57**
Sunlea Av. *N Shi* —2E **47**
Sunley Ho. *Newc T* —2E **55**
Sunnidale. *Whi* —6C **78**
Sunnilaws. *S Shi* —6A **74**
Sunningdale. *S Shi* —6G **61**
Sunningdale. *Whit B* —6G **33**
Sunningdale Av. *Newc T* —2G **69**
Sunningdale Av. *W'snd* —5A **58**
Sunningdale Clo. *Gate* —4D **82**
Sunningdale Dri. *Wash* —3A **98**
Sunningdale Rd. *Sund* —4F **115**
Sunnirise. *S Shi* —5A **74**
Sunniside. —1G 135
(nr. Houghton-le-Spring)
Sunniside. —2F 93
(nr. Whickham)
Sunniside. *N Shi* —2H **59**
Sunniside. *S Hyl* —1C **114**
Sunniside Ct. *Sun* —2F **93**
Sunniside Dri. *S Shi* —5A **74**
Sunniside Gdns. *Gate* —3C **96**
Sunniside Gdns. *Newc T* —3F **65**
Sunniside La. *Cle & S Shie* —2B **88**
Sunniside Rd. *Whi* —6F **79**
Sunniside Ter. *Sund* —1A **88**
Sunnybank Av. *Newc T* —4H **65**
Sunny Blunts. *Pet* —3C **162**
Sunnybrow. *Sund* —1H **129**
Sunnycrest Av. *Newc T* —3F **69**
Sunnygill Ter. *Ryton* —1A **76**
Sunnyside. *Cra* —2A **20**
Sunny Ter. *Dip* —2C **118**
Sunny Ter. *S'ley* —2C **120**
Sunnyway. *Newc T* —5G **53**
Sunrise Enterprise Pk. *Sund*
—5C **100**
Sunrise La. *Hou S* —2H **135**
Sun St. *Sun* —3F **93**
Sun Vw. Ter. *Sund* —2G **87**
Surrey Av. *Sund* —3A **130**
Surrey Pl. *Hou S* —3G **127**
Surrey Pl. *Newc T* —4C **66**
Surrey Rd. *Heb* —6D **70**
Surrey Rd. *N Shi* —1H **59**
Surrey St. *Hett H* —1B **146**
Surrey St. *Jar* —3E **71**
Surrey St. *N Her* —3G **127**
Surrey Ter. *Bir* —6C **110**
Surtees Dri. *Dur* —5A **152**
Surtees Rd. *Pet* —1D **162**

Surtees Ter.—Team Valley Trad. Est.

Surtees Ter. *S'ley* —6H **121**
Sussex Ct. *Sund* —6E **103**
Sussex Gdns. *W'snd* —4C **58**
Sussex Pl. *Wash* —4B **98**
Sussex St. *Bly* —5D **10**
Sussex St. *Jar* —3E **71**
Sussex St. *Sund* —1A **130**
Sutherland Av. *Newc T* —2A **66**
Sutherland Building. *Newc T* —3E **5**
Sutherland Ct. *S Shi* —1F **87**
Sutherland Grange. *N Her* —3H **127**
Sutherland Pl. *Dur* —6G **153**
Sutherland St. *Gate* —2H **81**
Sutherland St. *S'hm* —3H **139**
Sutherland St. *Sund* —3D **102**
Sutton Clo. *Hou S* —3F **127**
Sutton Ct. *W'snd* —2F **57**
Sutton Dwellings. *Newc T* —3D **66**
Sutton Est. *B'wl* —5A **66**
Sutton St. *Dur* —6B **152**
Sutton St. *Newc T* —1E **69**
Sutton Way. *S Shi* —4B **74**
Swainby Clo. *Newc T* —5F **41**
Swale Cres. *Gt Lum* —4H **133**
Swaledale. *Sund* —4F **89**
Swaledale. *W'snd* —2F **57**
Swaledale Av. *Bly* —6G **9**
Swaledale Clo. *Hett H* —4B **146**
Swaledale Ct. *Bly* —6G **9**
Swaledale Cres. *Hou S* —1E **127**
Swaledale Gdns. *Newc T* —4B **56**
Swaledale Gdns. *Sund* —2H **115**
Swallow Ct. *Kil* —1B **42**
Swallow Pond Nature Reserve.
—6A **44**
Swallows, The. *W'snd* —6C **44**
Swallow St. *S'hm* —3H **139**
(in two parts)
Swallow Tail Ct. *S Shi* —5D **72**
Swallow Tail Dri. *Gate* —4D **80**
Swalwell. —2E 79
Swan Av. *W'snd* —4B **58**
Swan Ct. *Gate* —2C **80**
Swan Dri. *Gate* —2C **80**
Swan Ind. Est. *Wash* —4D **112**
Swan Rd. *S West* —2A **162**
Swan Rd. *Walk* —5H **69**
Swan Rd. *Wash* —4D **112**
Swan St. *Gate* —6H **67**
Swan St. *S'ley* —5E **119**
Swan St. *Sund* —4C **102**
Swanton Clo. *Newc T* —3F **53**
Swanway. *Gate* —4B **82**
Swards Rd. *Gate* —4E **83**
Swarland Av. *Newc T* —2B **56**
Swarland Rd. *Sea D* —1B **32**
Swarth Clo. *Wash* —1G **111**
Sweethope Av. *Bly* —5B **10**
Swiftdale Clo. *Bed* —4H **7**
Swiftden Dri. *Sund* —3C **114**
Swinbourne Gdns. *Whit B* —5B **34**
Swinbourne Ter. *Jar* —6F **71**
Swinburne Pl. *Bir* —4C **110**
Swinburne Pl. *Gate* —6G **67**
Swinburne Pl. *Newc T* —4E **67** (5A **4**)
Swinburne St. *Gate* —6G **67**
Swinburne St. *Jar* —3A **72**
Swinburne Ter. *Dip* —2B **118**
Swinburn Rd. *Sea D* —1B **32**
Swindon Rd. *Sund* —4F **115**
Swindon Sq. *Sund* —4G **115**
Swindon St. *Heb* —3B **70**
Swindon Ter. *Newc T* —6B **56**
Swinhoe Gdns. *Wide* —4D **28**
Swinhope. *Wash* —1G **125**
Swinley Gdns. *Newc T* —3D **64**

Swinside Dri. *Dur* —3A **154**
Swirle, The. *Newc T* —4H **67** (5H **5**)
Swirral Edge. *Wash* —6A **98**
Swiss Cotts. *Wash* —6A **112**
Swordfish, The. *Newc T* —6B **66**
Swyntoft. *Gate* —4H **83**
Sycamore. *Ches S* —4A **124**
Sycamore Av. *Bly* —4B **10**
Sycamore Av. *Din* —4F **27**
Sycamore Av. *Pon* —1D **36**
Sycamore Av. *S Shi* —5H **73**
Sycamore Av. *Wash* —6H **111**
Sycamore Av. *Whit B* —1B **46**
Sycamore Clo. *Newc T* —5H **55**
Sycamore Dri. *Hes* —6F **163**
Sycamore Dri. *Sund* —2B **102**
Sycamore Gro. *Fel* —3E **83**
Sycamore Gro. *Spri* —4F **97**
Sycamore Pk. *B'don* —4D **156**
Sycamore Pl. *Newc T* —1C **42**
Sycamore Rd. *Bla T* —1A **78**
Sycamore Rd. *Kim* —2A **142**
Sycamore Rd. *Sund* —2F **89**
Sycamore Sq. *Pet* —2C **160**
Sycamores, The. *Burn* —2A **106**
Sycamores, The. *Newc T* —6C **66**
Sycamores, The. *Sund* —4E **117**
Sycamore St. *Newc T* —4D **50**
Sycamore St. *W'snd* —6A **58**
Sycamore Ter. *S'ley* —5H **119**
Sydenham Ter. *S Shi* —4F **61**
Sydenham Ter. *Sund* —2A **116**
Sydney Ct. *Gate* —6G **67**
Sydney Gdns. *S Shi* —6B **72**
Sydney Gro. *W'snd* —2G **57**
Sydney St. *Hou S* —1C **134**
Sydney St. *Pelt* —2C **122**
Syke Rd. *Burn* —1F **105**
Sylverton Gdns. *S Shi* —6H **61**
Sylvia Ter. *S'ley* —1D **120**
Symington Gdns. *Sund* —1H **129**
Syon St. *N Shi* —5F **47**
Syrett Cotts. *Sund* —5F **117**
Syron. *Whi* —4D **78**
Syston Clo. *Hou S* —4F **135**

T

Taberna Clo. *Hed W* —5G **49**
Tadcaster Rd. *Sund* —6E **115**
Tadema Rd. *S Shi* —5H **61**
Talbot Clo. *Wash* —3B **112**
Talbot Cotts. *Bir* —3C **110**
Talbot Grn. *Newc T* —1D **64**
Talbot Pl. *S'hm* —4B **140**
Talbot Rd. *S Shi* —3E **73**
Talbot Rd. *Sund* —2E **103**
Talbot Ter. *Bir* —3C **110**
Talgarth. *Wash* —2E **113**
Talisman Clo. *Sher* —6D **154**
Talisman Vw. *Gate* —3A **96**
Talley Ct. *Wash* —2A **112**
Tamar Clo. *N Shi* —5G **45**
Tamar Clo. *Pet* —2C **162**
Tamar Ct. *Sund* —3H **129**
Tamar St. *Eas L* —5E **147**
Tamerton Dri. *Bir* —5D **110**
Tamerton St. *Sund* —1H **115**
Tamworth Rd. *Newc T* —3C **66**
Tamworth Sq. *Sund* —6E **115**
Tanfield. —3B 106
Tanfield Gdns. *S Shi* —3B **74**
Tanfield Lea. —1B 120
Tanfield Lea Ind. Est. *Tan L*
—5B **106**
Tanfield Lea N. Ind. Est. *Tan L*
—6B **106**

Tanfield Lea S. Ind. Est. *Tan L*
—6C **106**
Tanfield Pl. *Gate* —3C **96**
Tanfield Railway. —5F **93**
Tanfield Rd. *Gate* —3C **96**
Tanfield Rd. *Newc T* —3E **65**
Tanfield Rd. *Sund* —5F **115**
Tanfield St. *Sund* —6G **101**
Tangmere Clo. *Cra* —2C **20**
Tan Hills. —2A 142
Tankerville Pl. *Newc T* —6G **55**
Tankerville Ter. *Newc T* —1G **67**
Tanmeads. *Nett* —1A **142**
Tanners Bank. *N Shi* —1E **61**
Tantallon. *Bir* —5D **110**
(in two parts)
Tantobie. —5H 105
Tantobie Rd. *Newc T* —3E **65**
Tarlton Cres. *Gate* —3C **82**
Tarn Clo. *Pet* —1E **163**
Tarn Dri. *Sund* —1F **131**
Tarragon Way. *S Shi* —6G **73**
Tarrington Clo. *W'snd* —2D **58**
Tarset Pl. *Newc T* —1C **54**
Tarset Rd. *S Well* —6F **33**
Tarset St. *Newc T* —4A **68**
Tasmania Rd. *S Shi* —6B **72**
Tasman Rd. *Sund* —1E **129**
Tate St. *Bly* —5D **10**
Tatham St. *Sund* —1E **117**
Tatham St. Bk. *Sund* —1E **117**
Tattershall. *Sund* —3B **116**
Taunton Av. *Jar* —4A **72**
Taunton Av. *N Shi* —4H **45**
Taunton Clo. *W'snd* —2D **58**
Taunton Pl. *Cra* —1B **20**
Taunton Rd. *Sund* —6F **115**
Taunton Sq. *Sund* —5F **115**
Tavistock Ct. *Hou S* —6H **127**
Tavistock Pl. *Jar* —4A **72**
Tavistock Pl. *Sund* —1D **116**
Tavistock Rd. *Newc T* —5G **55**
Tavistock Sq. *Sund* —1A **130**
Tavistock Wlk. *Cra* —1B **20**
Taylor Av. *Bear* —4D **150**
Taylor Av. *Row G* —4F **91**
Taylor Av. *Wide* —5E **29**
Taylor Ct. *Eas L* —4E **147**
Taylor Gdns. *Gate* —2G **83**
Taylor Gdns. *Sea S* —3H **23**
Taylor Gdns. *Sund* —3E **117**
(nr. Montpelier Ter.)
Taylor Gdns. *Sund* —4E **117**
(nr. Sea Vw. Rd.)
Taylor Pas. *S'hm* —3H **139**
Taylor's Bldgs. *Bed* —3D **8**
Taylor St. *Bly* —5G **9**
Taylor St. *Shir* —2C **44**
Taylor St. *S Shi* —1D **72**
Taylor St. *S'ley* —4E **119**
Taylor Ter. *S Shi* —5B **72**
Taylor Ter. *W All* —4B **44**
Taynton Gro. *Seg* —1F **31**
Tay Rd. *Sund* —5E **115**
Tay St. *Eas L* —5F **147**
Teal Av. *Bly* —3D **16**
Teal Clo. *Newc T* —2C **56**
Teal Clo. *Wash* —4F **111**
Teams. —3E 81
Team St. *Gate* —2C **80**
Team Va. Vs. *Gate* —5D **80**
Team Valley. —1F 95
Team Valley Shop. Village. *Team T*
—6E **81**
Team Valley Trad. Est. *Gate* —5E **81**
(nr. Queensway N.)

Team Valley Trad. Est. *Gate* —2F **95**
(nr. Queensway S.)
Teasdale Ho. *Newc T* —2E **53**
(in two parts)
Teasdale St. *Sund* —2F **117**
Teasdale Ter. *Dur* —5H **153**
Tebay Dri. *Newc T* —1D **64**
Teddington Clo. *Newc T* —6F **39**
Teddington Rd. *Sund* —5E **115**
Teddington Sq. *Sund* —5E **115**
Tedham Rd. *Newc T* —2A **64**
Tees Clo. *Pet* —3C **162**
Tees Ct. *S Shi* —3E **73**
Tees Ct. *Sund* —3H **129**
Tees Cres. *S'ley* —4D **120**
Teesdale Av. *Hou S* —1E **127**
Teesdale Gdns. *Newc T* —4B **56**
Teesdale Gro. *Newc T* —5D **42**
Teesdale Pl. *Bly* —5F **9**
Teesdale Ter. *S'ley* —5G **119**
Tees Rd. *Heb* —6C **70**
Tees St. *Eas L* —5F **147**
Tees St. *Pet* —6G **161**
Tees St. *S'hm* —4B **140**
Tees Ter. *Wash* —5B **98**
Teign Clo. *Pet* —2C **162**
Teindland Clo. *Newc T* —5A **66**
Tel-el-Kebir Rd. *Sund* —3E **117**
Telford Clo. *Back* —6A **32**
Telford Clo. *H Shin* —5H **159**
Telford Ct. *W'snd* —5G **59**
Telford Rd. *Sund* —5F **115**
Telford St. *Gate* —4F **81**
Telford St. *W'snd* —5G **59**
Temperance Ter. *Ush M* —5B **150**
Tempest Rd. *S'hm* —4A **140**
Tempest St. *Bla T* —5G **63**
Tempest St. *Sund* —2A **130**
Temple Av. *Bly* —5A **10**
Temple Grn. *Gate* —3E **81**
Temple Grn. *S Shi* —4G **73**
Temple Pk. Rd. *S Shi* —3F **73**
Temple St. *Gate* —2D **82**
Temple St. *Newc T* —5E **67** (6B **4**)
Temple St. *S Shi* —2D **72**
Temple St. W. *S Shi* —2D **72**
Temple Town. *S Shi* —1D **72**
Tenbury Cres. *Newc T* —6C **42**
Tenbury Cres. *N Shi* —4A **46**
Tenby Rd. *Sund* —1E **129**
Tenby Sq. *Cra* —1C **20**
Ten Fields. *Hett H* —2B **146**
Tennant St. *Heb* —4B **70**
Tennant St. *S Shi* —5C **72**
Tennyson Av. *B Col* —2H **163**
Tennyson Av. *Bol C* —3D **86**
Tennyson Av. *Heb* —3D **70**
Tennyson Ct. *Gate* —1A **82**
Tennyson Cres. *Swa* —3E **79**
Tennyson Gdns. *Dip* —2C **118**
Tennyson Grn. *Newc T* —4A **54**
Tennyson Rd. *Pelt F* —6G **123**
Tennyson Rd. *Pet* —1D **160**
Tennyson St. *S Shi* —5F **61**
Tennyson St. *Sund* —3A **102**
Tennyson Ter. *N Shi* —3C **60**
Tenter Gth. *Newc T* —5C **50**
Tenter Ter. *Dur* —5C **152**
Tenth Av. *Bly* —2B **16**
Tenth Av. *Ches S* —6B **124**
Tenth Av. *Newc T* —1C **68**
Tenth Av. *Team T* —3F **95**
Tenth Av. W. *Team T* —3E **95**
Tenth St. *Pet* —6G **161**
Tern Clo. *Bly* —3D **16**
Terrace Pl. *Newc T* —3E **67** (3B **4**)

Terraces, The. *Wash* —3C **112**
Terrace, The. *Bol C* —2A **86**
Terrace, The. *E Bol* —4F **87**
Terrace, The. *Mead* —5F **157**
Terrace, The. *Sund* —1C **114**
Terrier Clo. *Bed* —4C **8**
Territorial La. *Dur* —6D **152**
Tesla St. *Hou S* —5H **127**
Tetford Pl. *Newc T* —6C **42**
Teviot. *Wash* —6G **111**
Teviotdale Gdns. *Newc T* —4B **56**
Teviot St. *Eas L* —5E **147**
Teviot St. *Gate* —3A **82**
Teviot Way. *Jar* —4E **71**
Tewkesbury. *Newc T* —1D **42**
Tewkesbury Rd. *Newc T* —1A **64**
Thackeray Rd. *Sund* —5F **115**
Thackeray St. *Hou S* —3H **135**
Thames Av. *Jar* —6G **71**
Thames Cres. *Hou S* —3E **135**
Thames Cres. *S'ley* —5D **120**
Thames Gdns. *W'snd* —6H **57**
(in two parts)
Thames Rd. *Heb* —5D **70**
Thames Rd. *Pet* —2C **162**
Thames Rd. *Sund* —1E **129**
Thames St. *Eas L* —5E **147**
Thames St. *Gate* —3A **82**
Thanet Rd. *Sund* —6F **115**
Tharsis Rd. *Heb* —4B **70**
Thatcher Clo. *Whi* —6E **79**
Theatre Pl. *N Shi* —2C **60**
Thelma St. *Sund* —1B **116**
Theme Rd. *Sund* —1E **129**
Theresa St. *Bla T* —6A **64**
(in two parts)
Theresa St. *S'hm* —6C **140**
Thetford. *Wash* —3B **112**
Third Av. *Bly* —1B **16**
Third Av. *Ches S* —6B **124**
(nr. Bullion La.)
Third Av. *Ches S* —2B **124**
(nr. Drum Rd.)
Third Av. *Newc T* —2C **68**
Third Av. *Team T* —5E **81**
Third Av. *Tyn T* —2F **59**
Third St. *Pet* —6G **161**
Third St. *S'ley* —6B **120**
Thirkeld Pl. *Hou S* —2E **127**
Thirlaway Ter. *Sun* —3G **93**
Thirlington Clo. *Newc T* —4F **53**
Thirlmere. *Bir* —5E **111**
Thirlmere. *Gate* —3G **83**
Thirlmere. *Sund* —2A **88**
Thirlmere Av. *Ches S* —2B **132**
Thirlmere Av. *Eas L* —5E **147**
Thirlmere Av. *N Shi* —3D **46**
Thirlmere Clo. *Kil* —2F **43**
Thirlmere Ct. *Heb* —4D **70**
Thirlmere Cres. *Bla T* —3H **77**
Thirlmere Cres. *Shin R* —3F **127**
Thirlmere Rd. *Pet* —6E **161**
Thirlmere Way. *Bly* —4G **9**
Thirlmere Way. *Newc T* —6F **53**
Thirlmoor. *Wash* —1G **111**
Thirlwell Gro. *Jar* —6E **71**
Thirlwell Rd. *Gate* —6A **68**
Thirlwell Rd. *Sund* —4B **102**
Thirsk Rd. *Sund* —5F **115**
Thirston Dri. *Cra* —3C **20**
Thirston Pl. *N Shi* —6H **45**
Thirston Way. *Newc T* —2H **53**
Thirteenth St. *Pet* —6F **161**
Thistle Av. *Ryton* —5A **62**
Thistle Ct. *Heb* —4B **70**
Thistlecroft. *Hou S* —4A **136**

Thistledon Av. *Whi* —5D **78**
Thistle Rd. *B'don* —5H **157**
Thistle Rd. *Sund* —6E **115**
Thistley Clo. *Newc T* —1E **69**
Thistley Grn. *Gate* —2A **84**
Thomas Bell Ho. *S Shi* —5C **72**
Thomas Hawksley Pk. *Sund* —4A **116**
Thomas Holiday Homes. Bed —2D **8**
(off Burnside)
Thomas Horsley Ho. *Newc T* —4F **65**
Thomas St. *Ann P* —5G **119**
Thomas St. *Ches S* —1C **132**
Thomas St. *Crag* —6H **121**
(in two parts)
Thomas St. *Eig B* —4D **96**
Thomas St. *Hett H* —6D **136**
(in two parts)
Thomas St. *Newc T* —5D **52**
Thomas St. *Pet* —1E **161**
Thomas St. *S Shi* —4E **61**
Thomas St. *Sund* —3F **131**
Thomas St. *Wash* —5D **98**
Thomas St. *Whi* —4E **79**
Thomas St. N. *Sund* —5D **102**
Thomas St. S. *Ryh* —3F **131**
Thomas St. S. *Sund* —4A **102**
Thomas Taylor Cotts. *Back* —6A **32**
Thompsom Pl. *Gate* —3D **82**
Thompson Av. *Camp* —1C **42**
Thompson Cres. *Sund* —4D **100**
Thompson Gdns. *W'snd* —5H **57**
Thompson Rd. *Sund* —3B **102**
Thompson's Bldgs. *Hou S* —4G **127**
Thompson St. *Bed* —2D **8**
Thompson St. *Bly* —4B **10**
Thompson St. *Pet* —6G **161**
Thompson Ter. *Sund* —3G **131**
Thorburn St. *Sund* —1D **102**
Thoresby Ho. Newc T —6E **69**
(off McCutcheon Ct.)
Thornbank Clo. *Sund* —5A **130**
Thornbridge. *Wash* —2E **113**
Thornbury Av. *Seg* —1G **31**
Thornbury Clo. *Bol C* —2A **86**
Thornbury Clo. *Newc T* —2F **53**
Thornbury Dri. *Whit B* —5G **33**
Thornbury St. *Sund* —6A **102**
Thorncliffe Pl. *N Shi* —2A **60**
Thorn Clo. *Wide* —6C **28**
Thorndale Pl. *Bly* —5G **9**
Thorndale Rd. *Dur* —3B **154**
Thorndale Rd. *Newc T* —4D **64**
Thorndale Rd. *Sund* —6E **115**
Thorne Av. *Gate* —3H **83**
Thornebrake. *Gate* —4G **83**
Thorne Rd. *Sund* —6E **115**
Thornes Clo. *Pet* —1F **163**
Thorne Sq. *Sund* —6E **115**
Thorne Ter. *Newc T* —2E **69**
Thorneyburn Av. *S Well* —6F **33**
Thorneyburn Clo. *Hou S* —1G **135**
Thorneyburn Way. *Bly* —6H **9**
Thorney Close. —6E 115
Thorney Clo. Rd. *Sund* —6F **115**
Thorneyfield Dri. *Newc T* —3B **42**
Thorneyford Pl. *Pon* —4E **25**
Thorneyholme Ter. *Bla T* —6A **64**
Thorneyholme Ter. *S'ley* —3D **120**
Thornfield Gro. *Sund* —5E **117**
Thornfield Pl. *Row G* —2E **91**
Thornfield Rd. *Newc T* —3D **54**
Thorngill. *Wash* —1H **111**
Thornhaugh Av. *Whi* —5D **78**
Thornhill Clo. *Sea D* —1B **32**
Thornhill Cres. *Sund* —1C **116**
Thornhill Gdns. *Burn* —2F **105**

Thornhill Gdns.—Trafford Rd.

Thornhill Gdns. *Sund* —3C **116**
Thornhill Pk. *Pon* —4E **25**
Thornhill Pk. *Sund* —2C **116**
Thornhill Rd. *Newc T* —1D **56**
Thornhill Rd. *Pon* —4E **25**
Thornhill St. *Hou S* —3H **135**
Thornhill Ter. *Sund* —2C **116**
Thornholme Av. *S Shi* —3B **74**
Thornholme Rd. *Sund* —3B **116**
Thornhope Clo. *Wash* —1D **112**
Thornlea. *Hep* —1A **6**
Thornlea Gdns. *Gate* —5H **81**
Thornleigh Gdns. *Sund* —1A **88**
Thornleigh Rd. *Newc T* —6G **55**
Thornley Av. *Cra* —3C **20**
Thornley Av. *Gate* —5H **83**
Thornley Clo. *Ush M* —6D **150**
Thornley Clo. *Whi* —1E **93**
Thornley La. *Bla T & Row G* —5G **77**
Thornley Rd. *Newc T* —1D **64**
Thornley Vw. *Row G* —3F **91**
Thornley Wood Country Park.
　　　　　　　　　　　—5H **77**
Thornton Av. *S Shi* —2D **72**
Thornton Clo. *Hou S* —2F **127**
Thornton Cotts. Ryton —3C **62**
　(off Whitewell La.)
Thornton Ct. *Wash* —2A **112**
Thornton Cres. *Bla T* —6A **64**
Thornton Lea. *Pelt* —2F **123**
Thorntons Clo. *Pelt* —2F **123**
Thornton St. *Newc T* —4E **67** (6B **4**)
Thornton Ter. *Newc T* —4G **43**
Thorntree Av. *Sea B* —2D **28**
Thorntree Clo. *Whit B* —1F **45**
Thorntree Cotts. *Sea B* —2D **28**
Thorntree Ct. *Newc T* —5F **43**
Thorntree Dri. *Bed* —3H **7**
Thorntree Dri. *Newc T* —3E **65**
Thorntree Dri. *Whit B* —1F **45**
Thorntree Gill. *Pet* —2G **163**
Thorntree M. Sund —1E **117**
　(off Up. Nile St.)
Thorntree M. *Sund* —5E **115**
　(SR3)
Thorntree Ter. *S'ley* —2F **121**
Thorntree Wlk. *Jar* —1H **85**
Thorntree Way. *Bly* —6F **9**
Thornwood Gdns. *Gate* —5D **80**
Thornygarth. *Gate* —4E **83**
Thoroton St. *Bly* —5C **10**
Thorp Clo. *Bly* —2H **15**
Thorp Cotts. *Ryton* —4A **62**
Thorp Dri. *Ryton* —4D **62**
Thorpe Clo. *Newc T* —3C **66**
Thorpe Cres. *Pet* —4F **161**
Thorpeness Rd. *Sund* —6E **115**
Thorpe Rd. *Pet* —2B **160**
Thorpe St. *Eas C* —1E **161**
Thorpe St. *H'dn* —6D **162**
Thorpe St. *Newc T* —3C **66**
Threap Gdns. *W'snd* —3C **58**
Three Mile Ct. *Newc T* —5E **41**
Three Rivers Ct. *E Bol* —4C **86**
Threlkeld Gro. *Sund* —6C **88**
Thrift St. *N Shi* —3C **60**
Thristley Gdns. *Sund* —4C **116**
Throckley. —5D **52**
Throckley Pond Nature Reserve.
　　　　　　　　　　　—1B **62**
Throckley Way. *Mid I* —4D **72**
Thropton Av. *Bly* —2A **16**
Thropton Av. *Newc T* —2B **56**
Thropton Clo. *Ches S* —2A **132**
Thropton Clo. *Gate* —4A **84**
Thropton Clo. *H Shin* —4H **159**

Thropton Ct. *Bly* —6A **10**
Thropton Cres. *Newc T* —1D **54**
Thropton Pl. *N Shi* —6H **45**
Thropton Ter. *Newc T* —5B **56**
Thrunton Ct. *Hou S* —3B **136**
Thrush Cross Pl. *Dur* —4H **153**
Thrush Gro. *Sund* —4E **101**
Thurleston. *Hou S* —5G **127**
Thurlow Way. *Hou S* —4H **135**
Thursby. *Bir* —5E **111**
　(in two parts)
Thursby Av. *N Shi* —3D **46**
Thursby Gdns. *Gate* —2B **96**
　(in two parts)
Thurso Clo. *Sund* —6D **114**
Tiberius Clo. *W'snd* —6H **57**
Tilbeck Sq. *Sund* —4B **130**
Tilbury Clo. *Phil* —4G **127**
Tilbury Gdns. *Sund* —1E **129**
Tilbury Gro. *N Shi* —2C **46**
Tilbury Rd. *Sund* —1E **129**
Tileshed La. *E Bol* —2E **87**
Till Av. *Bla T* —1H **77**
Tilley Rd. *Cwthr* —2F **111**
Tillmouth Av. *H'wll* —1B **32**
Tillmouth Gdns. *Newc T* —3G **65**
Tillmouth Pk. Rd. *Newc T* —6D **50**
Till St. *Newc T* —5C **68**
Tilson Way. *Newc T* —1B **54**
Timber Beach Nature Reserve.
　　　　　　　　　　　—4F **101**
Timber Beach Rd. *Sund E* —5E **101**
Timber Rd. *H'dn* —4G **161**
Timlin Gdns. *W'snd* —4F **59**
Tindal Clo. *Newc T* —4D **66**
Tindale Av. *Cra* —3C **20**
Tindale Av. *Dur* —2A **152**
Tindale Dri. *Whi* —5E **79**
Tinklers La. *Dur* —5D **152**
Tinkler Ter. *Cas D* —2H **133**
Tinn St. *Gate* —2F **81**
Tintagel. *Gt Lum* —3H **133**
Tintagel Clo. *Cra* —1B **20**
Tintagel Clo. *Sund* —6D **114**
Tintagel Dri. *S'hm* —3A **140**
Tintern. *Wash* —4A **112**
Tintern Clo. *Hou S* —1G **135**
Tintern Cres. *Newc T* —2B **68**
Tintern Cres. *N Shi* —5H **45**
Tintern St. *Sund* —1B **116**
Tiree Clo. *B'don* —4E **157**
Tiree Ct. *Sund* —3A **130**
Tirril Pl. *Newc T* —6E **53**
Titan Ho. *Newc T* —3G **69**
Titan Rd. *Newc T* —3G **69**
Titchfield Rd. *Wash* —3A **112**
Titian Av. *S Shi* —1E **87**
Titlington Gro. *Heb* —6B **70**
Tiverton Av. *Newc T* —4A **66**
Tiverton Av. *N Shi* —4G **45**
Tiverton Clo. *Hou S* —5H **127**
Tiverton Clo. *W'snd* —2D **58**
Tiverton Gdns. *Gate* —2H **95**
Tiverton Pl. *Cra* —1B **20**
Tiverton Sq. *Sund* —6E **115**
Tivoli Bldgs. *Hou S* —3G **127**
Tivoli Gdns. *Hett H* —2C **146**
Toberty Gdns. *Gate* —3H **83**
Todd's Nook. *Newc T* —4D **66**
Toft Cres. *Mur* —1C **148**
Togstone Pl. *Newc T* —6G **53**
Toll Bar Rd. *Sund* —6D **116**
Toll Bri. Rd. *Bla T* —6D **64**
Tollerton Dri. *Sund* —5B **100**
Tollgate Bungalows. *S'ley* —4E **119**
Tollgate Fields. *Rain G* —4D **144**

Tollgate Rd. *Ham M* —2A **104**
Tollgate Ter. *S'ley* —4E **119**
Toll Ho. Rd. *Dur* —5H **151**
Tolls Clo. *Whit B* —6G **33**
Toll Sq. *N Shi* —1E **61**
Tomlea Av. *Bed* —4C **8**
Tomlinson Ct. *Whit B* —6H **33**
Tonbridge Av. *N Shi* —2A **60**
Toner Av. *Heb* —6B **70**
Tonge Va. *Sund* —3A **102**
Topaz St. *S'hm* —4G **139**
Topcliff. *Sund* —5E **103**
Topcliffe Grn. *Gate* —3B **96**
Toppings St. *Bol C* —2A **86**
Torcross Way. *Cra* —1B **20**
Tor Mere Clo. *Wash* —1G **111**
Toronto Rd. *Sund* —5F **115**
Toronto Sq. *Sund* —5F **115**
Torquay Gdns. *Gate* —2H **95**
Torquay Pde. *Heb* —6E **71**
Torquay Rd. *Sund* —5F **115**
Torrens Rd. *Sund* —5F **115**
Torrington Clo. *Hou S* —5G **127**
Torver Clo. *Pet* —1E **163**
Torver Clo. *Wide* —6D **28**
Torver Cres. *Sund* —6C **88**
Torver Pl. *Gate* —1B **96**
Torver Way. *N Shi* —3B **46**
Tosson Clo. *Bed* —4B **8**
Tosson Pl. *N Shi* —2H **59**
Tosson Ter. *Newc T* —6C **56**
Totnes Clo. *Sund* —6D **114**
Totnes Dri. *Cra* —1B **20**
Toward Rd. *Sund* —1D **116**
Toward St. *Newc T* —3B **68**
Tower Ct. *Eas L* —4E **147**
Tower Ct. *Gate* —2C **80**
Tower Gdns. *Ryton* —4C **62**
Tower Pl. *Sund* —2E **117**
Tower Rd. *Wash* —6C **98**
Towers Av. *Newc T* —4G **55**
Towers Clo. *Bed* —5A **8**
Towers Pl. *S Shi* —4A **72**
Towers, The. *Sund* —1D **114**
Tower St. *Newc T* —4G **67** (4F **5**)
Tower St. *Pet* —1F **161**
Tower St. *Sund* —2F **117**
Tower St. W. *Sund* —3E **117**
Tower Vw. *Newc T* —3G **65**
Town Centre. —2A **112**
Town Cen. *Cra* —3A **20**
Towne Ga., The. *Hed W* —5G **49**
Towneley Ct. *S'ley* —4C **120**
Towneley Fields. *Row G* —3F **91**
Towneley St. *S'ley* —3G **120**
Townend Ct. *S Shi* —4E **73**
Town End Farm. —2B **100**
Townfield Gdns. *Newc T* —1F **63**
Townley Cotts. *Ryton* —5A **62**
Townley Rd. *Row G* —3D **90**
Town Moor. —1E **67**
Townsend Rd. *Sund* —1E **129**
Townsend Sq. *Sund* —1E **129**
Town Sq. *W'snd* —5H **57**
Townsville Av. *Whit B* —2H **45**
Town Wall. *Newc T* —4E **67**
　(in two parts)
Towton. *Newc T* —1D **42**
Toynbee. *Wash* —2E **113**
Tracey Av. *W Bol* —3D **86**
Trafalgar Ho. *N Shi* —6F **47**
Trafalgar Rd. *Wash* —4C **98**
Trafalgar Sq. *Sund* —6F **103**
Trafalgar St. *Newc T* —4G **67** (4F **5**)
Trafford. *Gate* —3A **96**
Trafford Rd. *Sund* —4A **102**

Trafford Wlk. *Newc T* —4C **52**
Trajan Av. *S Shi* —3F **61**
Trajan St. *S Shi* —3F **61**
Trajan Wlk. *Hed W* —5F **49**
Transbritannia Ct. *Bla T* —5C **64**
Transbritannia Enterprise Pk. *Bla T*
—5C **64**
Tranwell Clo. *Newc T* —5B **40**
Tranwell Dri. *Sea D* —1C **32**
Travers St. *Hou S* —3G **127**
Treasury Museum. —6C **152**
Treby St. *Sund* —6A **102**
(in two parts)
Tredegar Clo. *Newc T* —3F **53**
Treecone Clo. *Sund* —4A **130**
Tree Ct. *Sund* —3H **129**
Treen Cres. *Mur* —2D **148**
Trefoil Rd. *Tan L* —1B **120**
Tregoney Av. *Mur* —1D **148**
Treherne Rd. *Newc T* —4F **55**
Trent Av. *Heb* —6C **70**
Trent Cres. *Gt Lum* —3H **133**
Trent Dri. *Jar* —1G **85**
Trent Gdns. *Gate* —3B **82**
Trentham Av. *Newc T* —2B **56**
Trenton Av. *Wash* —1B **112**
Trent Rd. *Sund* —6E **115**
Trent St. *Eas L* —5E **147**
Trevarren Dri. *Sund* —2F **131**
Trevelyan Av. *Bed* —4B **8**
Trevelyan Av. *Bly* —1A **16**
Trevelyan Clo. *Sund* —6D **114**
Trevelyan Ct. *Newc T* —1A **56**
Trevelyan Dri. *Newc T* —2E **53**
Trevelyan Pl. *Pet* —2B **162**
Trevethick St. *Gate* —3F **81**
Trevone Pl. *Seg* —1G **31**
Trevone Sq. *Mur* —2D **148**
Trevor Gro. *Sund* —3A **88**
Trevor Ter. *N Shi* —6C **46**
Trewhitt Rd. *Newc T* —1C **68**
Trewitt Rd. *Whit B* —1D **46**
Tribune Pl. *Gate* —5B **82**
Trident Rd. *Sund* —2A **130**
Trigg Pas. *N Shi* —2C **60**
Trigg Vw. *Sund* —5D **102**
Trimdon Gro. *Gate* —2D **96**
Trimdon St. *Sund* —6B **102**
Trimdon St. W. *Sund* —5B **102**
Trinity Building. *Newc T* —2E **5**
Trinity Bldgs. *N Shi* —2E **61**
Trinity Chare. *Newc T* —5G **67** (6F **5**)
Trinity Clo. *N Shi* —3C **60**
Trinity Ct. *Gate* —6H **67**
Trinity Ct. *N Shi* —3C **60**
(in two parts)
Trinity Courtyard. *Newc T* —5D **68**
Trinity Gro. *Seg* —1G **31**
Trinity Ho. *Newc T* —6F **5**
Trinity Pl. *S Shi* —3C **60**
Trinity Sq. *Gate* —6H **67**
(in two parts)
Trinity Sq. *Sund* —6E **103**
Trinity St. *N Shi* —3C **60**
Trinity St. *Sund* —3H **101**
Trinity Ter. *N Shi* —3C **60**
Trinity Wlk. *S Shi* —6D **60**
Trojan Av. *Newc T* —2E **69**
Tromso Clo. *Tyn T* —2G **59**
Trool Ct. *Sund* —4A **130**
Troon Clo. *Wash* —3A **98**
Trotter Gro. *Bed* —4C **8**
Trotter Ter. *Sund* —3F **131**
Troutbeck Av. *Newc T* —4F **69**
Troutbeck Gdns. *Gate* —2A **96**
Troutbeck Rd. *Sund* —6C **88**

Troutbeck Way. *Pet* —6E **161**
Troutbeck Way. *S Shi* —6C **72**
Troutdale Pl. *Newc T* —1H **55**
Trout's La. *Dur* —1F **151**
Troves Clo. *Newc T* —5A **66**
Trowbridge Way. *Newc T* —2B **54**
Trowsdale St. *S'ley* —4E **119**
Truro Av. *Mur* —1D **148**
Truro Gro. *N Shi* —5H **45**
Truro Rd. *Sund* —6F **115**
Truro Way. *Jar* —3G **85**
Tuart St. *Ches S* —6C **124**
Tucknott Gth. *Ryton* —3C **62**
Tudor Av. *N Shi* —1A **60**
Tudor Ct. *Pon* —1C **36**
Tudor Dri. *Tan* —4B **106**
Tudor Grange. *Eas V* —2A **160**
Tudor Gro. *Sund* —4H **115**
Tudor Rd. *Ches S* —4D **124**
Tudor Rd. *S Shi* —5D **60**
Tudor Wlk. *Newc T* —2G **53**
Tudor Way. *Newc T* —1F **53**
Tudor Wynd. *Newc T* —5D **56**
Tulip Clo. *Bla T* —1H **77**
Tulip Ct. *Pen* —1F **127**
Tulip St. *Gate* —2C **82**
Tummel Ct. *Sund* —3A **130**
Tumulus Av. *Newc T* —1G **69**
Tunbridge Rd. *Sund* —5F **115**
Tundry Way. *Bla T* —5D **64**
Tunis Rd. *Sund* —5F **115**
Tunstall. —2B 130
Tunstall Av. *Newc T* —3D **68**
(in two parts)
Tunstall Av. *S Shi* —3B **74**
Tunstall Bank. *Sund* —2C **130**
Tunstall Hill Clo. *Sund* —5C **116**
Tunstall Hills. —5B 116
Tunstall Hope Rd. *Sund* —6C **116**
Tunstall Pk. *Sund* —3C **116**
Tunstall Rd. *Sund* —2C **116**
Tunstall Ter. *New S* —2A **130**
Tunstall Ter. *Ryh* —2D **130**
Tunstall Ter. *Sund* —1C **116**
Tunstall Ter. W. *Sund* —1C **116**
Tunstall Va. *Sund* —3C **116**
Tunstall Vw. *Sund* —1B **130**
Tunstall Village Grn. *Sund* —2C **130**
Tunstall Village Rd. *Sund* —2B **130**
Tunstall Vs. *Sund* —2B **130**
Turbinia Gdns. *Newc T* —5C **56**
Turfside. *Gate* —4G **83**
(in two parts)
Turfside. *Jar* —2H **85**
Turnberry. *Ous* —5H **109**
Turnberry. *S Shi* —6G **61**
Turnberry. *Whit B* —6G **33**
Turnberry Clo. *Wash* —3A **98**
Turnberry Ct. *Gate* —4H **83**
Turnberry Way. *Cra* —3C **20**
Turnberry Way. *Newc T* —2G **55**
Turnbull Clo. *Dur* —5G **153**
Turnbull Cres. *Mur* —2C **148**
Turnbull St. *Sund* —5F **103**
Turner Av. *S Shi* —6F **73**
Turner Clo. *Ryton* —5C **62**
Turner Cres. *Newc T* —2C **54**
Turner St. *W All* —4C **44**
Turnham Rd. *Sund* —6E **115**
Turnstile M. *Sund* —3E **103**
Turnstone Dri. *Wash* —4F **111**
Turret Rd. *Newc T* —1D **64**
Tuscan Clo. *New B* —2H **13**
Tuscan Rd. *Sund* —6E **115**
Tuthill Stairs. *Newc T* —5F **67** (6D **4**)
Tweed Clo. *Pelt* —1H **123**

Tweed Clo. *Pet* —2C **162**
Tweed Clo. *Sund* —1F **131**
Tweed Dri. *Stan* —4A **6**
Tweed Gro. *Newc T* —2A **64**
Tweedmouth Ct. *Newc T* —3G **55**
Tweed St. *Eas L* —5E **147**
Tweed St. *Gate* —2A **82**
Tweed St. *Heb* —3B **70**
Tweed St. *Jar* —4E **71**
Tweed St. *Newc T* —4B **66**
Tweed St. *Wash* —3D **112**
Tweed Ter. *S'ley* —4D **120**
Tweedy's Bldgs. *Ryton* —4B **62**
Tweedy St. *Bly* —5G **9**
Tweedy Ter. *Newc T* —4F **69**
Twelfth Av. *Bly* —1B **16**
Twelfth Av. *Ches S* —5B **124**
Twelfth St. *Pet* —6F **161**
Twentieth Av. *Bly* —2A **16**
Twentyfifth Av. *Bly* —2B **16**
Twentysecond Av. *Bly* —2A **16**
Twentysixth Av. *Bly* —2A **16**
Twentythird Av. *Bly* —2A **16**
Twickenham Ct. *Seg* —1F **31**
Twickenham Rd. *Sund* —5E **115**
Twizell Av. *Bla T* —1H **77**
Twizell La. *W Pel* —4B **122**
Twizell Pl. *Pon* —4E **25**
Twizell St. *Bly* —1D **16**
Two Ball Lonnen. *Newc T* —2G **65**
Twyford Clo. *Cra* —1B **20**
Tyldesley Sq. *Sund* —6E **115**
Tyndal Gdns. *Gate* —2B **80**
Tyne App. *Jar* —1E **71**
Tyne Bri. *Newc T* —5G **67** (6E **5**)
Tynedale Av. *W'snd* —3H **57**
Tynedale Av. *Whit B* —5B **34**
Tynedale Cres. *Hou S* —2F **127**
Tynedale Dri. *Bly* —5F **9**
Tynedale Rd. *S Shi* —1G **73**
Tynedale Rd. *Sund* —6E **115**
Tynedale St. *Hett H* —4A **146**
Tynedale Ter. *Newc T* —1D **56**
Tynedale Ter. *S'ley* —6G **119**
Tyne Dock. —1D 72
Tyne Gdns. *Ryton* —5E **63**
Tyne Gdns. *Wash* —4B **98**
Tynegate Precinct. *Gate* —1H **81**
Tyne Ho. *Sund* —3H **129**
Tynell Wlk. *Newc T* —2F **53**
Tyne Main Rd. *Gate* —6C **68**
Tynemouth. —6F 47
Tynemouth Castle & Priory. —6G **47**
Tynemouth Clo. *Newc T* —3B **68**
Tynemouth Ct. *N Shi* —1B **60**
Tynemouth Pl. *N Shi* —6F **47**
Tynemouth Rd. *Jar* —1F **85**
Tynemouth Rd. *Newc T* —2B **68**
(in two parts)
Tynemouth Rd. *N Shi* —1D **60**
Tynemouth Rd. *W'snd* —5D **58**
Tynemouth Sq. *Sund* —6F **115**
Tynemouth Ter. *N Shi* —6F **47**
Tynemouth Volunteer Life
Brigade Museum. —6G **47**
Tynemouth Way. *Newc T* —2C **68**
Tynepoint Ind. Est. *Jar* —4A **72**
Tyne Rd. *S'ley* —4C **120**
Tyne Rd. E. *Gate* —1E **81**
Tyne Rd. E. *S'ley* —4D **120**
Tyneside Rd. *Newc T* —6D **66**
Tyneside Works. *Jar* —1F **71**
Tyne St. *Bla T* —6A **64**
Tyne St. *Eas L* —5E **147**
Tyne St. *Gate* —1E **83**

Tyne St. *Heb* —2B **70**
Tyne St. *Jar* —1F **71**
Tyne St. *Newc T* —4A **68**
Tyne St. *N Shi* —2D **60**
(in two parts)
Tyne St. *S'hm* —4B **140**
Tyne St. *Winl* —2H **77**
Tyne Ter. *Pet* —1D **160**
Tyne Ter. *S Shi* —4E **73**
Tyne Tunnel Trad. Est. *N Shi* —3F **59**
Tynevale Av. *Bla T* —2A **78**
Tynevale Ter. *Gate* —2E **81**
Tynevale Ter. *Lem* —3A **64**
(in two parts)
Tyne Vw. *Bla T* —2A **78**
Tyne Vw. *Heb* —3A **70**
Tyne Vw. *Newc T* —3A **64**
Tyne Vw. *Whi* —3G **79**
Tyne Vw. Gdns. *Gate* —2F **83**
Tyneview Pk. *Newc T* —2D **56**
Tyne Vw. Pl. *Gate* —2E **81**
Tyne Vw. Ter. *W'snd* —6G **59**
Tyne Wlk. *Newc T* —6D **50**
Tynside Retail Pk. *W'snd* —1E **59**
Tyzack Cres. *Sund* —3D **102**

Uldale Ct. *Newc T* —6H **39**
Ullerdale Clo. *Dur* —3C **154**
Ullswater Av. *Eas L* —5E **147**
Ullswater Av. *Jar* —6H **71**
Ullswater Clo. *Bly* —5E **9**
Ullswater Cres. *Bla T* —3H **77**
Ullswater Dri. *Kil* —2F **43**
Ullswater Gdns. *S Shi* —2F **73**
Ullswater Gro. *Sund* —1C **102**
Ullswater Rd. *Ches S* —2B **132**
Ullswater Ter. *S Het* —5G **147**
Ullswater Way. *Newc T* —6F **53**
Ulverstone Ter. *Newc T* —2E **69**
Ulverston Gdns. *Gate* —1B **96**
Underhill. *Gate* —5A **82**
Underhill Rd. *Sund* —3H **87**
Underhill Ter. *Gate* —4G **97**
Underwood. *Gate* —5G **83**
Underwood Gro. *Cra* —1A **20**
Unicorn Ho. *N Shi* —1D **60**
Union Alley. *S Shi* —4E **61**
Union Ct. *Ches S* —1C **132**
Union Hall Rd. *Newc T* —3A **64**
Union La. *Ches S* —4B **132**
Union La. *Sund* —6E **103**
Union Pl. Dur 158
(off Stockton Rd.)
Union Quay. *N Shi* —2E **61**
Union Rd. *Newc T* —3C **68**
(in two parts)
Union Rd. *N Shi* —1E **61**
Union Stairs. *N Shi* —2D **60**
Union St. *Bly* —5C **10**
Union St. *Hett H* —1C **146**
Union St. *Jar* —1F **71**
Union St. *Newc T* —3H **67**
(in two parts)
Union St. *N Shi* —2D **60**
Union St. *S'hm* —5B **140**
Union St. *S Hyl* —1C **114**
Union St. *S Shi* —3D **72**
Union St. *Sund* —6D **102**
Union St. *W'snd* —1H **69**
Unity Ter. *Camb* —1B **10**
Unity Ter. *Dip* —2E **119**
Unity Ter. *S'ley* —5H **119**
Unity Ter. *Tant* —5H **105**
University Gallery. —3G **67** (2E **5**)
University Precinct. *Sund* —1B **116**

Uplands. *Whit B* —6H **33**
Uplands, The. *Bir* —2D **110**
Uplands, The. *Newc T* —3B **54**
Uplands Way. *Gate* —3F **97**
Up. Camden St. *N Shi* —1C **60**
Up. Chare. *Pet* —1D **162**
Up. Crone St. *Shir* —1D **44**
Up. Elsdon St. *N Shi* —3C **60**
Up. Nile St. *Sund* —1E **117**
Up. Norfolk St. *N Shi* —1D **60**
Up. Pearson St. *N Shi* —1D **60**
Up. Penman St. *N Shi* —3C **60**
Up. Queen St. *N Shi* —1D **60**
Up. Sans St. *Sund* —6E **103**
Up. Yoden Way. *Pet* —1D **162**
Upton St. *Gate* —2D **80**
Urban Gdns. *Wash* —6B **98**
Urfa Ter. *S Shi* —3F **61**
Urpeth. —5G 109
Urpeth Ter. Newc T —5C 68
(off St Peter's Rd.)
Urpeth Ter. *Pelt* —2C **122**
Urpeth Vs. *Beam* —2B **122**
Urswick Ct. *Newc T* —2F **53**
Urwin St. *Hett H* —2D **146**
Ushaw Moor. —5C 150
Ushaw Rd. *Heb* —3D **70**
Ushaw Ter. *Ush M* —5B **150**
Ushaw Vs. *Ush M* —5B **150**
Usher Av. *Sher* —5D **154**
Usher St. *Sund* —4B **102**
Usk Av. *Jar* —6G **71**
Uswater Sta. *Wash* —5C **98**
Usworth. —4A 98
Usworth Rd. *Wash* —3H **97**
Usworth Sta. Rd. *Wash* —5D **98**
Uxbridge Ter. *Gate* —2D **82**

Valebrooke. *Sund* —2C **116**
(off Tunstall Rd.)
Valebrooke Av. *Sund* —2C **116**
Valebrooke Gdns. *Sund* —2C **116**
Valehead. *Whit B* —6H **33**
Vale Ho. *Newc T* —1A **68**
Valentia Av. *Newc T* —2E **69**
Valeria Clo. *W'snd* —1B **58**
Valerian Av. *Hed W* —5H **49**
Valeshead Ho. *W'snd* —5H **57**
Valeside. *Dur* —5B **152**
Valeside. *Newc T* —5C **50**
(in two parts)
Vale St. *Eas L* —5D **146**
Vale St. *Sund* —2B **116**
Vale St. E. *Sund* —2B **116**
Vale Wlk. *Newc T* —2A **68**
Valley Ct. *Sund* —2E **117**
Valley Cres. *Bla T* —1G **77**
Valley Dri. *Dun* —4B **80**
Valley Dri. *Gate* —4H **81**
Valley Dri. *Swa* —3E **79**
Valley Forge. *Wash* —1B **112**
Valley Gdns. *Gate* —4A **82**
Valley Gdns. *W'snd* —4B **58**
(in two parts)
Valley Gdns. *Whit B* —6H **33**
Valley La. *S Shi* —3C **74**
Valley Rd. *H'wll* —1D **32**
Valley Rd. *Pelt F* —5G **123**
Valley Vw. *Bir* —1B **110**
Valley Vw. *Burn* —6F **91**
Valley Vw. *Hett H* —4H **145**
Valley Vw. *Jar* —5F **71**
Valley Vw. *Jes* —6H **55**
Valley Vw. *Lem* —2H **63**
Valley Vw. *Row G* —3C **90**

Valley Vw. *S'ley* —5C **120**
(nr. Charles St.)
Valley Vw. *S'ley* —4F **119**
(nr. Kyo Rd.)
Valley Vw. *Ush M* —6D **150**
Valley Vw. *Wash* —6C **112**
Vallum Ct. *Newc T* —4D **66**
Vallum Pl. *Gate* —5B **82**
Vallum Rd. *Thro* —5D **50**
Vallum Rd. *Walk* —3E **69**
Vallum Way. *Newc T* —4D **66**
Vanburgh Ct. *Sea D* —1B **32**
Vance Bus. Pk. *Gate* —3D **80**
Vance Ct. *Bla T* —5C **64**
Vancouver Dri. *Newc T* —5D **56**
Vane St. *Pet* —1E **161**
Vane St. *Sund* —2A **130**
(in two parts)
Vane Ter. *S'hm* —3B **140**
Vane Ter. *Sund* —2F **117**
Vane Vs. *Dur* —6H **153**
Vanguard Ct. *Sund* —3H **129**
(in two parts)
Vanmildert Clo. *Pet* —3B **162**
Vardy Ter. *Hou S* —3A **128**
Vauxhall Rd. *Newc T* —1G **69**
Vedra St. *Sund* —4B **102**
Veitch All. *NE28* —6H **57**
Velville Ct. *Newc T* —1F **53**
Ventnor Av. *Newc T* —4B **66**
Ventnor Cres. *Gate* —6G **81**
Ventnor Gdns. *Gate* —5G **81**
Ventnor Gdns. *Whit B* —5C **34**
Verdun Av. *Heb* —3C **70**
Vermont. *Wash* —5B **98**
Verne Rd. *N Shi* —2G **59**
Vernon Clo. *S Shi* —1D **72**
Vernon Dri. *Whit B* —1A **46**
Vernon St. *Wash* —5B **98**
Veryan Gdns. *Sund* —4B **116**
Vespasian Av. *S Shi* —3F **61**
Vespasian St. *S Shi* —3F **61**
Viador. *Ches S* —5C **124**
Vicarage Av. *S Shi* —3G **73**
Vicarage Clo. *Pelt* —2G **123**
Vicarage Clo. *Sund* —2H **129**
Vicarage Ct. *Bed* —5A **8**
Vicarage Ct. *Gate* —3F **83**
Vicarage Flats. *B'don* —5D **156**
Vicarage La. *Sund* —1C **114**
Vicarage Rd. *Sund* —2A **130**
Vicarage St. *N Shi* —2C **60**
Vicarage Ter. *Bed* —5A **8**
Vicarage Ter. *Mur* —3C **148**
Vicarsholme Clo. *Sund* —4G **129**
Vicars La. *Newc T* —2A **56**
Vicars Way. *Newc T* —1H **55**
Viceroy St. *S'hm* —4B **140**
Victor Ct. *Sund* —4E **103**
Victoria Av. *B'don* —5E **157**
Victoria Av. *Gate* —3C **82**
Victoria Av. *Newc T* —6D **42**
Victoria Av. *S Hyl* —1D **114**
Victoria Av. *Sund* —5E **117**
Victoria Av. *W'snd* —5H **57**
Victoria Av. *Whit B* —6D **34**
Victoria Av. W. *Sund* —5E **117**
Victoria Cotts. *Dur* —1A **152**
Victoria Ct. *Gate* —2E **81**
Victoria Ct. *Heb* —4B **70**
Victoria Ct. *Newc T* —4C **42**
Victoria Ct. *N Shi* —2E **47**
Victoria Ct. *Ush M* —5C **150**
Victoria Cres. *Cul* —2E **47**
Victoria Cres. *N Shi* —2B **60**
Victoria Ho. *Gate* —2E **81**

Victoria Ind. Est. *Heb* —6A **70**
Victoria M. *Bly* —6B **10**
Victoria M. *Newc T* —1A **68**
Victoria M. *Whit B* —6D **34**
Victoria Parkway. *Newc T* —4E **57**
Victoria Pl. *Sund* —1E **117**
(SR1)
Victoria Pl. *Sund* —1B **116**
(SR4)
Victoria Pl. *Wash* —5B **98**
Victoria Pl. *Whit B* —1A **46**
Victoria Rd. *Gate* —3E **81**
Victoria Rd. *S Shi* —6E **61**
Victoria Rd. *Wash* —5B **98**
Victoria Rd. E. *Heb* —4C **70**
Victoria Rd. W. *Heb* —1A **84**
Victoria Sq. *Gate* —3D **82**
Victoria Sq. *Newc T* —2G **67** (1E **5**)
Victoria St. *Gate* —2C **80**
Victoria St. *Heb* —3A **70**
Victoria St. *Hett H* —1C **146**
Victoria St. *Newc T* —5D **66**
Victoria St. *N Shi* —3C **60**
Victoria St. *S'hm* —4A **140**
Victoria Ter. *Bed* —4B **8**
(in two parts)
Victoria Ter. *Dur* —5B **152**
Victoria Ter. *E Bol* —4E **87**
Victoria Ter. *Fel* —3D **82**
Victoria Ter. *Gate* —2C **96**
Victoria Ter. *Hou S* —2G **127**
Victoria Ter. *Jar* —3E **71**
Victoria Ter. *Mur* —3D **148**
Victoria Ter. *Newc T* —5D **50**
Victoria Ter. *Pelt* —2C **122**
(nr. High Handenhold)
Victoria Ter. *Pelt* —3E **123**
(nr. Pelton)
Victoria Ter. *Pelt F* —4G **123**
Victoria Ter. *Row G* —4C **90**
Victoria Ter. *Spri* —4F **97**
Victoria Ter. *S'ley* —5F **119**
Victoria Ter. *Whit B* —6D **34**
Victoria Ter. Bk. *Newc T* —5D **50**
Victoria Ter. S. *Sund* —4D **102**
Victoria Vs. *Bed* —4B **8**
Victor St. *Ches S* —6C **124**
Victor St. *Sund* —4E **103**
Victor Ter. *Bear* —4D **150**
Victory Cotts. *Dud* —2A **30**
Victory Ho. *N Shi* —6F **47**
Victory St. *Sund* —5G **101**
Victory St. E. *Hett H* —1D **146**
Victory St. W. *Hett H* —1D **146**
Victory Way. *Dox I* —4E **129**
Viewforth Dri. *Sund* —2C **102**
Viewforth Grn. *Newc T* —6G **53**
Viewforth Rd. *Sund* —4F **131**
Viewforth Ter. *Sund* —2B **102**
(in two parts)
Viewforth Vs. *Dur* —5H **151**
View La. *S'ley* —2D **120**
View Tops. *Beam* —1B **122**
Vigar Ri. *N Shi* —6F **47**
Vigo. —5E 111
Vigodale. *Bir* —6E **111**
Vigo La. *Ches S* —1C **124**
Vigo La. *Harr* —1F **125**
Viking Ind. Est. *Jar* —1D **70**
Viking Precinct. *Jar* —2F **71**
Villa Clo. *Sund* —1H **115**
Village Ct. *Whit B* —6B **34**
Village E. *Ryton* —3C **62**
Village La. *Wash* —1A **112**
Village Pl. *Newc T* —4C **68**
Village Rd. *Cra* —3C **20**

Village, The. —6D 162
Village, The. *Ryh* —3G **131**
Village W. *Ryton* —3C **62**
Villa Pl. *Gate* —2G **81**
Villas, The. *G'cft* —6E **119**
Villas, The. *H'fd* —3H **29**
Villas, The. *N Gos* —6E **29**
Villas, The. *Ryh* —4F **131**
Villas, The. *Sund* —4E **101**
Villa Vw. *Gate* —5A **82**
Villette Brooke St. *Sund* —3E **117**
Villette Path. *Sund* —3E **117**
Villette Rd. *Sund* —3E **117**
Villettes, The. *Hou S* —6H **127**
Villiers Pl. *Ches S* —5C **124**
Villiers St. *Sund* —6E **103**
Villiers St. S. *Sund* —1E **117**
Vimy Av. *Heb* —3C **70**
Vincent St. *Pet* —1E **161**
Vincent St. *S'hm* —5B **140**
Vincent Ter. *S'ley* —6G **119**
Vine Clo. *Gate* —1E **81**
Vine La. *Newc T* —3F **67** (2D **4**)
Vine La. E. *Newc T* —3G **67** (2E **5**)
Vine Pl. *Hou S* —3A **136**
Vine Pl. *Sund* —1C **116**
Vine St. *S Shi* —3D **72**
Vine St. *W'snd* —6A **58**
Viola Cres. *Ous* —5H **109**
Viola St. *Wash* —5B **98**
Viola Ter. *Whi* —4F **79**
Violet Clo. *Newc T* —5H **65**
Violet St. *Hou S* —3H **135**
Violet St. *S Hyl* —1C **114**
Violet St. *Sund* —6B **102**
Violet Ter. *Hou S* —6B **126**
Violet Wlk. *Newc T* —5H **65**
Viscount Rd. *Sund* —2A **130**
Vivian Cres. *Ches S* —1C **132**
Vivian Sq. *Sund* —2D **102**
Voltage Ter. *Hou S* —5H **127**
Vulcan Pl. *Bed* —5A **8**
Vulcan Pl. *Sund* —4D **102**
Vulcan Ter. *Newc T* —4E **43**

Waddington St. *Dur* —5B **152**
Wadham Clo. *Pet* —2B **162**
Wadham Ct. *Ryh* —2E **131**
Wadham Ter. *S Shi* —4D **72**
Wadsley Sq. *Sund* —4E **117**
Wagon Way. *W'snd* —5B **58**
Wagonway Ind. Est. *Heb* —1C **70**
Wagonway Rd. *Heb* —2B **70**
Wagtail La. *S'ley* —6G **121**
Wakefield Av. *S Shi* —4B **74**
Wakenshaw Rd. *Dur* —4F **153**
Walbottle. —6F 51
Walbottle Hall Gdns. *Newc T* —6G **51**
Walbottle Rd. *Newc T* —6F **51**
Walden Clo. *Ous* —5F **109**
Waldo St. *N Shi* —2D **60**
Waldridge Clo. *Wash* —1G **111**
Waldridge Gdns. *Spri* —1D **96**
Waldridge La. *Ches S* —6H **123**
(in three parts)
Waldridge Rd. *Ches S* —1A **132**
Waldron Sq. *Sund* —4E **117**
Walker. —4G 69
Walkerburn. *Cra* —6B **20**
Walkerdene Ho. *Newc T* —1H **69**
Walkergate. —2B 70
Walkergate. *Dur* —5C **152**
Walker Pk. Clo. *Newc T* —5G **69**
Walker Pk. Gdns. *Newc T* —5G **69**
Walker Pl. *N Shi* —1E **61**

Walker Riverside. —5H 69
Walker Riverside Ind. Est. *Newc T*
—4H **69**
Walker Rd. *Newc T* —4B **68**
Walker Ter. *Gate* —1G **81**
Walker Vw. *Gate* —3D **82**
Walkerville. —6G 57
Wallace Av. *Whi* —3G **79**
Wallace Gdns. *Gate* —1E **97**
Wallace St. *Gate* —2C **80**
Wallace St. *Hou S* —3H **135**
Wallace St. *Newc T* —2D **66**
Wallace St. *Sund* —4C **102**
Wallace Ter. *Ryton* —4C **62**
Wallace Ter. Sea D —6C 22
(off Astley Rd.)
Wall Clo. *Newc T* —2C **54**
Waller Gro. *Newc T* —6G **39**
Waller Ter. *Hou S* —4A **136**
Waller Vs. *Sun* —3F **93**
Wallflower Av. *Pet* —6F **161**
Wallinfen. *Gate* —6F **83**
Wallingford Av. *Sund* —5E **117**
Wallington Av. *Bru V* —5C **28**
Wallington Av. *N Shi* —4C **46**
Wallington Clo. *Bed* —3C **8**
Wallington Ct. *Kil* —2C **42**
Wallington Ct. *King P* —6H **39**
Wallington Ct. *N Shi* —4D **46**
Wallington Ct. *Sea D* —6B **22**
Wallington Dri. *Newc T* —1C **64**
Wallington Gro. *S Shi* —4F **61**
Wallis St. *Gate* —4D **82**
Wallis St. *Pen* —1F **127**
Wallis St. *S Shi* —4E **61**
Wallridge Dri. *H'wll* —1C **32**
Wallsend. —6A 58
Wallsend Heritage Centre. —6A 58
(off Buddle St.)
Wallsend Rd. *N Shi* —4G **59**
(in two parts)
Wall St. *Newc T* —2C **54**
Wall Ter. *Newc T* —2E **69**
Walmer Ter. *Gate* —4D **96**
Walnut Gdns. *Gate* —3E **81**
Walnut Pl. *Newc T* —4B **54**
Walpole Clo. *S'hm* —5F **139**
Walpole Ct. *Sund* —1A **116**
Walpole St. *Newc T* —1E **69**
Walpole St. *S Shi* —6D **60**
Walsham Clo. *Bly* —2H **15**
Walsh Av. *Heb* —2C **70**
Walsingham. *Wash* —4A **112**
Walter St. *Bru V* —5C **28**
Walter St. *Jar* —2F **71**
Walter Ter. *Eas L* —4D **146**
Walter Ter. *Newc T* —3C **66**
Walter Thomas St. *Sund* —3H **101**
Waltham. *Wash* —3B **112**
Waltham Clo. *W'snd* —4F **57**
Waltham Pl. *Newc T* —5F **53**
Walton Av. *Bly* —5A **10**
Walton Av. *N Shi* —6B **46**
Walton Av. *S'hm* —5F **139**
Walton Clo. *S'ley* —4E **121**
Walton Gth. *Sund* —6E **103**
Walton La. *Sund* —6E **103**
Walton Pk. *N Shi* —5B **46**
Walton Rd. *Newc T* —6E **53**
Walton Rd. *Wash* —1E **113**
Walton's Bldgs. *Ush M* —5B **150**
Walton's Ter. *New B* —1B **156**
Walwick Av. *N Shi* —1H **59**
Walwick Rd. *S Well* —6F **33**
Walworth Av. *S Shi* —3C **74**
Walworth Gro. *Jar* —6F **71**

Walworth Way—Wayside

Walworth Way. *Sund* —6C **102**
Wandsworth Rd. *Newc T* —2B **68**
Wanless Ter. *Dur* —5D **152**
Wanley St. *Bly* —5C **10**
Wanlock Clo. *Cra* —6C **20**
Wanny Rd. *Bed* —4B **8**
Wansbeck. *Wash* —6G **111**
Wansbeck Av. *N Shi* —2E **47**
Wansbeck Av. *S'ley* —4D **120**
Wansbeck Clo. *Pelt* —2H **123**
Wansbeck Clo. *Sun* —2E **93**
Wansbeck Ct. *Pet* —3C **162**
Wansbeck Ct. *Sund* —3H **129**
Wansbeck Gro. *N Har* —3B **22**
Wansbeck Rd. *Dud* —3H **29**
Wansbeck Rd. *Jar* —4E **71**
Wansbeck Rd. N. *Newc T* —1C **54**
Wansbeck Rd. S. *Newc T* —1C **54**
Wansbeck Ter. *Dud* —3H **29**
Wansfell Av. *Newc T* —4H **53**
Wansford Av. *Newc T* —6F **53**
Wansford Way. *Whi* —1D **92**
 (in four parts)
Wantage Av. *N Shi* —3H **59**
Wantage Rd. *Dur* —2B **154**
Wantage St. *S Shi* —2F **73**
Wapping Rd. *Bly* —5D **10**
Wapping St. *S Shi* —3D **60**
Warbeck Clo. *Newc T* —1F **53**
Warburton Cres. *Gate* —3A **82**
Warcop Ct. *Newc T* —6A **40**
Ward Ct. *Sund* —2E **117**
Warden Law. —2F 137
Wardenlaw. *Gate* —6F **83**
Warden Law La. *Sund* —3G **129**
Wardill Gdns. *Gate* —4B **82**
Wardle Av. *S Shi* —6G **61**
Wardle Dri. *Ann* —3B **30**
Wardle Gdns. *Gate* —4E **83**
Wardles Ter. Dur —6B 152
 (off Allergate)
Wardley. —3A 84
Wardley Ct. *Gate* —3B **84**
Wardley Dri. *Gate* —3B **84**
Wardley Grn. *Gate* —1A **84**
Wardley La. *Gate* —3B **84**
Wardroper Ho. *Newc T* —5G **69**
Ward St. *Sund* —2E **117**
Warenford Clo. *Cra* —5C **20**
Warenford Pl. *Newc T* —2G **65**
Warenmill Clo. *Newc T* —2H **63**
Warennes St. *Sund* —6G **101**
Warenton Pl. *N Shi* —4F **45**
Waring Av. *Sea S* —2F **23**
Waring Ter. *Dal D* —5F **139**
Wark Av. *N Shi* —1G **59**
Wark Av. *Shir* —1D **44**
Wark Ct. *Newc T* —3G **55**
Wark Cres. *Jar* —1F **85**
Warkdale Av. *Bly* —6G **9**
Wark St. *Ches S* —2C **132**
Warkworth Av. *Bly* —2C **16**
Warkworth Av. *Pet* —5F **161**
 (in two parts)
Warkworth Av. *S Shi* —2B **74**
Warkworth Av. *W'snd* —3A **58**
Warkworth Av. *Whit B* —6C **34**
Warkworth Clo. *Wash* —3H **111**
Warkworth Cres. *Gos* —1D **54**
Warkworth Cres. Newb —2F 63
 (off Newburn Rd.)
Warkworth Cres. *S'hm* —4E **139**
Warkworth Dri. *Ches S* —2A **132**

Warkworth Dri. *Wide* —4E **29**
Warkworth Gdns. *Gate* —3C **82**
Warkworth Rd. *Dur* —6C **142**
Warkworth St. *Byker* —3C **68**
Warkworth St. *Lem* —3A **64**
Warkworth Ter. *Jar* —6F **71**
Warkworth Ter. *N Shi* —5F **47**
 (in two parts)
Warnbrook Av. S'hm —3D 148
 (off E. Coronation St.)
Warnham Av. *Sund* —5E **117**
Warnhead Rd. *Bed* —4B **8**
Warren Av. *Newc T* —1G **69**
Warren Clo. *Hou S* —5G **127**
Warrenmor. *Gate* —4G **83**
Warren Sq. *Pet* —1G **163**
Warren Sq. *Sund* —5F **103**
Warren St. *Pet* —6G **161**
Warren St. *Sund* —5F **103**
Warrens Wlk. *Bla T* —2G **77**
Warrington Rd. *Faw* —1A **54**
Warrington Rd. *Newc T* —5C **66**
Warton Ter. *Newc T* —1C **68**
Warwick Av. *Whi* —6E **79**
Warwick Clo. *Bed* —4F **9**
Warwick Clo. *Seg* —2E **31**
Warwick Clo. *Whi* —6E **79**
Warwick Ct. *Dur* —2A **158**
Warwick Ct. *Gate* —1H **81**
Warwick Ct. *Newc T* —6H **39**
Warwick Dri. *Hou S* —5A **136**
Warwick Dri. *Sund* —2E **129**
Warwick Dri. *Wash* —3B **98**
Warwick Dri. *Whi* —6F **79**
Warwick Hall Wlk. *Newc T* —4D **56**
Warwick Pl. *Pet* —6B **160**
Warwick Rd. *Heb* —6D **70**
Warwick Rd. *Newc T* —1C **64**
Warwick Rd. *S Shi* —1F **73**
Warwick Rd. *W'snd* —6H **57**
Warwickshire Dri. *Dur* —5A **154**
Warwick St. *Bly* —3A **16**
Warwick St. *Gate* —1H **81**
Warwick St. *Newc T* —3H **67** (1H **5**)
Warwick St. *Sund* —4D **102**
Warwick Ter. *Sund* —1A **130**
Warwick Ter. N. Sund —1A 130
 (off Warwick Ter.)
Warwick Ter. W. *Sund* —1A **130**
Wasdale Clo. *Cra* —6C **20**
Wasdale Clo. *Pet* —1E **163**
Wasdale Ct. *Sund* —6C **88**
Wasdale Cres. *Bla T* —3H **77**
Wasdale Rd. *Newc T* —1F **65**
Washington. —2C 112
Washington 'F' Pit Museum. —6A **98**
Washington Gdns. *Gate* —2C **96**
Washington Highway. *Wash* —5G **97**
Washington Old Hall. —1C **112**
Washington Rd. *Sund* —1A **100**
Washington Rd. *Wash* —5E **99**
Washington Sq. *Pet* —2B **160**
Washington Staithes. —4E 113
Washington St. *Sund* —1H **115**
Washington Ter. *N Shi* —6E **47**
Washington Village. —1B 112
Washington Wildfowl &
          Wetlands Centre. —2G **113**
Washingwell La. *Whi* —4H **79**
Waskerley Clo. *Sun* —2E **93**
 (in two parts)
Waskerley Gdns. *Gate* —2D **96**
Waskerley Rd. *Wash* —2D **112**
Watch Ho. Clo. *N Shi* —4C **60**
Watcombe Clo. *Wash* —2D **98**
Waterbeach Pl. *Newc T* —5F **53**

Waterbeck Clo. *Cra* —6C **20**
Waterbury Clo. *Sund* —2H **101**
Waterbury Rd. *Newc T* —4D **40**
Waterfield Rd. *E Sle* —1H **9**
Waterford Clo. *E Rai* —1H **145**
Waterford Clo. *Sea S* —3H **23**
Waterford Cres. *Whit B* —1D **46**
Waterford Pk. *Bru V* —5B **28**
Watergate. *Newc T* —5G **67** (6E **5**)
Watergate Estate. —5G 79
Waterloo Ct. *Wash* —5C **98**
Waterloo Pl. *N Shi* —1C **60**
Waterloo Pl. *Sund* —1D **116**
Waterloo Rd. *Bly* —6B **10**
Waterloo Rd. *Wash* —4C **98**
 (in three parts)
Waterloo Rd. *Well* —6E **33**
Waterloo Sq. *S Shi* —4E **61**
Waterloo St. *Bla T* —2G **77**
Waterloo St. *Newc T* —5E **67** (6B **4**)
Waterloo Va. *S Shi* —4E **61**
Waterloo Wlk. Wash —5C 98
 (off Waterloo Ct.)
Waterlow Clo. *Sund* —1H **101**
Watermill. *Ryton* —4C **62**
Watermill La. *Gate* —3E **83**
Water Row. *Newc T* —2E **63**
Waterside Dri. *Gate* —1A **80**
Water St. *Newc T* —6D **66**
Waterville Pl. *N Shi* —2C **60**
Waterville Rd. *N Shi* —3H **59**
Waterville Ter. *N Shi* —2C **60**
Waterworks Rd. *Ryh* —4E **131**
Waterworks Rd. *Sund* —1B **116**
Waterworks, The. *Sund* —4E **131**
Watford Clo. *Sund* —1H **101**
Watkin Cres. *Mur* —2C **148**
Watling Av. *S'hm* —5E **139**
Watling Pl. *Gate* —5B **82**
Watson Av. *Dud* —3A **30**
Watson Av. *S Shi* —4B **74**
Watson Clo. *Dal D* —5F **139**
Watson Gdns. *W'snd* —4E **59**
Watson Pl. *S Shi* —4B **74**
Watson St. *Burn* —1H **105**
Watson St. *Gate* —2E **81**
Watson St. *H Spen* —6A **76**
Watson St. *Jar* —1G **71**
Watson St. *S'ley* —1D **120**
Watson Ter. *Bol C* —4B **86**
Watt's Slope. *Whit B* —5C **34**
Watts St. *Mur* —2C **148**
Watt St. *Gate* —4F **81**
Wavendon Cres. *Sund* —3F **115**
Waveney Gdns. *S'ley* —5C **120**
Waveney Rd. *Pet* —3B **162**
Waverdale Av. *Newc T* —2G **69**
Waverdale Way. *S Shi* —3D **72**
Waverley Av. *Bed* —3C **8**
 (in two parts)
Waverley Av. *Whit B* —1B **46**
Waverley Clo. *Bla T* —3F **77**
Waverley Ct. *Bed* —3C **8**
Waverley Cres. *Newc T* —2B **64**
Waverley Dri. *Bed* —3C **8**
 (in two parts)
Waverley Rd. *Gate* —3A **96**
Waverley Rd. *Newc T* —5D **66**
Waverley Ter. *Dip* —6E **105**
Waverley Ter. *Sund* —6G **101**
Waverton Clo. *Cra* —6B **20**
Wawn St. *S Shi* —1F **73**
Wayfarer Rd. *Sund* —4A **102**
Wayland Sq. *Sund* —6E **117**
Wayman St. *Sund* —4C **102**
Wayside. *Newc T* —4F **65**

Wayside. *S Shi* —3B **74**
Wayside. *Sund* —3B **116**
Wayside Ct. *Bear* —4D **150**
Wealcroft. *Gate* —1F **97**
Wealcroft Ct. *Gate* —6F **83**
Wear. —5H 111
Wear Ct. *S Shi* —4E **73**
Wear Cres. *Gt Lum* —4H **133**
Weardale Av. *Bly* —5F **9**
Weardale Av. *For H* —5C **42**
Weardale Av. *Sund* —5E **89**
Weardale Av. *Walk* —2G **69**
Weardale Av. *W'snd* —3H **57**
Weardale Av. *Wash* —5A **98**
Weardale Cres. *Hou S* —2F **127**
Weardale Ho. *Wash* —3H **111**
Weardale St. *Hett H* —4A **146**
Weardale Ter. *Ches S* —1D **132**
Weardale Ter. *S'ley* —5G **119**
Weardale Way. *Gt Lum* —5G **133**
Wear Fld. *Sund E* —4G **101**
Wear Ind. Est. *Wash* —5H **111**
Wear Lodge. *Ches S* —2C **124**
Wearmouth Av. *Sund* —3D **102**
Wearmouth Bri. *Sund* —6D **102**
Wearmouth Dri. *Sund* —3C **102**
Wearmouth St. *Sund* —4D **102**
Wear Rd. *Heb* —5C **70**
Wear Rd. *S'ley* —3D **120**
Wearside Dri. *Dur* —5D **152**
Wear St. *Ches S* —1D **132**
Wear St. *Chil M* —4E **135**
Wear St. *Hett H* —2C **146**
Wear St. *Jar* —2F **71**
Wear St. *S'hm* —4B **140**
Wear St. *S Hyl* —6C **100**
Wear St. *Sund* —1F **117**
(SR1)
Wear St. *Sund* —4A **102**
(SR5)
Wear Ter. *Pet* —1D **160**
Wear Ter. *Wash* —3D **112**
Wear Vw. *Dur* —5D **152**
Wear Vw. *Sund* —6D **100**
Weathercock La. *Gate* —6H **81**
Weatherside. *Bla T* —2H **77**
Webb Av. *Mur* —1C **148**
Webb Av. *S'hm* —4E **139**
Webb Gdns. *Gate* —3G **83**
Webb Sq. *Pet* —4E **161**
Wedder Law. *Cra* —6B **20**
Wedgewood Cotts. *Newc T* —3B **64**
Wedgewood Rd. *S'hm* —5F **139**
Wedmore Rd. *Newc T* —5B **52**
Weetman St. *S Shi* —6D **60**
Weetslade Cres. *Dud* —4A **30**
Weetslade Rd. *Dud* —3H **29**
Weetslade Ter. *Burr* —6B **30**
Weetwood Rd. *Cra* —5C **20**
Weidner Rd. *Newc T* —3H **65**
Welbeck Grn. *Newc T* —4E **69**
Welbeck Rd. *Newc T* —4C **68**
Welbury Way. *Cra* —6B **20**
Weldon Av. *Sund* —5E **117**
Weldon Cres. *Newc T* —5B **56**
Weldon Pl. *N Shi* —5H **45**
Weldon Rd. *Cra* —4D **20**
Weldon Rd. *Newc T* —1B **56**
Weldon Ter. *Ches S* —1D **132**
Weldon Way. *Newc T* —1D **54**
Welfare Clo. *Pet* —1E **161**
Welfare Cres. *S Het* —6B **148**
Welfare Rd. *Hett H* —1B **146**
(in two parts)
Welford Av. *Newc T* —2C **54**
Welland Clo. *Pet* —3C **162**

Wellands Clo. *Sund* —2E **89**
Wellands Ct. *Sund* —2E **89**
Wellands Dri. *Sund* —2E **89**
Wellands La. *Sund* —2E **89**
Well Bank Rd. *Wash* —4H **97**
Wellburn Pk. *Newc T* —6A **56**
Wellburn Rd. *Wash* —4H **97**
Well Clo. Wlk. *Whi* —5E **79**
Wellesley Ct. *S Shi* —3E **61**
Wellesley St. *Jar* —4F **71**
Wellesley Ter. *Newc T* —4C **66**
Wellfield. —6F 33
Wellfield Clo. *Newc T* —6C **50**
Wellfield La. *Newc T* —5E **53**
Wellfield M. *Ryh* —4E **131**
Wellfield Rd. *Mur* —2B **148**
Wellfield Rd. *Newc T* —4H **65**
Wellfield Rd. *Row G* —4C **90**
Wellfield Ter. *Bill Q* —4C **82**
Wellfield Ter. *Ryh* —4E **131**
Wellgarth Rd. *Wash* —4H **97**
Wellhope. *Wash* —1F **125**
Wellington Av. *Well* —6E **33**
Wellington Ct. *Gate* —3C **82**
Wellington Ct. *Wash* —5C **98**
Wellington Dri. *S Shi* —3E **61**
Wellington La. *Sund* —5B **102**
Wellington Rd. *Dun* —2H **79**
(in two parts)
Wellington Row. *Hou S* —4G **127**
Wellington St. *Bly* —6D **10**
(in two parts)
Wellington St. *Cen* —5G **67**
Wellington St. *Fel* —3C **82**
Wellington St. *Heb* —4B **70**
Wellington St. *H Pitt* —2F **155**
Wellington St. *Lem* —3B **64**
Wellington St. *Newc T* —3E **67** (3A **4**)
Wellington St. E. *Bly* —5D **10**
Wellington St. W. *N Shi* —2C **60**
Wellington Wlk. Wash —5C 98
(off Wellington Ct.)
Well La. *Mur V* —3F **45**
(in two parts)
Wellmere Rd. *Lee I* —6F **117**
Well Ridge Clo. *Whit B* —5G **33**
Well Ridge Pk. *Whit B* —5G **33**
Wells Clo. *Newc T* —3D **56**
Wells Cres. *S'hm* —4F **139**
Wells Gdns. *Gate* —3H **95**
Wells Gro. *S Shi* —2A **74**
Wellshede. *Gate* —4H **83**
Wells St. *Bol C* —2A **86**
Well St. *Sund* —6H **101**
Wellway. *Jar* —1F **85**
Welsh Ter. *S'ley* —6G **119**
Welwyn Av. *Bed* —2D **8**
Welwyn Clo. *C'twn* —5C **100**
Welwyn Clo. *W'snd* —3F **57**
Wembley Av. *Whit B* —1A **46**
Wembley Clo. *Sund* —2H **101**
Wembley Rd. *Sund* —2H **101**
Wendover Clo. *Sund* —1G **101**
Wendover Way. *Sund* —1G **101**
Wenham Sq. *Sund* —3B **116**
Wenlock. *Wash* —3A **112**
Wenlock Dri. *N Shi* —5A **46**
Wenlock Lodge. *S Shi* —5C **72**
Wenlock Pl. *S Shi* —5C **72**
Wenlock Rd. *S Shi* —4B **72**
Wensley Clo. *Newc T* —3G **53**
Wensley Clo. *Ous* —6G **109**
Wensleydale. *W'snd* —2F **57**
Wensleydale Av. *Hou S* —2E **127**
Wensleydale Av. *Wash* —5A **98**
Wensleydale Dri. *Newc T* —5D **42**

Wensleydale Ter. *Bly* —1D **16**
Wensleydale Wlk. *Newc T* —2A **54**
Wensley Ho. *Sund* —4H **129**
Wentworth. *S Shi* —6G **61**
Wentworth Clo. *Gate* —4D **82**
Wentworth Ct. *Newc T* —5D **66**
Wentworth Ct. *Pon* —1C **36**
Wentworth Dri. *Wash* —3A **98**
Wentworth Gdns. *Whit B* —1G **45**
Wentworth Grange. *Gos* —3F **55**
Wentworth Pl. *Newc T* —5D **66**
Wentworth Ter. *Sund* —6B **102**
Werhale Grn. *Gate* —4D **82**
Wesley Ct. *Ann P* —5F **119**
Wesley Ct. *Bla T* —6B **64**
Wesley Ct. *Gate* —3C **82**
Wesley Ct. *S'ley* —2E **121**
Wesley Dri. *Newc T* —4H **43**
Wesley St. *Gate* —6H **81**
Wesley St. *S Shi* —4E **61**
Wesley Ter. *Ches S* —6C **124**
Wesley Ter. *Dip* —6D **104**
Wesley Ter. *Pelt F* —4G **123**
Wesley Ter. *S Hill* —6G **155**
Wesley Ter. *S'ley* —5F **119**
Wesley Way. *Newc T* —4H **43**
Wesley Way. *S'hm* —4F **139**
Wesley Way. *Thro* —5D **50**
Wessex Clo. *Sund* —1H **101**
Wessington Ind. Est. *Sund* —4E **101**
Wessington Ter. *Wash* —6B **98**
Wessington Way. *Sund* —6B **100**
Westacre Gdns. *Newc T* —2G **65**
West Acres. *Bla T* —1B **78**
West Acres. *Din* —4F **27**
West Acres Av. *Whi* —6F **79**
Westacres Cres. *Newc T* —3G **65**
West Allotment. —4C 44
West Av. *Bent* —1D **56**
West Av. *Ches M* —4A **132**
West Av. *For H* —4F **43**
West Av. *Gos* —3E **55**
West Av. Mur —2C 148
(off Williams Rd.)
West Av. *N Shi* —2H **59**
West Av. *S Shi* —3G **73**
West Av. *Sund* —2E **89**
West Av. *Wash* —6H **111**
West Av. *W'hpe* —5D **52**
West Av. *Whit B* —6A **34**
West Bailey. *Newc T* —2B **42**
West Boldon. —4B 86
Westbourne Av. *Gate* —3G **81**
Westbourne Av. *Gos* —6E **41**
Westbourne Av. *Walkg* —1F **69**
Westbourne Cotts. *Hou S* —3E **127**
Westbourne Dri. *Hou S* —3E **127**
Westbourne Gdns. *Newc T* —3G **69**
Westbourne Rd. *Sund* —1B **116**
Westbourne Ter. *Hou S* —4E **127**
Westbourne Ter. *Sea D* —6C **22**
W. Bridge St. *Camb* —2B **10**
W. Bridge St. *Hou S* —1C **126**
Westburn Gdns. *W'snd* —3F **57**
Westburn Ter. *Sund* —3E **103**
Westbury Av. *Newc T* —1G **69**
Westbury Rd. *N Shi* —5B **46**
Westbury St. *Sund* —6B **102**
West Chirton. —2G 59
W. Chirton Ind. Est. *N Shi* —1G **59**
W. Chirton N. Ind. Est. *N Shi* —6E **45**
W. Chirton Trad. Est. *N Shi* —1F **59**
Westcliff Clo. *Pet* —2A **160**
Westcliffe Rd. *Sund* —1F **103**
Westcliffe Way. *S Shi* —6B **72**
West Clifton. *Kil* —1C **42**

West Copperas. *Newc T* —2C **64**
(in two parts)
W. Coronation St. *Mur* —2D **148**
Westcott Av. *S Shi* —6G **61**
Westcott Dri. *Dur* —2A **152**
Westcott Rd. *Pet* —6D **160**
Westcott Rd. *S Shi* —4E **73**
Westcott Ter. *Hou S* —1G **127**
West Ct. *Bly* —1A **16**
West Ct. *Newc T* —2C **54**
W. Courtyard. *N Shi* —2D **60**
West Cres. *Gate* —3A **84**
West Cres. *Pet* —1C **160**
Westcroft Rd. *Newc T* —6E **43**
W. Dene Dri. *N Shi* —5C **46**
West Denton. —5B 52
W. Denton Clo. *Newc T* —1B **64**
W. Denton Rd. *Newc T* —1B **64**
W. Denton Way. *Newc T* —5B **52**
West Dri. *Bly* —3A **16**
West Dri. *Ches S* —1A **132**
West Dri. *Sund* —2G **87**
W. Ellen St. *Mur* —3D **148**
West End. *Sea S* —5H **23**
Wester Ct. *Sund* —4H **129**
Westerdale. *Hou S* —1C **126**
Westerdale. *W'snd* —3F **57**
Westerdale Pl. *Newc T* —3H **69**
Westerham Clo. *Sund* —1H **101**
Westerhope. —5D 52
Westerhope Gdns. *Newc T* —6H **53**
Westerhope Rd. *Wash* —2D **112**
Westerkirk. *Cra* —6C **20**
Western App. *S Shi* —2D **72**
Western App. Ind. Est. S Shi —6E **61**
(off Western App.)
Western Av. *Grai P* —4A **66**
Western Av. *Sea D* —6H **21**
Western Av. *Team T* —1E **95**
Western Av. *W Den* —6B **52**
Western Ct. Whit B —3B **34**
(off Western Way.)
Western Dri. *Newc T* —4B **66**
Western Highway. *Bir* —5E **111**
Western Hill. —4B 152
Western Hill. *Dur* —5B **152**
Western Hill. *Ryh* —2E **131**
Western Hill. *Sund* —1B **116**
Westernmoor. *Wash* —1F **111**
Western Rd. *Jar* —2E **71**
Western Rd. *W'snd* —5D **58**
Western Ter. *Ches S* —1C **132**
Western Ter. *Dud* —3H **29**
Western Ter. *E Bol* —4C **86**
Western Ter. *Wash* —6B **98**
Western Ter. N. *Mur* —2D **148**
Western Ter. S. Mur —2D **148**
(off Wood's Ter.)
Western Vw. *Gate* —4C **96**
Western Way. *Bla T* —1C **78**
Western Way. *Pon* —1A **36**
Western Way. *Ryton* —5C **62**
Western Way. *Whit B* —3B **34**
W. Farm Av. *Newc T* —1H **55**
W. Farm Ct. *B'pk* —1E **157**
W. Farm Ct. *Cra* —2B **20**
W. Farm Ct. *Newc T* —3E **43**
W. Farm Rd. *Newc T* —2E **69**
W. Farm Rd. *Sund* —3B **88**
W. Farm Rd. *W'snd* —4C **58**
W. Farm Wynd. *Newc T* —1H **55**
Westfield. *Gate* —5E **83**
Westfield. *Jar* —2G **85**
Westfield. *Newc T* —5D **54**
Westfield Av. *Bru V* —5C **28**
Westfield Av. *Newc T* —4E **55**

Westfield Av. *Whit B* —1H **45**
Westfield Ct. *Sund* —3G **115**
Westfield Ct. *W'snd* —1H **69**
Westfield Cres. *Gate* —4F **97**
Westfield Dri. *Newc T* —4E **55**
Westfield Gro. *Newc T* —4D **54**
Westfield Gro. *Sund* —3G **115**
Westfield La. *Ryton* —3C **62**
Westfield Pk. *Newc T* —4E **55**
Westfield Pk. *W'snd* —5G **57**
Westfield Rd. *Gate* —3G **81**
Westfield Rd. *Newc T* —4G **65**
Westfields. *S'ley* —4B **120**
Westfield Ter. *Gate* —3G **81**
Westfield Ter. Spri —4F **97**
(off Windsor Rd.)
Westfield Vw. *Dud* —3H **29**
Westgarth. *Newc T* —3C **52**
(in two parts)
Westgarth Ter. *Wash* —5C **98**
Westgate Av. *Sund* —1A **130**
Westgate Clo. *Whit B* —5G **33**
Westgate Gro. *Sund* —1A **130**
Westgate Hill Ter. *Newc T*
—4E **67** (5A **4**)
Westgate Rd. *Newc T* —3B **66** (5A **4**)
W. George Potts St. *S Shi* —6E **61**
West Grange. *Sund* —2C **102**
West Gro. *S'hm* —4F **139**
West Gro. *Sund* —2D **114**
West Harton. —4E 73
Westheath Av. *Sund* —6D **116**
W. Hendon Ho. *Sund* —3D **116**
West Herrington. —2B 128
W. High Horse Clo. *Row G* —1G **91**
West Hill. *Sund* —3G **115**
Westhills. *Tant* —5G **105**
W. Holburn. *S Shi* —6D **60**
Westholme Gdns. *Newc T* —3H **65**
Westholme Ter. Sund —5F **117**
(off Ryhope Rd.)
West Holywell. —5B 32
Westhope Clo. *S Shi* —2A **74**
Westhope Rd. *S Shi* —2A **74**
West Jesmond. —5F 55
W. Jesmond Av. *Newc T* —5G **55**
West Kyo. —4F 119
Westlands. *H Hea* —5A **56**
Westlands. *Jar* —2H **85**
Westlands. *N Shi* —4D **46**
Westlands. *Sea S* —3F **23**
Westlands. *W Den* —6A **52**
Westlands, The. *Sund* —2H **115**
West La. *Bla T* —3G **77**
West La. *Burn* —4A **92**
West La. *Ches S* —1C **132**
West La. *Newc T* —4D **42**
West La. *S Het* —6B **148**
West Lawn. *Sund* —3D **116**
W. Lawrence St. *Sund* —1E **117**
Westlea. —4F 139
Westlea. *Bed* —5F **7**
West Lea. *Bla T* —3A **78**
West Lea. *N Her* —3H **127**
Westlea Rd. *Hou S* —6G **127**
Westlea Rd. *S'hm* —4F **139**
West Leigh. *Tan L* —1B **120**
Westley Av. *Whit B* —2A **34**
Westley Clo. *Whit B* —2B **34**
Westline Ind. Est. *Bir* —5B **110**
Westlings. *Hett H* —2C **146**
Westloch Rd. *Cra* —6B **20**
Westmacott St. *Newc T* —1E **63**
W. Meadows. *Newc T* —3B **52**
W. Meadows Dri. *Sund* —4A **88**
W. Meadows Rd. *Sund* —3B **88**

Westminster Av. *N Shi* —5F **45**
(in two parts)
Westminster Clo. *Whit B* —1E **47**
Westminster Cres. *Heb* —1C **84**
Westminster Dri. *Gate* —5B **80**
Westminster St. *Gate* —3F **81**
Westminster St. *Sund* —5F **117**
Westminster Way. *Newc T* —3D **56**
W. Moffett St. *S Shi* —6F **61**
West Monkseaton. —1H 45
West Moor. —4B 42
W. Moor Ct. *Newc T* —4B **42**
Westmoor Dri. *Newc T* —4B **42**
W. Moor Dri. *Sund* —4A **88**
Westmoor Rd. *Sund* —6F **101**
W. Moreland Retail Pk. *Cra* —3H **19**
Westmorland Av. *Bed* —4G **7**
Westmorland Av. *W'snd* —5F **59**
Westmorland Av. *Wash* —4B **98**
Westmorland Ct. *Heb* —4B **70**
Westmorland Gdns. *Gate* —6H **81**
Westmorland La. *Newc T*
—5E **67** (6B **4**)
Westmorland Ri. *Pet* —5B **160**
Westmorland Rd. *Newc T*
—5B **66** (6A **4**)
Westmorland Rd. *N Shi* —6F **45**
Westmorland Rd. *S Shi* —2C **74**
Westmorland St. *W'snd* —5A **58**
Westmorland Wlk. *Newc T* —6B **66**
Westmorland Way. *Cra* —3H **19**
West Mt. *Kil* —2C **42**
West Mt. *Sund* —2G **115**
Westoe. —6G 61
Westoe Av. *S Shi* —6G **61**
Westoe Dri. *S Shi* —6G **61**
Westoe Rd. *S Shi* —5F **61**
Westoe Village. *S Shi* —1G **73**
Weston Av. *Whi* —6D **78**
Weston Vw. *Pet* —6C **160**
W. Ousterley Rd. *S'ley* —5D **120**
Westover Gdns. *Gate* —4H **81**
West Pde. *Heb* —4B **70**
West Pde. *Newc T* —5D **66**
West Pk. *Sund* —3D **128**
West Pk. Gdns. *Bla T* —2A **78**
West Pk. Rd. *Gate* —4G **81**
West Pk. Rd. *S Shi* —1E **73**
West Pk. Rd. *Sund* —2A **88**
West Pk. Vw. *Dud* —3H **29**
W. Pastures. *E Bol* —1G **99**
West Pelton. —3B 122
W. Percy Rd. *N Shi* —3A **60**
W. Percy St. *N Shi* —2C **60**
Westport Clo. *Sund* —1H **101**
W. Quay Rd. *Sund E* —4H **101**
West Rainton. —3D 144
Westray. *Ches S* —2A **132**
Westray Clo. *Ryh* —1D **130**
West Riggs. *Bed* —5H **7**
West Rig, The. *Newc T* —3A **54**
West Rd. *Bed* —3D **8**
West Rd. *Pon* —5D **24**
West Rd. *S'ley* —6F **119**
West Rd. *Tant* —6G **105**
West Row. *Bir* —4E **111**
W. Salisbury St. *Bly* —5B **10**
W. Shield Row Vs. *S'ley* —1C **120**
W. Spencer Ter. *Newc T* —6H **51**
W. Stainton St. *S Shi* —6E **61**
(in two parts)
W. Stevenson St. *S Shi* —6F **61**
West St. *Bir* —3C **110**
West St. *Gate* —6G **67**
West St. *Gran V* —4C **122**
West St. *Heb* —2D **70**

West St. *S'hm* —4B **140**
West St. *Sund* —6C **102**
(SR1)
West St. *Sund* —1A **130**
(SR3)
West St. *Tan L* —1B **120**
West St. *W'snd* —4G **57**
West St. *W All* —4B **44**
West St. *Whi* —4E **79**
West St. Bungalows. *W'snd* —5G **57**
W. Sunniside. *Sund* —6D **102**
Westsyde. *Newc T* —2A **36**
West Ter. *Dur* —5B **152**
West Ter. *Sea S* —3H **23**
W. Thorns Wlk. *Whi* —5E **79**
West Thorp. *Newc T* —2D **52**
West Va. *Newc T* —5B **50**
West Vallum. *Newc T* —2D **64**
West Vw. *Bed* —2C **8**
West Vw. *Bla T* —6A **64**
West Vw. *Bol C* —2H **85**
West Vw. *B'mr* —6C **126**
West Vw. *Burn* —1G **105**
West Vw. *C'twn* —4D **100**
West Vw. *Ches S* —5C **124**
West Vw. *Cra* —4C **20**
West Vw. *Dud* —3A **30**
West Vw. *Dur* —5E **153**
West Vw. *Ear* —6E **33**
West Vw. *Eas* —2B **160**
West Vw. *Els* —5B **66**
West Vw. *For H* —5D **42**
West Vw. *Gate* —1C **96**
West Vw. *H'dn* —5G **161**
West Vw. *Hou S* —1H **135**
West Vw. *Kib* —1F **109**
West Vw. *Lem* —3A **64**
West Vw. *Mead* —6E **157**
West Vw. *Mur* —3C **148**
West Vw. *Pen* —1F **127**
West Vw. Ryh —3E **131**
(off Blackhills Rd.)
West Vw. *S'hm* —6F **139**
West Vw. *Seg* —2F **31**
West Vw. *S Hill* —6G **155**
West Vw. *Shin R* —5F **127**
West Vw. *Spri* —4F **97**
West Vw. *S'ley* —6C **120**
West Vw. *Sund* —2D **102**
West Vw. *Wash* —5B **98**
West Vw. *Wide* —4D **28**
W. View Bldgs. *N Shi* —2E **47**
W. View Gdns. *S'ley* —2C **120**
W. View Ter. *Gate* —1A **80**
Westview Ter. *S'ley* —6E **119**
West Vs. *W Pel* —3B **122**
West Wlk. *Ches S* —3G **125**
W. Walpole St. *S Shi* —6D **60**
Westward Ct. *Newc T* —4C **52**
Westward Grn. *Whit B* —1G **45**
Westward Pl. *Wash* —6H **111**
Westway. *Bla T* —1H **77**
West Way. *Gate* —3C **80**
Westway. *Newc T* —4D **50**
Westway. *Pet* —2C **162**
West Way. *S Shi* —2D **72**
Westway Ind. Pk. *Thro* —4D **50**
W. Wear St. *Sund* —6D **102**
Westwell Ct. *Newc T* —3H **55**
Westwood Av. *Newc T* —6B **56**
Westwood Clo. *Burn* —6H **91**
Westwood Gdns. *Gate* —2D **96**
Westwood Gdns. *Newc T* —3A **54**
Westwood Gdns. *Wash* —2C **112**
Westwood St. *Sund* —1H **115**
Westwood Vw. *Ches S* —2C **132**

Westwood Wlk. *Gate* —1E **81**
West Wynd. *Kil* —2C **42**
Wetheral Gdns. *Gate* —2A **96**
Wetheral Ter. *Newc T* —5F **69**
Wetherburn Av. *Mur* —2B **148**
Wetherby Gro. *Gate* —4F **81**
Wetherby Rd. *Sund* —6F **117**
Wettondale Av. *Bly* —6G **9**
Weybourne Sq. *Sund* —5E **117**
Weyhill Av. *N Shi* —3H **59**
Weymouth Dri. *S'hm* —5F **139**
Weymouth Gdns. *Gate* —3H **95**
Weymouth Ho. *Newc T* —1C **80**
Weymouth Rd. *N Shi* —2G **59**
Weymouth Rd. *Sund* —4G **129**
Whaggs La. *Whi* —5F **79**
Whalton Av. *Newc T* —1C **54**
Whalton Clo. *Gate* —4A **84**
Whalton Clo. *Sher* —6E **155**
Whalton Ct. *Newc T* —1C **54**
Whalton Ct. *S Shi* —3G **73**
Wharfdale Pl. *Newc T* —3H **69**
Wharfedale. *Hou S* —1E **127**
Wharfedale. *W'snd* —2F **57**
Wharfedale Av. *Wash* —5H **97**
Wharfedale Dri. *S Shi* —2E **73**
Wharfedale Gdns. *Bly* —5G **9**
Wharfedale Grn. *Gate* —4B **96**
Wharmlands Gro. *Newc T* —2D **64**
Wharmlands Rd. *Newc T* —2D **64**
Wharncliffe St. *Sund* —1B **116**
Wharrier St. *Newc T* —5F **69**
Wharton Clo. *E Rai* —1H **145**
Wharton St. *Bly* —2H **15**
Wharton St. *S Shi* —5F **61**
Wheatall Dri. *Sund* —6F **75**
Wheatall Way. *Whit* —1F **89**
Wheatear Clo. *Wash* —4F **111**
Wheatfield Gro. *Newc T* —6B **42**
Wheatfield Rd. *Newc T* —4D **52**
Wheatlands Way. *Pity Me* —5C **142**
Wheatley Gdns. *W Bol* —4C **86**
Wheatley Ter. *Dud* —4H **29**
Wheatleywell La. *Ches S* —1A **142**
Wheatridge. *Sea D* —5H **21**
Wheatridge Row. *Sea D* —5H **21**
Wheatsheaf Ct. *Sund* —4F **103**
Wheldon Ter. *Pelt* —2G **123**
Wheler St. *Hou S* —2H **135**
Whernside Clo. *Wash* —1G **111**
Whernside Ct. *Sund* —3H **129**
Whernside Pl. *Cra* —6B **20**
Whernside Wlk. *Ryton* —5D **62**
Whickham. —4F 79
Whickham Av. *Gate* —3B **80**
Whickham Bank. *Swa & Whi* —2E **79**
Whickham Clo. *Hou S* —3G **135**
Whickham Gdns. *Newc T* —4C **68**
Whickham Highway. *Whi & Gate*
—4H **79**
Whickham Ind. Est. *Swa* —3D **78**
Whickham Lodge. *Whi* —4G **79**
Whickham Lodge Ri. *Whi* —4G **79**
Whickham Pk. *Whi* —4G **79**
Whickham Rd. *Heb* —4B **70**
Whickham St. *Pet* —1D **160**
Whickham St. *Sund* —4E **103**
Whickham St. E. *Sund* —4E **103**
Whickham Vw. *Gate* —6A **82**
Whickham Vw. *Newc T* —2E **65**
Whickhope. *Wash* —5C **112**
Whinbank. *Pon* —3D **36**
Whinbrooke. *Gate* —5G **83**
Whinbush Pl. *Newc T* —4E **65**
Whinfell. *Wash* —6H **97**
Whinfell Clo. *Cra* —6C **20**

Whinfell Ct. *Sund* —3H **129**
Whinfell Rd. *Pon* —2D **36**
Whinfield Ind. Est. *Row G* —4C **90**
Whinfield Ter. *Row G* —3D **90**
Whinfield Way. *Row G* —4C **90**
Whinlatter Gdns. *Gate* —1A **96**
Whinlaw. *Gate* —1C **96**
Whinmoor Pl. *Newc T* —6A **54**
Whinney Clo. *Bla T* —3G **77**
Whinneyfield Rd. *Newc T* —2F **69**
Whinney Hill. *Dur* —1D **158**
Whinshaw. *Gate* —4F **83**
Whinside. *S'ley* —2B **120**
Whinway. *Wash* —6H **97**
Whistler Gdns. *S Shi* —6F **73**
Whitbay Cres. *Newc T* —1C **56**
Whitbeck Ct. *Newc T* —6E **53**
Whitbeck Rd. *Newc T* —1D **64**
Whitbourne Clo. *Wash* —3D **98**
Whitbrey Ho. Newc T —6E **69**
(off Oval, The)
Whitburn. —3F 89
Whitburn Bents Rd. *Sund* —5F **89**
Whitburn Colliery. —6F 75
Whitburn Gdns. *Gate* —2D **96**
Whitburn Pl. *Cra* —6B **20**
Whitburn Rd. *Cle & Sund* —6F **89**
Whitburn Rd. E. *Sund* —2B **88**
Whitburn St. *Sund* —5E **103**
(nr. Charles St.)
Whitburn St. *Sund* —5D **102**
(nr. Thomas St.)
Whitburn Ter. *E Bol* —4F **87**
Whitburn Ter. *Sund* —1D **102**
Whitby Av. *Sund* —5F **89**
Whitby Clo. *Gate* —2H **81**
Whitby Dri. *Wash* —4B **112**
Whitby Gdns. *W'snd* —3C **58**
Whitby St. *N Shi* —1D **60**
Whitchurch Clo. *Bol C* —2A **86**
Whitchurch Clo. *Sund* —1H **101**
Whitchurch Rd. *Sund* —1H **101**
Whitdale Av. *Bly* —1G **15**
Whitebark. *Sund* —4G **129**
Whitebeam Pl. *Newc T* —6D **66**
Whitebridge Clo. *Newc T* —5F **41**
Whitebridge Ct. *Newc T* —6E **41**
Whitebridge Pk. *Newc T* —5F **41**
Whitebridge Parkway. *Newc T*
—5F **41**
Whitebridge Wlk. *Newc T* —5F **41**
White Cedars. *B'don* —6C **156**
Whitecliff Clo. *N Shi* —5B **46**
White Cotts. *Mon V* —5E **71**
White Cres. *Hes* —6G **163**
Whitecroft Rd. *Newc T* —3B **42**
Whitecross Way. *Newc T*
—4F **67** (4C **4**)
Whitefield Cres. *Hou S* —2E **127**
Whitefield Gdns. *G'side* —3A **76**
Whitefield Gro. *Gate* —3D **82**
Whitefield Ter. *Newc T* —6D **56**
White Ford Pl. *Seg* —1G **31**
Whitefriars Way. *Newc T* —2A **56**
Whitegate Clo. *Gate* —1B **80**
White Gates Dri. *Eas L* —3D **146**
Whitegates Rd. *Sher* —5D **154**
White Hall Cotts. *Newc T* —4D **56**
Whitehall Rd. *Gate* —3F **81**
Whitehall Rd. *Newc T* —6F **51**
Whitehall St. *S Shi* —3E **73**
Whitehall Ter. *Sund* —1H **115**
White Hart Yd. *Newc T*
—4F **67** (5D **4**)
Whitehead St. *S Shi* —2D **72**
(in three parts)

Whitehill—Wilson Av.

Whitehill. —6G 123
Whitehill. Gate —6F 83
Whitehill Cres. Pelt F —5G 123
(in two parts)
Whitehill Dri. Gate —5C 82
Whitehill Hall Gdns. Ches S —5A 124
Whitehill Rd. Cra —6A 14
White Hill Rd. Eas L —5E 147
Whitehills. —6E 83
White Horse Vw. S Shi —3C 74
Whitehouse Ct. Eas —2B 160
Whitehouse Ct. Pet —5B 160
Whitehouse Ct. Ush M —4C 150
(in two parts)
Whitehouse Cres. Gate —1E 97
Whitehouse Enterprise Cen. Newc T
—5G 65
Whitehouse La. Gate —1C 96
(in two parts)
Whitehouse La. N Shi —5H 45
(in three parts)
Whitehouse La. Ush M —5B 150
Whitehouse M. W'snd —5A 58
White Ho. Pl. Sund —1F 117
Whitehouse Rd. Newc T —5F 65
White Ho. Rd. Sund —1E 117
(in two parts)
White Ho. Way. Gate —6E 83
Whitehouse Way. S West —1A 162
White Ladies Clo. Wash —1B 112
Whitelaw Pl. Cra —5C 20
Whitelea Clo. Pet —2F 163
Whiteleas. —1F 87
Whiteleas Way. S Shi —5E 73
White-le-Head. —6G 105
White-le-Head Gdns. Tant —5G 105
Whiteley Clo. G'sde —2A 76
Whiteley Rd. Bla T —5C 64
Whitemere Clo. Sund —6E 117
White Mere Gdns. Gate —3A 84
Whiteoak Av. Dur —4H 153
White Oaks. Gate —6E 83
White Rocks Gro. Sund —6F 75
Whites Gdns. Heb —3A 70
Whitesmocks. —4H 151
Whitesmocks. Dur —3A 152
Whitesmocks Av. Dur —4H 151
White St. Newc T —4H 69
White Swan Yd. Newc T
—4F 67 (5D 4)
Whitethorn Cres. Newc T —5H 53
Whitethroat Clo. Wash —4F 111
Whitewell Clo. Ryton —4C 62
Whitewell La. Ryton —4C 62
Whitewell Rd. Bla T —1A 78
Whitewell Ter. Ryton —3C 62
Whitfield Dri. Newc T —1C 56
Whitfield Rd. Newc T —5D 42
Whitfield Rd. S'wd —4D 64
Whitfield Rd. Sea D —6B 22
Whitfield Vs. S Shi —3D 72
Whitgrave Rd. Newc T —4H 53
Whithorn Ct. Bly —6A 10
Whitlees Ct. Newc T —6A 40
Whitley Bay. —1D 46
Whitley Ct. Gate —2D 96
Whitley Pl. H'wll —1C 32
Whitley Rd. Newc T —1D 56
Whitley Rd. Well —6E 33
Whitley Rd. Whit B —6D 34
Whitley Sands. —5C 34
Whitley Ter. Bed —2D 8
Whitley Ter. H'wll —1C 32
Whitmore Rd. Bla T —6A 64
Whitsun Av. Bed —4A 8
Whitsun Gdns. Bed —4A 8

Whitsun Gro. Bed —4A 8
Whitticks, The. E Bol —4D 86
Whittingham Clo. N Shi —3E 47
Whittingham Ct. Gate —2F 81
(off Derwentwater Rd.)
Whittingham Rd. Newc T —3D 52
Whittingham Rd. N Shi —4E 47
Whittington Gro. Newc T —2G 65
Whittleburn. Gate —6F 83
Whitton Av. Bly —2H 15
Whitton Gdns. N Shi —6H 45
Whitton Pl. Newc T —3B 56
Whitton Pl. Sea D —6B 22
Whittonstall. Wash —6D 112
Whitton Way. Newc T —1D 54
Whitwell Acres. H Shin —4H 159
Whitworth Clo. Gate —4F 81
Whitworth Clo. Walk —4G 69
Whitworth Pl. Walk —4G 69
Whitworth Rd. Arm —6F 97
Whitworth Rd. S West —1A 162
Whorlton Grange. Newc T —3C 52
Whorlton Grange Cotts. Newc T
—3C 52
Whorlton Pl. Newc T —4C 52
Whorlton Ter. Newc T —3H 51
Whyndyke. Gate —6F 83
Whytrigg Clo. Sea D —5H 21
Widdrington Av. S Shi —1B 74
Widdrington Gdns. Wide —5E 29
Widdrington Rd. Bla T —1A 78
Widdrington Ter. Bla T —5G 63
Widdrington Ter. N Shi —2C 60
(in two parts)
Wide Open. —5E 29
Widnes Pl. Newc T —6C 42
Wigeon Clo. Wash —5G 111
Wigham's Ter. Hou S —2F 127
Wigham Ter. Hob —3G 105
Wigmore Av. Newc T —5E 69
Wilber Ct. Sund —6H 101
Wilberforce St. Jar —2G 71
Wilberforce St. W'snd —1H 69
Wilberforce Wlk. Gate —1E 81
Wilber St. Sund —1H 115
Wilbury Pl. Newc T —5G 53
Wildbriar. Wash —5B 112
Wilden Ct. Sund —5A 116
Wilden Rd. Pat I —3D 112
Wildshaw Clo. Cra —6C 20
Wilfred St. Bir —4C 110
Wilfred St. Bol C —4B 86
Wilfred St. Ches S —1C 132
Wilfred St. Newc T —3A 68
Wilfred St. Sund —6G 101
Wilkes Clo. Newc T —5D 52
Wilkinson Av. Heb —6B 70
Wilkinson Ct. Jar —2F 71
Wilkinson Rd. Pet —4E 161
Wilkinson St. S Shi —4D 72
Wilkinson Ter. Sund —3E 131
Wilkwood Clo. Cra —5C 20
Willans Bldgs. Dur —5F 153
Willerby Clo. Pet —6B 160
Willerby Ct. Gate —4B 96
Willerby Dri. Newc T —5F 41
William Allan Homes. Bed —5F 7
William Armstrong Dri. Newc B
—6A 66
William Clo. Newc T —5G 43
William Doxford Cen. Sund —3H 129
William Johnson St. Mur —3D 148
William Leech Building. Newc T
—1B 4
William Morris Av. Row G —3B 90
William Pl. Dur —5F 153

William Roberts Ct. Newc T —4D 42
Williams Clo. S'ley —3E 121
Williamson Ter. Sund —5D 102
Williams Rd. Mur —2C 148
William's Ter. Sund —3E 131
William St. Ann P —6G 119
William St. Bly —6C 10
William St. Ches S —5C 124
William St. Crag —6G 121
William St. Dur —5F 153
William St. Gate —2D 82
William St. Heb —2B 70
William St. Newc T —2G 55
William St. N Shi —2C 60
William St. Pelt F —4E 123
William St. S Hyl —1C 114
William St. S Moor —5B 120
William St. S Shi —4E 61
William St. Sund —6D 102
William St. Whi —4E 79
William St. W. Heb —3B 70
William St. W. N Shi —2C 60
William Ter. Heb —3B 70
William Ter. Nbtle —6H 127
William Whiteley Homes. Gate
(off Meadow La.) —2B 80
William Whiteley Homes. G'sde
(off Whiteley Clo.) —2A 76
Willington. —3D 58
Willington Quay. —6F 59
Willington Square. —2D 58
Willington Ter. W'snd —4C 58
Willis St. Hett H —6C 136
Willmore St. Sund —1A 116
Willoughby Dri. Whit B —4A 34
Willoughby Rd. N Shi —1H 59
Willoughby Way. Whit B —4A 34
Willow Av. Bly —4B 10
Willow Av. Gate —3B 80
Willow Av. Newc T —1H 65
Willowbank Gdns. Newc T —4G 55
Willow Bank Rd. Sund —4C 116
Willow Clo. B'don —5D 156
Willow Clo. Whi —5F 79
Willow Ct. N Shi —6B 46
Willow Ct. Ryton —3D 62
Willow Cres. Bly —3A 16
Willowdene. Dud —4H 29
Willowdene. For H —4D 42
Willowfield Av. Newc T —1B 54
Willow Gdns. Newc T —1C 42
Willow Grange. Jar —2E 71
Willow Gro. Gate —3D 82
Willow Gro. N Shi —4A 60
Willow Gro. S Shi —4H 73
Willow Gro. W'snd —6B 58
Willow Lodge. N Shi —6C 46
Willow Pl. Pon —1E 37
Willow Rd. Bla T —1B 78
Willow Rd. Hou S —3G 135
Willow's Clo. Wash —3D 112
Willows Clo. Wide —6C 28
Willows, The. Heb —5C 70
Willows, The. Jar —2G 85
Willows, The. Newc T —6C 66
Willows, The. Thro —6D 50
Willows, The. Wash —3D 112
Willowtree Av. Dur —3G 153
Willow Tree Av. Shin —3G 159
Willowvale. Ches S —4A 124
Willow Vw. Burn —1G 105
Willow Way. Pon —3D 36
Wills Building, The. Newc T —5E 57
Wilmington Clo. Newc T —1F 53
Wilson Av. Bir —2C 110
Wilson Av. E Sle —1H 9

Wilson Cres. *Dur* —4G **153**
Wilson Dri. *W Bol* —3D **86**
Wilson Gdns. *Newc T* —4D **54**
Wilson Pl. *Pet* —5D **160**
Wilson Rd. *Jar* —2F **71**
Wilson's Ct. *Newc T* —4F **67** (5D **4**)
Wilson's La. *Gate* —6H **81**
Wilson St. *Gate* —3B **80**
Wilson St. *N Shi* —4C **60**
Wilson St. *S Shi* —6E **61**
Wilson St. *Sund* —1H **115**
Wilson St. *W'snd* —5H **57**
Wilson St. N. *Sund* —5C **102**
Wilson Ter. *Newc T* —5D **42**
Wilson Ter. *Sund* —1A **130**
Wilsway. *Newc T* —5C **50**
Wilton Av. *Newc T* —4E **69**
Wilton Clo. *Cra* —6C **20**
Wilton Clo. *Whit B* —6G **33**
Wilton Dri. *Whit B* —1F **45**
Wilton Gdns. N. *Bol C* —2A **86**
Wilton Gdns. S. *Bol C* —2A **86**
Wilton Manse. Whit B —1F **45**
  (off Thorntree Dri.)
Wilton Sq. *Sund* —6E **117**
Wiltshire Clo. *Dur* —4A **154**
Wiltshire Clo. *Sund* —1G **101**
Wiltshire Dri. *W'snd* —3F **57**
Wiltshire Gdns. *W'snd* —4F **57**
Wiltshire Pl. *Wash* —3B **98**
Wiltshire Rd. *Sund* —2G **101**
Wimbledon Clo. *Sund* —2H **101**
Wimborne Clo. *Bol C* —3A **86**
Wimbourne Av. *Sund* —3G **115**
Wimbourne Grn. *Newc T* —4D **52**
Wimbourne Quay. *Bly* —4C **10**
Wimpole Clo. *Wash* —3C **98**
Wimslow Clo. *W'snd* —4F **57**
Winalot Av. *Sund* —5E **117**
Wincanton Pl. *N Shi* —3A **60**
Winchcombe Pl. *Newc T* —4A **56**
Winchester Av. *Bly* —6C **10**
Winchester Clo. *Gt Lum* —4G **133**
Winchester Ct. *Jar* —2F **85**
Winchester Dri. *B'don* —6C **156**
Winchester Dri. *S West* —2A **162**
Winchester Rd. *Dur* —6E **143**
Winchester St. *S Shi* —4F **61**
Winchester Ter. *Newc T* —4D **66**
Winchester Wlk. *Wide* —6D **28**
Winchester Way. *Bed* —3H **7**
Wincomblee. *Newc T* —4G **69**
Wincomblee Rd. *Newc T* —6G **69**
Wincomblee Workshops. Newc T
  (off White St.) —4H **69**
Windburgh Dri. *Cra* —6B **20**
Windermere. *Bir* —5D **110**
Windermere. *Sund* —2A **88**
Windermere Av. *Ches S* —2C **132**
Windermere Av. *Eas L* —5E **147**
Windermere Av. *Gate* —3F **83**
Windermere Clo. *Cra* —6B **20**
Windermere Cres. *Bla T* —3H **77**
Windermere Cres. *Heb* —4D **70**
Windermere Cres. *Hou S* —3F **127**
Windermere Cres. *Jar* —6H **71**
Windermere Cres. *S Shi* —3G **73**
Windermere Dri. *Kil* —2C **42**
Windermere Gdns. *Whi* —4G **79**
Windermere Rd. *Newc T* —1F **65**
Windermere Rd. *S'hm* —4E **139**
Windermere Rd. *S Het* —5B **148**
Windermere St. *Gate* —2G **81**
Windermere St. *Sund* —5F **117**
Windermere St. W. *Gate* —2G **81**
Windermere Ter. *N Shi* —1B **60**

Windermere Ter. *S'ley* —5B **120**
Windhill Rd. *Newc T* —6F **69**
Winding, The. *Din* —4F **27**
Windlass Ct. *S Shi* —4E **73**
Windlass La. *Wash* —6A **98**
Windmill Ct. *Newc T* —1E **67**
Windmill Gro. *Bly* —5G **9**
Windmill Hill. *Dur* —2B **158**
Windmill Hill. *S Shi* —6D **60**
Windmill Ind. Est. *Cra* —5E **13**
Windmill Sq. *Sund* —1C **102**
Windmill Way. *Heb* —2D **70**
Winds La. *Mur* —3A **148**
  (in two parts)
Winds Lonnen Est. *Mur* —2A **148**
Windsor Av. *Gate* —3G **81**
Windsor Av. *Newc T* —3G **55**
Windsor Av. *Whit B* —1E **47**
Windsor Clo. *W'snd* —3E **59**
Windsor Clo. *Whi* —1E **93**
Windsor Corner. *Pet* —1H **163**
Windsor Cotts. *W'snd* —3E **59**
Windsor Ct. *Bed* —5H **7**
Windsor Ct. *Cra* —6A **14**
Windsor Ct. *Fel* —4C **82**
Windsor Ct. *S Gos* —6A **40**
Windsor Cres. *Heb* —3D **70**
Windsor Cres. *Hou S* —3B **136**
Windsor Cres. *Newc T* —4E **53**
Windsor Cres. *Whit B* —1E **47**
Windsor Dri. *Cle* —2H **87**
Windsor Dri. *Hou S* —5A **136**
Windsor Dri. *New S* —2A **130**
Windsor Dri. *S Het* —5H **147**
Windsor Dri. *S'ley* —4F **119**
Windsor Dri. *W'snd* —4D **58**
Windsor Gdns. *Bed* —5H **7**
Windsor Gdns. *Gate* —3B **82**
Windsor Gdns. *N Shi* —6C **46**
Windsor Gdns. *S Shi* —2G **73**
Windsor Gdns. *Whit B* —5B **34**
Windsor Gdns. W. *Whit B* —5B **34**
Windsor Pk. *W'snd* —4F **57**
Windsor Pl. *Hol* —4A **44**
Windsor Pl. *Newc T* —2G **67** (1E **5**)
Windsor Pl. *Pon* —1B **36**
Windsor Rd. *Bir* —1B **110**
Windsor Rd. *Gate* —4E **97**
Windsor Rd. *S'hm* —4F **139**
Windsor Rd. *Whit B* —6A **34**
Windsor St. *Newc T* —3B **68**
Windsor St. *W'snd* —5H **57**
Windsor Ter. *Dip* —2B **118**
Windsor Ter. *E Her* —3E **129**
Windsor Ter. *Gt Lum* —4H **133**
Windsor Ter. *Jes & Newc T*
  —2F **67** (1E **5**)
Windsor Ter. *Mur* —2D **148**
Windsor Ter. *New K* —5H **119**
Windsor Ter. *Pet* —1H **163**
Windsor Ter. *Ryton* —5A **62**
Windsor Ter. *Sco G* —1H **7**
Windsor Ter. *S Gos* —3G **55**
Windsor Ter. *Spri* —4F **97**
Windsor Ter. *Sund* —5F **117**
Windsor Ter. *Whit B* —1E **47**
Windsor Wlk. *Newc T* —6H **39**
Windsor Way. *Newc T* —6G **39**
Windt St. *Haz* —1C **40**
Windyhill Carr. *Whi* —6D **78**
Windy Nook. —5D 82
Windy Nook Nature Park. —5C **82**
Windy Nook Rd. *Gate* —5B **82**
Windy Ridge. *Gate* —4C **82**
Windy Ridge Vs. *Gate* —4C **82**
Wingate Clo. *Hou S* —3H **135**

Wingate Clo. *W Den* —3C **64**
Wingate Gdns. *Gate* —2D **96**
Wingrove. *Row G* —4D **90**
Wingrove Av. *Newc T* —3B **66**
Wingrove Av. *Sund* —2E **103**
Wingrove Gdns. *Newc T* —3B **66**
Wingrove Ho. *Newc T* —6A **54**
Wingrove Ho. *S Shi* —3E **73**
Wingrove Rd. *Newc T* —3B **66**
Wingrove Rd. N. *Newc T* —6A **54**
  (in two parts)
Wingrove Ter. *Bill Q* —2H **83**
Wingrove Ter. *Spri* —4F **97**
Winifred Gdns. *W'snd* —6A **58**
Winifred St. *Sund* —1E **103**
Winifred Ter. *Sund* —1E **117**
Winlaton. —2H 77
Winlaton Care Village. *Bla T* —5F **77**
Winlaton Mill. —5A 78
Winsford Av. *N Shi* —4B **46**
Winshields. *Cra* —5C **20**
Winshields Wlk. *Newc T* —6C **50**
Winship Clo. *S Shi* —6E **73**
Winship Gdns. Newc T —3D **68**
  (off Grace St.)
Winship St. *Bly* —3A **16**
Winship Ter. *Newc T* —3C **68**
Winskell Rd. *S Shi* —5B **72**
Winslade Clo. *Sund* —1B **130**
Winslow Clo. *Bol C* —1B **86**
Winslow Clo. *Newc T* —3G **69**
Winslow Clo. *Sund* —1H **101**
Winslow Cres. *S'hm* —4E **139**
Winslow Gdns. *Gate* —6G **81**
Winslow Pl. *Newc T* —3G **69**
Winson Grn. *Hou S* —1D **126**
Winster. *Wash* —6G **111**
Winster Pl. *Cra* —6B **20**
Winston Ct. *Gate* —4F **97**
Winston Cres. *Sund* —3G **115**
Winters Bank. *Hou S* —3F **135**
Winton Clo. *Seg* —1G **31**
Winton Way. *Newc T* —2B **54**
Wirralshir. *Gate* —5G **83**
Wiseton Ct. *Newc T* —2H **55**
Wishart Ho. *Newc T* —5A **66**
Wishart Ter. *H Spen* —1A **90**
Wishaw Clo. *Cra* —5C **20**
Wishaw Ri. *Newc T* —2C **64**
Witham Grn. *Jar* —1G **85**
Witham Rd. *Heb* —6D **70**
Witherington Clo. *Newc T* —4E **57**
Withernsea Gro. *Sund* —2D **130**
Witherwack. —1G 101
Witney Clo. *Sund* —1G **101**
Witney Way. *E Bol* —4A **86**
Witton Av. *S Shi* —3A **74**
Witton Ct. *Newc T* —1A **54**
Witton Ct. *Sund* —5B **116**
Witton Ct. *Wash* —3H **111**
Witton Gdns. *Gate* —3D **96**
Witton Gdns. *Jar* —6F **71**
Witton Gth. *Pet* —4C **162**
Witton Gro. *Dur* —2H **151**
Witton Gro. *Hou S* —4G **135**
Witton Rd. *Heb* —1D **70**
Witton Rd. *Shir* —2D **44**
Witty Av. *Heb* —4D **70**
Woburn. *Wash* —3B **112**
Woburn Clo. *Cra* —6A **14**
Woburn Clo. *W'snd* —4F **57**
Woburn Dri. *Bed* —3C **8**
Woburn Dri. *Sund* —3A **130**
Woburn Way. *Newc T* —5E **53**
Wolmer Rd. *Bly* —2D **16**
Wolseley Clo. *Gate* —2E **81**

Wolseley Gdns. *Newc T* —1A **68**
Wolseley Ter. *Sund* —2A **116**
Wolsey Ct. *S Shi* —3E **73**
Wolsey Rd. *S'hm* —5E **139**
Wolsingham Ct. *Cra* —2H **19**
Wolsingham Dri. *Dur* —1D **152**
Wolsingham Gdns. *Gate* —2D **96**
Wolsingham Rd. *Newc T* —3D **54**
Wolsingham Ter. *S'ley* —5F **119**
Wolsington St. *Newc T* —6C **66**
Wolsington Wlk. *Newc T* —6B **66**
Wolsley Rd. *Bly* —6C **10**
Wolveleigh Ter. *Newc T* —2F **55**
Wolviston Gdns. *Gate* —2D **96**
Woodbine Av. *Newc T* —3E **55**
Woodbine Av. *Pet* —5F **161**
Woodbine Av. *W'snd* —5H **57**
Woodbine Cotts. *Ches S* —5A **124**
Woodbine Cotts. *Spri* —3B **82**
Woodbine Pl. *Gate* —2G **81**
Woodbine Rd. *Dur* —6A **142**
Woodbine Rd. *Newc T* —3E **55**
Woodbine St. *Gate* —2G **81**
Woodbine St. *S Shi* —4F **61**
Woodbine St. *Sund* —1F **117**
Woodbine Ter. *Ben* —2G **81**
Woodbine Ter. *Bir* —3D **110**
Woodbine Ter. *Bly* —6D **10**
Woodbine Ter. *Gate* —3B **82**
Woodbine Ter. *New B* —1A **156**
Woodbine Ter. *Pel* —2G **83**
Woodbine Ter. *S'ley* —5H **119**
Woodbine Ter. *Sund* —5H **101**
Woodbrook Av. *Newc T* —1E **65**
Woodburn. *Gate* —6E **83**
Woodburn. *Tan L* —1A **120**
Woodburn Av. *Newc T* —6A **54**
Woodburn Clo. *Bla T* —3G **77**
Woodburn Clo. *Hou S* —1C **134**
Woodburn Dri. *Hou S* —2G **135**
Woodburn Dri. *Whit B* —4A **34**
Woodburn Gdns. *Gate* —4C **80**
Woodburn Sq. *Whit B* —4H **33**
Woodburn St. *Newc T* —2A **64**
Woodburn Way. *Whit B* —4A **34**
Woodchurch Clo. *Newc T* —3D **56**
Woodcock Rd. *Sund* —4A **130**
Woodcroft Clo. *Ann* —2B **30**
Woodend. *Pon* —3D **36**
Woodend Way. *Bru B & Newc T*
—6G **39**
Wood Fld. *Pet* —1C **162**
Woodfields. *Pon* —5F **25**
Woodford. *Gate* —3H **95**
Woodford Clo. *Sund* —1H **101**
Woodgate Gdns. *Gate* —2H **83**
Woodgate La. *Gate* —1H **83**
Wood Grn. *Gate* —2A **84**
Wood Gro. *Newc T* —2D **64**
Woodhall Clo. *Ous* —5G **109**
Woodhall Ct. *Sea D* —6A **22**
Woodhall Spa. *Shin R* —5E **127**
Woodhams Pl. *S Shi* —2B **74**
Woodhead Rd. *Newc T* —1E **69**
Woodhill Rd. *Cra* —5C **20**
Woodhorn Gdns. *Wide* —5D **28**
Woodhouse Ct. *S Shi* —2C **74**
Woodhouses La. *Whi* —6C **78**
Woodhurst Gro. *Sund* —5C **114**
Woodkirk Clo. *Seg* —1G **31**
Woodland Av. *Pet* —1G **163**
Woodland Clo. *Bear* —4C **150**
Woodland Clo. *Ear* —6E **33**
Woodland Cres. *Newc T* —5G **65**
Woodland Dri. *Sund* —3G **115**

Woodland Grange. *Hou S* —2D **134**
Woodland M. *Newc T* —5H **55**
Woodland Ri. *Sund* —3G **129**
Woodland Rd. *Bear* —4C **150**
Woodlands. *Ches S* —5C **124**
Woodlands. *Gos* —4E **55**
Woodlands. *H Ric* —1E **125**
Woodlands. *N Shi* —6C **46**
Woodlands. *Pon* —2D **36**
Woodlands. *S'hm* —2G **139**
Woodlands. *Thro* —5C **50**
Woodlands Av. *Newc T* —4E **55**
Woodlands Clo. *H Spen* —2A **90**
Woodlands Ct. *Gate* —1F **109**
Woodlands Ct. *Newc T* —5C **50**
Woodlands Dri. *Cle* —3A **88**
Woodlands Grange. *For H* —4E **43**
Woodlands Pk. Dri. *Bla T* —1B **78**
Woodlands Pk. Vs. *N Gos* —1E **41**
Woodlands Rd. *Newc T* —2B **64**
Woodlands Rd. *Row G* —3D **90**
Woodlands Rd. *Sund* —3H **87**
Woodlands Ter. *Dip* —2C **118**
Woodlands Ter. *Gate* —3C **82**
Woodlands Ter. *Newc T* —4E **43**
Woodlands Ter. *S Shi* —3F **61**
Woodlands, The. *Gate* —1F **109**
Woodlands Vw. *Cle* —3A **88**
Woodland Ter. *Bear* —4C **150**
Woodland Ter. *Hou S* —1E **127**
Woodland Ter. *Wash* —5C **98**
Woodland Vw. *W Rai* —4D **144**
Wood La. *Bed* —4B **8**
Woodlea. *For H* —4D **42**
Wood Lea. *Hou S* —4C **136**
Woodlea Clo. *Hett H* —1C **146**
Woodlea Ct. *N Shi* —4A **60**
Woodlea Gdns. *Newc T* —1G **55**
Woodlea Rd. *Row G* —3B **90**
Woodlea Sq. *N Shi* —4A **60**
Woodleigh Rd. *Whit B* —6H **33**
Woodleigh Vw. *Newc T* —4A **54**
Woodmansey Clo. *Pet* —6B **160**
Woodman St. *W'snd* —4F **59**
Woodmans Way. *Whi* —1C **92**
Woodpack Av. *Whi* —5D **78**
Wood Side. —4C 144
Woodside. *Beam* —1B **122**
Woodside. *Bed* —4C **8**
Woodside. *Bly* —1D **16**
Woodside. *E Her* —3E **129**
Woodside. *Pon* —2C **36**
Woodside. S'ley —2D **120**
(off Quarry Rd.)
Woodside. *Sund* —2C **116**
Woodside Av. *Bear* —4C **150**
Woodside Av. *Sea D* —1B **32**
Woodside Av. *Thro* —6E **51**
Woodside Av. *Walk* —2H **69**
Woodside Clo. *Ryton* —4B **62**
Woodside Cres. *Newc T* —5E **43**
Woodside Gdns. *Gate* —4B **80**
Woodside Gdns. *S'ley* —5G **121**
Woodside Gro. *Sund* —3E **129**
Woodside Gro. *Tant* —5A **106**
Woodside La. *Ryton* —2A **76**
(in two parts)
Woodside La. *W Rai* —4C **144**
Woodside Rd. *Ryton* —4B **62**
Woodside Ter. *Sund* —3E **129**
Woodside Wlk. *Row G* —4C **90**
Woodside Way. *Ryton* —4C **62**
Woodside Way. *S Shi* —2D **72**
Woods Ter. *Gate* —2H **81**
Wood's Ter. *Mur* —2D **148**

Woods Ter. E. *Mur* —2D **148**
(off Wood's Ter.)
Woods Ter. N. *Mur* —2D **148**
(off Wood's Ter.)
Woodstock Av. *Sund* —5E **117**
Woodstock Rd. *Gate* —3A **96**
Woodstock Rd. *Newc T* —4D **64**
Woodstone Ter. *Hou S* —2B **134**
Woodstone Village. —2B 134
Wood St. *Burn* —1G **105**
Wood St. *Gate* —3B **80**
Wood St. *Pelt* —2G **123**
Wood St. *Sund* —6A **102**
Wood Ter. *Gate* —1H **83**
Wood Ter. *Jar* —5E **71**
Wood Ter. *Row G* —3A **90**
Wood Ter. *S Shi* —1F **73**
Wood Ter. *Wash* —5B **98**
Woodthorne Rd. *Newc T* —4G **55**
Woodvale. *Pon* —3C **36**
Woodvale Dri. *Heb* —5A **70**
Woodvale Gdns. *Gate* —5C **82**
Woodvale Gdns. *Newc T* —2C **64**
Woodvale Rd. *Bla T* —1B **78**
Wood Vw. *Shin* —3F **159**
Woodville Ct. *Sund* —3G **115**
Woodville Cres. *Sund* —3G **115**
Woodville Rd. *Newc T* —1B **64**
Woodwynd. *Gate* —5F **83**
(in two parts)
Wooler Av. *N Shi* —3H **59**
Wooler Cres. *Gate* —3D **80**
Wooler Grn. *Newc T* —2H **63**
Wooler Sq. *Sund* —4E **117**
Wooler Sq. *Wide* —5E **29**
Woolerton Dri. *Gate* —5C **82**
Woolerton Dri. *Newc T* —2C **64**
Wooler Wlk. *Mon V* —5E **71**
Wooley Dri. *Ush M* —6E **151**
Wooley St. *W'snd* —6H **57**
(in two parts)
Woolmer Ct. *Newc T* —4E **57**
Woolsington By-Pass. *Pres, Wool &*
Newc T —2A **38**
Woolsington Ct. *Bed* —4H **7**
Woolsington Gdns. *Wool* —5D **38**
Woolsington Pk. S. *Wool* —5D **38**
Woolsington Rd. *N Shi* —6G **45**
Woolwich Clo. *Sund* —1H **101**
Woolwich Rd. *Sund* —1H **101**
Wooperton Gdns. *Newc T* —2G **65**
Worcester Clo. *Gt Lum* —5G **133**
Worcester Grn. *Gate* —1G **81**
Worcester Rd. *Dur* —6D **142**
Worcester St. *Sund* —2C **116**
Worcester Ter. *Sund* —2C **116**
Worcester Way. *Wide* —6D **28**
Wordsworth Av. *B Col* —2H **163**
Wordsworth Av. *Bly* —2A **16**
Wordsworth Av. *Eas L* —5F **147**
Wordsworth Av. *Heb* —3C **70**
Wordsworth Av. *Pelt F* —6G **123**
Wordsworth Av. *S'hm* —4E **139**
Wordsworth Av. *Whi* —3F **79**
Wordsworth Av. E. *Hou S* —4A **136**
Wordsworth Av. W. *Hou S* —4A **136**
Wordsworth Cres. *Gate* —4E **97**
Wordsworth Gdns. *Dip* —1D **118**
Wordsworth Rd. *Pet* —1C **160**
Wordsworth St. *Gate* —1A **82**
Worley Av. *Gate* —1H **95**
Worley Clo. *Newc T* —4C **66**
Worley M. *Gate* —1H **95**
Worley St. *Newc T* —4D **66**
Worley Ter. *Gate* —6H **81**
Worley Ter. *Tant* —6G **105**

Worm Hill Ter.—Zion Ter.

Worm Hill Ter. *Wash* —6C **112**
Worsdell St. *Camb* —4C **10**
Worsley Clo. *W'snd* —4F **57**
Worswick St. *Newc T* —4G **67** (4E **5**)
Worthing Clo. *W'snd* —4F **57**
Worthington Ct. *Newc T* —2H **67**
Wouldhave Ct. *S Shi* —4F **61**
Wraith Ter. *Pet* —5F **161**
Wraith Ter. *Sund* —3E **131**
Wranghams Entry. *Newc T* —5G **5**
Wraysbury Ct. *Newc T* —6H **39**
Wreay Wlk. *Cra* —5C **96**
Wreigh St. *Heb* —3B **70**
Wreken Gdns. *Gate* —3A **84**
Wrekenton. —3C 96
Wrekenton Row. *Gate* —3C **96**
Wren Clo. *Wash* —4G **111**
Wren Gro. *Sund* —4E **101**
Wretham Pl. *Newc T* —3H **67** (2G **5**)
Wright Dri. *Dud* —4A **30**
Wrightson St. *H'fd* —4B **14**
Wright St. *Bly* —5B **10**
Wright Ter. *Hou S* —4E **127**
Wroxham Ct. *Newc T* —3F **53**
Wroxham Ct. *Sund* —5E **117**
Wroxton. *Wash* —4A **112**
Wuppertal Ct. *Jar* —3F **71**
Wychcroft Way. *Newc T* —5G **53**
Wych Elm Cres. *Newc T* —4C **56**
Wycliffe Av. *Newc T* —4B **54**
Wycliffe Rd. *S'hm* —4E **139**
Wycliffe Rd. *Sund* —3H **115**
Wye Av. *Jar* —6G **71**
Wye Rd. *Heb* —6C **70**
Wylam Av. *H'wll* —1D **32**
Wylam Clo. *S Shi* —4G **73**
Wylam Clo. *Wash* —4C **98**
Wylam Gdns. *W'snd* —3D **58**
Wylam Gro. *Sund* —1E **117**
Wylam Rd. *N Shi* —4B **60**
Wylam Rd. *S'ley* —2D **120**
Wylam St. *Jar* —2F **71**
Wylam Ter. *S'ley* —1D **120**
Wylam Vw. *Bla T* —1H **77**
Wynbury Rd. *Gate* —6A **82**
Wyncote Ct. *Newc T* —5B **56**
Wynde, The. *Pon* —1D **36**
Wynde, The. *S Shi* —4E **73**

Wyndfall Way. *Newc T* —4C **54**
Wyndham Av. *Newc T* —4B **54**
Wyndham Way. *N Shi* —5F **45**
Wynding, The. *Bed* —4G **7**
Wynding, The. *Dud* —3A **30**
Wyndley Clo. *Whi* —6D **78**
Wyndley Pl. *Newc T* —4B **54**
Wyndrow Pl. *Newc T* —4C **54**
(in two parts)
Wyndsail Pl. *Newc T* —4C **54**
Wynd, The. *Ken* —3C **54**
Wynd, The. *N Shi* —5C **46**
Wynd, The. *Pelt* —2G **123**
Wynd, The. *Thro* —6D **50**
Wyndtop Pl. *Newc T* —4C **54**
Wyndward Pl. *Newc T* —4C **54**
Wyndways Dri. *Dip* —6E **105**
Wynn Gdns. *Gate* —2F **83**
Wynyard. *Ches S* —6A **124**
Wynyard Dri. *Bed* —2C **8**
Wynyard Gdns. *Gate* —3C **96**
Wynyard Gro. *Dur* —5F **153**
Wynyard Sq. *Sund* —5E **117**
Wynyard St. *Gate* —3B **80**
Wynyard St. *Hou S* —3E **135**
Wynyard St. *S'hm* —6B **140**
Wynyard St. *Sund* —2A **130**
Wythburn Pl. *Gate* —1B **96**
Wyvern Sq. *Sund* —5E **117**

Yardley Clo. *Sund* —4A **130**
Yardley Gro. *Cra* —1A **20**
Yarmouth Clo. *S'hm* —5G **139**
Yarmouth Dri. *Cra* —1A **20**
Yatesbury Av. *Newc T* —5F **53**
Yeadon Ct. *Newc T* —6G **39**
Yeavering Clo. *Newc T* —3D **54**
Yelverton Ct. *Cra* —1A **20**
Yelverton Cres. *Newc T* —6F **69**
Yeoman St. *N Shi* —2D **60**
Yeovil Clo. *Cra* —1A **20**
Yetholm Av. *Ches S* —1B **132**
Yetholm Pl. *Newc T* —3E **53**
Yetholm Rd. *Gate* —2D **80**
Yetlington Dri. *Newc T* —3C **54**
Yewbank Av. *Dur* —4H **153**
Yewburn Way. *Newc T* —1C **56**

Yewcroft Av. *Newc T* —3D **64**
Yewdale Gdns. *Gate* —1A **96**
Yewtree Av. *Sund* —3H **101**
Yewtree Dri. *Bed* —3H **7**
Yewtree Gdns. *Newc T* —6G **57**
Yewtrees. *Gate* —6E **83**
Yewvale Rd. *Newc T* —6H **53**
Yoden Av. *Pet* —5F **161**
Yoden Cres. *Pet* —5F **161**
Yoden Rd. *Pet* —6D **160**
Yoden Way. *Pet* —1D **162**
(in two parts)
York Av. *Jar* —5F **71**
York Av. *Pet* —6F **161**
York Clo. *Cra* —1A **20**
York Cres. *Dur* —5D **142**
York Cres. *Hett H* —1B **146**
Yorkdale Pl. *Newc T* —3G **69**
York Dri. *W'snd* —6H **57**
York Rd. *Bir* —6C **110**
York Rd. *Pet* —5C **160**
York Rd. *Whit B* —6D **34**
Yorkshire Dri. *Dur* —4B **154**
York St. *Bly* —5C **10**
York St. *Hett H* —4A **146**
York St. *Jar* —3E **71**
York St. *Newc T* —4D **66**
York St. *New S* —1A **130**
York St. *Pel* —2G **83**
York St. *S'ley* —4F **119**
York St. *Sund* —6D **102**
York Ter. *Ches S* —1D **132**
York Ter. *Gate* —3D **82**
York Ter. *N Shi* —2C **60**
York Way. *S Shi* —4A **74**
Yorkwood. *Heb* —2A **70**
Youll's Pas. *Sund* —5F **103**
Young Rd. *Newc T* —4F **43**
Young St. *Dur* —5F **153**

Zetland Clo. *Whit B* —3B **46**
Zetland Dri. *Whit B* —3B **46**
Zetland Sq. *Sund* —4E **103**
Zetland St. *Sund* —4E **103**
Zion St. *Sund* —6E **103**
Zion Ter. *Bla T* —2H **77**
Zion Ter. *Sund* —2C **102**

HOSPITALS, HEALTH CENTRES and HOSPICES
covered by this atlas
with their map square reference

N.B. Where Hospitals, Health Centres and Hospices are not named on the map,
the reference given is for the road in which they are situated.

Armstrong Road Health Centre —4F **65**
460 Armstrong Rd.,
Newcastle upon Tyne. NE15 6BY
Tel: (0191) 219 5804

Avenue House Health Centre —5C **152**
North Rd., Durham. DH1 4HD
Tel: (0191) 333 3466

Bede Health Centre, The —1B **82**
Old Fold Rd., Gateshead,
Tyne & Wear. NE10 0DJ
Tel: (0191) 477 7135

Bedlington Health Centre —4H **7**
Glebe Rd., Bedlington,
Northumberland. NE22 6JX
Tel: (01670) 822695

BENSHAM HOSPITAL —4F **81**
Fontwell Dri., Gateshead,
Tyne & Wear. NE8 4YL
Tel: (0191) 4820000

Blakelaw Health Centre —5H **53**
Springfield Rd., Newcastle upon Tyne. NE5 3DS
Tel: (0191) 271 4535

BLYTH COMMUNITY HOSPITAL —5B **10**
Thoroton St., Blyth, Northumberland. NE24 1DX
Tel: (01670) 364040

Blyth Health Centre —5C **10**
Thoroton St., Blyth,
Northumberland. NE24 1DX
Tel: (01670) 353226

CHERRY KNOWLE HOSPITAL —5E **131**
Stockton Rd., Ryhope,
Sunderland. SR2 0NB
Tel: (0191) 565 6256

Chester-le-Street Health Centre —5D **124**
Newcastle Rd., Chester-le-Street,
County Durham. DH3 3UR
Tel: (0191) 333 3850

CHESTER-LE-STREET HOSPITAL —1C **132**
Front St., Chester-le-Street,
County Durham. DH3 3AT
Tel: (0191) 333 3262

COUNTY HOSPITAL (DURHAM) —5B **152**
North Rd., Durham. DH1 4ST
Tel: (0191) 333 3262

Cramlington Health Centre —3A **20**
Forum Way, Cramlington. NE23 6QN
Tel: (01670) 713021

Cruddas Park Neighbourhood Health Centre —5C **66**
Westmorland Rd., Newcastle upon Tyne. NE4 7RW
Tel: (0191) 219 5502

DEANS HOSPITAL —2E **73**
Dean Rd., South Shields,
Tyne & Wear. NE33 5LG
Tel: (0191) 451 6455

Denton Park Health Centre —5C **52**
West Denton Way,
Newcastle upon Tyne. NE5 2QW
Tel: (0191) 267 1813

DRYBURN HOSPITAL —3A **152**
Dryburn Rd., Durham. DH1 5TW
Tel: (0191) 333 2333

DRYDEN ROAD DAY HOSPITAL —4H **81**
134 Dryden Rd., Gateshead,
Tyne & Wear. NE9 5BY
Tel: (0191) 402 6600

Dunston Health Centre —3A **80**
Dunston Bank, Gateshead,
Tyne & Wear. NE11 9PY
Tel: (0191) 460 5249

DUNSTON HILL HOSPITAL —4H **79**
Whickham Highway, Gateshead,
Tyne & Wear. NE11 9QT
Tel: (0191) 4820000

EARLS HOUSE HOSPITAL —1G **151**
Lanchester Rd., Durham. DH1 5RD
Tel: (0191) 333 6262

Elswick Health Centre —5C **66**
Meldon St.,
Newcastle upon Tyne. NE4 6SH
Tel: (0191) 273 4102

Felling Health Centre —3D **82**
Stephenson Ter., Gateshead,
Tyne & Wear. NE10 9QG
Tel: (0191) 438 1971

Flagg Court Health Centre —4F **61**
Flagg Ct., South Shields,
Tyne & Wear. NE33 2PG
Tel: (0191) 451 6435

FLEMING NUFFIELD UNIT, THE —1G **67**
Burdon Ter., Jesmond,
Newcastle upon Tyne. NE2 3AE
Tel: (0191) 219 6400

FREEMAN HOSPITAL —3A **56**
Freeman Rd., High Heaton,
Newcastle-upon-Tyne. NE7 7DN
Tel: (0191) 284 3111

Gables Health Centre —3D **8**
26 St John's Rd., Bedlington,
Northumberland. NE22 7DU
Tel: (01670) 829889

Galleries Health Centre —2A **112**
The Galleries,
Washington Centre,
Washington, Tyne & Wear. NE38 7NQ
Tel: (0191) 416 6880

Gateshead Health Centre —2G **81**
Prince Consort Rd., Gateshead,
Tyne & Wear. NE8 1NB
Tel: (0191) 443 6820

Hospitals, Health Centres & Hospices

Gosforth Memorial Health Centre —2E **55**
Church Rd., Gosforth,
Newcastle upon Tyne. NE3 1LB
Tel: (0191) 284 5266

Grassbanks Health Centre —5G **83**
Grassbanks, Gateshead, Tyne & Wear. NE10 8DX
Tel: (0191) 469 2842

Grindon Hall —3E **115**
Nookside, Sunderland. SR4 8PG
Tel: (0191) 534 4885

Hebburn Health Centre —4D **70**
Campbell Pk. Rd., Hebburn,
Tyne & Wear. NE31 2SP
Tel: (0191) 451 6200

Hendon Health Centre —1E **117**
Meaburn Ter., Sunderland. SR1 2LR
Tel: (0191) 567 8911

Hetton Health Centre —2C **146**
Barnard Park, Hetton le Hole,
Houghton le Spring,
Tyne & Wear. DH5 9NX
Tel: (0191) 526 3657

HIGHFIELD DAY HOSPITAL —4C **124**
Newcastle Rd., Chester-le-Street,
County Durham. DH3 3UD
Tel: (0191) 333 6262

Houghton Health Centre —3A **136**
Church St., Houghton le Spring,
Tyne & Wear. DH4 4DN
Tel: (0191) 584 4566

HUNTERS MOOR REHABILITATION CENTRE —1D **66**
Hunter's Rd., Newcastle upon Tyne. NE2 4NR
Tel: (0191) 2195661

Hylton Castle Health Centre —3D **100**
Coleridge Rd., Sunderland. SR5 3PP
Tel: (0191) 549 5016

Jesmond Project Health Centre —5F **55**
2A Osborne Rd., Newcastle upon Tyne. NE2 2AA
Tel: (0191) 219 6490

Killingworth Health Centre —2D **42**
Citadel East, Newcastle upon Tyne. NE12 0UR
Tel: (0191) 268 3511

Marie Curie Hospice Centre —5B **66**
Marie Curie Dri., Newcastle upon Tyne. NE4 6SS
Tel: (0191) 273 7931

Marsden Road Health Centre —2A **74**
Marsden Rd., South Shields,
Tyne & Wear. NE34 6RE
Tel: (0191) 451 6560

Monkton Hall —5D **70**
Monkton La., Jarrow, Tyne & Wear. NE32 5NN
Tel: (0191) 451 6275

Monkwearmouth Health Centre —5D **102**
Dundas St., Sunderland. SR6 0AB
Tel: (0191) 514 0431

MONKWEARMOUTH HOSPITAL —3C **102**
Newcastle Rd., Sunderland. SR5 1NB
Tel: (0191) 565 6256

Nelson Health Centre —2C **60**
Cecil St., North Shields, Tyne & Wear. NE29 0DZ
Tel: (0191) 219 6635

NEWCASTLE GENERAL HOSPITAL —3B **66**
Westgate Rd., Newcastle upon Tyne. NE4 6BE
Tel: (0191) 273 8811

NEWCASTLE NUFFIELD HOSPITAL, THE —1G **67**
Clayton Rd., Newcastle-upon-Tyne. NE2 1JP
Tel: (0191) 281 6131

NEWCASTLE UPON TYNE DENTAL HOSPITAL
—2E **67** (1A **4**)
Richardson Rd., Newcastle upon Tyne. NE2 4AZ
Tel: (0191) 232 5131

NORTH TYNESIDE GENERAL HOSPITAL —4A **46**
Rake La., North Shields,
Tyne & Wear. NE29 8NH
Tel: (0191) 259 6660

Pallion Health Centre —1H **115**
Hylton Rd., Sunderland. SR4 7XF
Tel: (0191) 510 2345

PALMER COMMUNITY HOSPITAL —2F **71**
Wear St., Jarrow, Tyne & Wear. NE32 3UX
Tel: (0191) 451 6000

PETERLEE COMMUNITY HOSPITAL —2D **162**
O'Neil Dri., Peterlee, County Durham. SR8 5TZ
Tel: (0191) 586 3474

Peterlee Health Centre —1D **162**
Bede Way, Peterlee, County Durham. SR8 1AD
Tel: (0191) 586 2273

Ponteland Health Centre —4E **25**
Thornhill Rd., Ponteland,
Newcastle upon Tyne. NE20 9PZ
Tel: (01661) 825513

PRIMROSE HILL HOSPITAL —5G **71**
Primrose Ter., Jarrow,
Tyne & Wear. NE32 5HA
Tel: (0191) 451 6375

QUEEN ELIZABETH HOSPITAL —6B **82**
Queen Elizabeth Av., Gateshead,
Tyne & Wear. NE9 6SX
Tel: (0191) 4820000

ROYAL VICTORIA INFIRMARY —2E **67** (1B **4**)
Queen Victoria Rd.,
Newcastle upon Tyne. NE1 4LP
Tel: (0191) 232 5131

RYHOPE GENERAL HOSPITAL —4F **131**
Stockton Rd., Ryhope,
Sunderland. SR2 0LY
Tel: (0191) 565 6256

Ryhope Health Centre —2F **131**
Black Rd., Ryhope,
Sunderland. SR2 0RX
Tel: (0191) 521 0668

St Anthony's Health Centre —5F **69**
St Anthony's Rd.,
Newcastle upon Tyne. NE6 2NN
Tel: (0191) 2655689

St Benedict's Hospice —3C **102**
Monkwearmouth Hospital, Newcastle Rd.,
Sunderland. SR5 1NB
Tel: (0191) 5699192

St Clare's Hospice —5G **71**
Primrose Ter., Jarrow,
Tyne & Wear. NE32 5HA
Tel: (0191) 451 6378

Hospitals, Health Centres & Hospices

St Cuthbert's Hospice —2A **158**
Park House Rd., Durham. DH1 3QF
Tel: (0191) 386 1170

ST NICHOLAS PARK (HOSPITAL) —3C **54**
Jubilee Rd., Gosforth,
Newcastle upon Tyne. NE3 3XT
Tel: (0191) 213 0151

St Oswald's Hospice —2E **55**
Regent Av., Newcastle upon Tyne. NE3 1EE
Tel: (0191) 285 0063

Shieldfield Health Centre —3H **67** (2G **5**)
4 Clarence Wlk., Newcastle upon Tyne. NE2 1AL
Tel: (0191) 232 0548

Shiremoor Health Centre —2D **44**
Brenkley Av., Shiremoor,
Newcastle upon Tyne. NE27 0PR
Tel: (0191) 251 8050

Silksworth Health Centre —2A **130**
Silksworth Rd., Sunderland. SR3 2AN
Tel: (0191) 521 2873

SIR G.B. HUNTER MEMORIAL HOSPITAL —5A **58**
The Green, Wallsend, Tyne & Wear. NE28 7PB
Tel: (0191) 262 4403

SOUTH MOOR HOSPITAL —5E **121**
Middles Rd., Stanley, County Durham. DH9 6AD
Tel: (0191) 333 6262

SOUTH TYNESIDE DISTRICT HOSPITAL —4F **73**
Harton La., South Shields, Tyne & Wear. NE34 0PL
Tel: (0191) 454 8888

Southwick Health Centre —4A **102**
The Green, Southwick, Sunderland. SR5 2LT
Tel: (0191) 549 0960

Springwell Health Centre —4G **115**
Springwell Rd., Sunderland. SR3 4HG
Tel: (0191) 528 2828

Stanhope Parade Health Centre —1E **73**
Gordon St., South Shields, Tyne & Wear. NE33 4JP
Tel: (0191) 456 8821

Stanley Health Centre —3D **120**
Clifford Rd., Stanley, County Durham. DH9 0XE
Tel: (01207) 214887

SUNDERLAND EYE INFIRMARY —4D **116**
Queen Alexandra Rd., Sunderland. SR2 9HP
Tel: (0191) 528 3616

SUNDERLAND ROYAL HOSPITAL —1H **115**
Kayll Rd., Sunderland. SR4 7TP
Tel: (0191) 565 6256

Throckley Health Centre —6E **51**
Mayfield Av., Newcastle upon Tyne. NE15 9BB
Tel: (0191) 267 7551

TYNEMOUTH VICTORIA JUBILEE INFIRMARY —1B **60**
Hawkey's La., North Shields, Tyne & Wear. NE29 0SF
Tel: (0191) 259 6660

Victoria Road Health Centre —5B **98**
Victoria Rd., Washington, Tyne & Wear. NE37 2PU
Tel: (0191) 416 2120

Village Surgery, The —3B **20**
Dudley La., Cramlington, Northumberland. NE23 6US
Tel: (01670) 712821

Walkergate Health Centre —2F **69**
45 Scrogg Rd., Newcastle upon Tyne. NE6 4EY
Tel: (0191) 224 0770

WALKERGATE HOSPITAL —1E **69**
Benfield Rd., Newcastle upon Tyne. NE6 4QD
Tel: (0191) 219 4300

Walker Health Centre —4G **69**
Church Wlk., Newcastle upon Tyne. NE6 3BS
Tel: (0191) 262 7111

Wallsend Health Centre —5A **58**
The Green, Wallsend, Tyne & Wear. NE28 7PD
Tel: (0191) 262 3311

WASHINGTON HOSPITAL, THE —1E **125**
Picktree La., Washington,
Tyne & Wear. NE38 9JZ
Tel: (0191) 415 1272

Wesley House Mental Health Centre —4H **65**
Adelaide Ter., Bond St.,
Newcastle upon Tyne. NE4 8BA
Tel: (0191) 219 5260

Whickham Health Centre —4F **79**
Rectory La., Whickham,
Newcastle upon Tyne. NE16 4PD
Tel: (0191) 488 6777

Whitley Bay Health Centre —6D **34**
Whitley Rd., Whitley Bay,
Tyne & Wear. NE26 2ND
Tel: (0191) 253 1113

Woodlands Park Health Centre —6D **28**
Canterbury Way, Wide Open,
Newcastle upon Tyne. NE13 6JL
Tel: (0191) 236 2366

Wrekenton Health Centre —2D **96**
Springwell Rd., Wrekenton, Gateshead,
Tyne & Wear. NE9 7AD
Tel: (0191) 487 8375